EEN PLEK ONDER DE ZON TRILOGIE

Julia Burgers-Drost

Een plek onder de zon trilogie

SPEUREND NAAR GELUK

ANGE

EEN HART MOET BESLISSEN

Westfriesland

ISBN 978 90 205 2997 5
NUR 344

ISBN 978 90 205 2997 5
NUR 344

© 2010, Uitgeverij Westfriesland, Kampen
Deze uitgave verscheen eerder in 2001 bij Uitgeverij Zomer & Keuning
Omslagillustratie en -ontwerp: Bas Mazur

Oorspronkelijke uitgave *Speurend naar geluk,* 1996
Oorspronkelijke uitgave *Ange,* 1997
Oorspronkelijke uitgave *Een hart moet beslissen,* 1998

Speurend naar geluk

1

Feest in Boslaan nummer zeventien! En wat voor feest! Een versleten boekentas hangt aan het uiteinde van een vlaggenstok, stevig vastgemaakt aan de oranje knop. Een bekend beeld omstreeks de zomermaanden. Van boom tot boom is een waslijn gespannen waaraan schriften en boeken zacht heen en weer deinen in de zomerwind. Een zomerdag waar men in de winter met een soort heimwee naar terugverlangt of naar uitziet.

Het is dan ook, vindt Rita Althuisius, de vrouw des huizes, of de natuur mee feest, hen feliciteert met het behaalde succes van de oudste dochter, Susanneke.

In de voortuin bloeien de vaste planten uitbundig, wat de kleur betreft worden ze bijna overtroefd door de eenjarigen. Oranje afrikaantjes, daarnaast de lobelia's, die zo schitterend combineren met de lage margrietjes. Rita kan het binnen niet meer uithouden. Ze heeft 'de boel aan kant', zoals ze het zelf noemt. En dat niet alleen. In de keuken geurt het naar versgebakken appeltaart, in de koelkast staat stijfgeslagen slagroom te wachten en het koffiefilter is al gevuld. Rita loopt via de achterdeur de tuin in en kuiert op haar gemak langs de zijkant van het huis naar de voorkant.

Hier en daar plukt ze een bloem en schikt ze al lopend tot een boeket. Alsof binnen niet alle beschikbare vazen zijn gevuld! Korenbloemen, margrieten en een vroege flox. Jammer dat de klaprozen zijn uitgebloeid. Met moeite rukt Rita een takje van een conifeer die zijn groene schoonheid niet prijs lijkt te willen geven. Rita voelt niet eens dat ze haar vingers verwondt, zo is ze met haar gedachten bij Susanneke.

Wachten valt niet mee, ze is er gewoon niet goed in. Verscholen tussen het groene struikgewas staat een oude tuinbank en al is hij niet meer om aan te zien, de 'zit' is uitstekend. Ze legt de bloemen naast zich op de latten en geniet van de geuren en kleuren om haar heen.

Susanneke... Weg droomt ze. Wat was het een lief popje, zo vlak na de zware bevalling die moeder en kind bijna niet hadden overleefd. Susanneke, een poppennaam. Later, als het kind naar school zou gaan, maakten ze er Susanne van. Of kortweg Sanne. Misschien Suus. Maar het was Susanneke en zo is het gebleven. Dol- en dolgelukkig waren Rita en Jan Althuisius.

Wat Rita niet wist en Jan wel, was dat er na Susanneke geen kinderen meer zouden kunnen komen. Rita ging, zoals veel vrouwen in haar omstandigheden, volkomen op in het moederschap. Kinderen? Heerlijk. Ze wilde zo graag een groot gezin! Susanneke gaf de jonge ouders niets dan geluk. Een tevreden kindje, blij en gezond. Later was ze een vlijtige leerlinge, die desondanks toch een paar keer op school doubleerde. Haar uiteindelijke succes heeft ze te danken aan haar doorzettingsvermogen.

Binnenkort zal Rita's leven veranderen. Susanneke gaat het ouderlijk huis verlaten. Voor ze aan een studie begint wil het meisje graag wat ervaring in het buitenland opdoen. Parijs, Londen. Welke jonge vrouw droomt daar nu niet van?

En dan, als Susanneke haar koffers heeft gepakt en de deur achter zich heeft dichtgetrokken, zal zij, Rita, haar volle aandacht aan Ange kunnen geven. Ange, hun tweede dochter. Een lichtbruine huid en donkere ogen, waar de recht geknipte pony bijna overheen valt.

Wat was Rita wanhopig toen ze Jan liet weten vanwege het leeftijdsverschil toch graag een nieuwe baby te willen hebben voor Susanneke naar de lagere school zou gaan.

Eindelijk raapte Jan Althuisius de moed bij elkaar en vertelde Rita de waarheid. Nooit zou ze voor een tweede maal moeder kunnen worden. Hij had het geheim zo lang mogelijk voor zich gehouden. Hij wilde Rita's geluk niet verstoren. Deze wetenschap bracht hun huwelijk in moeilijk vaarwater, zo bleek. Rita werd overspannen, aan Susanneke besteedde ze overdreven veel zorg. Jan zag het met lede ogen aan. Toen hij op een dag thuiskwam en Rita in tranen vond, was er eindelijk ruimte voor een gesprek.

Jan kwam met een suggestie op de proppen: 'Waarom nemen we geen adoptiekindje? We zijn jong genoeg, hebben behoorlijke inkomsten en jij, Rita, bent een moedertje uit duizenden!'

Rita had geen moment aan die oplossing gedacht. Een aangenomen kindje, ze zou er net zoveel van kunnen houden als van Susanneke! Het wachten viel erg lang, maar Rita kreeg mooi de tijd om op te knappen. Om te wennen aan het idee dat ze straks moeder van twee kinderen zou zijn. En vanaf het moment dat de papieren kwamen met het bericht dat ze spoedig een baby konden krijgen, voelde Rita zich weer zwanger. Ook Susanneke werd voorbereid op de nieuwe baby. Ze hielp het kamertje klaarmaken en vouwde de rompertjes die ze zelf nog gedragen had keurig op.

Net na Susannekes vierde verjaardag was het zover, de familie mocht de baby, een Koreaanse, halen. Yanga. Ze had een voor hen onuitspreekbare achternaam. Susanneke maakte er op de terugweg al 'Ange' van en zo is het gebleven. Ange Althuisius. Zelf roept ze vaak: 'Ik heb koninklijke initialen! A.A.! Kijk maar naar de nummerborden van de Oranjes!' Wie Ange nu ziet gaan en staan, kan bijna niet geloven dat ze zo'n teer poppetje is geweest. Huilen, niets dan huilen deed ze, die eerste maanden in Holland.

Als Rita zover is gekomen met haar gedachten, staat ze op. De bloemen liggen vergeten op de tuinbank. Ze drentelt naar het hekje. Nog geen Susanneke. Wel een postbode die fluitend komt aanfietsen, zwierend van de ene brievenbus naar de andere. Wat valt er te vieren? Zo zo, een geslaagde! Havo, mavo? Zo zo, gymnasium nog wel. Nou, gefeliciteerd.

Rita bladert door de stapel post: drukwerk, reclame, bankafschriften, felicitaties van de familie. Een prachtige kaart van opa en oma Althuisius. Zo dol als die twee zijn op Susanneke, niet normaal, vindt Rita. Jans ouders waren fel gekant tegen adoptie. Wisten ze wel wat ze zich op de hals haalden? Afschuwelijke verhalen diepten ze op. Rita en Jan schudden die zo van zich af. Ze kenden inmiddels via bepaalde verenigingen wel positievere verslagen.

Rita staart de fiets van de postbode na zonder echt iets te zien. Ange... Ze heeft van meet af aan het gevoel gehad Ange te moeten beschermen tegen van alles en nog wat. Haar huidskleur is geen probleem, ze zit in een klas met veel buitenlandse jongeren. Maar toch, kun je ooit de eigen ouders vervangen? Had het meiske echt geen kans gehad in haar geboorteplaats? Vragen die nooit beantwoord zullen worden. Rita weet het maar al te goed. Af en toe praat ze met Ange over haar geboorteland, bekijken ze fotoboeken en elk artikel dat ook maar iets laat weten over Korea, knipt Ange uit de krant.

Ange is de laatste tijd dwars. Rita pijnigt haar hersens. Is Susanneke nu ook zo moeilijk geweest? Zeker weten van niet. Moeiteloos huppelde die door de leeftijdsfasen. Rita durft met niemand over de problemen te praten, zelfs met Jan niet. Ze wil Ange beschermen en houdt zich blind en doof voor het feit dat het meisje haar misbruikt. Ja, Ange krijgt wat ze wil. Haar zin dus.

Rita snakt naar het moment dat Ange uit de pubertijd kruipt. Zichzelf wordt, wat volwassener gedrag vertoont. Zestien jaar, beeldschoon en het middelpunt van een grote vriendenschare. Als Susanneke ergens mee zat, kwam ze bij Rita. Ange niet, die vraagt haar vrienden en vriendinnen om raad. Het is of er een verwijdering tussen hen is gekomen. En dat doet het moederhart pijn.

Als Ange haar op de kast wil hebben, praat ze over haar *roots*. Want zodra ze haar havo-diploma heeft, wil ze met eigen ogen zien waar ze thuishoort. En Rita, die de hoogte van hun bankrekening kent, zwijgt dan. Haar gebruinde gezicht staat bekommerd. Met de post in de hand loopt ze terug naar het bankje waar de bloemen liggen te verleppen.

Liefde, liefde overwint toch altijd? Ze zal nooit dingen zeggen als: 'Weet je wel wat wij allemaal voor je gedaan hebben?' Nee, het was hun verlangen er een kind bij te hebben. Ange. Als Susanneke naar het buitenland is, zal ze alles op alles zetten om haar tweede terug te winnen. Ze is er onlangs achter gekomen dat Ange een vriendin heeft die een stuk ouder is dan zij. Een vrouw – een landgenote – van rond de dertig, eigenares van een boetiek. Rita heeft volgens eigen zeggen een huis-, tuin- en keukensmaak, ze koopt dus nooit in dat soort zaken. Haar nieuwsgierigheid won het en op een ochtend stapte ze de winkel binnen, neusde tussen de rekken en heeft nog wat gekocht ook. De verkoopster was de vriendelijkheid zelve. Anges vriendin. Rita moest zich op de lippen bijten om zich niet bekend te maken. Nu weet ze tenminste dat ze niet ongerust hoeft te zijn over die vriendschap. Alleen, Anges verlangen naar haar *roots* worden erdoor gestimuleerd en dat zint Rita niet. Alles op z'n tijd. Ze is in het geheim aan het sparen voor de reis. Een reis die nog in geen jaren gemaakt zal worden, als het aan haar ligt. Ze wil Ange niet verliezen!

Met de post in de ene hand en de bloemen in de andere, loopt Rita terug naar de achtertuin. Ze veegt haar voeten zorgvuldig, een ingeroeste gewoonte.

Terwijl de koffie langzaam door het filter drupt, schikt Rita de bloemen in een oude theepot. De gedachten aan Ange hebben haar vreugde gestolen en dat staat ze niet toe. Het is Susannekes dag, die mag ze niet door misschien nodeloos getob laten bederven. Ze kent Susanneke immers, die zal meteen merken dat ma over iets inzit!

'Dit is mijn dag!' Susanneke Althuisius heeft geen haast die ochtend. In een traag tempo rijdt ze door de overbekende straten, een route die ze blindelings zou kunnen volgen. Op haar rug bungelt een versleten tas, met daarin haar diploma plus kopieën. O, de toekomst straalt haar tegemoet!

Ze is jong en lang niet lelijk. Gezond ook, jawel. Dat waardeert ze best. In haar groep zaten twee invalide jongeren. De een was door een ernstig ongeval verlamd vanaf het middel. En de ander, een hoogbegaafde jongen, was met meer dan één afwijking ter wereld gekomen. Als groep gingen ze uitstekend met hen om. Juist de twee invaliden waren vaak het middelpunt. Nee, medelijden met hen heeft ze niet, want het waren twee sterke karakters. Met wie ze wel te doen heeft, zijn degenen die gezakt zijn.

De meesten van de geslaagden gaan studeren, een enkeling duikt de maatschappij in. Zij is de enige die naar het buitenland gaat om daar een taal machtig te worden. Studeren en gelijktijdig werken als au pair lijkt haar het toppunt van afwisseling. Al hadden haar ouders liever dat ze in Nederland naar de universiteit zou gaan, of een hbo-opleiding zou volgen. 'Dat kan later toch altijd nog!' is en blijft haar argument.

Ja toch? Als ze terugkomt is ze vast meer gemotiveerd om echt te kiezen. Iets wat ze nu niet kan. Het komend jaar moet ze heel goed overdenken wat ze wil. Een studie waar na afloop geen werk mee is te vinden, wil ze voorkomen.

Heel langzaam draaien haar trappers rond. Nog even alleen zijn, fantaseren. Als ze nu eens moest kiezen en mocht kiezen... Uiten wat diep in haar leeft, haar verlangens kenbaar maken. Pa en ma zouden ter plekke omvallen! Zeker weten.

Susanneke draait de Boslaan in. Zoals altijd bij extreme warmte overvalt haar de verrukkelijke koelte die tussen de bomen hangt. Het dichte bladerdak laat bijna geen zonlicht door, een enkele straal priemt zich een weg en zorgt voor een fraai effect. Licht en duisternis. Zo gaat het ook in het werkelijke leven, filosofeert ze. Soms is alles ondoordringbaar duister, zonder uitzicht. En opeens is daar een lichtstraal.

Haar blik valt op een klein gezelschap dat in traag tempo over het pad aan de andere zijde van de beuken en de eiken wandelt. Een jonge moeder met een paar kindertjes. Dat is wat ze zou willen, echt zou willen. Een man om van te houden, met wie ze samen kinderen zou krijgen. Heel gewoon. Nog nooit heeft ze met haar vriendinnen hierover gesproken, wetend dat ze haar en bloc zouden uitlachen. Carrière maken na de studie, vriendschappen sluiten, uit de jeugd halen wat erin zit. Dat hoeft van haar allemaal niet.

Zelfs mams, die lieverd, weet niet dat haar dochter zulke verlangens koestert. Terwijl ze toch met haar moeder letterlijk alles kan bespreken, vaak beter dan met de meiden uit de klas. De blikken van Susanneke kruisen die van de jonge moeder. Misschien, overpeinst Susanneke, benijdt die vrouw haar wel om haar jeugd en de bijbehorende vrijheid.

Een van de kinderen zet het op een huilen, de moeder tilt het op en knuffelt het. Als de baby het ook op een krijsen zet, krijgt het een fopspeen in het mondje geduwd. Susanneke glimlacht. Straks, in Parijs, kan ze moedertje spelen. Ervaringen opdoen waar ze hopelijk ooit wat aan zal hebben. Dan duwt ze haar gedachten bewust van zich af en richt zich op het heden.

Met een vaartje rijdt ze tegen het tuinhekje aan – pa's ergernis, weet ze – duwt met een voet het houtwerk opzij en net voor het hekje dichtklapt is ze door de opening. Puur ervaring, weet ze tevreden.

Dan ontdekt ze de vlag die sloom omlaag hangt, er is opeens ook geen zuchtje wind. De versleten boekentas hebben ze vast van zolder gehaald waar de oude schoolspullen worden bewaard. Elk jaar kwam er een doos bij. Wat haar betreft is het de laatste!

Susanneke kwakt haar fiets tegen de zijmuur van het huis. En als was ze weer het meisje van heel lang geleden, roept ze: 'Mammie, ik ben thuihuis.' En ze voegt eraan toe: 'Met al mijn papiertjes, dit was de allerlaatste keer!' Buiten adem is ze.

Haar moeder rukt de keukendeur open en spreidt wijd haar armen. 'Ik stond al ik weet niet hoe lang op de uitkijk! Even niet opletten en daar is ze!'

Susanneke kruipt nog maar wat graag even weg in de warmte van de vertrouwde armen. Ze lachen en huilen tegelijk. Het geploeter van de laatste maanden is niet voor niets geweest. Ze snuift een keer diep. 'Het ruikt hier zo heerlijk, natuurlijk appeltaart!' Ze maakt zich los uit moeders omarming, grist met een bijna oneerbiedige snelheid haar lijst en haar diploma uit de tas. 'We hebben vandaag onze lijsten vergeleken en weet je, mam, dat ik lang geen gekke cijferlijst heb gezweet!'

Rita bestudeert nogmaals de cijferlijst. 'Je hebt ieder cijfertje eerlijk verdiend. Ja, je hebt ervoor gewerkt, ik kan dat weten. Jammer toch...'

Susanneke maakt de zin af. 'Jammer toch dat je niet gaat studeren. Dat wilde je toch zeggen? Goed, ik ga niet naar de universiteit of naar het hbo, maar studeren, dat gebeurt wel. Onderschat mijn studie Frans niet, mam! Die is pittig, hoor!'

Rita knikt. Het zal zo akelig stil zijn in huis, als Susanneke is vertrokken! Niet over denken nu. Vooral zwijgen, anders zou ze zeker Susannekes plezier bederven. Of ze zelf last gaat krijgen van het zogenaamde legenestsyndroom? Zoals enkele van haar vrouwelijke kennissen? Je leest er zo dikwijls over in de bladen. Mocht het zo zijn, neemt ze zich voor, dan zal niemand daar iets van merken.

'Kom, eerst koffie met taart. Daar heb ik de hele ochtend al zo'n trek in, lieverd. Leg je spullen maar veilig weg op de piano.' Op de piano. Die kreet wordt in huize Althuisius al gebezigd sinds Susanneke uit de kleuterschool kwam met plakwerkjes en Anges grijphandjes nergens van af konden blijven. En ook al is dat lang geleden, de gewoonte is gebleven.

In de gezellige woonkamer is het beduidend koeler dan buiten. De zonwering is tijdig neergelaten en wanneer de zon op het heetst van de dag schijnt, richt ze haar kracht op de blinde zijmuur van het huis.

'Wat een bloemen!' Susanneke zingt meer dan dat ze spreekt. Ze plukt de kaartjes van de bloemen, leest de hartelijke felicitaties.

Ze schopt haar schoenen uit en duikt weg in haar vaders diepe stoel. Ze knuffelt zich letterlijk weg in het bijna versleten pluche.

'Wat was je trouwens laat, Susanneke!' herinnert Rita zich. Ze overhandigt haar dochter de koffie en zet het schoteltje met taart op de brede stoelleuning.

Susanneke knikt. 'Wat dacht je, mam, de laatste keer samen! Het drong vanochtend, nu alles achter de rug is, pas goed tot ons door. Sommige lui ken ik immers vanaf de zandbak! En opeens val je als groep uit elkaar!'

Rita kan het niet laten, ze zegt langs haar neus weg: 'Als je was gaan studeren zou je best enkele bekenden zijn tegengekomen!'

Susanneke lacht haar moeder uit. Ze plukt een nootje van haar taart en peuzelt tegelijk een chocolade-eekhoorntje op. 'Weet je wel hoeveel studierichtingen er tegenwoordig zijn? Hoeveel steden waar je je kunt laten inschrijven? Ik ben letterlijk aan het eind van mijn Latijn, mam. Als ik me nu moest prepareren om weer in een strak studiepatroon te kruipen, zou ik afknappen. Even niet. Ik vind wat ik nu ga doen veel boeiender. Werken als au pair, de cursus Frans volgen en tegelijkertijd het geleerde in de praktijk brengen. Wie weet wat ik volgend jaar ga doen, misschien toch alsnog een studie oppakken!'

Rita Althuisius zucht. Ze is als moeder niet veel beter dan de ouders die hun kinderen iets willen laten doen waar ze zelf de kans niet voor hebben gehad. 'Het is goed, liever. Het is jouw leven, daar hebben we het zeer uitgebreid over gehad. Ik heb me toch bij je Franse plannen neergelegd? Pa en ik willen maar één ding: jullie moeten gelukkig zijn.'

Die laatste woorden worden door Susanneke meegesproken. Ons kent ons. Ze kent moeders repertoire. Dan rebbelt ze verder. 'Dat is nu het fijne van jullie. Heus, als ik van sommige lui hoor hoe die met hun ouders – en omgekeerd – leven! Jij en pap zijn fantastische ouders. En mam, al zat ik in Moskou, jij blijft voor mij wie je bent, heel dicht in mijn hart!'

Rita schudt haar hoofd bij deze loftuiting. Ze weet zelf opperbest waar ze faalt en wanneer.

Susanneke veert overeind. 'Mam, misschien kunnen jullie met kerst overkomen! Als ik madammeke nu eens heel lief aankijk!'

Op dat moment klinkt van buiten een bekend en vrolijk lachje.

'Ange, wat is die vroeg vandaag! Zeker vanwege de examens. Ze haalt het zelf dit jaar niet, de stakker. Het wordt zittenblijven en ik vrees dat ze daar meer mee zit dan ze ons wil laten geloven.'

Geleund tegen het tuinhekje staat Ange ontspannen te kletsen met een vriendin. Een geheel andere Ange dan het meisje dat straks binnen zal komen.

'Wie is dat kind toch! Hoe ze heet weten we niet eens!' Rita zucht. 'Met háár lijkt ze alles te kunnen bespreken. Maar hier, in de vertrouwde omgeving, zwijgt ze als het graf.'

Susanneke knikt meelevend. Niets voor mams om zo over Ange te praten. 'Jij vraagt je dus af wat ze zoal aan het bekonkelefoezen zijn. Ja, toch? Ach, pubers, mam! Wees eerlijk, het is voor een mens een rotleeftijd!'

Ach, denkt Rita. Wacht maar af, meisje. Een zwangerschap kan ook zwaar zijn, om van de overgang maar niet te spreken. En wat dacht je van de oude dag met eventuele bezwaren?

Susanneke maakt een dramatisch gebaar met beide armen.

Het maakt Rita onwillekeurig aan het lachen. 'Malle meid. Toch is ze anders dan jij op die leeftijd was, Susanneke. Ik maak me vaak zorgen om dat kind. Hebben wij het wel goed gedaan? Was ze beter af geweest in een ander gezin? Ze dramt tegenwoordig over het vinden van haar *roots*. Ze zegt dat ze met al haar zintuigen wil proeven, ruiken en horen, kortom: ervaren, hoe het ginds is. In haar geboorteland. Praat ze met jou ooit over dat onderwerp?'

Susanneke schudt haar hoofd en schrikt als ze haar moeder opeens geluidloos ziet huilen.

'Ze drijft van me weg, van ons allemaal!'

Susanneke loopt naar het raam en sluit het openstaande venster. Het is niet nodig dat er iets van hun woorden naar buiten zweeft. Ze legt haar armen om haar moeders lichaam. 'Mam, toe nou. Dommerd dat je ook bent! Zolang als Ange bij ons is, heb je een probleem. Dacht je dat ik dat niet wist? Jullie zijn goede ouders voor haar geweest. Jij bent altijd bang dat ze zich, waardoor dan ook, achtergesteld voelt. Zou kunnen voelen. Zo is het toch?'

Rita veegt beschaamd met de rug van een hand langs haar ogen. 'En jij hebt dat allemaal gemerkt? Heb je er dan ooit last van gehad, ik heb Ange heus niet bewust voorgetrokken.'

Susanneke schudt haar hoofd. 'Kom nou, het is toch ook mijn kleine zusje, ik ben maar wat gek op dat malle kind. Weet je nog toen we haar op Schiphol afhaalden? Ik voelde me zo groot! Nou, vanaf dat moment is ze mijn zusje. Eigen vlees en bloed kan niet beter voelen. Hé, lees je vrouwenbladen er maar op na, daar staat vaak van alles in over pubers!' Susanneke komt met ideeën. 'Mam, waarom praat je niet eens met mensen die in hetzelfde schuitje zitten? Misschien bestaat er wel een gespreksgroep. En zo niet, dan richt je er een op. Wedden dat iedereen hetzelfde verhaal heeft? Kinderen afkomstig uit een andere cultuur hebben bovendien een machtig wapen als ze dwars willen zijn. De *roots*, laat me niet lachen. Waar ben je nu toch zo bang voor? Je moet met haar meegaan, zeggen dat je al spaart voor een reis, dan neem je haar de wind uit de zeilen. Kom haar tegemoet, dan is de angel uit haar verhaaltjes. Misschien verzint ze dan wel weer wat anders, iets, waar jij beter mee om kunt gaan!'

De beide meisjes buiten schateren luidkeels, zoals dat op hun leeftijd gebruikelijk is. Ze hangen dubbelgebogen over het hekje.

'Toch was jij op die leeftijd anders. Jij kwam thuis met je verhalen, Ange vertrouwt me nooit meer iets toe. Die nieuwe vriendin is alles. Ik weet niet hoe ze heet, waar ze woont! Jou kon ik vaak helpen alleen al door te luisteren. Ange? Ik moet maar raden wat er is als ze een bui heeft. Misschien dat jij, nu je meer tijd hebt, je met haar kunt bemoeien.'

Susanneke knikt. Zij en mams voelen elkaar aan, dat was ook niet zo bij de andere meiden uit haar groep. 'Wij zitten toevallig op één lijn, mam. En wat Ange betreft, we zullen zien. Kom op, kijk wat vrolijker. Zo dadelijk komt het onderwerp van ons gesprek binnen en ze hoeft niet te merken dat we over haar geklept hebben. Wel een uitzondering, hoor, jij praat nooit over anderen!'

Rita Althuisius knijpt even in een van Susannekes roze wangen. 'Dan weet je meteen hoe hoog de nood is. Pa zegt niet gemerkt te hebben dat Ange is veranderd. Mannen...' Rita snuift. Jan is ook altijd weg, zou ze nu kunnen zeggen. Overwerk, vergaderen, kerkenraad, schoolbestuur, mannenkoor. Het geeft volgens haar geen pas om bij je dochter beklag te doen over je man.

Hoofdschuddend begeeft ze zich naar de keuken. Ze schenkt vast een glas cola in voor Ange en snijdt een flink stuk taart af. Susanneke die net naar boven wil lopen, houdt ze tegen. 'Toe, vraag dat meisje binnen, dan kunnen we haar leren kennen.'

Susanneke springt van de derde tree omlaag. 'Idee!'

Op dat moment stapt Ange over de drempel van de keukendeur.

'Zo, feestvarken!' doet ze vrolijk richting Susanneke. Haar mond lacht, maar de ogen doen niet mee. Ze duwt Susanneke een bosje bloemen in de hand. 'Had je nog te goed. Ik zag jullie wel, vanochtend op het plein. Je reinste samenscholing. Ik ben jaloers op je.'

Susanneke hoort zelf hoe overdreven hartelijk ze bedankt voor het bosje bloemen.

Meteen zwakt Ange haar spontane gebaar af met: 'Einde markt, alles half geld. Moet ook wel, gezien de hoogte – lees laagte! – van mijn zakgeld.' Zonder een woord van dank accepteert ze de cola en taart. Ze schopt onverschillig met een voet haar schooltas in een hoek. Ze ziet haar moeders lippen open en dicht gaan. Ongetwijfeld is er een berisping weggeslikt. De rode plekken in haar hals spreken voor zich.

'Lekker?' vraagt Rita. Er klinkt iets verlangends in haar stem, Ange wil het niet horen.

Met volle mond reageert Ange. 'Altijd die kleffe hap, had je voor deze keer niet iets bij de bakker kunnen kopen?'

Tot voor kort, zo herinneren de andere twee zich, was appeltaart Anges favoriete gebak. Taart uit eigen oven, niet te overtreffen. 'Laat maar staan, laat maar staan!' haast Rita zich te zeggen. Rita blijft kalm, rommelt ondertussen in de koelkast en scharrelt de benodigdheden voor de lunch bij elkaar.

Ange kauwt ondanks haar gemopper de taart tot de laatste kruimel op. Met een halfleeg glas in haar hand loopt ze de kamer in, rechtstreeks naar de piano. 'Mooie lijst, ik ben jaloers op je. Eindelijk weg uit dit gat! Andere mensen zien, je horizon verbreden!'

Susanneke luistert verveeld toe. Er is niets met Ange te beginnen.

'Als ik jou was...' dreint ze door. 'Dan wist ik het wel! Het zit pa en ma dwars dat je niet gaat studeren. Lekker pochen tegen de familie en de buren, onze Susanneke gaat naar de universiteit! Ze doet het zo goed!'

'Je bent mij niet en bovendien heb je het mis.' Susanneke keurt Ange met geen blik meer waardig en sjokt naar boven. Waar is haar zonnige humeur van straks gebleven?

Ange, alleen in de kamer, laat haar masker vallen. Het mankeert er nog aan dat Susanneke een preek afsteekt over dankbaarheid die je als adoptiekind je ouders verschuldigd bent. Verdrietig kijkt ze nogmaals naar de mooie lijst van Susanneke. Ja, ze is jaloers op de vrijheid die Susanneke wacht. Het eigen leven inrichten. Zelf heeft ze zo'n onrustig gevoel van binnen dat maar niet wil wijken. 'Ik hoor er niet bij, niet echt bij!' zegt dat kleine stemmetje diep in haar hart.

Ondanks de foto's die keurig op de kast en het bureau van pa staan gerangschikt. Susanneke en zij, vanaf dat ze klein waren. En toch... waarom heeft ze het gevoel er niet echt bij te horen? Ja, ze weet het. Sinds ze is gaan nadenken en dat komt weer door de invloed van Francien Haag. Francien is recht door zee, zegt wat ze denkt, zelfs midden in de klas bij de lastigste leraar durft ze op te staan en haar woordje te doen. Ange heeft diep respect voor Francien. Goed, ze is griezelig kritisch, maar, zo redeneert ze, dat is de volwassen kant van Francien. Ze durft haar niet mee naar huis te nemen, ze weet zeker dat ze geen genade in de ogen van mams en Susanneke kan vinden.

Francien had een plan om samen met haar op vakantie naar Spanje te gaan, helaas is er ziekte in de familie en kan het niet doorgaan. Ergens is ze er blij om, want haar ouders zouden nooit toestemming hebben gegeven. Als ze dat aan Francien zou moeten uitleggen, dan kon het niet anders of ze zou veel moeten prijsgeven. Pa en ma zijn vrij conservatief vergeleken met Franciens ouders, vindt ze. Tja, hoe leg je zoiets uit?

Was ze maar van school. Stond zij maar in Susannekes schoenen. Ze haakt ernaar volwassen te zijn.

Ange merkt niet dat haar moeder binnen is gekomen. 'Wat kijk jij somber, lieverd!'

Om nu alles te laten vallen, Francien en haar ideeën. Mam in de armen vallen en eens lekker uithuilen.

Vanuit de keuken komen heerlijke geuren van gebakken eieren met spek. 'Ach...' aarzelt Ange.

Rita doet bedrijvig, rent van de kamer naar de keuken en terug. 'Ange, de buurvrouw heeft gevraagd of je even langskwam. Je hebt het hart van de kleine Sander gestolen en hij wil per se jou zijn nieuwe speelgoed laten zien, circusbeesten. Het kan nog net voor de lunch.'

Ange is al weg. Heerlijk, bij de kleine Sander kan ze zichzelf zijn. Die eist niets, vindt alles wat ze doet en zegt prachtig. Sanders moeder, Rachel, is een hartelijk mens dat maar wat blij is als Ange komt spelen, zodat ze zelf even de handen vrij heeft.

Rita kijkt Ange na. Susanneke komt bij haar moeder staan.

'Ze wordt een apart meisje!' vindt Susanneke. Mooie benen, fraai van kleur, onder een recht spijkerrokje. Ze zien hoe Ange door het gat in de beukenheg kruipt en horen haar aan de andere kant ervan lachen.

'Dat kan ze dus nog wel! Alleen hier in huis niet.' Wat doe ik toch verkeerd? vraagt Rita zich af. Ze zoekt, zoals altijd, de oorzaak van elke fout bij zichzelf.

'Kop op!' zegt Susanneke. 'Ze is puber, mam. Daar heeft ze nog recht op ook. Gun haar dat toch!'

Het is of de dag alle kleur heeft verloren. Moeder en dochter merken het beiden.

'Dat mag niet. Kom, Susanneke, dit is jouw dag, weet je nog? We mogen ons de vreugde niet laten afpakken. Misschien heb jij gelijk en is Ange werkelijk het schoolvoorbeeld van een puber. Maar wel een mooie puber, die volwassen oogt. Tja, een beetje dankbaarheid zou wel op z'n plaats zijn.'

'Weet je nog toen ik vijftien, zestien was? Een en al pukkel. Ik heb wat afgetobd en jij met mij. Smeersels, pillen...'

Ze veegt met beide handen over haar nu gave huid. Nee, ze zou zelf ook niet graag meer zestien jaar zijn.

Liefdevol kijkt Rita naar haar oudste. Liefhebben kan pijn doen. Susanneke weet zelf niet hoe aantrekkelijk ze is. Niet mooi, zoals Ange belooft te worden, maar wel expressief. Haar ogen en haar zijn tamelijk donker. Vergeleken bij Ange echter lijken Susannekes kleuren te verbleken. Alsof er een lampje achter Susannekes ogen brandt. Ja, dat is haar charme.

'Altijd al als er wat met Ange was schreeuwde ik nog harder dan het kind. Toen ze bijvoorbeeld van de trap viel als peuter. Ik gaf mezelf de schuld en troostte haar met cadeautjes. En toen jij kort daarna hetzelfde deed, viel ik uit van boosheid! Net of ik mijn boosheid aan Ange niet mag tonen!' Rita tracht haar gevoelens te ontleden.

Susanneke lacht haar uit. 'Mam, je bent voer voor een psychiater. Schrijf een brief naar je favoriete damesblad! Krijg je gratis advies.'

Spot er maar mee, duidt Rita aan met een wijde armbeweging. 'Ik haal de eieren, leg jij ondertussen het brood op een schaal?'

Het kapje is voor Susanneke, ze wurmt haar hand tot onder in de plastic zak om ook het tweede kapje te bemachtigen. Roomboter op een kapje, nog lekkerder dan appeltaart.

Ze schuift vast aan tafel. Zo meteen komt pa thuis van kantoor. Ange zal geroepen worden. Een doordeweekse dag met vaste rituelen. Alhoewel, vandaag is toch anders dan anders, een ware uitschieter. Voor het laatst naar school geweest. Ja, deze dag is minstens zo belangrijk voor haar als die van de examens of die van de uitslag.

Na vandaag zal niets meer hetzelfde zijn. Na vandaag begint immers een nieuw hoofdstuk. Na vandaag wordt de eerste stap in de wereld der volwassenen gezet. Van één ding is ze zeker, ook al spreekt ze er niet gemakkelijk over met leeftijdgenoten. Ze zal altijd in haar leven blijven zoeken naar Gods leiding en er op die manier achter zien te komen wat Zijn bedoelingen met haar bestaan zijn.

Susanneke hoort haar vader in de keuken met haar moeder spreken, hun lachen klinkt ontspannen. Het is boffen als je ouders na bijna vijfentwintig huwelijksjaren het samen nog zo goed kunnen vinden.

En terwijl ze het tweede kapje weghapt, neemt Susanneke zich voor hun zilveren bruiloft tot een onvergetelijke dag te maken.

2

HET VIJFENTWINTIGJARIG HUWELIJKSFEEST VAN JAN EN RITA WORDT EEN mijlpaal in hun samenzijn. Zelfs Ange laat zich van haar beste kant zien. Als de dag op het hoogtepunt is, is er geen enkele aanwijzing dat een ramp op komst is. De meeste rampen komen immers onverwacht en hebben een overrompelend effect.

Terwijl Susanneke druk in de weer is om de gasten van het nodige te voorzien, trekt Ange zich meer dan eens terug met de kleine buurjongen. Sander is gek van het circus. Hij heeft niet alleen een doos vol wilde dieren, sinds kort is hij de overgelukkige bezitter van een videoband waarop de spannendste dingen gebeuren. Niemand kan zo goed met hem communiceren als Ange. Zij weet precies hoe ze een tijger moet nadoen, een clown imiteren en ga zo maar door. Gezeten op Anges smalle rug slaakt Sander onverstaanbare kreten, de dompteur en zijn 'wild dier'. Samen zitten de twee in het uiterste hoekje van de gezellige tuin. Ange sleept Sander mee in een zelfbedacht verhaal. Met open mond luistert het kind en als het slot daar is, slaakt hij een spijtige zucht. 'Nog een...' bedelt hij.

Ange schudt haar hoofd. 'Ik weet iets veel leukers!' zegt ze op geheimzinnige toon. 'Blijf zitten, joh, dan vraag ik mamma of we even mogen wandelen!'

Buurvrouw Rachel geeft verbaasd toestemming. 'Wil je dan niet liever bij het bezoek blijven?'

Ange schudt haar hoofd. 'Bovendien zijn we zo terug.' Ze fluistert Rachel iets in het oor dat de jonge vrouw doet glimlachen.

'Jij gaat je gang maar...'

Even later loopt Ange met Sanders kleffe knuistje in haar hand door de laan. 'Wat is de verrassing dan, Ange?'

Ver hoeven ze niet te lopen. Aan het eind van de laan ontdekt Sander de verrassing zelf. Om een lantaarnpaal zijn twee kartonnen borden bevestigd met stevig ijzerdraad. Op de kartonnen zijn affiches geplakt van een circus. Circus Biedermann. Een clown die veel van Pipo weg heeft, straalt de voorbijgangers tegemoet. Op de achtergrond is een springend paard te zien, op zijn rug zit een beeldschoon meisje!

'Die wil ik hebben... dat chilerij!' beslist Sander.

Ange schudt haar hoofd. 'Dat mag niet, schat. Dat is stelen. Maar Ange weet iets veel leukers! Wij gaan morgen samen naar het echte circus toe. Er is veel muziek, die leuke clown krijg je te zien, mensen die kunstjes doen met tijgers en paarden, misschien is er wel een olifant. Ik heb gisteren gezien hoe ze de tent opzetten!'

Nu slaat Sander zich op de knietjes van het lachen. Een tent... die is toch veel te klein? Als ze met vakantie zijn is hun tent zelfs nog te klein, dan zegt mamma altijd: 'Ga maar buiten spelen, daar is meer ruimte.'

Ange volgt zijn gedachtegang. 'Deze tent is zo groot, heel erg groot! Er staan banken in waarop de mensen kunnen zitten. En in het midden is de piste, daar doen ze de kunstjes. Misschien zijn er wel acrobaten, mensen die heel hoog in touwen klimmen en over een heel hoge waslijn wandelen zonder te vallen!'

Ademloos luistert Sander naar al die wonderlijke verhalen. Zou Ange dit keer weer een verhaaltje verzinnen? 'Echt?'

'Echt. Morgenmiddag als jij je boterhammen op hebt, kom ik je halen!'

De rest van de dag wijkt het glimlachje niet meer van Anges mond. Ze is behulpzaam en vriendelijk tegen de ooms en tantes. Ze helpt Susanneke in de keuken en lijkt voor het eerst in maanden wat toegankelijker.

Susanneke zou willen roepen: meid, waarom ben jij niet altijd zo!

Het wordt die avond laat. Enkele familieleden blijven plakken, herinneringen worden opgehaald en geregeld klinkt een vrolijke lach op in de nu donkere tuin.

Samen met Susanneke gaat Ange voor het laatst rond met borrelnootjes, Jan schenkt de glazen nog eens vol.

'Nog één, dan is het welletjes!' roept een zuster van Rita. 'Morgen is het voor ons weer een gewone werkdag, mensen!'

Wanneer dan eindelijk het huis weer van de vier bewoners is, heft Rita in een vreugdegebaar beide armen op. 'Wat was dit allemaal heerlijk, iedereen bij elkaar... de mooie cadeaus. En dan te bedenken dat ik het eigenlijk niet wilde vieren. Ik dank jullie, meiden, voor je inzet! Slaap morgen maar lekker uit...' Ze trekt Ange tegen zich aan.

Heel even laat het meisje dit toe, dan maakt ze zich los en zonder iemand aan te zien wenst ze hen kort welterusten.

'Ze was vandaag schattig!' fluistert Rita.

Jan schraapt zijn keel. 'Jullie vrouwen altijd met dat gezeur. Ange is een fijne dochter, punt uit. Jullie moeten niet altijd elk woord in een lijstje zetten, het aan de wand spijkeren en telkens herlezen. Elke dag is nieuw!' Aan dat feit hebben de andere twee niets toe te voegen!

Het is bloedheet in de circustent. Ange voelt het klamme handje van Sander in de hare friemelen. Ze trekt het kind weer mee de buitenlucht in. 'We hebben nog tijd genoeg, plaats te over!' legt ze uit.

'Gaan we dan niet?' roept Sander. Zijn stemmetje komt nauwelijks boven het kabaal uit.

De muziek schettert, maar dat hoort zo, denkt Ange. Een vreemde opwinding maakt zich van haar meester. Circus... Wat een aparte sfeer heerst hier, alsof je op een andere planeet bent beland.

'We lopen even langs de kramen daar!' Een vrouw, waarschijnlijk uit het voormalig Oostblok, heeft goede handel. Petjes met de naam van het circus erop gaan al net zo snel over de 'toonbank' als de kaartjes aan de kassa. Even versombert Anges gezicht. Dat entreebewijzen zo griezelig prijzig zijn heeft ze zich van tevoren niet gerealiseerd. Dat wordt de rest van de maand sappelen. Toch proberen alsnog hier of daar een vakantiebaantje te krijgen. Misschien kunnen ze in het circus wel een hulpje gebruiken! 'Wat wil je hebben, Sander?'

Gelukkig wijst hij niet op de cd's en videobanden. 'Pet!' roept hij.

Even later zoeken ze een plekje in de tent. Ange merkt dat ze nu niet bepaald de goedkoopste plaatsen heeft gekocht. Enfin, nu maar zien dat ze plezier van de uitgaaf hebben.

Sander draait zijn petje achterstevoren, de klep in de nek. Dat heeft hij grotere jongens zien doen. Trots kijken zijn oogjes omhoog naar Ange. 'Mooie hè, Ange?'

Ange knuffelt hem even.

De musici, die een soort verhoogd podium achter de piste bemannen, zetten de tune van het circus in. Een stem schalt door de luidsprekers: 'Welkom in circus Biedermann!'

Iemand achter Ange maakt de opmerking dat alle artiesten buitenlanders zijn.

Sander houdt zijn handjes tegen de oren. Oorverdovend, in de letterlijke zin, is de muziek, maar het hoort erbij. Clowns draven de piste in en verhinderen de directeur zijn openingswoord te spreken.

Sander gniffelt. 'Leuk hè, Ange?'

Ook Ange geniet. Het is leuk, het sleurt je uit het leven van alledag, het geeft een kick! Nee, ze heeft geen spijt van de uitgave.

Ademloos kijkt Sander naar de verrichtingen van de clowns, die na hun voorspelbare grappen elkaar achternazitten dwars door de tentruimte heen. Als ze in de buurt van Ange en Sander komen, kruipt het jochie dicht tegen Ange aan.

Na de clownsact wordt er een hoog hekwerk rond de piste gezet, in een tempo dat op routine duidt. Het verbijstert Ange. Wat een samenwerking, iedereen weet precies wat hij moet doen. Ondertussen houden de clowns het publiek bezig, ze delen snoepgoed uit en zingen luidkeels met de muziek mee.

'Wat komt er nou, Ange?' roept Sander.

Ange haalt haar schouders op. 'Ik denk de wilde dieren, Sander. Zie je wel, tijgers!'

Tjonge, dat zijn grote katten, Sander rilt van schrik. De dieren uit zijn speelgoeddoos zien er veel liever uit.

Enge bekken, griezelig gegrom. 'Ze kunnen niet bij ons komen, lieverd. Kijk maar naar die stevige hekken!' Ange legt uit dat de beesten luisteren naar de mannen met zweepjes.

Het kind komt ogen tekort om alles in zich te kunnen opnemen. Spannend, maar ook zo eng!

Opnieuw komen de decorbouwers in actie, zodra de tijgers zijn afgevoerd. Nu wordt een stellage opgericht die tot in de punt van de tentnok reikt.

'Ik denk dat nu de acrobaten komen... Ja, zie je wel!' Gespierde jonge mannen in strakke pakken van glanzende stof stellen zich voor. Het publiek juicht. Ange hoort hoe ze zelf meejuicht. Een van de acrobaten maakt een ronde langs de tribune en gooit met een sierlijk gebaar rozen in het publiek. Ange vangt er een op, ze bloost van schrik als de jongeman haar een kushand toewerpt. Die ogen, zwart als de nacht. Alsof hij haar met zijn blikken kan vasthouden. Ange ruikt aan de roos, terwijl ze weet dat deze bloemen tegenwoordig zelden geuren.

Weer een kushand richting Ange, dan klautert de acrobaat vliegensvlug in de stelling. In mum van tijd is hij boven.

'Valt-ie niet!' roept Sander.

'Ik hoop het niet!' antwoordt Ange op dezelfde luide toon. Over een strak gespannen koord balanceert Anges vereerder. Hij maakt zogenaamd ruzie met een vrouwelijke tegenligger, die zich tussen de mannelijke collega's heeft gemengd.

'Vallen ze nou nog niet?'

Ange bijt op haar nagels en schudt haar hoofd. Ze gaat helemaal op in de act. Als deze ten einde is en het publiek als één man gaat staan, klapt ze in haar handen tot ze pijn doen.

De artiesten, getraind als ze zijn, tonen geen spoortje vermoeidheid.

'Klappen, Sander!' Ange wordt van top tot teen warm als ze ziet dat haar favoriet tracht haar aandacht te vangen. Voor Ange blijft dit onderdeel het hoogtepunt van de show. Telkens als er een nieuw nummer wordt aangekondigd, hoopt ze haar held opnieuw te zien verschijnen.

Dan is het pauze.

'Olifanten, ja, olifanten!' jubelt een kind dat achter Sander zit. Sander herhaalt de kreet: 'Olifanten!'

Een stem schalt door de luidspreker dat ieder kind gratis op de olifant mag komen zitten, er kan dan een foto gemaakt worden. Prijs twee gulden vijftig.

'Heb ik niet meer!' zucht Ange. Maar dat betekent niet dat Sander geen ritje kan maken, vindt ze.

Sander stribbelt tegen. Eerst een ijsje.

In de rij, wachtend achter een stel kleuters met hun begeleiders, rekt Ange haar hals uit in de hoop een glimp van 'haar' acrobaat te zien. Wat een durf om zulke stunts uit te halen, zo hoog boven de begane grond. O ja, ze is zelf goed in gym, altijd geweest. Ze zou best eens een kunstje willen uitproberen aan en op die glanzende stangen. Schijnwerpers die je omvatten.

Ze kijkt verlangend omhoog, klautert in gedachten de touwladder op. Daar, de ringen. Misschien gebruiken ze die voor een volgende stunt. En dan voelt Ange ogen op zich gericht. Ze knelt Sanders vuistje vast, keert zich om en ontdekt dan de acrobaat. Hij is nog steeds gehuld in zijn blauwe pak, draagt nu een cape over zijn schouders van dezelfde glanzende stof. Hij gaat naast de olifant staan en wenkt dan Sander uit de rij.

Aarzelend geeft Ange gehoor aan de bevelende beweging. Achter haar mopperen een paar moeders. 'Geen werk...' mompelt er een naast Ange. De acrobaat is in Anges ogen van dichtbij nog boeiender.

Hij werpt haar ongegeneerd verliefde blikken toe. Dan zet hij Sander op de gewillige olifant, de fotograaf schiet toe.

Ange heft haar hand op. 'Ik heb niet genoeg geld bij me!' roept ze hem toe.

'*Kein foto? Kein goeldens?*' De acrobaat lacht, zegt iets in een voor Ange onverstaanbare taal, en dan knipt het licht van de flitser toch.

Opeens voelt Ange twee handen om haar heupen en wordt ze achter Sander op de grijze rug gezet. Ze gilt van schrik, weer flitst het licht op. De foto is gemaakt. Een meisje helpt Sander van de olifant af, de acrobaat pakt dan het dier bij de leidsels en voert hem rond, zonder dat Ange de kans krijgt eraf te springen.

'Jij mooie meisje zijn!' fluistert de acrobaat na een paar minuten als hij Ange zelf op de grond zet. Nu geen kushand, maar een echte handkus die haar doodverlegen maakt.

Hoe ze op haar plaats is teruggekomen, weet ze niet meer. In haar handen heeft ze twee afdrukken van het polaroidtoestel. Een angstige Sander, een opgewonden Ange. Eén afdruk stopt ze diep weg in haar tasje, de andere komt in de plastic zak waar Sanders spullen in zitten.

De rest van de voorstelling ontgaat Ange. Tot, bijna aan het eind, de artiesten allen acte de présence geven. Ze wuift met haar inmiddels verwelkte roos. Haar hart bonkt als ze ziet dat de man in het blauw opnieuw haar met zijn ogen zoekt.

'Gaan we nou naar huis? Is het afgelopen?' vraagt Sander.

Ange knikt. Ze sukkelt tussen de overige bezoekers naar de uitgang, het zonlicht schijnt haar fel in de ogen. 'Zullen we nog even achter de tent kijken, Sander, daar lopen de olifanten. Kijk, ze wandelen er rond!'

Zo dicht bij de reuzendieren staan, maakt Sander bang.

Ange lacht hem uit. Ze zitten veilig achter een gespannen draad waar zwakstroom op staat, maar dat begrijpt het kind nog niet.

'Main mooi meisje!'

Aan de grond genageld staat ze daar, de anders overmoedige Ange Althuisius. Ze voelt hete adem in haar hals, durft nauwelijks te kijken wie het is die haar aanspreekt. Alsof ze het zo ook niet zou weten!

Een hand op haar schouder. De jongeman heeft zijn glimpak verwisseld voor de daagse plunje die hem minstens zo aantrekkelijk maakt. Een spijkerbroek en een overhemd. De bovenste knoopjes zijn open, het T-shirt heeft dezelfde kleur als de blouse. Op zijn gympen is hij geruisloos gena-

derd. 'Kom jai morgenmiddag weer, lief meisje? Ik ben Janos Biedermann... morgen laat iek main nieuwe act zien met de paarden!'
Nu keert Ange zich om. Sander heeft zich bedacht en sluipt samen met
een meisje toch wat dichter naar de enorme dieren toe. 'Ik kan niet
komen, ik ben blut. Eh... ik heb geen geld meer!' Ange bloost.
'Dan jai wachten!'
Ange aarzelt. Waar is ze mee bezig? Zo'n vent, daar droomt toch elk
meisje van? Als Francien haar zo eens zag. 'Het is balsem op de wonden.'
Een besluit kan ze niet nemen. Nu kan ze nog weglopen, dat houdt in dat
ze haar held nooit meer zal ontmoeten. Blijft ze wachten, wat is dan het
gevolg?
Het eerste gevolg is dat ze een vrijkaartje in haar hand gedrukt krijgt.
'Morgenavond ies er kein voorstelling, klaine pauze. Ga jai dan met mai
uit eten?'
Sander trekt aan haar hand. 'Ik moet zo nodig, Ange!'
Ange kijkt onzeker naar het kaartje. Waarom niet? Ze kan zelfs op het
laatste moment nog beslissen om niet te gaan. Heeft ze iets om van te
dromen!

Susanneke en haar moeder zijn het erover eens dat Ange hard op weg is
weer zichzelf te worden. Ze schijnt er niet meer mee te zitten dat ze het
afgelopen schooljaar over moet doen en dat is goed zo. En de vriendschap
met dat onbekende meisje lijkt van de baan. Wat er werkelijk met Ange
aan de hand is, kan niemand bevroeden.
Ange is voor het eerst in haar leven tot over haar oren verliefd, ze wordt
geheel meegesleurd door de intense emoties. Janos Biedermann, zoon en
opvolger van de circusdirecteur. Ange heeft een nacht lang liggen woelen, tegen het ochtendgloren besloot ze het vrijkaartje te laten voor wat
het was. Maar als de morgen vordert, wordt ze weer onrustig.
Susanneke en Rita hebben plannen om naar de stad te gaan. Susanneke
heeft 'nette' kleding nodig voor haar toekomstige functie. Ze is er opgewonden van. Kleren maken de vrouw. Rita heeft een lijst gemaakt.
'Hopelijk vinden wij een en ander in de opruiming! De betere zaken
geven vaak de meeste korting!' Die kreet kennen beide dochters. Mams
en opruiming!

Rita somt op: 'Blazers, een paar rokjes, blouses en misschien een gilet. En natuurlijk bijpassende schoenen.' Het klinkt veelbelovend en het lijkt of de moeder er nog meer plezier in heeft dan de dochter. 'Jij gaat toch ook mee?' zegt Susanneke dwingend in Anges richting. 'Wie weet valt er voor jou ook wel wat af!' Ange aarzelt. Zou ze... Dan ziet ze hen in gedachten lopen door de straten. Alle aandacht zal voor Susanneke zijn. Ze heeft geen zin om voor spek en bonen mee te gaan. 'Het is mij te warm. Ik ga fietsen!'

Later voegt Ange de daad bij het woord. Voor ze vertrok heeft ze een briefje op de keukentafel gelegd waarin staat dat ze waarschijnlijk niet thuis is rond etenstijd. Een leugentje om bestwil. Misschien kan ze later ooit uitleggen wat de ware reden is.

Wel zes keer fietst ze rond het plein waar de tent staat. Wel gaan? Niet gaan? Dan hoort ze het schetteren van de muziek en voor ze het weet is de fiets gestald bij de ingang en haast ze zich naar binnen. Het is een herhaling van de vorige keer, buiten de paardenact om. Niet alleen het programma, maar ook de manier waarop Janos haar op subtiele wijze het hof maakt. Als vanzelfsprekend begeeft Ange zich na afloop naar het afgeschoten stukje plein waar de olifanten verblijven. Af en toe zetten ze zich sullig in beweging, drinken een teug water uit een emmer of produceren dat wat olifanten eigen is, tot groot plezier van de kinderen.

'Ange...' Armen rond haar heen. Een hete mond die zich in haar gladde haren begraaft.

'Malle!' Of ze blijven kan? Zijn caravan bekijken?

Hand in hand lopen ze over het terrein. Anges hart bonkt van spanning. Zeker weten dat hij haar straks zal kussen. Tot nu toe heeft ze niet veel ervaring op dat gebied. Een paar harde vegen van een mond, vlak op een wang. Wil ze dit echt?

De caravan is veel ruimer dan het zich van buiten liet aanzien. Leuk ingericht ook, met eigentijdse spullen. Trots toont Janos haar zijn verzameling cd's. 'Mijn fototoestellen, grote hobby!' En dan zegt hij ernstig: 'Ik studeer ook nog. Ja ja, talen. Komt altijd van pas. Maar, mooi meisje, wij maken eerst plannen voor vanavond!'

Mooie maisje, zegt Janos en Ange verbetert hem lachend. Ja ja, hij kán het wel, hij moet er alleen zo bij nadenken. Hij schatert zijn hagelwitte tanden bloot als hij Ange ziet blozen. 'Ik kan toch niet van jou afblijven... Jij...'

En dan ligt ze in zijn armen. Langzaam ontwaakt de vrouw in Ange. Ze voelt zijn mond zacht en verlangend op de hare. Ze wordt week, haar knieën knikken. Janos fluistert iets onverstaanbaars, perst haar lichaam tegen het zijne aan en dan, dan is het of de wereld om Ange heen wegzinkt. Zij tweeën alleen. Als Adam en Eva in het paradijs.

Ademloos laat Janos haar na vele minuten los. 'Ik heb nog werk te doen... Blijf jij hier? Niet weglopen?'

Ange schudt haar hoofd. Al zou ze willen, het zou niet kunnen. Uitgeput zakt ze op de bank, sluit haar ogen en tracht de verrukking van de eerste echte kus terug te halen. Ze ademt de sfeer rondom zich in. Janos... Liefde op het eerste gezicht. Zo kan ze haar gevoelens het beste beschrijven.

Dan valt haar oog op een stapel fotoalbums. Janos heeft er vast niets op tegen dat ze daar een kijkje in neemt. Een heel leven vol circus, elke bladzijde vertelt ervan. De verongelukte ooms, de sterfdatum staat eronder. Ange huivert. Stel dat Janos zo kwam te vallen, verlamd raakte zoals die ene figuur uit Susannekes klas. Daar, een uitvergrote kiek van Janos' broer. Eronder staat in kriebellettertjes: de dag voor zijn ongeluk.

Waar zijn die mensen mee bezig! Waarom stunten zonder vangnetten? Opeens weet Ange niet meer of ze het circusleven nog wel zo leuk vindt. Alhoewel, de spanning blijft trekken. Het zal een verslaving zijn. Dan vindt ze de krantenknipsels over de ongelukken, de recensies. Een van de betere circussen, schrijft een journalist enthousiast. Veel nationaliteiten. Ze moesten eens weten, allemaal zwartwerkers!

Een tikje tegen het raam van het ronde deurtje. 'Klop klop hamertje, wie zit er in mijn kamertje? Een heel lief meisje...'

Ange voelt hoe al haar spieren zich spannen.

De donkere ogen van Janos stralen haar tegemoet. Dan stapt hij binnen. Beweert voor drie gewerkt te hebben om extra snel klaar te zijn. Hij opent een kast, haalt er een schoon T-shirt uit, een bijna nieuwe spijkerbroek en dito gympen.

'Jij mag de andere kant op kijken, maar het hoeft niet!'

Verlegen wendt Ange toch haar hoofd af. Janos is niet zomaar een jongen, een uit haar klas bijvoorbeeld, maar de man op wie ze verliefd is en dat is een wereld van verschil.

Hij gooit zijn hemd uit, duikt weg achter een gordijn waar een wasgelegenheid is. Ange hoort hem spetteren met water. Ze raapt zijn hemd op, snuift eraan. Janos...

Na een paar minuten staat hij fris gewassen voor haar, gekleed in een boxershort waarop leeuwen staan afgebeeld. Ange schiet onwillekeurig in de lach. 'Toepasselijk!'

'Nu gaan wij eten!' Als Janos zijn best doet, kan hij vloeiend Hollands spreken. 'Ik moet dan nadenken bij alles wat ik zeg en hoe ik het zeg!'

Ange beweert dat ze zijn gebroken taaltje maar wat aardig vindt.

'Gaan we hier in de stad eten, Janos? Ik weet wel een tentje!'

Janos wil echter naar Amsterdam. 'Wij zijn voor twaalven terug, net als Roodkapje!'

'Je bedoelt Assepoes!' reageert Ange geamuseerd.

Ernstig zegt hij, als ze gearmd over het terrein naar zijn auto lopen: 'Ik heb mijn nachtrust nodig, vanwege de conditie. Alcohol en roken... zo weinig mogelijk en het liefst in het geheel niet. En trainen, in vorm blijven. Eén dag niet trainen en je bent de soepelheid kwijt. Altijd het circus éérst, dan de rest!'

Dat begrijpt Ange. Ze heeft er respect voor.

De auto is niet nieuw, maar comfortabel. Terwijl Ange lekker onderuitzakt, vermaakt Janos haar met circusverhalen. 'Nu is er spanning vanwege een ziek paard. Als het besmettelijk is hebben wij een probleem. Onderverzekerd, weet je! Altijd die risico's!' Hij besluit met: 'Gezonde dieren zijn ons brood.'

Vlak voor Amsterdam wordt hij nog vertrouwelijker en vertelt over het werken met buitenlanders.

'Dat is toch altijd zo in een circus?' Anges gedachten dwalen een andere kant op. Af en toe gluurt ze naar Janos' strakke profiel. Knap is hij, knap en puur. 'Niemand merkt toch dat ze illegaal zijn? Ik zal het niet verklappen, hoor!' probeert ze hem op te beuren.

'Dat zou je ook niet moeten wagen. Mijn vader zou mij eruit gooien! O, al die wetten ook, in jullie land zijn ze wel erg streng. Ze laten de aardbeien en asperges liever verrotten dan dat er Polen of Hongaren mogen komen werken!'

Ja, dat is ze met hem eens.

'Er worden bij ons wel vier of vijf verschillende talen gesproken, toch begrijpen we elkaar goed.'

Dat heeft Ange gemerkt. Ze vond het wel grappig, al die verschillende taaltjes door elkaar. Ze leunt vertrouwelijk met haar donkere kopje tegen Janos' harde schouder. Zo verliefd is ze, dat het pijn doet. Ze neemt zich voor straks toch maar even naar huis te bellen.

Janos rijdt goed, hij houdt ondertussen ook het gesprek gaande. Hij vertelt nogmaals, dit keer uitgebreid, over het ongeluk dat zijn ooms en later zijn broer trof. 'Het duurt nog jaren voor de neefjes en mijn kleine broers zover zijn dat ze meedraaien. Gelukkig willen ze allemaal even graag!'

Steeds vertrouwelijker wordt hij. Hij klapt uit de school. 'Die buitenlanders zijn prima artiesten, goede collega's. Is niets mis mee. Alleen, ze hebben bijna geen van allen een werk- en verblijfsvergunning. Dat is bij controles altijd weer spannend. We smokkelen met papieren... geheim blijft bij jou geheim, niet?'

Ange knikt heftig. Ze ziet zich al naar de politie hollen om het Circus Biedermann aan te geven!

In Amsterdam blijkt Janos de weg te kennen. De files vonden geen van beiden een probleem en het eethuisje is om te stelen.

'Zoiets had ik je bij ons niet kunnen bieden!' weet Ange met zekerheid.

Janos bestelt twee glazen fris. Hij kan zich geen alcohol veroorloven, de conditie is hem alles waard.

'Ik bel toch even naar huis, ik zal ze vertellen dat ik in goede handen ben!' Ange rebbelt haar verhaaltje af, haar vader luistert geduldig toe. Anges stem klinkt zo vrolijk, het maakt hem zo blij als wat. 'Word je thuisgebracht?' vraagt hij bezorgd.

Ange stelt hem gerust. 'De jongen waar ik net naast zat drinkt geen druppel alcohol, hij zei het zopas nog!'

Na het overvloedig diner slenteren de twee nog wat door de stad die vol is, overvol met toeristen. 'Eigenlijk niets aan!' vindt Ange.

Janos klemt zijn arm nog vaster om haar schouders. Hij weet een stil plekje aan het water, veel groen, veel privacy.

Anges hart bonkt in haar lijf. Als hij maar niet denkt... als hij maar niet wil... Want daar is ze nog niet aan toe. Bovendien is ze conservatief opgevoed. Zo van: verliefd, verloofd, getrouwd. Pa en ma zouden haar zien aankomen. Die vinden haar nog een kind. Zelf vindt ze dat ze best 'rijp' is voor een avond als deze, het is voor haar geen avontuurtje en hopelijk voor Janos ook niet.

Hij maakt haar het hof, daar in het groen. Verlangend en toch ook beheerst. Ange gaat bijna overstag. Het is Janos die het eerst tot bezinning komt. 'Jij... lief meisje...' zegt hij in perfect Hollands. 'Nu breng ik jou naar je huis. En wij spreken af...' Hij fluistert iets in haar oor dat haar doet blozen. Ze slaat haar jonge armen om zijn hals en kust hem. Hij moet lachen. 'Jij hebt veel geleerd vandaag!'

Ange ordent het donkere haar, legt haar beide handen tegen de gloeiende wangen. Als mams haar zo eens zag...

Janos trekt haar omhoog. 'Wordt vervolgd?' vraagt hij ernstig.

Ange knikt. Ze komt toch zeker nooit meer los van deze mooie jongen? O ja, ze wil hem beter leren kennen, koste wat kost!

Zwijgend leggen ze de terugweg af. Het is druk op de wegen. Als ze vlak bij Anges huis zijn, vraagt ze hem te stoppen. 'Het is nog niet eens twaalf uur. Eén kusje kan nog best!'

Janos schudt zijn hoofd. 'Kleine verleidster!'

Er is bezoek. Ange merkt het meteen als ze achterom loopt. Vanuit de tuin klinkt gelach, glaswerk tinkelt.

Ze blijft even besluiteloos staan. Hier heeft ze niet op gerekend.

Of ze iets aan haar kunnen zien? Dan lacht het meisje zichzelf uit. Het is donker, het licht van de tuinfakkels en kaarsen is niet genoeg om uitdrukkingen van gezichten te kunnen aflezen. Ze recht haar schouders, tast met een vinger langs haar mond die nog nagloeit van de kussen die Janos haar gaf. Een vrouw voelt ze zich. Janos is een heer. Hij vindt binnenkort vast genade in de ogen van haar ouders!

'Dag allemaal!' zingt haar stem. Hoofden die zich naar haar toe draaien.

Een zware stem bast: 'Het kleintje van Jan en Rita!'

Ange voelt een walging in zich opkomen. Pa's chef. Een beste man, maar hij moet niet te diep in het glas hebben gekeken. Dan Janos, daar kan meneer de directeur een voorbeeld aan nemen!

'Pa heeft onverwacht promotie gemaakt, Ange! Vandaar dit bezoek!' legt haar moeder haastig uit en geeft haar een duwtje richting keuken. Ange begrijpt de hint. 'Jij hebt zeker slaap na dat geboemel!'

Ange geeuwt nadrukkelijk, wuift vriendelijk naar het gezelschap en glipt naar binnen. In de keuken is Susanneke bezig warme hapjes te maken. De lucht van hete olie maakt Ange bijna onpasselijk.

'Zeker vanwege die zatlap!' smaalt ze.

Susanneke schrikt. 'Niet zo luid, suffie! Maar je hebt gelijk, hopelijk komt zijn broer snel terug uit Amerika, ik vind zijn plaatsvervanger een ruw heerschap! Heb je het leuk gehad? Met wie...'

Dan duwt Ange haar zus een bitterbal in de mond. 'Ik ga slapen, ik ben moe! Dag Susanneke!' zingt ze.

Als Susanneke de voetstappen op de trap hoort roffelen, schudt ze haar hoofd. Malle Ange. Wat heerlijk dat ze weer zo normaal doet. Zie je wel dat ze gelijk had? Ange is aan het puberen.

De volgende ochtend slaapt Ange uit. Pas tegen twaalven komt ze uit haar bed.

'Slaapkop, heb je het gisteren leuk gehad?' wil Susanneke weten zodra ze haar zusje ziet. 'Vertel er eens over!'

Ange geeuwt achter haar hand. 'Niks bijzonders over te vertellen. Gewoon... Zeg, ik ben zo benieuwd naar je kleren!'

Susanneke trapt erin, ze merkt niet dat de belangstelling voor haar garderobe geveinsd is. 'Hoe vind je die blazer, wil je ook eens passen?'

Dat wil Ange wel. Hoe zou Janos haar zo vinden? Ze paradeert langs de spiegel, ziet dat ze intens glimlacht. Of niemand het aan haar merkt? 'Het is beeldig, hoor!' Het klinkt dromerig. Ze laat het jasje van haar schouders glijden. 'Toch zie ik mezelf eerder in iets sportiefs!' Wat draagt men zoal rondom het circusgebeuren? Geen stijlvolle kleding.

Susanneke haast zich te zeggen dat de blazers ook leuk op een spijkerbroek staan.

'Mmm...' Ange doet of ze luistert. Lenig is ze altijd geweest, als een kat. Natuurlijk moet een circusartiest als kind al beginnen met trainen. Met hen zal ze nooit kunnen wedijveren. Maar dat wil niet zeggen dat er voor haar geen toekomst in de piste zou zijn. Al was het maar als aangeefster. Samenzijn met Janos, dag en nacht. Door Europa trekken, vrij zijn. Natuurlijk zullen haar ouders dat nooit begrijpen, ze hebben ander bloed in hun aderen dan zij!

'Mams roept. Jouw ontbijt is gelijk je lunch,' plaagt Susanneke.

Achter elkaar lopen ze de trap af. Ange kijkt neer op het licht gekrulde haar van Susanneke. Ze voelt zich ouder en meer ervaren dan haar zus. Of Susanneke ooit is gezoend zoals zij? Raar dat ze nooit over dat soort dingen praten terwijl ze toch zussen zijn. Maar ja, Susanneke heeft mamma als gesprekspartner.

'Ga je mee zwemmen?' stelt Susanneke voor. Ze wil Ange zo meer bij het gezin betrekken.

Nee, Ange heeft een afspraak en Susanneke vraagt niet verder.

Zo simpel is het dus om de waarheid voor je te houden.

Rita laat zich niet zo gemakkelijk voor de mal houden als Susanneke. 'Zo, daar is onze Ange weer. Was het leuk gisteravond? Vertel er eens over?' nodigt ze uit.

Ange propt een plakje kaas in haar mond, zodat ze het antwoord even kan uitstellen.

Rita babbelt alweer door: 'Je lijkt er overheen te zijn dat je het jaar moet overdoen, of heb ik het mis?'

Ange kijkt zuur. 'Soms, niet altijd. Maar vertel jij eens wat over de promotie van pa. Gaat hij meer verdienen en zo?'

Rita schenkt een kopje thee in en doet enthousiast verslag. 'Het gaat om grotere verantwoordelijkheid. En ja, wat extra geld is nooit weg. De promotie is van pa's chef uitgegaan. Er stond een ander op de nominatie, maar die is vanwege ziekte weggevallen.' Weer luistert Ange maar met een half oor. Haar vader werkt al vanaf zijn twintigste op het hoofdkantoor van een levensmiddelenfabriek. Het kantoor is in de stad, de fabriek staat op het industrieterrein. Pa's promotie is en blijft het onderwerp van gesprek, tot Anges opluchting.

Na de lunch is Ange weer de eerste die het huis verlaat, zelfs nog voor haar vader die toch maar een korte lunchpauze heeft en dus altijd gehaast is.

'Waar is Ange heen?' vraagt Susanneke haar moeder als ze samen de tafel afruimen.

Rita haalt de schouders op. 'Ik weet het niet, waarom vraag je dat?'

Susanneke geeft geen antwoord, ze schudt haar hoofd. Anges veranderde houding is van dien aard dat het haar verontrust. Ze zal haar vanavond uithoren. Zussen onder elkaar, dat moet toch lukken? Susanneke besluit haar gedachten niet aan haar moeder mee te delen, ze zou zich – hopelijk ten onrechte – ongerust maken. Ange, die voert wat in haar schild!

Ange heeft haar fiets gisteren bij het circus achtergelaten, het is een goede reden om zich op het terrein te bevinden, tussen de voorstellingen door. Met welbehagen snuift Ange de specifieke geuren op. Dan ziet ze hem, Janos. Hij duwt een kruiwagen voort waarop strobalen liggen. Zodra hij haar in het vizier krijgt, maakt hij een onverhoedse beweging. Een strobaal kiept op de grond en behendig springt Janos over de hindernis heen.

'Meisje!'

Ange laat zich zoenen. O, ze is zo verliefd, tot over beide oren. 'Ik kwam...' hijgt ze tussen twee kussen door, 'ik kwam om mijn fiets te halen!'

Janos knuffelt Ange en trekt haar mee naar de ingang van de tent, waar de nieuwsgierige ogen van de medewerkers hen niet kunnen plagen.

'Ik hou zo van je!' zucht Ange, terwijl ze haar hoofd tegen de bezwete stof van zijn shirt legt.

Ja, dat is goed. Dan brengt Janos haar een slag toe. 'Wij vertrekken, ja, onverwacht. Naar België. Een circus daar is over de kop. Failliet. Ongelukken. Hun ongeluk is ons geluk, zo gaat dat soms.'

Ontzet kijkt Ange op. 'Meen je dat nou? Dat kan toch niet...'

Janos legt omstandig uit dat ze hun programma omgegooid hebben, in overleg met een concurrent die een paar voorstellingen van hen overneemt. 'De dieren worden vannacht vervoerd. En de mensen gaan afzonderlijk, voor de veiligheid. Je weet wel... controle is scherp!'

Als Janos nerveus wordt, heeft Ange gemerkt, spreekt hij minder zuiver dan wanneer ze ontspannen samenzijn. Zoals gisteravond.

'Janos! Ik kan je niet missen!'

Janos streelt het gladde haar. 'Wij schrijven echt. Wij zijn voor elkaar bestemd! Niet bang zijn, ik was heus niet vertrokken zonder bericht. En... ik wist toch dat jij zou komen!'

'Heus?' Schrijven... Uit het oog uit het hart, ja toch? 'Janos... Wanneer vertrek jij zelf?' Ange hoort zelf hoe vreemd haar stem klinkt, verwrongen. Janos zegt: 'Eerst de dieren en de kwartiermakers. Je weet wel, de lui die reclameborden aanbrengen in de steden. En dan gaat de stoet caravans. Mijn ouders, ikzelf en nog wat lui die in vaste dienst zijn. Weet je wat, lief meisje? Je komt morgenvroeg bij mij langs, ik moet nog uren werken om de afbraak van de toestellen te regelen. Dat laat ik niet aan een ander over!'

Morgenvroeg. 'Acht uur?' mompelt Ange. 'Als je wilt nog vroeger! Jij moet jouw adres opschrijven, anders kan ik jou geen post sturen.' Post in plaats van lijfelijke aanwezigheid. 'En wanneer zie ik je dan weer?'

Janos put zich uit in verontschuldigingen. Heus, hij heeft geen spel met haar gespeeld, het is hem ernst.

Ange wil het zo graag geloven, ze worstelt echter met de nodige twijfel.

'Weet je wat mijn moeder altijd zegt? Als je voor elkaar bestemd bent, dan krijg je elkaar...' zegt Janos.

Wijze vrouw, die moeder.

'Zo is het toch! Wat betekenen nu een paar grenzen!'

Ange laat zich graag troosten. Maar Janos heeft geen tijd, begrijpt ze, wanneer een dwerg die een clownsact doet, hen komt storen.

De dwerg maakt een plagende opmerking in een taal die Ange niet verstaat. Ze ziet wel dat Janos bloedrood wordt.

'Ik kom!' zegt hij kort. 'Wat zei je net, lief meisje? Fiets?'

Hand in hand lopen ze naar de ingang waar een fietsenstalling is georganiseerd. 'Welke fiets is van jou?'

Ange peutert een sleuteltje uit haar broekzak. 'Een grijze, voor mijn verjaardag gekregen. De vorige is gestolen.'

Na een kwartier vruchteloos zoeken lijkt de fiets de weg van de vorige te zijn gegaan.

'Gestolen? Hoe kan dat nou? Hij stond op slot! Zal je mijn vader horen!'

Nu staat het huilen Ange nader dan het lachen, een ander soort huilen dan daarnet toen Janos vertelde te moeten vertrekken.

'Ik ga meteen langs het politiebureau!' Ze stampvoet van drift. Dat haar zoiets moet overkomen! Waarom is ze ook zo stom geweest om zich naar huis te laten brengen? Als ze eerlijk is moet ze toegeven dat ze de fiets was vergeten. 'Janos, wat nu?'

Janos is bleek geworden ondanks zijn bruine huid. 'Niet naar de politie, lieve Ange! Denk toch aan onze kwetsbare positie. We mogen niet in opspraak komen, op geen enkel gebied. Ik zal zorgen dat jij een andere fiets krijgt! Ik praat met vader!'

Ange zuigt op haar onderlip. Een andere fiets. Net of dat thuis onopgemerkt zal blijven. Ze schudt haar hoofd. 'Weet je wel wat zo'n fiets als de mijne kost? Nieuw dan...'

Janos schudt bedroefd zijn hoofd. 'Ik heb zelf spaargeld. Toe, kijk niet zo. Als jij morgen komt, heb ik geld voor een fiets! Dat beloof ik je!'

Ange leunt moe tegen Janos' schouder. 'Ik weet niet of ik dat kan aannemen...'

Janos kust haar snel op de mond. In de verte ziet hij de dwerg dreigende bewegingen in zijn richting maken. 'Ik moet aan het werk. Tot morgen, lief meisje!'

Ange kijkt hem na. Een atletisch figuur, perfect gebouwd en met een soepele tred. Er zit niets anders op. Ze moet vertrekken.

Ange sjokt niet naar huis. Thuis zit mamma met Susanneke te kletsen. Over Parijs, de nieuwe kleren, de jurk die gemaakt moet worden. Altijd hebben die twee wat te praten. Soms voelt ze zich op alle fronten een buitenstaander. En dat heeft niets met haar afkomst te maken, ook al doet ze het vaak zo voorkomen. Het is een machtig wapen om ook eens aandacht te krijgen.

Onverdeelde aandacht. Want wie vraagt er nu ooit naar haar mening? Ange vindt zichzelf terug in het winkelcentrum van de stad. Ze heeft niet eens geld genoeg om een ijsje te kopen. Maar, o wonder, in die behoefte wordt stante pede voorzien.

'Hoi die Ange!'

Verrast maakt Ange zich los van een etalage waarin allerlei beeldige truien hangen. Opruiming, alles van dit seizoen.

'Francien! Ik dacht dat jij al op vakantie was?'

Francien trekt Ange mee richting terrasje. 'Kom op, ik trakteer. Ik heb veel te vertellen!'

Zodra het ijs is gebracht, gaat er bij Francien een soort wekker af. 'Stel je voor, er gebeurt van alles tegelijk! Mijn oma ligt op sterven, afschuwelijk om te zien. We zijn langs geweest om afscheid te nemen. Ik heb nog nooit zo gehuild. En mijn moeder is nergens meer. Misschien is oma nu al wel dood...'

Hete tranen op het ijs. Ange kijkt er verbijsterd naar. Hoe kun je ijs eten en tegelijkertijd huilen?

Francien zet haar bril af en veegt haar ogen droog met een servetje. 'En we gaan meteen na de begrafenis verhuizen, denk je eens in! We wonen hier pas, maar mijn ouders willen mijn opa niet alleen laten. Hij is nog actief in de zaak, je weet wel, ze hebben een schoenenzaak. Mijn moeder wil hem helpen. We gaan boven de winkel wonen. Ik had je willen bellen...'

Ange luistert met stijgende verbazing. Lieve help, wat een nieuws! Nou ja, ze was Francien toch wel kwijtgeraakt. Zolang ze in dezelfde klas zaten, klikte het goed.

'Wat naar van je oma. Gunst, je wordt met je neus op de dood gedrukt! Eng, hè?'

De discussie die nu ontstaat duurt een ijsje lang. Ange besluit met: 'Ik ben stiekem vaak dankbaar dat ik bij mijn ouders terecht ben gekomen. Anders had ik misschien nooit van God op die manier zoals ze het hier leren, gehoord. Normen en waarden... Je hebt tenminste houvast. Gek, hè, ik durf op school tijdens een discussie mijn mond hierover nooit open te doen. Jij wel!'

Francien haalt haar schouders op. Zij heeft ook haar geheime problemen. 'Valt niks aan te durven. Je gelooft iets of niet. In ieder geval... nu zullen we elkaar een poos niet zien. Maar ik schrijf je wel.'

Ange kleurt. Diezelfde woorden heeft Janos ook tegen haar gezegd. Ze wil geloven dat hij het ook zal doen. Of ze aan Francien haar geheim zal verraden? Dan is het geen geheim meer.

'Jij kunt je mond houden, hè, Francien? Ik heb zoiets geweldigs meegemaakt. Ik ben zo somber én vrolijk tegelijk.'

Francien, die van hen tweeën de meeste ervaring heeft, reageert prompt. 'Dan ben je verliefd!'

En Ange vertelt met rode konen wat haar is overkomen. 'Beloof dat je het geen mens vertelt!' dringt Ange als ze is uitgepraat aan.

Francien knikt plechtig. 'Ik doe wat ik beloof en ik beloof je dat ik het geen mens zal vertellen over Janos en jou!'

Als Ange een kwartiertje later naar huis wandelt, bedenkt ze dat ze Francien wel om een lift had kunnen vragen! Dan was ze eerder thuis geweest. Maar daar staat tegenover dat ze nu in alle rust het gebeuren van deze ochtend kan overdenken en kan fantaseren over hoe het morgen allemaal zal gaan!

3

Wakker worden en niets anders te doen hebben dan luisteren naar de geluiden in en om het huis. Susanneke kromt haar tenen van puur genoegen en rekt zich behaaglijk uit, net als de kat van de buren dat kan doen na een slaapje.

Iemand in huis is vroeg aan het rommelen. Ze kijkt op haar wekkertje en als ze ziet dat het pas halfzeven is, duikt Susanneke nog wat dieper weg. Misschien heeft pa zichzelf een tropenrooster voorgeschreven, of heeft ma een bevlieging op huishoudelijk gebied. Wat zou ze straks allemaal te horen, te zien en te ruiken krijgen in het verre Parijs?

Pas tegen negen uur ontwaakt Susanneke die dag voor de tweede maal. Genietend van de vrijheid maakt ze toilet, ze kiest een korte broek en een katoenen hemdje uit de kast. Het belooft warm te worden, misschien heeft Ange zin om mee te gaan zwemmen.

Later, als ze in de tuin haar thee met beschuit eet, informeert ze bij haar moeder wie er zo matineus was, deze ochtend.

'Pa en ik niet. Pa was maar amper op tijd vanochtend, denk ik. Dus zal het Ange zijn geweest!'

Als het gesprek op Ange komt, verschijnt er op Rita's gezicht een blijde trek. 'Ze is zo vrolijk, de laatste dagen. Wat denk je, zou de toestand op school haar dwars hebben gezeten?'

Ange laat nooit veel los, het zijn slechts vermoedens. 'Wat ik wel weet, is dat die nieuwe vriendin gaat verhuizen. Die Francien, wie weet was Ange niet eens gelukkig met die vriendschap!'

Tussen de middag is er nog geen Ange, wat op zichzelf niet zo vreemd is. Het is vakantie, dan kun je van alles verwachten, houdt Rita de andere twee huisgenoten voor.

'En ik meen te weten dat jij er op staat dat wij – bij benadering – aangeven hoe laat we thuiskomen en waar we heengaan...'

Jans woorden doen Rita blozen. 'Ange wordt zo langzamerhand eh... volwassen en ze moet niet het gevoel hebben vastgehouden te worden.'

Jan geeft Susanneke een knipoog. 'Vrouwen...' Hij staat als eerste op, kust Rita op haar kortgeknipte haar en even later rijdt hij het tuinhekje uit.

'Wat ga je vanmiddag doen?' Rita stapelt de borden op elkaar. Vroeger zou ze voor een laatkomer een boterham gesmeerd hebben, maar Ange houdt niet van dat soort betutteling, weet ze.

'Ik wilde gaan zwemmen. De buurvrouw vroeg daarnet over de heg of Ange en ik mee wilden gaan. Ze heeft twee neefjes op bezoek en durft met die club niet alleen naar het water.'

Rita knikt. 'We moeten vanavond maar nasi halen. Ik wilde naar iemand in het ziekenhuis namens de vrouwenvereniging. En daarna nog wat boodschappen doen.'

Zo scheiden hun wegen zich. Een warme zomermiddag, begin augustus.

Pas tegen zessen fietst Susanneke de laan in, ze belooft buurvrouw Rachel nog even te helpen de kinderen in de pyjamaatjes te hijsen.

'Goede oefening voor deze aanstaande au pair!'

Jan is als eerste thuis. Als hij zijn vrouw niet kokend in de keuken aantreft, zoekt hij de krant en gewapend met een glas sherry kiest hij in de tuin de aangenaamste plaats.

Rita, bepakt en bezakt, put zich niet lang daarna uit in vele verontschuldigingen. Jan interrumpeert haar: 'Lieve schat, hou op! Je hoeft niet prompt om halfzeven het eten op tafel te hebben! In welke tijd leven we? Bovendien... wat jij daar hebt meegebracht lijkt me lang niet mis. Kom zitten, dan haal ik voor jou eerst een glas sherry.'

Jan is sinds zijn promotie een tevreden mens. Hij heeft alles bereikt wat er te bereiken viel. Is gezond en heeft een prima privé-leven.

Rita is rood van het haasten. Ze doet verslag van haar middag en krijgt, gevoelig als ze is, tranen in de ogen als ze over het ziekenbezoek van vanmiddag vertelt.

Jan heeft zijn krant terzijde gelegd, hij weet hoe belangrijk het voor zijn gevoelige Rita is dat er oprecht naar haar geluisterd wordt.

Zeggen hoeft hij meestal niets, een reactie in de vorm van een knikje of handbeweging is genoeg.

'En dan de vragen, Jan, het is zo moeilijk om vanuit je eigen, gezonde positie antwoorden te geven. En vaak komen bijbelteksten verkeerd over. Ik dacht: hoe zou ik me voelen in dat bed? Toen ik dat bedacht werd ik hoe langer hoe stiller en kon alleen maar luisteren. Voor ik wegging vroeg mevrouw Last of ik een psalm wilde voorlezen en dat heb ik gedaan.'

Jan streelt Rita's arm die op een stoelleuning naast de zijne binnen handbereik is. 'Je hebt het goed gedaan, dat weet ik zeker. Er zijn anderen die voor mevrouw Last zorgen, zet het nu van je af. Kijk, daar is Susanneke ook al!'

Susanneke wrijft over haar maag. 'Ik rammel, mam. Wat eten we?'

Rita veert op. 'Ik heb nasi meegebracht. Even in de magnetron, een paar eitjes bakken, kroepoek...' somt ze op.

Als de twee vrouwen gearmd naar binnen lopen, ontvouwt Jan zijn krant voor de tweede keer. Pas als hij het voorblad heeft gespeld, klinkt Rita's stem vanuit de keuken: 'Kom je, Jan?'

Eten zonder Ange. Geen van drieën verwoordt wat er gedacht wordt: toch merkwaardig dat ze zo laat is.

Rita heeft wat voedsel apart gehouden, ze doet haar best vrolijk over te komen.

'Mam, hou op. Ange staat zo meteen voor onze neus.' Susanneke krijgt genoeg van Anges streken. Is dit een nieuwe tactiek?

Samen met haar moeder doet ze de afwas, kletst ondertussen honderduit over het buurjochie en de logeetjes. 'Kinderen van jezelf... het is toch wel heel bijzonder!' zegt ze dromerig als het laatste bord is opgeborgen.

'Wel, dat kan ik beamen. Nooit vergeet ik de vreugde toen ik hoorde van jou in verwachting te zijn. En ik had maar wat graag een groot gezin gehad, het heeft niet zo mogen zijn. Eigenlijk had ik na Ange nog wel een kindje willen adopteren. Vreemd dat het er nooit van is gekomen! Misschien begreep ik toen onbewust wel dat kinderen ook zorg betekent. Je bent nooit meer dezelfde als voor die tijd, Susanneke. Geniet jij maar eerst volop van je jeugd!'

Susanneke zwijgt. Zie je wel, alles wat denkbaar is kun je met mam bespreken, behalve dat ene wat haar bezighoudt.

'Eerst een man met wie je alles wilt delen, dan komt meestal de rest vanzelf.' Rita zegt het met overtuigingskracht. Susanneke heeft geen lust om het onderwerp verder uit te diepen.

'Ange...' begint Rita terwijl ze de koffiespullen vast klaarzet.

'Zo laat komt ze nooit zonder bericht te geven. Misschien is ze de tijd vergeten. Weet jij waar die nieuwe vriendin woont?' Zorgelijk staat Rita's gezicht.

De anders zo kalme Susanneke voelt een wilde woede in zich opwellen.

'Ik weet alleen dat ze Francien heet. Zal ik eens boven in haar agenda neuzen?'

De agenda, een uitgeleefd geval, levert niets op. Even heeft Susanneke diep medelijden met haar zusje als ze achter in het boekje de reeks onvoldoendes ziet, de felle uitroeptekens erachter. 'Toon mij uw agenda en ik zeg u wie gij zijt...' mompelt ze.

Rita staat handenwringend onder aan de trap. 'Wat gevonden?'

'Misschien!' zegt Susanneke quasiopgewekt. Ze weet uit haar hoofd het adres van een leraar van wie ze beiden Engels hebben gehad, dit afgelopen jaar. Mocht ze daar geen resultaat boeken, dan kan ze nog altijd naar de boetiekdame. De winkel is ongetwijfeld gesloten. Maar MaiLy heeft vanzelfsprekend een privé-adres en daar is vast wel achter te komen! 'Ik ga er met de fiets op uit, mams. Ik breng haar springlevend bij je terug! Ga wat gezelligs doen. Kijk, je lijfblad is net bezorgd!'

Susanneke raapt een in folie verpakt damesblad van de deurmat en duwt dat in haar moeders handen. 'Het is lang licht, wordt nu niet ook nog eens ongerust over mij!' plaagt ze.

Met een uiterlijke vrolijkheid die ze niet voelt, beent Susanneke naar de schuur waar haar fiets tegen die van haar vader staat geleund. Anges fiets ontbreekt, dat zegt iets, maar niet veel. 'Tot zo!' wuift ze naar haar krantenlezende vader.

Het is buiten heerlijk na de hitte van de dag. In de tuinen wordt kwistig gesproeid en de geur van versgemaaid gras is voor Susanneke onverbrekelijk verbonden met de villawijk waarin ze is opgegroeid.

De leraar Engels woont aan de andere kant van de stad. Het is minstens een kwartier fietsen, berekent Susanneke. Stom dat ze niet weet waar die Francien woont. Waarom laat Ange toch zo weinig los! Als dit voorbij is, zal ze haar van katoen geven. Het zachte-handschoentjesgedoe moet maar eens uit zijn. De leraar Engels woont in een spiksplinternieuwe wijk, waar Susanneke nog niet vaak is geweest en prompt verdwaalt ze in de straten waar autoverkeer niet is gewenst, woonerven.

Ooit is er een klassenfeest geweest bij Van Dalen, weet Susanneke zich te herinneren. In het donker van een novemberavond zijn ze met de auto van de vader van een medeleerling richting nieuwbouw gereden, het parkeren gaf behoorlijk veel problemen. Aan die herinneringen heeft ze nu niet veel.

Susannekes kribbige gevoelens ten opzichte van Ange versterken zich naarmate de paniek in haar hoofd en hart groeit.

De avond heeft verkoeling gebracht, maar voor een snelfietser is het absoluut nog warm. Zo klef en slordig kan ze niet bij Van Dalen aankomen. Even stoppen, een kam door het haar en met een zakdoek wist ze haar voorhoofd droog.

Vroeger zei haar moeder vaak als ze om een boodschap werd gestuurd: je kent de taal, dus de weg kun je vragen! Zuchtend klampt Susanneke de eerste de beste persoon aan die op haar pad komt. De Burgemeester Haringxmalaan?

'Om de hoek!' Zo simpel kan het leven zijn. Tevreden keert Susanneke haar fiets. Wat is er hier veel bijgebouwd, het laatste halfjaar.

Bij het huis van Van Dalen gekomen wacht haar een teleurstelling. De vrouw die in het petieterige voortuintje bloembakken aan het begieten is, deelt haar ongevraagd mee, nog voor Susanneke een voet op het tegelpaadje heeft gezet, dat de Van Dalens vanochtend naar Schotland zijn vertrokken. 'Eind augustus, dan zijn ze terug!' voegt ze er behulpzaam aan toe.

Terugfietsend bedenkt Susanneke: ik had beter kunnen bellen. Zonde van de tijd en misschien is Ange allang thuis. Of zou ze, nu ze toch op drift is, het privé-adres van die MaiLy moeten zien te vinden? Susanneke schudt haar hoofd. Geen idee waar ze moet zoeken. In de telefooncellen is geen boek te vinden en het postkantoor is gesloten.

Hoe dichter Susanneke haar ouderlijk huis nadert, des te meer raakt ze ervan overtuigd dat Ange is opgedoken. De teleurstelling – of is het schrik? – is des te groter als ze haar ouders aan het tuinhek ziet staan, duidelijk op de uitkijk. De een tuurt naar rechts, de ander naar links.

'Nog niet?' roept ze, drie huizen bij het hunne vandaan.

'Nog niet,' reageren Rita en Jan gelijktijdig.

Susanneke springt van haar fiets. Haar ademhaling gaat snel alsof ze geracet heeft. 'Hij was niet thuis, die Van Dalen. Iemand moet toch weten waar die griet woont? Trouwens, wie zegt dat ze bij Francien is!' Mam heeft gehuild, ziet Susanneke. Haar woede maakt plaats voor angst. Er kan wat gebeurd zijn. Een andere reden dan een ongeluk kan ze niet bedenken. Hoe vaak hoor je niet over verdwijningen die uiteindelijk het gevolg van een misdrijf zijn. Niet Ange, de tere, mooie Ange die nog amper heeft geleefd!

Jan schraapt zijn keel. 'Het is duidelijk dat er wat moet gebeuren. Ik zal, ja wat kan ik doen? De politie bellen, dat is het eerste zinnige wat me te binnen schiet.'

Susanneke slaat een arm om haar moeder heen. 'Kom, laten wij dan ondertussen eens nagaan wat er vanochtend zoal is gezegd voor ze wegging!'

'Gezegd?' doet Rita verontwaardigd. 'Weet je dan niet meer dat ze voor dag en dauw is opgestaan en vertrokken!'

Susanneke knikt. 'Waar ook. Ik dacht nog wel dat pa een tropenrooster had. Misschien... misschien is ze met een stel van school een dag weg en heeft ze vergeten, domweg vergeten, het ons te vertellen!'

Rita laat nu haar tranen de vrije loop. 'Ik wist toch dat er iets gaande was...'

Susanneke voelt zich haar moeders moeder. Zo voelt het dus – en nog erger – wanneer je moeder dementeert. 'Kom maar bij Susanneke!' doet ze lief en trekt haar moeders hoofd tegen zich aan. 'Kom, we gaan ook naar binnen, wie weet zit ze op het politiebureau!' Als ze de kamer binnenkomen legt Jan net de hoorn op de haak.

'Wat een manier om een ongeruste vader te woord te staan. Zo te horen een kind, niet ouder dan onze Ange, gezien haar woordkeus. Van een ongeluk is niets bekend, buiten een aanrijding waar een bejaarde op slag dood was. 'Weet u wel, meneer, hoeveel van dat soort verzoeken als het uwe bij ons binnenkomen? Vrijwel dagelijks?' Dat zei ze als troost. Te gek voor woorden!'

Ze zijn het er alledrie over eens: zo is Ange niet. Ze kan zich misdragen, brutaal zijn als de beul. Maar van huis wegblijven, dat zou ze niet eens durven.

'Wat nu?' Rita Althuisius zit op de bank te hyperventileren, haar handen zijn verkrampt van de zenuwen.

'Mam! Kalm blijven. Logisch denken. Ange ging de laatste tijd uitsluitend om met die Francien. Zaak is dus haar adres op te snorren. Tja... als we de achternaam maar wisten!'

Er worden die avond nog verscheidene telefoontjes gepleegd. Leraren, bekenden, ex-vriendinnen van Ange. Bijna geen contacten worden gelegd. Praktisch iedereen lijkt op vakantie te zijn. Tegen halfelf is het adres van Francien nog niet gevonden.

'Hoe kan ik nu de deur dichtdoen, op het nachtslot, zonder dat het kind terug is!' jammert Rita.

Jan bedenkt zich niet langer, grijpt de telefoon en belt de huisarts.

Hij is wel thuis en belooft ogenblikkelijk langs te komen.

Lang hoeft de dodelijk ongeruste familie niet op hem te wachten. Korte tijd na het gesprekje banjert hij binnen, legt in het passeren troostend een hand op Jans ene schouder en kijkt van Susanneke naar Rita. De eerste redt zich wel, met Rita is het minder goed gesteld, ziet zijn ervaren oog.

Hij kent de familie van haver tot gort, heeft Susanneke op de wereld helpen komen en weet van Rita's verdriet toen er na Susanneke geen baby's meer kwamen. Ange, haar adoptie met alles eromheen, heeft hij van meet af aan meebeleefd. Vluchtig onderzoekt hij Rita.

'Vertel me ondertussen de details, mensen!' bast zijn zware stem. Een middelpunt van rust is hij zodra hij in Jans stoel is gaan zitten en luisterend zijn ogen op de drie mensen richt.

Een man uit een operette, vindt Susanneke stiekem. Breed in de schouders, onverzorgd wit haar dat in de nek omhoog krult langs de boord van zijn overhemd die waarschijnlijk nooit in contact is geweest met een stropdas.

Jan neemt het woord en vertelt in een paar zinnen het weinige dat ze weten. 'Onze enige hoop was dat vriendinnetje, die Francien. We kennen echter niet eens haar achternaam, onze Ange was de laatste tijd niet echt gemakkelijk!'

Rita propt een zakdoek tegen haar ogen als ze Jan in de verleden tijd over Ange hoort praten.

Susanneke heeft eau de cologne gehaald uit haar moeders linnenkast. Ze druppelt iets uit het flesje op een zakdoek en krijgt prompt een ziekenhuisgevoel. Sinaasappelen en fresia's zouden het beeld completeren.

'Francien... laat eens kijken. Misschien zit het kind bij ons in de computer, mensen. Even naar huis bellen. Mocht het niet lukken, dan probeer ik het bij collega's. Jullie weten toch zeker dat ze hier nog niet lang woonachtig is? Dan moet het te achterhalen zijn!'

Susanneke zou van alles voor haar wanhopige ouders willen doen, zo machteloos als ook zij is!

'Zet maar koffie...' snuft Rita.

Susanneke is blij met deze simpele opdracht. Haar gedachten tollen door haar hoofd. Wat zou er allemaal gebeurd kunnen zijn? Een misdrijf, verkrachting, misschien moord...

Er zoemt een insect tegen het gaas van de hordeur, ergens miauwt een kat hysterisch en de buren verderop laten hun honden uit, wat met veel kabaal gepaard gaat.

Ange, hun eigen Ange. Misschien staat haar portret morgen afgebeeld in de kranten, tobt Susanneke. Haar gevoel voor drama is ontwaakt en dat maakt de onrust compleet.

Als ze met de koffie binnenkomt lijkt de sfeer iets meer ontspannen te zijn. Hoopvol zoekt Susanneke de ogen van haar vader. 'Pa?'

Jan kucht even. 'We weten nu de achternaam. Haag, gewoon Haag. Mevrouw Branderhorst geeft nu het adres door,' fluistert hij terwijl hij verlangend een hand naar de koffie uitsteekt.

'Juist, bedankt, mijn schat!' bast de zware stem van hun huisarts.

Susanneke moet zich bedwingen om hem niet ter plekke te omhelzen. Een ouderwetse dokter is hij. Als ze zelf ooit kinderen krijgt, mag hij ze halen!

'Haag... hier hebben jullie het adres!' Op een blaadje uit zijn receptenboek heeft hij de gegevens onduidelijk neergekrabbeld.

'Ook telefoon?' hoopt Rita.

Ze heeft het nog niet gevraagd of de stompe vingers van Branderhorst tikken op de telefoon al toetsen in. Na een minuut zegt hij opgewekt: 'Ik vrees dat we er beter aan doen een bezoekje aan de familie Haag te brengen. Kom op, Althuisius, dan pakken we mijn wagen. Ondertussen moeten de dames trachten namen en adressen te verzamelen van andere schoolvriendinnen!'

Susanneke schudt haar hoofd. De agenda heeft zo goed als niets opgeleverd. Samen kijken ze de wagen van Branderhorst na. Rita bijt haar lippen kapot. Huilen heeft geen enkele zin, als ze uiting kon geven aan haar gevoelens zou ze het liefst gaan gillen. 'Heeft Ange ooit bij de een of andere gelegenheid niet een vriendschapsboekje gekregen? Mijn klasgenoten... zo heette het geloof ik,' meent ze te weten.

'Dan moet ik de zolder op, mam. Geen probleem. Daar liggen onze oude schoolspullen immers. Ik heb gisteren net mijn laatste schriften en scripties weggeborgen.'

Het is zoals altijd een heel karwei om de zware zoldertrap zo te plaatsen dat de weg naar boven veilig is. Susanneke stommelt omhoog, houdt met één hand een looplamp vast, de andere zoekt steun aan de treden.

Ze hoeft niet te zoeken naar Anges doos met oud schoolmateriaal, alles is keurig gerangschikt. Haastig werken haar vingers zich door de papieren. Het is goed om wat te doen te hebben! Als ze het boekje eindelijk vindt, slaakt ze een zucht van teleurstelling. Het is van twee jaar terug, namen staan er slordig in neergekalkt, hier en daar driftig doorgestreept alsof Ange de bijbehorende persoon wilde treffen.

'Heb je wat?' Rita wacht onder aan de trap, met het telefoonboek in haar hand. 'Ik heb nog wat leraren gebeld, niemand neemt op!'

Susanneke laat het boekje zien.

'Mam, we kunnen nu niemand meer bellen, weet je wel hoe laat het ondertussen is geworden?'

'Als het om een verdwenen kind gaat, heeft iedereen begrip, lijkt me!'

Susanneke loopt met twee vingers langs de namen in het adressenboekje. 'Zegt jou de naam Moniek Bagerman wat? Of Lotte nog wat... onleesbaar!'

Rita haalt sidderend adem. 'De conciërge, hoe heet die man ook weer?' Susanneke veegt langs haar ogen. 'Ik weet toevallig dat die de eerste dag van de vakantie is vertrokken. Hij heeft maanden lopen pochen over zijn reis naar Indonesië. Natuurlijk komen we wel achter namen, maar dat brengt ons nog niet naar Ange!'

Zonder dat ze het gemerkt hebben zijn de twee mannen teruggekomen, achter elkaar lopen ze het huis binnen.

Jan schudt zijn hoofd. 'Afwezig, bezig met een verhuizing, Rita. We hebben de buren uit bed gebeld. Ze weten niet eens waar de Haags naartoe zijn, maar daar komen we morgen wel achter!'

Rita klemt zich aan haar man vast. 'Denk je dat ze met hen mee is? Ze deed toch zo vreemd, de laatste tijd... Jan! Onze Ange!'

Branderhorst is met de situatie verlegen. Hij zou zo dolgraag deze mensen willen helpen, maar ook hij is machteloos. Zo ferm als hij kan verwoordt hij de eerste de beste bemoediging die hem te binnen schiet. 'Mensen, Ange is niet verongelukt, de naburige ziekenhuizen weten van niets. De politie weet van niets, geen mens heeft iets verdachts gemeld. Alle kans dat Ange rebels is, zich hier of daar ophoudt en vergeten heeft een boodschap achter te laten. Is boven alles goed doorzocht? Eh... geen briefje of iets van dien aard?'

Susanneke is al weg.

'U kunt niets meer voor ons doen, dokter. Ik denk dat we morgen pas echt stappen kunnen ondernemen, per slot van rekening is Ange dan vierentwintig uur verdwenen!'

Branderhorst wendt zich tot Susanneke die met lege handen de trap af komt sjokken. 'En jij, meid, wat ben jij van plan nu je geslaagd bent? Studeren zeker?' Even afleiding, hoopt hij.

Susanneke schudt haar hoofd. 'In zekere zin wel. Frans ga ik leren en wel in Parijs. Ik ga er werken als au pair en hoop vloeiend Frans sprekend terug te komen.'

Branderhorst knikt. 'Maar je verlaat het nest niet zolang je zusje het laat afweten, hoop ik!'

Susanneke kleurt. Stel je voor dat... Nee, zo ver wil ze niet denken. Ze moeten ervan uitgaan dat Ange gezond en wel thuiskomt.

'Tuurlijk. Ik laat ze hier niet in de steek. Ik heb nog een paar weken de tijd, dokter. Zo lang zal onze Ange hopelijk niet verstoppertje blijven spelen!' Susanneke schiet in een nerveus lachje.

Gedrieën begeleiden ze de huisarts naar diens wagen. 'Jullie kunnen me ieder moment van de nacht bellen, mensen. Moed houden!'

De felrode achterlichtjes verdwijnen in het donker van de nacht.

'Ik blijf op!' kreunt Rita. Jan ondersteunt haar aan de ene kant, Susanneke aan de andere zijde.

'Mam, we kunnen niets doen! We gaan gewoon op bed liggen, desnoods hou je je kleding aan. We laten de achterdeur open zodat ze er te allen tijde in kan. En ik geef je twee van de pillen die Branderhorst heeft achtergelaten!' Susanneke neemt de leiding, ze dirigeert haar moeder naar boven en blijft naast het bed zitten tot Rita wegdommelt. De slaappillen werken.

Beneden zit Jan Althuisius aan de eetkamertafel. Schor zegt hij: 'Ik weet het ook niet meer, mijn kind. Ik heb het God verteld, hoewel ik ervan uitga dat Hij die almachtig is, alles dus weet, niets nieuws hoorde. Toch lucht het op, je staat er niet meer alleen voor... Ik slaap wel wat in mijn stoel, probeer jij ook wat te rusten. Wie weet wat er morgen op ons afkomt!'

Besluiteloos drentelt Susanneke heen en weer. 'Pap... wat denk jij? Zou ze ergens liggen, misbruikt of zo?'

Jan legt zijn hoofd op de armen. Susanneke schrikt als ze zijn schouders ziet schokken. Pa laat zich nooit gaan. Ze heeft zelden een traan in zijn ogen gezien. Het maakt haar ook weerloos, de situatie is volkomen uit de hand gelopen, ze hebben er geen enkele grip op.

'Het is al bijna ochtend, pappa.' Susanneke legt haar hoofd op dat van haar vader. Ange, als je eens wist hoe we eraan toe zijn! flitst het door haar heen.

Jan herstelt zich. Hij snuit zijn neus en staat op, lacht wat beverig. 'Een paar uur terug was ik nog de meest tevreden mens in de stad. Mooie functie, goed betaald. Gezond, een schat van een vrouw en twee mooie dochters. En nu... In een mum van tijd is alles kapot! Ik prakkizeer me suf, kind. Maar ook ik zou niet weten wat ons nu te doen staat. Morgenochtend sta ik nog voor achten op de stoep bij de politie, dat beloof ik je!'

Susanneke knikt. Vreemd moe is ze. Haar hoofd tolt, maar van slaap is geen sprake. 'Ik ga maar naast mam liggen, dan ben ik er meteen bij als ze wakker wordt. Hopelijk zijn die pillen sterk genoeg om haar een paar uur van de wereld te houden!'

Jan knikt moe. 'Ik snor nog een paar namen en adressen op, Susanneke. Ooit heb ik een boekhoudkundig probleem opgelost voor ene Karsemijer, een ambitieus politieman. Misschien kan ik die bron aanboren, want iedere Nederlander weet dat het dagen kan duren voor een verdwijning echt op de rol wordt gezet!'

Susanneke geeuwt ongegeneerd. 'En kon die ambitieuze politieman zelf zijn belastingpapier niet invullen?'

Jan graaft in zijn herinnering. 'Er was iets met de boekhouding van zijn ouders, een sterfgeval, familieruzie en weet ik wat al niet meer. Toevallig ontmoetten we elkaar op een saaie receptie, zo is het contact ontstaan.'

Susanneke kust haar vader. 'Probeer je ook te ontspannen, pa. En laten we hopen dat de politieman zich jou herinnert!'

Ik heb werkelijk geslapen, is het eerste wat Susanneke denkt als ze wakker wordt van het hanengekraai, afkomstig uit een kippenhok van de achterburen.

Ze kijkt naast zich en ziet dat haar moeder nog in diepe rust is. Vreemd om toch te kunnen slapen terwijl je hoofd en hart vol zijn van Anges verdwijning. Geen twee seconden duurt het of de hele film draait zich voor je geestesoog af.

Susanneke richt zich op. Hoort ze beneden nu echt iemand praten? Pa is aan het bellen, begrijpt ze. De dokter of de commissaris? Ze glijdt geluidloos uit bed en sluipt naar beneden. Jawel, pa is in gesprek met Branderhorst, begrijpt ze.

Als haar vader na een korte groet afbreekt, informeert Susanneke of pa de dokter uit bed heeft gebeld.

Het is Jan Althuisius aan te zien dat hij een doorwaakte nacht heeft gehad. Hij schudt zijn hoofd en strijkt met een hand over zijn stoppelbaard. 'Hij belde zelf, ik waardeer dat ten zeerste. Enfin, we zullen zien wat de dag ons brengt. Ik heb zo mijn plannen. Slaapt mamma nog?'

'Niet meer!' klinkt het vanuit de deuropening. Een verfomfaaide Rita wankelt de kamer binnen. 'Hoe is het mogelijk dat ik heb geslapen terwijl ons meisje is verdwenen...'.

Susanneke neemt het heft in handen. 'Mam, hup, terug naar boven jij. Een douche zal je goeddoen. Pa gaat zich ook opknappen en ik zorg ondertussen voor het ontbijt. We weten niet wat de dag ons zal brengen en het minste wat we kunnen doen is zorgen dat we fit blijven!'

Rita gehoorzaamt haar dochter gewillig. Eén ding weet ze zeker: zo'n zware tablet neemt ze nooit weer.

De naam van Ange hangt onzichtbaar in huis, net niet tastbaar.

Susanneke kookt eieren, zet thee en smeert vast wat brood. Ze werpt een blik op de kalender die aan een wand hangt, boven de pannenlappen. Hoeveel tijd heeft ze nog voor ze naar Parijs gaat? Ze heeft zich onlangs ingeschreven voor een cursus, een paar dagen terug bracht de post een informatiepakket. Ze heeft begrepen dat de medecursisten allen buitenlanders zijn, net als zij. Wie weet wat voor leuke vriendschappen ze op gaat doen! Maar dan moet Ange wel terug zijn.

Geen van drieën doen ze het ontbijt eer aan.

'Alsof er iemand is overleden...' kreunt Rita als ze vol weerzin naar haar onthoofde ei kijkt.

'Eet nou wat, mam, het kacheltje binnen in je moet blijven branden!' adviseert Susanneke terwijl ze zelf haar brood verkruimelt.

Jan vouwt zijn handen. 'Ik heb geen rust om te eten. Als je een kop koffie voor me wilt zetten, Susan, zal ik je dankbaar zijn. Ik eindig maar vast...'

Susan. Ze horen het alledrie. Opeens geen Susanneke, maar Susan.

Terwijl Jan het nummer van Karsemijer draait, zorgt Susanneke voor koffie. 'Jij ook, mam? Of nog thee?'

Rita schudt haar hoofd. 'Mijn maag zit verstopt, lieverd. Weet je wat ik steeds bedenk? Hoe vaak heb je in de krant verhalen gelezen over een vermissing? Ik zou het niet kunnen tellen. En dan al die sensationele nieuwsrubrieken waarin de details uitvergroot worden, voor ons vermaak... Eigenlijk heb ik nooit echt stilgestaan bij de mensen achter een verdwijning. Er kunnen zo veel redenen zijn.'

Susanneke kan haar moeders woordenstroom niet stoppen. 'En dan al die gevallen waar nooit klaarheid in is gekomen? Mijn moeder vertelde vaak over de zogeheten 'Lindberghbaby', het kind van een wereldberoemd vliegenier. Vermoord bleek het kindje te zijn. En die jongelui onlangs... verdwenen na een hypnoseshow!'

Susanneke schenkt toch maar koffie voor haar moeder in. 'Er zijn geen twee gevallen gelijk, mam. Toe nou... drink van de koffie en wacht af!'

Rita snuift, ze hoort amper wat haar dochter te berde brengt. 'En dan weet ik ook nog van mensen die helderzienden raadpleegden. Wel, dat gaan wij niet doen. Ik geloof eerder dat God Zich een Vader wil betonen en ons helpen kan...'

'Vertrouw daar dan ook op!' zegt Susanneke scherper dan ze bedoelt, want ook zij is bloednerveus. 'God is de enige die weet waar ze zich ophoudt, mam. Wij staan machteloos, moeten wachten tot de politie de tijd gekomen acht om wat te gaan doen. Wat ik ooit gehoord heb over eh... nou ja, werken aan opsporingen, da's niet zo best. Want onze Ange is geen tien jaar meer!'

'Maar nog wel een kind... hoe oud is ze helemaal? Zestien jaar!'

Jan komt achter Rita staan, hij legt zijn handen op haar schouders. 'Ik heb de zaak gebeld en wat dingen geregeld zodat ik even de handen vrij heb. Er is begrip en medeleven. Natuurlijk laat ik me af en toe zien, zo kort na de promotie kan ik me geen dwaasheden veroorloven. Enneh... ik heb de vrouw van Karsemijer aan de lijn gehad. Hij komt vanmiddag terug van een conferentie en ze heeft voorgesteld meteen een afspraak te maken. Hij is commissaris en heeft, naar ik hoop, de mogelijkheden om iets voor ons te doen. Natuurlijk ga ik zo meteen eerst langs het bureau. We blijven erbovenop zitten. En jij, Susan, jij kunt het best een bezoekje afleggen bij die boetiekjuffrouw!'

Rita veert op. 'Dan gaan we samen!'

Geen sprake van, vindt haar man. 'Er moet iemand thuisblijven om eventuele telefoontjes aan te nemen. Misschien komt er iets via de post...'

Rita jammert: 'Je bedoelt toch geen verzoek om losgeld? Dat zou onzin zijn, want wat hebben mensen als wij nu behalve een goed inkomen?'

Susanneke grist de ontbijtbordjes van tafel. Dat gedoe van mams! Ze wordt er niet goed van. Ze rammelt onnodig met het bestek en vangt de geïrriteerde blik van haar vader op. Ja ja, ze houdt zich wel in. Mams is overgevoelig, vooral wanneer het op Ange aankomt.

Jan gooit de door Susanneke ingeschonken koffie in één teug naar binnen, kust Rita op het witte haar dat nog nat is van de douche. 'Kalm blijven, laat dat ons motto zijn.'

Dan is hij weg, niet zoals anders per fiets. Ze horen naast het huis de auto starten.

'Ik ga dan maar naar die boetiek, mam. Ik blijf niet lang weg. Wie weet kan ze – MaiLy Lam – iets meer vertellen over wat Ange de laatste tijd zoal bezighield!'

Susanneke is blij even het huis te kunnen verlaten. De angst om Anges verdwijning krijgt zo langzamerhand behoorlijk vat op hen drieën. En geen wonder!

In de winkelstraten is het erg rustig, zoals gewoonlijk rond openingstijd. Tegen de puien van sommige zaken leunen verkoopsters die op de baas met de sleutel wachten. Hier en daar is een glazenwasser in de weer en nog wat verderop spuit een jongen de trottoirs voor een patatzaak schoon. Mussen hippen onbekommerd wat rond, vinden van alles en nog wat dat voor een mensenoog onzichtbaar is.

Susanneke weet de boetiek gemakkelijk te vinden. Aan het eind van de Hoofdstraat is een zijweg waar enkele speciaalzaken de juiste klanten trekken.

De boetiek heet kortweg MaiLy. Even schroomt Susanneke om naar binnen te gaan. Chique winkels trekken haar niet, nog niet. Ze gluurt door de glazen deur, constateert dat er al lampen aan zijn.

Geen koud tl-licht, dat ziet ze meteen. Aarzelend duwt ze de zware deur open, een beschaafd rinkeltje meldt dat er een klant is.

Snelle voetstappen doen Susanneke zich omdraaien. De trap, waar de eigenares van afkomt, was haar nog niet opgevallen. Een sierlijke vrouw, leeftijd onbestemd, registreert Susanneke. Duidelijk een landgenote van hun Ange.

Niet alleen beschaafd, maar ook heel vriendelijk komt MaiLy over. 'Goedemorgen! Kan ik iets voor u doen? Wilt u rondkijken?'

Susanneke haalt diep adem. Ze voelt zich groot en lomp naast zoveel verfijnde charme. Ze steekt haar hand uit. 'Ik kom niet om iets te kopen, mevrouw. Mag ik me voorstellen? Ik ben Susan Althuisius, een zus van Ange!'

De handdruk is onverwacht stevig.

Susan, nu zegt ze het zelf ook al.

'Dat vind ik leuk! Een familielid van mijn kleine vriendin!'

Susanneke hapt naar adem. 'Is ze hier, bij u?' Haar hart bonkt van opwinding. Stel je toch voor, einde drama!

MaiLy kijkt verbaasd. 'Nee, nee!' en ze schudt haar hoofd. 'Zo vroeg heb ik haar nog nooit op bezoek gehad! Trouwens, wat een merkwaardige vraag!'

Susanneke knikt. Ze vertelt heel kort de reden van haar komst.

MaiLy slaat een hand voor haar mond. Ontsteltenis spreekt uit heel haar wezen, de reacties doen Susanneke goed.

'En nu is pa dus naar de politie. Het is ons een raadsel.'

MaiLy trekt Susanneke mee naar een klein vertrek achter de zaak. 'Ga jij maar eens zitten. En noem me alsjeblieft MaiLy, net als Ange. Wat spijt het me dat ik je moet teleurstellen, Susan. Weet je, ik heb haar al dagen niet gezien! Dat verbaasde me al, maar ik dacht: mooi weer, vakantie, zwemmen en weet ik wat niet al! Kom, zal ik wat te drinken voor je maken? Je ziet eruit alsof je wel wat kunt gebruiken!'

Susanneke bedankt. 'Ik kwam echt alleen om inlichtingen. Toe, vertel toch eens waar Ange het met u... jou... zoal over had. Over dat ze terug wilde naar Korea?'

MaiLy kijkt nu heel bekommerd. 'Daar sprak ze vaak over, maar of dat allemaal zo gemeend was... Ik dacht meer aan leeftijdsproblemen. Dromen van een andere achtergrond dan die je vertrouwd is. Ach... en ooit je geboorteland zien, dat willen we allemaal. Ook ik. Maar ik heb er het geld niet voor over. Later misschien. Dacht je dat Ange rare dingen in die richting heeft gedaan? Dat ze weg is gelopen?'

Susanneke heft haar handen op in een radeloos gebaar. 'Ze heeft net zomin geld als jij voor zo'n reis, plus de verblijfkosten. Of... iemand moet dat voor haar betalen. Tegen een bepaalde prijs!'

Waarom, tobt Susanneke, heeft ze toch zo veel fantasie?

'Tegen welke prijs? Je bedoelt dat ze met haar lichaam betaalt! Of iets smokkelt...'

Susanneke kan zich niet langer goedhouden en een vloed tranen stroomt over haar bleke wangen.

'Ach, liefje toch!' MaiLy is een en al bezorgdheid. Ze haalt een glas water en duwt een stapeltje tissues in Susannekes bevende handen.

Als de winkelbel rinkelt, bijt Susanneke zich op de lippen. MaiLy zal het niet waarderen als ze luidkeels achter een gordijn zit te snikken, mooie indruk zou dat op de klant maken!

Een dame kwettert zo druk als een spreeuw in de lente. Ze weet wat ze wil, maar weet MaiLy toch behoorlijk bezig te houden. Het is een goede klant, vermoedt Susanneke. Zo te horen schaft ze meer dan één kledingstuk aan zonder zich om prijzen te bekommeren.

Terwijl MaiLy bezig is, herstelt Susanneke zich. Het zou te mooi zijn geweest als ze hier het antwoord op de brandende vraag zou krijgen.

'Ik zal even voor u zien hoeveel het is. Dat is dan het bedrag van...'

Pinnen, de klant wil pinnen en dat kan. Als MaiLy even later weer het privé-domein betreedt is Susanneke, zo te zien, weer de oude.

'Gaat het weer? Ach, ik ben ook zo ongerust. Ange was de laatste tijd zo opstandig! Ze had nergens vrede mee. Ik had altijd wel plezier in haar gebabbel, het trekt toch, hoor, een landgenote. Ze is ooit bij toeval hier in de zaak terechtgekomen. Een vriendin kwam vlak voor de deur te vallen en Ange rende bij mij naar binnen voor een pleister. Tja, zo simpel is soms de aanzet tot vriendschap. Mag ik jullie vanavond bellen? Ik ben heel belangstellend...'

Opnieuw krijgt Susanneke een stevige handdruk. 'Moed houden, Susan! Mocht me iets te binnen schieten, ik bel meteen!'

Ze loopt met Susanneke mee naar de deur en wacht met naar binnen gaan tot Susanneke op haar fiets is gestapt.

Naar huis, zonder enig bericht. Alleen dat Ange bij MaiLy geklaagd heeft over haar leven van alledag. Een mengeling van angst en woede spoelt door Susanneke heen. Er zijn twee grote mogelijkheden, de een al beangstigender dan de andere! O, het doet zo'n pijn... Hun Ange! Ange is vrijwillig vertrokken, óf het tegenovergestelde is een feit. Als dat laatste het geval mocht zijn, is er weinig hoop, vreest Susanneke.

Thuis vindt ze de huiskamer vol met mensen, stuk voor stuk mensen die ze kent. Buren. Buurvrouw Rachel, de moeder van de kleine Sander, heeft de omwonenden bij elkaar getrommeld. Want, zo is haar mening, in tijden van nood moet men elkaar terzijde staan.

Rita Althuisius staat midden in de kring en doet gedetailleerd verslag, terwijl Rachel met een koffiepot rondgaat. Susanneke ziet meteen dat haar moeder ten prooi is aan grote opwinding, de wangen zijn vurig en in de hals heeft ze rode vlekken.

Een paar seconden neemt ze het schouwspel in zich op. Ze zou haar moeder het zwijgen willen opleggen, het heeft geen zin om zo uitgebreid verslag te doen. Of juist wel? Moeten niet zo veel mogelijk mensen weten dat Ange weg is, zodat er onverwacht toch een tip omtrent haar verblijfplaats naar voren komt?

Een flard van een radiobericht zindert door haar hoofd: degene die inlichtingen kan geven over de verblijfplaats van... die tot opsporing kan lijden... signalement... Nee, nee! Niet hun Ange!

Dan ontdekt Rita haar oudste, ze is een en al vraagteken.

Susanneke schudt haar hoofd.

Rachel duwt haar in een stoel. 'Zo, kom even tot jezelf. Ik heb je moeder net al gezegd dat ze op ons allemaal kan rekenen. We koken voor jullie en om de beurt komen we gezelschap houden zodat Rita niet alleen hoeft te zijn. Een goede buur spaart psychiaters uit, zeg ik altijd maar. Kom, meid, drink je koffie!'

Alsof dat helpt, denkt Susanneke opstandig. Is er wat aan de hand? Dan eerst maar een kop koffie. Toch accepteert ze gretig de mok die Rachel haar aanreikt.

'En wat ik ook al zei, namens de buren: niet schromen bij ons aan te kloppen. Zoals vannacht bijvoorbeeld. Ons hadden jullie gerust uit bed kunnen bellen!'

Een instemmend gemompel klinkt op en als Susanneke ziet dat haar moeder even straalt van dankbaarheid, is het haar allemaal om het even. Ze staat op, heft haar mok omhoog. 'Dan mag ik me zeker wel even terugtrekken... ik heb bijna niet geslapen. Enneh... bedankt allemaal!'

Even alleen zijn. Proberen een lijn te vinden. Een lijn die er niet is. Vertrokken met onbekende bestemming. O, Ange, waar ben je heen gegaan? Amsterdam? Of een buitenlandse stad? Problemen met het zittenblijven? Misschien wanhopig, omdat ze het niet meer zag zitten?

Wat heeft zij, Susanneke, voor Ange gedaan? Niets. Meegetroond naar het zwembad, de stad in voor een uitverkoopje. Maar echt mee uitgevraagd heeft ze haar niet. Uiteindelijk moet Susanneke vaststellen dat ze geen enkel houvast heeft in de kwestie.

In Anges kamer haalt ze alle kasten overhoop, biddend dat ze iets zal kunnen vinden. Een kleinigheid, die hen op weg zou helpen om Ange terug te vinden. Opeens zit Susanneke als verstard, geknield voor een ladenkastje. Wat, als Ange dit alles zelf wil? Bewust een keus heeft gemaakt?

Susanneke grist een nachthemd uit de la en propt dit tegen haar mond om haar snikken te smoren. De tweede onbedaarlijke huilbui binnen enkele uren!

4

DE DAG VORDERT TRAAG. TERWIJL RITA DOOR DE BUREN WORDT UITGE-hoord en bemoedigd, rijdt Jan van hot naar her.

Op het politiebureau wordt hij begrijpend te woord gestaan, men moet zich echter houden aan de regels. 'We zullen zien wat we kunnen doen, misschien is uw dochter terug voor we onze machinerie in werking hebben gesteld, meneer Althuisius!'

Dan haast Jan zich naar het huis van de familie Haag. 'U weer!'

De buren hebben kennelijk het nachtelijk bezoek niet weten te waarderen, ze hebben er nauwelijks begrip voor.

'Ik weer en met reden!' zegt Jan kalm.

De vrouw des huizes kan hem niet verder helpen dan ze al gedaan heeft. 'Maar vraagt u hierachter eens, met die mensen ging de familie wel om...'

Jan heeft zelfs de beleefdheid te groeten, keert zijn wagen en twee minuten later drukt zijn ene wijsvinger nadrukkelijk op de bel.

'De familie Haag? Die gaan inderdaad verhuizen, maar momenteel zijn de Haags bezig de begrafenis van een oma te regelen. Ik denk niet dat u op dit moment echt welkom bent, meneer!'

Jan slikt een keer en vertelt toch maar de trieste reden van zijn bezoek.

'Wat ontzettend... Ik heb uw dochtertje vast weleens gezien, ze was dus bevriend met Francien.'

Jan geeft een persoonsbeschrijving van Ange. De vrouw knikt en knikt.

'Ja, dat meisje heb ik weleens ontmoet. Een mooi meisje... Wat erg allemaal, meneer! Komt u toch binnen, ik zal zoeken naar het adres van de ouders van Haag. Die hebben een zaak, dat is alles wat ik weet. En de plaatsnaam. Zal ik een kopje koffie voor u zetten?'

Jan bedankt. Vreemd is dat, een vriendelijk woord, de normaalste zaak van de wereld, raakt hem zo diep dat het hem roert. Hij tuurt naar het briefje waarop naam en stad staan gekrabbeld. Een geel blaadje van een memoblokje. 'U hebt al wat voor me gedaan, mevrouw. Ik rijd toch maar naar dit adres toe, wie weet krijgen we houvast aan wat die Francien kan vertellen. Volgens mijn vrouw en mijn oudste dochter waren die twee meisjes dik bevriend!'

De mededeelzame vrouw loopt achter Jan aan naar de voordeur. 'Ik moet er nog wel aan toevoegen, meneer, dat Francien een vreemd meisje is. Eigenzinnig, dat zegt zelfs haar eigen moeder. Maar dat is niet alles. Ze houdt er aparte ideeën op na. Houdt zich bezig met dingen die niet goed zijn voor zo'n jong ding.'

Jan schrikt. 'Weest u eens duidelijker? Eh... seks? Drugs?'

De vrouw wordt verlegen. 'Dat weet ik zo niet. Ik bedoel meer op het zweverige gebied...'

Jan zucht. Zweverig gebied, wat kan dat mens daar mee bedoelen? 'Juist!'

'Ze experimenteerde nogal eens met die gekke spelletjes, glaasje draaien en zo...'

Jan steigert. Figuurlijk, maar ook bijna letterlijk. 'Dat kan ik me niet voorstellen! Daar worden ze toch voor gewaarschuwd? Ik meen dat mijn vrouw tenminste onze dochters heeft geadviseerd zich daar verre van te houden.' Hij mompelt nog wat over de 'c' in de naam van de school. 'Het is toch een christelijke school?'

Nu lacht de achterbuurvrouw hem uit. 'Dat zegt tegenwoordig niet alles meer. Ja, ik heb me ook afgevraagd hoe een gelovig meisje als Francien zulke dingen kan doen. Het is heidens... het schijnt echt dat je met de geestenwereld van doen kunt krijgen!'

Jan voelt een rilling over zijn rug kruipen. 'Wis en waarachtig. Enfin, maar hopen dat onze Ange zich daarin niet heeft laten meeslepen!'

Jan rijdt naar huis, het hoofd vol nieuwe problemen. Of er nog tijd is om vóór de afspraak met de commissaris naar het gezin Haag te gaan? Hij geeft wat meer gas, neemt niet de moeite zijn auto binnen het hek te rijden. Onder de bomen tussen de weg en het wandelpad is net ruimte genoeg voor zijn wagen. Nu wordt ook Jan geconfronteerd met 'de buurt'. Hij schudt zijn hoofd. Het liefst stuurde hij al die goedbedoelende mensen het huis uit.

'En? En!' Susanneke rent de trap af. Jan trekt haar mee naar de keuken.

'Heb jij dat gezelschap besteld?' Zijn voorhoofd rimpelt.

Rita's voetstappen klinken achter hen op. 'Weet je iets, Jan? Ik zie het toch aan je?'

Vanuit de kamer klinken geluiden die doen denken aan een vergadering, denkt Jan.

'Die mensen zijn onze buren, pa. Ze zijn gekomen uit naastenliefde en sommigen misschien een beetje uit nieuwsgierigheid!'

Jan krabt zich op zijn achterhoofd. Lieve help, de warmte speelt hem parten. Hij rukt de opening van zijn das verder open. 'Ik weet niets concreets. Wel heb ik het adres van de familie Haag, die bezig is een begrafenis te regelen. Dat bewuste meisje is waarschijnlijk met haar ouders mee. Tja, ik bel liever niet, daar is de boodschap te ingewikkeld voor. Ik sta in dubio. Ik wil ook de afspraak met Karsemijer niet mislopen!'

Susanneke klemt zich vast aan haar vaders overhemd. 'Laat mij dan met de auto naar de Haags gaan, pa! Heus, ik zal voorzichtig rijden, dat weet je.'

Rita knikt. 'Ik zou het liefst zelf gaan, maar ik voel me nog zweverig vanwege de ingenomen pillen...'

Nog aarzelt Jan. Hij denkt aan de spelletjes van Francien. Het is niet nodig zijn vrouw op stang te jagen, die heeft aan de haar bekende feiten al meer dan genoeg.

'Goed. Eh... ik loop even met je mee en vertel ondertussen wat ik weet. Niet veel...'

Rita wordt door een bejaarde buurman teruggehaald naar de kamer. 'We willen daadwerkelijk helpen, wat dacht u ervan als we affiches met foto's gingen hangen en plakken!'

Jan duwt, zodra hij buiten Rita's gehoorbereik is, Susanneke het gele memootje in de hand. 'Ooit gemerkt dat Ange spelletjes deed zoals glaasje draaien en zo meer?'

Susanneke staart haar vader aan. 'Ik heb op school nooit gemerkt dat wie dan ook daar belangstelling voor had. Wel is er ooit een voorlichter geweest die ons uitgebreid heeft gewaarschuwd. Ik kan me dat van Ange ook niet voorstellen, pa.'

'Ik hoop het, Susan. Wel, rij voorzichtig en ik wens je sterkte. Vergeet niet dat die mensen momenteel wel wat anders aan het hoofd hebben dan onze zorgen!'

Susanneke is blij te kunnen ontsnappen aan de benauwende sfeer thuis. Ma is niet alleen, bovendien is pa nu ook thuis. En wie weet wat die Karsemijer alvast kan doen.

Susanneke knelt haar smalle handen om het stuur. Ze is niet echt vertrouwd met haar vaders wagen, het rijbewijs heeft ze dan ook nog niet zo erg lang. Pa... ze glimlacht. Pa is als de dood voor krasjes, neemt liever de fiets dan de auto ergens op een parkeerplaats 'onbeheerd' achter te laten. Tja, zulke ideeën tellen opeens niet meer nu zich een probleem heeft voorgedaan.

Het loopt tegen twaalven als Susanneke de stad inrijdt waar de familie Haag momenteel verblijft. Ze heeft slechts het adres van de winkel, best mogelijk dat de familie elders woont. Ze zet de auto op een grote parkeerplaats achter een supermarkt. Bij de parkeerautomaat klampt ze de eerste de beste voorbijganger aan en vraagt de weg.

'Schoenenzaak Haag. Wel... de supermarkt door, oversteken, de winkelstraat in. Tja, dan ziet u vanzelf het uithangbord, denk ik zo!'

Susanneke, onervaren als ze is, gooit te veel geld in de automaat. Twee uur heeft ze hopelijk niet nodig. Het geeft haar een goed gevoel iets te kunnen doen, bezig te zijn voor Ange.

Het is een drukte van belang in de winkelstraat. Buitenlanders, voornamelijk Duitsers, bepalen het straatbeeld. Vermoedelijk watersporters, meent Susanneke. Dan ontdekt ze het uithangbord waarop staat Haag Schoenen. De winkel wordt ingesloten door twee filialen van firma's die in elke stad te vinden zijn. De zaak is 'wegens familieomstandigheden' gesloten. Dat viel te verwachten.

Naast de winkeldeur is een smal portiek met een onopvallende deur. Resoluut duwt Susanneke met een vinger op de knop van de elektrische bel. Ze luistert, bijna met het oor tegen de deur gedrukt, of ze voetstappen hoort en jawel, iemand rept zich al snel na het overgaan van de bel een trap af.

Een jonge vrouw doet open. 'U komt op condoleancebezoek? Ik dacht eerst dat u van de begrafenisonderneming was. De familie heeft liever geen bezoek aan huis, op de kaarten komt te staan wanneer dat wel het geval zal zijn. Het spijt me...'

Susanneke haalt diep adem. 'Het spijt mij ook, van dat sterfgeval, bedoel ik. Maar ik kom voor Francien Haag. Is die hier? Heus, ik moet haar dringend spreken!'

De jonge vrouw, een hulp in de huishouding, veronderstelt Susanneke, schudt haar hoofd. 'Francientje is volkomen ingestort. Ze was zo wanhopig over de dood van haar oma. Eigenlijk méér nog, maar dat denk ik zelf...' Nu fluistert de vrouw meer dan ze praat. 'Ik geloof dat ze bang is voor de dood. Gewoon doodsbang. Ze werd hysterisch en dat konden ze hier niet hebben. De dokter is erbij gehaald en die heeft wat kalmerends gegeven, maar het hielp niet. Haar oma is namelijk thuis opgebaard. Gek werd dat kind! Ze trapte haar bril aan gruzels, dreigde uit het raam te springen en weet ik wat al niet meer. Ja ja, tegenwoordig hoor je wel meer dat kinderen zulke gekke dingen doen. Nou, toen heeft de dokter een adres gevonden waar ze tot rust kan komen. Echt aanspreekbaar is ze niet, volgens haar moeder. Ik kan u dat adres niet geven, dat spijt me echt!'

Susanneke aarzelt even voor ze opening van zaken geeft. 'Ik zal u uitleggen wat het geval is. Alstublieft, probeert u voor mij Francien te spreken te krijgen. Het gaat om m'n zusje, haar vriendin.'

De huishoudelijke hulp knikt en accepteert een kladje waarop Susanneke haar telefoonnummer heeft geschreven.

'We hadden zo gehoopt dat onze Ange zich stiekem bij Francien had gevoegd, maar dat is dus oòk niet het geval geweest?'

'Dan zou ik het geweten hebben, mevrouw. Ik zal zien wat ik kan doen. En als u toch met mevrouw Haag wilt spreken, komt u dan na de begrafenis nog eens langs.' Ze besluit met de bemoedigende woorden: 'Misschien heeft uw zusje wel in overspannen toestand het huis verlaten!'

Susanneke gruwt van die woorden. 'In ieder geval bedankt voor de moeite. Ik bel zeker nog eens.'

Met gebogen hoofd sjokt Susanneke terug naar de parkeerplaats. Ze vindt een gloeiend hete wagen en haastig draait ze alle ramen open. Van haar mag het stortregenen.

Net als ze haar parkeerkaartje wil verfrommelen, ziet ze een man vlak naast haar uit zijn auto stappen. 'Een kaartje, meneer? Ik heb nog tijd over op het mijne!'

De man fluit vrolijk. 'Da's dan een kopje koffie verdiend. Bedankt, schoonheid!'

De schoonheid puft. De man moest eens weten. Al rijdend filosofeert ze verder. Wat weet je van je medemens? De man in de straat? Langs elkaar heen ren en draaf je naar je eigen doelen. Hoewel, er zijn toch nog wel mensen die met je meeleven, daar hebben ze thuis vanochtend het nodige van gemerkt!

Ondanks een hoofd vol getob, knort Susannekes maag bijna hoorbaar. Als ze thuiskomt, zo dadelijk, zal er geen eten op tafel staan. Het ritme van alledag is danig verstoord. Eén gedachte geeft haar telkens weer een kick: wie weet is Ange terug als ze thuiskomt!

Susanneke heeft zich in verschillende opzichten vergist. Ten eerste vervliegt haar hoop Ange thuis aan te treffen zodra ze de keuken binnenstapt. En ja, eten is er wel. Haar ouders zitten aan de kleine hoektafel en spitten ongeïnteresseerd in hun maaltijd.

'En?'

Susanneke mikt haar schoudertas op een stoel. Ze schudt haar hoofd. 'Dat kind, die Francien, is over haar toeren vanwege de dood van haar oma. Oma ligt thuis, ze werd er dus direct mee geconfronteerd en nu schijnt ze ergens opgenomen te zijn. In ieder geval lijkt het me onwaarschijnlijk dat ze ook maar iets van onze Ange af kan weten.' Susanneke kijkt naar de gespannen gezichten die naar haar opgeheven zijn. De teleurstelling is eraf te plukken. 'En, mam, toch de kracht gekregen om te koken?' Ze doet opgewekter dan ze zich voelt.

'Nee, de buurvrouw drie huizen verder, ik ken het mens nauwelijks. Probeer maar of je wat eten kunt. Het is best lekker, zegt pa.'

Susanneke wast haar handen onder de kraan. Vies voelt ze zich na de autorit en het is of ze het onverkwikkelijke bezoek aan huize Haag ook wil wegwassen. 'Eigenlijk heb ik best trek...' verontschuldigt ze zich.

Jan en Rita kijken elkaar glimlachend aan. 'Eet jij maar, lieverd!'

Uit gewoonte vouwt Susanneke haar handen. Bidden om een zegen voor het eten terwijl Ange wie weet waar is. Waarom voelt ze nu niet dat God met hen is? Ze wil haar ouders niet belasten met zulke vragen. Die hebben trouwens toch overal een passend antwoord op, een bijbeltekst of iets uit eigen beleving.

Buurvrouw heeft lekker gekookt, vindt ook Susanneke na een paar happen. 'Pa, hoe laat moet je ook al weer naar die Karsemijer?'

Jan kijkt op zijn horloge en vergelijkt de tijd met die van de keukenklok. 'Had ik je dat nog niet... Kees Karsemijer heeft gebeld, ik kon de afspraak vervroegen. Ik stap dan nu op.'

Rita krijgt een aai over haar kuif, Susanneke een opgestoken hand als groet. 'Pas op je moeder, Susan!'

Moeder en dochter kijken elkaar aan. 'Hij zegt steeds Susan tegen je... Alsof je promotie hebt gemaakt. Susan, het past wel bij je!'

Susanneke knikt. 'Zo stel ik me ook wel eens voor aan mij onbekenden, mam. Dat 'ke' komt soms zo kinderlijk over.'

Rita zucht. 'Wat zijn veel dingen opeens van weinig belang als je in de ellende zit. Tussen haakjes, ik las zonet in de krant dat er in Parijs alweer een autobom is ontploft. Zomaar, vlak voor een hotel. Een toerist is dodelijk verongelukt...'

Susanneke schraapt haar bord leeg. 'Wat wil je daarmee zeggen, mam? Dat ik beter niet kan gaan? Of dat ik...'

Rita valt haar in de rede. 'Kalm maar, niet zo fel! Ik deel het alleen maar mee. Je ziet dat overal wat gebeuren kan, zelfs als je in de Boslaan woont.'

Susanneke bindt in. Ze voelde een reeks verwijten in zich opborrelen. Ze heeft liever dat iemand haar recht in het gezicht zegt dat ze beter thuis kan blijven of een ander doel moet kiezen, dan dat op slinkse wijze een verborgen advies over tafel wordt geschoven.

'Het is nog niet zover.' Nu zou ze zelf met een tekst aan kunnen komen: onze tijden zijn in Gods hand.

Susanneke beseft dat een mens die in God en Zijn woord gelooft, heel voorzichtig moet zijn met het uitdragen van die waarden. Niet op iedere levensvraag is een gepast antwoord. Ze heeft nog het meest aan wat een juf van de zondagsschool ooit doorgaf: 'Vertrouwen, daar komt het op aan. Als je niet kunt bidden, niet genoeg kennis hebt, dan zeg je simpelweg: Vader, ik vertrouw U.'

Susanneke heeft geen lust in een discussie. Parijs... Zo ver weg als nu heeft de lichtstad haar nog nooit geleken. Onbereikbaar. 'Kom, ik was de troep af. Mam, ga even rusten!'

Rita briest bijna. 'Als ik moest doen wat iedereen adviseert, zou ik drie zaken tegelijk moeten doen: slapen en wandelen... Ik noem maar wat!'

Susanneke zwijgt. Ze worden alledrie kregelig vanwege de onmacht die hen in zijn greep houdt. 'Slaapwandelen dan maar!' zegt ze quasivrolijk.

Rita snuift. 'Ik ga even naar Rachel, als je het niet erg vindt. Die heeft in een tijdschrift een interview gevonden over verdwijningen in het algemeen. Ik ga het even halen. Als er iets is...'

Susanneke draait de kraan te ver open. 'Tuurlijk. Ga gerust!'

Het wachten is nu op vaders nieuws. Karsemijer, zou hij wat kunnen doen? Susannekes gedachten cirkelen rond en rond als een speelbal. Een tik op het keukenraam doet haar schrikken. Het gelaat van een buurman die ze slechts van gezicht kent, glimt haar tegemoet.

'Wat zal het zijn?' Het is onmogelijk dat die man iets bijzonders komt melden, denkt ze vermoeid.

'Ik kom een foto van Ange halen, we zouden immers posters maken. Met zulke dingen moet je niet te lang wachten, nu weet iedereen nog precies hoe ze eruitzag!' zegt hij bemoedigend. Susanneke klemt haar kiezen op elkaar. Wat een opwekkende man.

'Een foto. Een schoolfoto, die is prima. Staat op pa's bureau. Kom erin, buurman, dan haal ik die even!'

Als Susanneke even later terugkeert, gewapend met een foto waarop Ange haar vrolijk toelacht, staat de buurman gebogen over tafel. Zijn overhemd sliert hier en daar uit zijn broek, de das zit scheef en op zijn kalend hoofd parelen zweetdruppels.

Heel even blijft Susanneke stilstaan. Burenvriendschap, ze staan er niet alleen voor. Dat is ook Gods liefde, ervaart ze opeens. God kan vaak niet anders dan mensenhanden gebruiken, zoals nu.

'Kijk, we hebben een tekst opgesteld. Jullie, als familie, moeten er wel jullie goedkeuring aan hechten. Want...' De man richt zich op en kijkt over zijn brillenglazen recht in Susannekes gezicht. 'Als Ange terug is, moet ze zich niet hoeven te generen over de plakkaten!'

Susanneke knikt. 'Da's fijngevoelig, buurman. Hier is de foto. Ik kan hem niet uit het lijstje krijgen, u misschien?'

Terwijl de buurman de koperen haakjes die de foto vasthouden ombuigt, keert Susanneke zich om en veegt langs haar ogen. Raar toch, dat juist vriendelijkheden je van streek maken.

'Ik zal de tekst keuren. Wie heeft hem samengesteld?'

Vermist! Wie kent dit meisje of heeft haar onlangs gezien? Dat zijn de eerste woorden, dan volgen de naam en een persoonsbeschrijving.

'En dan de foto in het midden. Vanavond worden ze gedrukt, een relatie van de mevrouw op de hoek wil het gratis doen!'

Susanneke knikt. 'Ik zal voor Ange een logboek maken van alles wat er voor haar gedaan wordt, dan ben ik positief met het drama bezig. Zolang je denkt wat te kunnen doen, is het draaglijk. Maar zodra je tot rust komt, breekt de storm in je hoofd los!'

De buurman krabt op zijn kale kruintje. 'Ja, meid, dat zul je in je leven nog wel meer meemaken. We komen ter wereld als een tabula rasa, als een blanco blad. Moet je datzelfde blad na zestig jaar zien! Had je dit maar zus gedaan, dat maar zo...'

Susanneke beseft dat ze dit soort uitlatingen tot voor kort naast zich neergelegd zou hebben. Nu sluit ze die waarheden echter in haar hart.

'Wat heerlijk dat we er niet alleen voor staan...'

Anges foto, midden op het vel papier. Ze weet nog dat ze 's ochtends voor ze op de foto zou gaan, Susannekes mooiste sjaaltje had geratst uit haar commode. Ze hebben er behoorlijk ruzie om gemaakt, herinnert ze zich. 'Straks jat je ook nog mijn nieuwe lippenstift!' Ze hoort haast weer Anges lach in de gang. De jas al aan, hand op de deurknop. 'Die heb ik al, je krijgt hem onbeschadigd terug!' Herinneringen krijgen plots een eigen plekje en kunnen behoorlijk kwellend zijn.

'Zo, maak jij die afwas maar af, Susan. Dan zal ik zien dat ik de rest rond krijg. Eh... hoeven je ouders dit niet goed te keuren?'

'Het is prima zo!' zegt Susanneke ferm. Wat een idee, morgen hangen de affiches bij de supermarkten, achter een deur of naast de advertenties. Op de oude bomen in hun eigen laan, bij de openbare gebouwen. Wie zal de smeekbede negeren of weigeren op te plakken?

Het afwaswater is vet en koud geworden, Susanneke merkt het niet.

'Bedankt, buurman. En tot ziens!'

Een huilende Rita komt even later, net als de gootsteen het water wegslorpt, binnen. Ze heeft tijdschriften in haar hand. 'O, Susanneke, als je leest wat er zoal gebeurd kan zijn!'

Een sensationeel overzicht over het thema verdwijningen. De hel die de huisgenoten doormaken, de onzekerheid.

'En iedereen zegt na verloop van tijd hetzelfde: 'Wisten we maar of de persoon in kwestie nog in leven is. Dood is beter te aanvaarden dan onzekerheid.' Lees toch eens...'

Susanneke duwt met weerzin de kranten van zich af. 'Bah, het is dom van Rachel om je zulke artikelen toe te spelen. Wat hebben wij er nu aan, elk geval is toch anders. Kijk nou toch... dat meisje daar, die is bewust de prostitutie ingegaan, zie je wel, ze is verslaafd. Nou, dat was Ange niet. En die jongen... een haatverhouding met zijn verzorgers. Wel, wij houden van Ange en dat weet ze maar al te goed!'

Susanneke stampvoet driftig. 'Mam! Laat je nou niet door die journalistieke trekpleisters om zeep helpen!'

Rita beeft, zo ziet haar dochter.

'Mam, Ange houdt van ons. Zei je zelf niet op haar verjaardag dat adoptiekinderen de meest gewenste kinderen zijn? O zo!'

Ze moeten elkaar troosten voor zover dat mogelijk is. 'Er wordt gewerkt, mam. Ik heb zonet het plakkaat gezien dat die ene buurman zou maken. Het ziet er prima uit!'

Rita's oog valt op het lege portretlijstje dat tussen de schone borden op tafel ligt. 'O Susanneke, ik heb zo'n vreselijk voorgevoel!'

Jan Althuisius heeft intussen een goed gesprek met Kees Karsemijer. De vriendschapsbanden worden strakker aangehaald en Kees belooft de zaak zelf ter hand te nemen. Ook komt hij met cijfers. 'Van alle verdwijningen wordt er een groot aantal vanzelf opgelost. Wat je te zien krijgt op de buis en leest in de krant is slechts een klein percentage, Jan. Sensatieverhalen. Ook al berusten ze toevallig op waarheid. Wij zullen er alles aan doen je dochter terug te vinden. Weet je wat, komen jullie vanavond bij ons op de koffie. Even eruit, erover praten. Wie weet duikt tijdens dat gesprek met je vrouw en Susan iets op waar we wat aan hebben!' Bemoedigd rijdt Jan huiswaarts. Daar treft hij voor de tweede maal die dag een kamer vol bezoekers aan. Susanneke is druk in de weer met thee en ontdekt haar vader als eerste.

'En, pa?'

Jan schudt zijn hoofd. Goedbedoeld zijn die bezoeken, maar af en toe uiterst hinderlijk. Hopelijk is deze fase snel voorbij. 'Het komt snel op de rol. Kees zal doen wat hij kan, maar dat is niet meer dan hij voor ieder ander zou doen... Afwachten!'

Rita smeekt zwijgend of Jan naast haar op de bank komt zitten. Hij schudt echter zijn hoofd. 'Ik ga even langs kantoor, Rita. Instructies geven, de post doornemen. Tegen zessen ben ik terug. Ik ga met de fiets, dan kun jij eventueel de wagen gebruiken, Susan. Je weet niet of er zich iets voor zal doen...'

Susanneke is haar vader dankbaar. 'Ik wilde even naar de stad, pa, gewoon door de straten lopen. Wellicht kom ik iemand tegen die Ange kent. Een van school, je weet maar nooit! Langs de friettent waar ze vaste klant is, het dropwinkeltje. Ik noem maar wat!'

Jan kust Susanneke op een wang. 'Je doet maar, meisje. Tot vanavond!'

Weer wat te doen. Weer iets om op te schrijven voor Ange. Susanneke neemt zich voor een schrift te kopen waarin ze brieven aan Ange zal schrijven. In gedachten formuleert ze de eerste zin: Lieve Ange, wat heb je ons nu toch aangedaan?

Rita ziet Susanneke met lede ogen vertrekken. Straks, na de thee, is iedereen vertrokken en is zij weer alleen.

Van de dropwinkel naar de snackbar, van de snackbar naar MaiLy's boetiek. Een kletsend groepje tieners aanspreken, of ze toevallig bij Ange Althuisius in de groep zitten?

Net voor Susanneke moedeloos naar de auto terugsjokt, herinnert ze zich waarom ze naar de stad wilde. Natuurlijk, een dik schrift met een hard kaft, dat moet ze nog kopen. Het schrift moet veel bladen hebben, hopelijk heeft ze er slechts enkele nodig.

Het naar huis gaan is niet langer iets om je op te verheugen. Thuis is thuis niet meer, ook al is je achternaam Althuisius. Zo machteloos voelt Susanneke zich ten opzichte van haar moeders verdriet. Het is ook bijna niet te hanteren. 'Nog nieuws?'

'Niets natuurlijk!' zucht Rita als Susanneke binnenkomt. Ze merkt niet dat het zuchten een gewoonte is geworden.

Susanneke probeert telkens weer voor een vrolijke noot te zorgen. 'Een hart dat zucht geeft lucht aan een hart vol smart!'

Rita glimlacht. 'Hoe kom jij aan zo'n ouderwetse uitspraak? Zeker opgedoken uit een van de vele boeken die jij in de loop der tijden hebt verslonden!'

Susanneke laat het schrift zien. 'Ik begin meteen. Maar eerst, mam, moeten we Anges kamer opruimen, vind ik. Het is er zo'n troep! Als ze thuiskomt, moet het netjes zijn. Er slingeren T-shirts en boeken rond. Misschien kom ik nog wat tegen dat ons helpt!' Boven ontdekt Susanneke dat de kamer een minder slordige aanblik biedt dan ze verwachtte. Het bed is keurig opgemaakt en de rondslingerende kleding verdwenen. Susanneke gaat op het bed zitten. Wat was de reden van Anges vroege vertrek? Alsof het dagen geleden is gebeurd, Anges verdwijning.

Susanneke zoekt een pen op Anges bureau, ze voelt zich daardoor iets meer verbonden met haar zusje. Ze ontdekt een vergeten bibliotheekboek. Niet aan mam zeggen, ongetwijfeld zou er weer een zucht komen.

Susanneke schuift achter het bureau, opent het dikke schrift en haar hand schrijft automatisch: 'Lieve Ange, het is alweer een dag geleden dat je bent verdwenen, van het ene moment op het andere. Omdat ik zeker weet dat je ooit bij ons terugkomt, houd ik een logboek voor je bij. Ik zal bij het begin beginnen...'

De woorden komen vanzelf, alsof ze praat met Ange. Af en toe glimlacht Susanneke stilletjes voor zich heen. Al die commotie om misschien een verklaarbaar voorval.

Haar moeder moet drie keer roepen eer het tot Susanneke doordringt. 'Ik was aan het schrijven, mam. O, is pa al thuis? Ik was de tijd vergeten!'

Vlak na de broodmaaltijd worden de affiches met Anges foto erop hun aangereikt door een onbekende jongeman. 'Ik had tijd over, vandaar dat het eerder klaar is dan verwacht. Sterkte ermee!'

Susanneke die de voordeur heeft geopend, krijgt niet de kans iets terug te zeggen. Best begrijpelijk dat menigeen niet weet om te gaan met Anges verdwijning. Ze kijkt naar de zware map in haar handen en trapt zonder erbij na te denken met haar voet de deur dicht. 'De affiches!' zegt ze schor. Nu wordt het toch allemaal griezelig. Alsof het feit van de verdwijning een zwaar vernis heeft gekregen, dat niet zonder meer is op te lossen.

'Ik neem er een mee naar Karsemijer. Laat zien, Susan!'

Met bevende handen opent Susanneke de map. De vellen zijn groot, ze bedekken een kwart van de eettafel.

Het lieve koppie van Ange kijkt hen speels aan, een klein lachje speelt om de goedgevormde mond.

'Om gek van te worden...' hijgt Susanneke. Haar ouders zoeken steun bij elkaar, zwijgend staren ze naar het affiche.

Susanneke voelt haar maag omdraaien. 'Dit is niet vol te houden!' De tekst is prima, precies zoals deze behoort te zijn. Niet te dramatisch of negatief. Reëel, en dat komt over.

'Kom, maak je klaar, mam, dan gaan we op bezoek bij ome Kees!' Susanneke probeert hen af te leiden. 'Ik neem de verspreiding op me. Kom, laat mij ze opbergen tot morgen!' Ze sluit de map met trage bewegingen. Net of ze Ange begraaft, een schepje zand op haar kist gooit. Susanneke zucht. Ze lijkt toch meer op mam dan ze dacht!

'Susan heeft gelijk, Rita. Kom op, kam je haar en tracht je te ontspannen. De Karsemijers zijn mensen die jou best zullen liggen!'

Dat blijkt inderdaad het geval.

'Laten we maar niet buiten gaan zitten!' zegt de vrouw des huizes na de begroeting. 'Rechts en links zitten de buren op hun stoepjes en wat wij te bespreken hebben gaat niemand wat aan, zo is het toch?'

Karsemijer, vindt Susanneke, is een man die zo in een van de betere politieseries op tv mee zou kunnen doen. Kortgeknipt grijs haar en rechte schouders, kortom een militair voorkomen. Zijn vrouw straalt het tegenovergestelde uit. Ze is klein van stuk, supervrouwelijk en spontaan. Ze stelt het bezoek meteen op hun gemak.

Susanneke is blij dat ze mee is gegaan, het is een opluchting erover te kunnen spreken!

Karsemijer heeft het politieapparaat al in werking gesteld. 'Er zijn een paar redenen die dat mogelijk maken. De leeftijd en de overige gegevens zijn van dien aard dat wij menen niet te moeten wachten met de opsporing. Tja, bewijzen kunnen gemakkelijk ondergeschoffeld worden als er te lang gewacht wordt. Heus, mensen, al het mogelijke zal gedaan worden.'

Kees Karsemijer vertelt voorvallen uit zijn carrière, hij weet hen zo te boeien dat het heden even, heel even, verbleekt. Zo schuift de avond voorbij.

Rita wordt tegen tienen onrustig. 'Wie weet is er thuis op het antwoordapparaat iets ingesproken!'

Jan is de eerste die gaat staan. 'Mensen, hartelijk bedankt voor deze avond. Het is geweldig begrip te vinden en nog raad te krijgen ook!'

Kees Karsemijer lijkt opeens niets meer op de politieman die hij toch in hart en nieren is. Een vader die begrijpt wat de ander doormaakt. 'Wij weten ook wat het is om een kind te verliezen. Ons kleine meisje is overleden toen ze vier jaar was.' Hij wijst naar een portret dat op een onopvallend plaatsje op de schouw boven de open haard staat.

'Dat wisten we niet!' Rita schrikt.

Bonnie Karsemijer legt een hand op Rita's ene arm. 'Het is al lang geleden, het heeft een stempel op ons leven gedrukt. Het wordt nooit meer zoals het voor die tijd was, Rita. De angel is uit het verdriet, we hebben immers nog een kind dat groot moest worden! Berusting volgde op de wanhoop. Het is anders dan bij jullie. Jullie hebben onzekerheid, maar ook nog hoop, goede hoop mag ik aannemen.'

De vrouwen nemen met een kus afscheid, een vriendschap is geboren. Susanneke voelt iets van opluchting, ze vindt het steunen van haar moeder zeer zwaar. Ze komt amper aan haar eigen verdriet toe!

Thuis is de band van het antwoordapparaat leeg.

'Toch maar weer een slaappil en dan naar bed!' commandeert Jan zijn vrouw.

Als Susanneke achter haar moeder aan naar boven wil glippen, houdt haar vader haar tegen. 'Wij moeten even praten, meid!' Hij schenkt twee glazen wijn in en knikt naar de bank. 'Ga zitten, Susan. Hier, een slaapmutsje zal je goed doen. Hoor eens hier, Susan, ik zal er niet omheen

draaien: ik ga een offer van je vragen.'
Susanneke voelt de bui al hangen. Ze drinkt schielijk van de wijn en ver-
slikt zich net niet. 'Zeg het maar, pa!'
Jan blijft staan, vlak voor zijn dochter. 'Zolang het raadsel Ange niet is
opgelost, moeten wij drieën pal naast elkaar staan. En als jij naar
Frankrijk zou gaan, is daar geen sprake van. Wij – vooral je moeder –
kunnen je niet missen, Susan.'
Susanneke drinkt haar glas leeg. Parijs. De studie waar ze zo vol van was.
De kindertjes... Natuurlijk kan ze haar ouders niet in de steek laten. Ze
zou het niet willen en kunnen. Haar plaats is thuis.
'Het is toch nog geen september, pa...' fluistert ze.
Jan schudt zijn hoofd. 'Wij hebben geen enkel aanknopingspunt omtrent
de verdwijning en als je het mij vraagt, Susan, zal de afloop niet best zijn.
Wij kennen Ange. Ze loopt niet zomaar weg, daarvoor is ze veel te veel
kind. Er moet iets gebeurd zijn en het is zeer wel mogelijk dat er nooit
licht in de zaak komt. Waarmee ik niet wil zeggen dat jouw leven vanaf
nu hier dient te blijven liggen. Het gaat om de eerste tijd, Susan. Als je
moeder uitvalt weet ik niet hoe het verder moet. Ze is al eens eerder volledig van de kaart geweest. Of jij van die details op de hoogte bent weet
ik niet eens. Nog een slokje wijn?'
Susanneke knikt, kan ze tenminste ook slapen.
'Toen ma begreep dat ze na jou geen kinderen meer kon krijgen, was de
boot aan, Susan! En jij was nog zo klein. Ik denk er liever niet aan terug.
Hopelijk begrijp je mijn standpunt!'
Susanneke slikt haar teleurstellingen weg. 'Pap, ik zou toch niet lekkertjes in Parijs kunnen rondstappen terwijl jullie in de narigheid zitten?
Dat kan ik niet. Alleen, ik had mijn eigen toekomst even toegedekt, want
misschien komt ze morgen vanzelf terug. Je kent zulke gedachten.'
Jan knikt. Hij wist dat hij op Susan kon rekenen. Ze lijkt op haar moeder,
maar is gelukkig minder emotioneel. Nuchter, net als hij.
'Die Parijse lui moeten tijdig weten dat ze andere hulp moeten zoeken.
Als ik jou was zou ik het bemiddelingsbureau inschakelen, dan heb je er
zelf niets mee van doen. En ik beloof je, Susan, dat jij hierna je gang kunt
gaan. Ik zal dit nooit vergeten!' Pa die zulke woorden in de mond neemt,
meestal is het haar moeder die de kleurrijke taal gebruikt.

Susanneke drinkt haar glas leeg. 'Je kunt op mij rekenen, pap. Ik zal er zijn zolang dat nodig is, zelfs langer. Geen woord er meer over! Leven, besluiten nemen, dat is voortdurend kiezen, waar of niet?'

'Reken er niet op, meiske, dat de oplossing voor het grijpen ligt. We leven gedrieën van spanning tot spanning en dat zal nog wel even duren ook, of er moet een wonder gebeuren.'

Susanneke knikt. 'Welterusten, pa. Ik laat jullie niet in de steek.'

'Welterusten en Susan, dank je wel!'

Wanneer Susanneke even later de trap op sluipt – ze wil haar moeder niet uit haar slaap halen – is het of ze een grote stap heeft gezet. Een stap die haar met één klap in het leven van de volwassenen heeft doen belanden. Susanneke kruipt die avond haar bed in om na te denken, niet zoals anders om te slapen.

Overdag is er afleiding, als je wilt kun je je gedachten een bepaalde kant op sturen. Nu, in het duister van de nacht, is ze in staat helder te denken. De angst omtrent de afloop van het drama Ange komt in volle vaart op haar af.

Als je een kind bent, zo redeneert ze, heb je dwars tegen alle feiten in hoop op een *happy end*. Echter, zodra je verstand zich ontwikkelt weet je wel beter. Niet alles heeft een goede afloop. Maar al te vaak moet een mens door het dal, door een gloed van pijn.

O ja, ze weet zeker dat God meegaat. Ze denkt aan het gedicht van de voetstappen. Als je omziet, merk je dat op de zwaarste momenten Hij daar was en je droeg.

Susanneke draait zich om en om, het is warm in bed. Toch waagt ze het niet naar beneden te gaan. De anderen wakker maken is bijna strafbaar in hun omstandigheden, vindt ze.

Voor het eerst in haar leven worstelt ze met de realiteit van haar geloof. Geen vrome praatjes kunnen nu wat dan ook bewerkstelligen. Welk gebed zou acuut verhoord worden? Heer, stuur Ange naar huis. Of: Vader, laat er morgen een positief bericht komen. Zo kan ze nog wel even doorgaan.

Stelt haar geloof op de kritieke momenten in haar bestaan dan niets voor? Is het dan toch een gedachtespinsel, het gebed? Ze drukt haar gezicht in het kussen zodat haar tranen meteen gedroogd worden. Help dan toch!

smeekt haar hart. En dan, opeens, is het er wel. Een rust die ze niet zelf oproept. Een golf van vertrouwen overspoelt haar. En ze weet zeker: waar Ange ook is, Hij is daar ook.

5

'Je lijkt wel een postbode!' Rita staat op het stoepje achter het huis toe te kijken hoe Susanneke haar fiets laadt. De posters zijn lastig te vervoeren. Ze heeft elders een paar fietstassen geleend, daar kunnen de opgerolde exemplaren prima in.

'Laat eens zien of ik niets vergeten ben, mam. Plakband, een schaar, punaises, spijkertjes en een hamer. Me dunkt dat ik alles heb. Je ziet wel wanneer ik thuis ben. Mam, hou je taai!'

Susanneke kan het niet over haar hart verkrijgen om meteen in hun eigen laan een plakkaat te hangen. Ze fietst driftig door tot ze in het centrum is. Eerst naar de supermarkten, daar hangt altijd van alles aan de wand, tot en met advertenties voor huizen en boten die te koop staan. Ze krijgt overal medewerking.

MaiLy Lam ontvangt Susanneke met open armen. 'Ik wilde zo graag bellen, maar ik durf niet. Hoe is het bij jullie thuis, kan je moeder het nog wel aan?'

Susanneke kijkt somber om zich heen. 'Nou, niet echt. Ik zie voorlopig dan ook van mijn studie en werk in Parijs af. Ik kan ze thuis niet in de steek laten. De toestand is zo verwarrend...'

MaiLy moet zich bedwingen om niet te gaan huilen als ze de uitgerolde poster ziet. 'Ange toch, dom meisje!'

Susanneke knikt. 'Tja, misschien. Misschien kan ze er niets aan doen, MaiLy. Waar zal ik hem hangen?'

MaiLy wijst de meest geschikte plek. 'Geef mij ook maar een paar van die dingen, Susan. Op de route naar mijn huis weet ik nog meer geschikte plekken waar veel mensen komen. Ben je al bij het zwembad geweest, de bieb?'

'Dat komt nog. Ik heb eerst de zaken gedaan. Nou, ik moet ervandoor. En, MaiLy, je kunt gerust eens bellen, dat zal mijn moeder prettig vinden. Alles wat even afleidt brengt ons weer een momentje verder in de tijd.'

'Sterkte, Susan. Ik zal bellen en groet je ouders van mij!'

Susanne vervolgt haar weg. Bij de balie van het zwembad krijgt ze te horen dat ze wel meer dan één exemplaar mag achterlaten. 'Vanavond worden de ramen gezeemd en dan hangen we ze op. Hier komen, nu het zo warm is, veel bezoekers! Wie weet!'

Als laatste klant voor vandaag kiest Susanneke de bibliotheek. Ook hier gaat ze eerst naar de balie en wel om de boete te betalen van het door Ange vergeten boek.

'Geeft u de poster maar, we hangen hem zelf wel ergens op!'

Buitengekomen laat Susanneke zich op een bankje zakken. Doodmoe is ze van het karwei dat zo veel spanning met zich meebrengt. En bovendien heeft ze bar slecht geslapen. Dan valt haar oog op een bushokje. Er is een nog niet beplakt plekje. Ze veert op en gaat druk in de weer met plakband en schaar. Zo, zijn meteen een serie schuttingwoorden bedekt.

'Zeg, jij bent er vast een van de familie Althuisius en zo niet, dan ben je een vriendin van hen!'

Susanneke kijkt verrast om. Een rol breed plakband in haar ene hand, de schaar in de andere. Anges gezichtje hangt half opgerold en geeft zo een vertekend beeld van het meisje. Het plakband hecht slecht op het stoffige glas, ze had er aan moeten denken een doek en spray mee te nemen. 'Dat ben ik. Ja, ik ben Susan Althuisius. En jij?'

De jongeman die haar heeft aangesproken steekt een hand uit, neemt haar de schaar af en drukt haar vingers fijn. 'Alsjeblieft, je schaar terug. Ik ben Mark Karsemijer. Juist, de zoon van. Ik heb natuurlijk gehoord van het drama. Kom, laat mij je helpen!' Een lange vent die in niets op zijn vader lijkt. Absoluut geen militair voorkomen.

Hij maakt een jongensachtige indruk, maar een tweede blik leert Susanneke dat hij toch wel midden twintig moet zijn.

'Doe je dit in je dooie eentje, dat plakken?'

Susanneke is dankbaar met zijn hulp. Mark veegt met een zakdoek het stof van het glas en hangt eigenhandig de poster wat hoger. 'Zo zien de mensen die in de bus zitten je zusje ook. Geen gek idee, zeg!'

Een bus stopt met piepende remmen, zuigt een groepje mensen naar binnen en spuugt een groep giebelende tieners uit. 'Gunst, kijk, een vermissing! Effe lezen, jongens!' En dan vervelende opmerkingen. 'Joost, is die griet niks voor jou? Ga helpen zoeken, man!' 'Schei uit, jij hebt haar vast in de schuur van je vader vastgebonden. Hé, wat ik laatst op een videofilm zag...'

Susanneke staat ineengekrompen achter het bushokje. Mark legt beschermend een arm om haar heen. 'Vergeet het, Susan. Het zijn maar kinderen, die weten niet wat ze zeggen!' Mark klopt haar broederlijk op de rug. 'Kom, dan gaan we ergens wat drinken. Leren we elkaar meteen wat beter kennen.'

Hij neemt Susannekes fiets, zwaait een been over het zadel en nodigt Susanneke uit plaats te nemen op de bagagedrager.

Ze laat haar materiaal in de fietstas ploffen en accepteert het aanbod dankbaar. 'Wat doe je, studeer je?' roept ze langs zijn rug.

Mark knikt. Het verkeer rondom hen heen maakt een gesprek bijna onmogelijk. Mark duikt onverwacht een zijstraat in en stopt bij een cafétje waar Susanneke nog nooit is geweest. Er staan rieten stoeltjes op de stoep, twee stoere palmen rechts en links van de deur en uit een luidspreker klinkt een Frans chanson.

Even later zitten ze achter een tafeltje waarop een blauw geblokt kleedje voor een vrolijke noot zorgt. De bloemetjes in het minivaasje zijn niet alleen puur natuur, maar ook vers. Een Franse vlag is tegen een blinde muur gehangen, nepstokbroden staan in een mand met eromheen een rood-wit-blauw lint. Marks ogen rusten vriendelijk op Susanneke.

'Ik was het net beu. Je kwam op het juiste moment!' geeft ze prijs.

Mark knikt. 'Precies. Zo, en nu het volgende: wat wenst mevrouw? Koffie, fris, een broodje?'

Susanneke verontschuldigt zich voor het feit dat ze net als vroeger, voor de verdwijning, honger heeft. 'Doe mij maar een broodje met van alles en nog wat! En graag eerst een cola!'

Mark loopt naar de toonbank waar de etenswaren verleidelijk liggen uitgestald. Susanneke kijkt hem na. Een leuke vent en dat vindt zij niet alleen. Een stel meisjes dat na hen is binnengekomen, maakt elkaar attent op hem.

Met een volgestouwd blad komt Mark bij haar terug. 'Zo, eerst de innerlijke mens versterken. Je vroeg wat ik zoal doe. Nu, ik ben een late student. Tot tweemaal toe ben ik veranderd van studierichting, wat mijn vader niet kon bevatten. Uiteindelijk koos ik voor de lerarenopleiding. Frans, wiskunde, dat zijn mijn vakken!'

Susanneke hapt de ham die buiten het broodje uitsteekt, langs de randjes af. 'Frans...' zegt ze dromerig. 'Ik was van plan voor studie naar Parijs te gaan en als au pair zou ik mezelf kunnen onderhouden. Tja, ik kan mijn ouwelui nu niet in de steek laten!'

Mark legt zijn mes en vork neer en vouwt zijn handen over een pols van Susanneke. 'Dat is fideel van je, Susan! Dat zal zeker gewaardeerd worden!'

Susanneke kijkt naar de behaarde handen, de kortgeknipte nagels, het simpele horloge.

'Joh, jij zou toch hetzelfde doen!'

Mark neemt zijn handen terug. 'Ik wel. Ja, een kind, al dan niet volwassen, kan ongelofelijk trouw zijn aan de ouders. Ik heb een zusje verloren, ik was zelf nog klein. Toch voel je het als je plicht je ouders op te vrolijken en ze zo min mogelijk lastig te vallen met jouw misère. Ja, ik kan me wel iets voorstellen bij wat jij nu voelt!'

Susanneke wordt warm vanbinnen. Begrip, heerlijk is dat.

'Heb je geen vriend die jou steunt?' vraagt Mark vrijmoedig.

Susanneke schudt haar hoofd, ze denkt aan de verborgen verlangens om ooit moeder te mogen worden, samen met een man en kinderen een gezin te vormen. Maar goed dat gedachten voor een ander verborgen zijn.

'Laat mij dan je vriend zijn, Susan. Ik wil je graag helpen met van alles en nog wat, zoals het plakken van de posters.'

Susanneke kauwt haastig haar mond leeg. Onzeker kijkt ze hem aan. 'En jouw vriendin, wat zal die zeggen als je eh... bij mij bent? Kan ze het hebben dat je een soort steunverlener bent?'

Mark lacht ingehouden. Opeens lijkt hij toch iets op zijn vader, vindt Susanneke.

'Mijn vriendin? Hum, die heeft voor een man met baan plus goede vooruitzichten gekozen. Ik ben dus vrijgezel en al zeg ik het zelf, vrij gezellig ben ik ook nog. Dus, wat let je?'

Susanneke lacht ontspannen en spreidt haar vingers uit op het blokjeskleed. 'Graag, ik kan een goede vriend best gebruiken. Iemand om tegen-aan te kletsen...'

'En te leunen!' vult Mark aan. Susanneke kleurt. Op die toer dus? Mark stelt haar gerust. 'Gewoon vrienden! Hand erop!'

Na het verorberen van het broodje haalt Mark koffie. 'Die is hier sterk en goed, daar knap je van op.'

Susanneke kijkt over de halve gordijntjes naar buiten. Op straat slenteren voorbijgangers en een ogenblik denkt ze Ange te zien. Op de haar eigen snelle wijze schiet ze omhoog, stoot haar stoel om en rent naar buiten, tot verbazing van de cafébezoekers.

Ze holt achter een paar meisjes aan en wil net het Koreaantje bij een arm pakken als ze ziet dat het meisje wel heel erg lang haar heeft. Het is onmogelijk dat Ange in een paar dagen zo'n pruik gekweekt zou hebben. Machteloos zakken haar armen omlaag.

'Kalm maar!' sust Mark, die haar is nagelopen. Hij trekt haar tegen zijn borst en legt heel even zijn hoofd op het hare. 'Het is zo gek nog niet om iemand te hebben waar je tegenaan kunt leunen!' fluistert hij.

Susanneke kijkt met betraande ogen omhoog. Als hij haar heel voorzich-tig een kusje geeft, lijkt het de natuurlijkste zaak van de wereld.

'Kom, de koffie wordt koud!'

'Dat was schrikken, niet!' zegt de juffrouw achter de balie. Mark heeft in een paar woorden uitgelegd wat er aan de hand was.

'U mag gerust hier ook zo'n papier hangen, als u dat wilt! We hebben veel klanten, je weet maar nooit!'

Ze krijgen van de zaak nog een kopje koffie en opnieuw verbaast Susanneke zich erover dat zulke kleinigheden haar zo geweldig kunnen troosten.

'Ik kom graag nog eens terug,' zegt ze bij het vertrek.

Mark zet zich weer op het zadel. 'Jammer dat het geen herenfiets is, dan zou je lekker op de stang voor me kunnen zitten!'

Susanneke legt een arm om zijn middel. Stilletjes lacht ze voor zich uit. Heel vaak zaten de meisjes achter op de fiets van de jongens uit hun klas. Stijf tegen elkaar, alsof ze één mens waren. Zij hoorde bij degenen die zelf door het leven fietsten. Het geeft haar een apart gevoel en stiekem geniet ze ervan.

'Zal ik je naar huis brengen? Dan kunnen we wat nakletsen en zien of er nog wat te doen valt. Ik ben niet voor niets de zoon van een politieman!' Mamma zal verrast zijn, weet Susanneke. Enfin, de aanwezigheid van een vreemde dwingt hen tot beheersing. En dat is goed zo. Susanneke wijst de weg die Mark moet rijden.

'Jullie wonen hier best zeg, een fijne buurt, diepe tuinen, praktisch geen verkeer! Ik hou wel van woningen uit de jaren dertig,' beweert Mark. 'En dan die bomen, je zou toch tegen iedere stam een Ange plakken?'

Nee, schudt Susanneke.

Mark praat door. 'We kunnen nog wat exemplaren laten bijdrukken, want als het gaat regenen en waaien is dat papier zo weg!'

Susanneke grijpt hem bij zijn riem. 'Stop, we zijn er!'

Mark beheerst niet de kunst van het hekje al rijdend opentrappen, hij stapt netjes af alvorens de tuin in te fietsen.

Susanneke die een vriend mee naar huis brengt. Rita laat haar verbazing niet merken. Mark stelt zich voor. O, een zoon van Kees en Bonnie, dan is zijn relatie met Susanneke duidelijk.

'We hebben al wat gegeten, mam. We gaan even naar mijn kamer, de hele situatie nog eens doornemen. Wie weet stuiten wij op iets!'

Rita knikt. Ze laat haar moedeloosheid niet blijken, maar vanbinnen vreet het aan haar.

Mark is prettig gezelschap. Hij kan goed luisteren en vraagt Susanneke ongeveer het hemd van het lijf. 'Vertel nog eens opnieuw over de avond dat Ange laat thuiskwam. Jullie hadden bezoek, vertelde je al. Heb je toen niets bijzonders aan haar gemerkt?'

Zo langzamerhand kent Susanneke de tekst uit het hoofd. Ook de politie heeft hen over die avond ondervraagd. Helaas konden ze geen van drieën daar iets zinnigs over vertellen. 'Ze was opgewekt, maar onze aandacht was voor pa en het bezoek. Hij had zojuist promotie gemaakt. Onverwacht, daar waren we vol van. Tja, Ange kwam laat thuis, ik geloof dat ze meteen naar boven is gelopen. Ik vond nog wel dat ze weer een beetje zichzelf aan het worden was. En dan die ochtend van haar verdwijning... niets kan ik erover vertellen. Alleen dat het halfzeven was toen ze beneden aan het rommelen was. Ik schonk daar geen aandacht aan. Ze heeft de avond ervoor nog wel opgebeld dat ze met een stel uit eten was.

Pa nam de telefoon aan, maar volgens hem was ze zo snel, voor hij het goed en wel besefte had ze afgebroken. Tja, wat kun je met die gegevens? Wij hebben geen idee met wie ze zoal is uit geweest. We hoopten op Francien, haar vriendinnetje, maar die was waarschijnlijk bij haar stervende grootmoeder. Dat contact is dus doodgelopen. Ik ben er zelf achteraan geweest.'

'Heeft het echt geen zin die Francien nog een keer uit te horen?' vraagt Mark.

Susanneke schudt haar hoofd. 'Nee, ze ligt momenteel in een ziekenhuis op de afdeling psychiatrie. Over haar toeren, meer weet ik niet. Het leek uit de verte een resolute tante. Ik heb haar vaak op het plein bij de school gezien, maar gesproken heb ik haar niet.' Het telefonisch contact met mevrouw Haag bood niet één nieuw aspect.

Mark is het met Susanneke eens dat het jammer is dat veel lui op vakantie zijn. 'Dat bemoeilijkt de zaak. Het zou gemakkelijk zijn als de politie een complete klas kon verhoren, maar dat komt nog wel.'

Susanneke bolt haar wangen. 'Nog vier à vijf weken! Ik zou zo graag weten wat de politie nu wel en niet doet, kan doen.'

Mark vertelt wat hij weet van zulke procedures en Susanneke knikt ongeduldig. 'Dat heeft je vader ook allemaal opgesomd. Maar het tempo bijvoorbeeld. Haar signalement is doorgegeven, maar wanneer komt er op tv een opsporingsbericht?'

Mark plaatst zijn vingertoppen tegen elkaar, hij houdt ondertussen geen oog van Susanneke af. 'Ik ken een meisje dat bij de stads-tv werkt. Op de administratie.'

Susanneke schudt haar hoofd. Wie stemt er nu ooit af op die zender? 'Vergis je niet. Er wordt beperkt uitgezonden, maar wat ze brengen is goed en eigentijds. Ze springen op de actualiteit in. Ik kijk geregeld. Ze zenden vaak sport uit, achtergrondnieuws en zo meer.'

Susanneke geeft toe over het algemeen zelden tv te kijken. 'Ik heb zo veel andere dingen te doen.'

'Maar het is toch geen probleem als ik die kennis bel en vraag of ze een foto van Ange willen laten zien, desnoods de poster voorlezen?'

Susanneke aarzelt. 'Lopen wij de politie niet voor de voeten, denk je? Krijg je het niet met je pa aan de stok?'

Mark grinnikt. 'Zal mij een zorg zijn. Wij hebben de tijd, niet? Het gaat om jouw zusje. Je geeft zelf toe dat je van nietsdoen stapel wordt!'

Ja ja, daar heeft Mark gelijk in. 'Wil je mijn schrift eens zien? Ik heb een logboek waar ik het gebeuren van de dag in opschrijf.'

Mark bladert de eerste dichtbeschreven pagina's door. Buiten slaat een autoportier dicht.

Susanneke haast zich naar het raam om te kijken wie de bezoeker is. 'De politie, ik moet naar beneden, Mark. Ik kan mijn moeder niet alleen laten.' Zonder op Mark te wachten rent Susanneke de trap af. Ze is gelijk met haar moeder bij de voordeur. Het gezicht van Rita is verwrongen van angst. 'Laat maar, mam, ik doe open. Ga jij maar vast naar de kamer!'

Een man van middelbare leeftijd knikt Susanneke na het openen van de deur vriendelijk toe. Hij steekt een hand uit. 'Mijn naam is Geurts, ik werk samen met Karsemijer en heb nog enkele vragen. Ik neem aan dat u de dochter des huizes bent?'

Susanneke knikt, ze herademt. 'Ik dacht dat u met een onheilsbericht kwam. Komt u verder, mijn moeder is binnen.'

Haastig vertelt Susanneke wat de politieman heeft gezegd. 'Hij komt slechts om een paar vragen te stellen, mam. Ze weten nog niets, niets ergs!'

Geurts heeft vaker met dit bijltje gehakt. Hij begrijpt wat de familie Althuisius doormaakt en doet net of hij de verwarring niet merkt waar Rita aan ten prooi is. 'Een paar zaken waren mij nog niet geheel duidelijk. Kunt u mij iets meer vertellen over de aard en het gedrag van uw dochter? Met wie ze omging bijvoorbeeld?'

Susanneke begrijpt dat haar moeder nauwelijks in staat is de juiste antwoorden te geven. 'Ange is een puber, ze is vrij gesloten. Ze deed het slecht op school en is blijven zitten. Ik ken eigenlijk haar klasgenoten niet goed, ze fietste wel vaak met dezelfde lui naar huis. En iedereen is op vakantie. Ze had een vriendin met wie ze veel omging, maar die is verhuisd en bovendien in een depressie terechtgekomen vanwege allerlei huiselijke conflicten. Ze is zelfs opgenomen!'

Geurts knikt. 'Het gebeurt vaak dat jongelui die diep nadenken in de war raken, schrikken van de wereld der volwassenen. Oorlogen, angst, ze kunnen er geen kant mee op. Tja, dan ben je natuurlijk rijp voor drugs.

Ik noem maar wat. Ooit gemerkt of Ange iets gebruikte?'

Rita klemt haar handen stijf in elkaar. 'Nee toch, Susanneke?'

'Dat dacht ik niet, vast niet. Kunt u op school geen klassenlijst bemachtigen?'

Geurts lacht fijntjes. 'Wij zitten bepaald niet stil, mejuffrouw. Het is alleen, net zoals u zegt, vakantietijd en dat bemoeilijkt ons werk zeer. Morgen hoop ik de lijst te hebben en dan gaan we achter de namen aan.' Susanneke zou willen roepen: wanneer komt het op tv en in de kranten? Geurts ziet haar denken. 'We hebben al een persbericht samengesteld. En dat gaat morgen de deur uit. Vertrouwt u erop dat we alles doen wat we kunnen.' Heel voorzichtig klapt hij uit de school. 'We gaan de archieven na, vergelijken bepaalde gevallen. Er zijn bijvoorbeeld misdadigers die in herhalingen vervallen. Het lijkt voor de familie vaak of we met onze duimen zitten te draaien, maar dat is geenszins het geval. Prettig dat u me beiden te woord hebt willen staan. Ik kom een dezer dagen nog eens langs en sta in directe verbinding met Karsemijer. Dames, ik wens u veel sterkte!'

Het opschrijfboekje en de pen worden met een automatische beweging weer in de borstzak van het colbert geschoven. 'Ik kom er wel uit!'

Als de voordeur dichtvalt, barst Rita in een huilbui uit.

Susanneke haalt een glas water en lacht bibberig naar Mark die bescheiden boven is gebleven.

'Dat was Geurts, ze hebben er de beste op gezet die in heel de omtrek is te vinden,' zegt Mark met een overtuiging die hij niet voelt.

Samen bemoederen ze Rita. 'Heeft ze niets van de dokter?' vraagt Mark over het witte haar van Rita heen.

'Alleen iets voor de nacht. Kom op, mam, drink wat. Er is niets gebeurd, die man heeft niets verteld wat we al niet wisten. Je bent alleen geschrokken van het bezoek!'

Langzaamaan kalmeert Rita. Gegeneerd kijkt ze Mark aan. 'Jij zult wel denken...'

Mark legt vertrouwelijk een hand op haar schouder. 'Ik begrijp u zo goed! Het is me ook wat. Maar kom, niet de moed verliezen. Ze doen – ik bedoel de politie – meer achter de schermen dan de burger merkt. Ze kunnen wegen bewandelen die wij niet kennen!'

Op de een of andere manier weet Mark de juiste snaar te treffen. Als Susanneke ziet dat haar moeder zo goed op Mark reageert, kan ze wel juichen. Later, in de tuin, vertelt ze het hem. Ze hebben een plekje in de schaduw gezocht, drinken cola met ijs en hoeven geen moment naar een gespreksonderwerp te zoeken. Ange en nog eens Ange.

Uit de buurtuin klinkt een stemmetje. 'Buuvouw, ik wil met Ange spelen!'

Susanneke haast zich naar het gat in de heg. 'Dat gaat niet, Sander. Ange is op vakantie en als ze terugkomt stuur ik haar meteen naar jou. Niet meer naar haar vragen, hoor!'

'Tja!' zegt Mark slechts als ze weer naast hem komt zitten. 'Zo word je de hele dag geconfronteerd met Ange!'

Susanneke vertelt over details die de dag versomberen. 'Mijn moeder ging de was vouwen, daar zaten spullen van Ange bij. Haar ondergoed, spijkerbroeken, bloesjes, een T-shirt. Ach, tegen zulke dingen kan mam niet!'

Mark knikt. 'Ik ken het, Susan. Zeg, wat een bof dat wij elkaar tegen het lijf zijn gelopen!'

Susanneke kleurt. 'Zeg je dat nu uit vriendelijkheid, medelijden of meen je het echt?'

Mark staat op, plukt een geurende roze flox met een lange steel en legt die op Susannekes knieën. 'Zeg het met bloemen, Susan! Moet ik nog duidelijker zijn?'

Later zet Susanneke de flox eenzaam in een vaasje. Mark, een vriend! Diezelfde avond belt hij of het Susanneke morgenochtend schikt om bij zijn tv-kennis langs te gaan. 'Ja, maar de politie...' Susanneke aarzelt.

Mark lacht haar uit. 'We leven in een vrij land, Susan! Ja of nee?'

'Ja!' zegt Susan en ze meent het met heel haar hart. Ze zal alles doen wat in haar vermogen ligt om Ange terug te vinden. Dood of levend...

6

Het onderzoek naar de vermissing van Ange Althuisius staat op de rails, helaas tot op heden zonder enig resultaat.

De zomerhitte heeft plaatsgemaakt voor een depressie die niet van wijken weet en beter bij de stemming van de betrokkenen past. Susanneke heeft veel steun aan Mark, hun vriendschap ontwikkelt zich in razend tempo. Soms schrikt Susanneke ervan. Ze betrekt Mark namelijk in bijna elk detail van haar leven. En het wonderlijke is dat hij dikwijls net aanwezig is als de nood te hoog lijkt te stijgen. Bijna een huisgenoot is hij geworden.

Iets dat maar niet wennen wil, zijn de bezoekjes van Geurts, al dan niet in gezelschap van een collega. Soms komt Kees Karsemijer zelf mee. Op een trieste ochtend eind augustus is het weer zover. Geurts komt vragen of hij nog eens een kijkje mag nemen in Anges kamer. 'Als het kan, ongestoord!'

Rita kan dit niet weigeren, ze drentelt tijdens zijn aanwezigheid nerveus door het huis. Wat valt er nu nog te zoeken?

Na ruim een halfuur komt Geurts naar beneden. In zijn ene hand heeft hij Anges agenda en onder een arm een plakboek. 'Ik zou deze zaken graag op mijn gemak inzien, mevrouw Althuisius. Heeft u daar bezwaar tegen?'

Rita schudt haar hoofd. Hoe zou ze kunnen weigeren?

Mark en Susanneke merken zodra ze binnenstappen meteen, dat er wat met de vrouw des huizes aan de hand is. 'Vertel op, mam, weer een vervelende journalist aan de lijn gehad?'

Rita vertelt half verdoofd wat er is gebeurd.

'Raar!' zegt Susanneke. 'Die spullen zijn door ons allemaal en ook door Geurts uitgebreid bekeken!'

Rita kan het zo langzamerhand niet meer opbrengen om de schijn op te houden. Ze wordt met de dag somberder, voelt zich niet meer betrokken bij het leven buiten de deur. 'O ja, hoe was het voorgesprek?' vraagt ze als ze het schrijfblok in Susannekes hand ziet.

'Prima. Ze willen het nu anders doen, niet zoals de vorige keer alleen de feiten opsommen. Ik ga met Tanja en iemand van de politie om de tafel zitten. Marks vader had liever niet dat we weer een eenmansactie op touw zetten, mam. Ze hadden er wel begrip voor, maar volgens het onderzoeksteam kwam het over alsof de politie niets of te weinig deed!'

Susanneke maakt zich zorgen om haar moeder en met haar vele anderen. Rita verzorgt zich slecht, het anders zo fris geknipte haar is veel te lang, het piekt alle kanten op. Ze loopt gebogen en kleedt zich in datgene wat vooraan in de kast hangt. Het is Susanneke die voor de maaltijden zorgt, de telefoon aanneemt en naar de deur loopt wanneer er wordt aangebeld. Jan Althuisius heeft van zijn directeur gelukkig toestemming gekregen zijn werk te delegeren en naar huis te gaan, mocht dit nodig zijn. Ja, begrip is er volop.

In de dagbladen is ruimschoots aandacht geschonken aan de verdwijning, er zijn via tv en radio oproepen gedaan. Zo heeft Susanneke dagelijks stof te over om in het logboek verslag van te doen.

Dezelfde dag dat Geurts Anges spullen heeft gehaald, bereikt de kwestie een triest dieptepunt.

Het is Susanneke die de telefoon aanneemt.

'Geurts! Ik geloof niet dat je moeder in staat is in te gaan op mijn verzoek, het wordt dus jij of je vader. Helaas kan ik hem niet bereiken. Hij is naar een vergadering buiten de stad en het duurt te lang eer hij beschikbaar is. Dus nu hoop ik dat jij aankunt wat ik je ga vragen!'

Susanneke haalt diep adem. Wat zal er op haar afkomen? Ze tast blindelings naar de hand van Mark, die naast haar staat. 'Zegt u het maar!'

Geurts schraapt zijn keel. 'Er is een meisje gevonden. Er is reden om aan te nemen dat het Ange is, er zijn overeenkomsten met uw zusje. Ze ligt in het ziekenhuis en is er slecht aan toe. Het komt hier op neer: bent u in staat om langs te komen voor een identificatie?'

Susanneke leunt tegen Marks stevige borst. 'Ik kom. Waar? O ja.' Ze legt de hoorn op de haak, legt haar armen om Marks hals en huilt geluidloos. 'Als ze het is...'

Mark legt een hand over haar mond. 'Laten we je moeder hier buiten houden, lieverd. Kom, we gaan samen. Jammer dat je vader zijn wagen mee heeft.'

Rita komt binnen met een mandje valappeltjes in haar hand. 'Van iemand uit de straat. Wel lief, maar nu moet ik ze nog schillen!' klaagt ze.

Mark trekt Susanneke mee de gang in. 'We gaan er nog even vandoor!' Regenjassen aan, samen op een fiets. 'We pikken de bus, Susan!' Aan het eind van de laan ketent Mark zijn fiets aan een paal, legt een arm om Susans rug en voert haar naar de bushalte.

'Ze wilden wel een wagen sturen!' herinnert Susanneke zich. 'Maar dan zou mams het meteen weten. Wat niet wegneemt dat we haar straks het vreselijke nieuws moeten vertellen!'

Lang hoeven ze niet op de stadsdienst te wachten. Zwijgend laten ze zich vervoeren tot de halte vlak voor het ziekenhuis dat net buiten de stad ligt. 'Je weet waar je moet zijn?' vraagt Mark.

Susanneke knikt. 'Geurts zou bij de balie wachten.'

Nog voor ze hem zoeken komt hij op hen af. 'Geweldig, Susan!' Het is opeens geen juffrouw Althuisius meer, een kleinigheid, maar zelfs zoiets troost een beetje. Susanneke is vaker in het ziekenhuis geweest, maar nooit op de afdeling waar ze door Geurts naartoe worden gebracht.

In een kleine wachtkamer verzoekt hij hen te gaan zitten. 'Het meisje waar het om gaat is door spelende kinderen in een bouwval gevonden. Ze moet er geruime tijd hebben gelegen!' Dan kijkt hij Susanneke recht in de ogen om te zien of ze kan verdragen wat hij wil zeggen. 'Ze is seksueel misbruikt en daarna toegetakeld. Tja, haar gezicht is triest om aan te zien. Maar ik ga ervan uit dat jij als zusje ons kunt vertellen of het om Ange gaat.' Geurts keert zich om als hij iemand binnen hoort komen. 'Daar is de arts die haar behandelt en ons zal begeleiden!'

Een film, het is een film, denkt Susanneke wanhopig. Marks handen die de hare vasthouden zijn koud.

Het meisje ligt in een bed, omringd door apparatuur. Susanneke kijkt daar bewust, voor zover mogelijk, langs heen.

De arts houdt Susanneke vast en geeft Mark een seintje een stap terug te doen. 'Kom, we kijken samen!'

Glad zwart haar is onder een verband zichtbaar. De armen zijn beide ingewikkeld, zelfs de nek is ingezwachteld.

Susanneke kreunt. Is dit misvormde schepsel... Ange. De ogen zijn dicht, de huid eromheen is gezwollen en er lijkt geen gaaf plekje vel meer over te zijn. Als dit Ange is, mag ze van mij doodgaan, denkt Susanneke opstandig. Ze schudt haar hoofd. 'Ik weet het niet...'

De arts vraagt op zachte toon: 'Specifieke kenmerken? Die heeft ieder mens!'

Susanneke wendt haar hoofd af, kijkt dan met iets van hoop de dokter aan. 'Ze heeft op haar rug een moedervlekje, net boven de rand van de bikini...'

De dokter knikt dat ze terug kunnen treden, uit het niets doemt een verpleegkundige op. Mark ontfermt zich over Susanneke. Geurts slaat het schouwspel bezorgd gade. Soms, op momenten als deze, haat hij zijn beroep.

Susanneke heeft het gevoel alsof ze van heel ver geholpen wordt. Een herinnering uit haar jeugd komt helder naar voren. 'Ze heeft ooit, toen ze klein was, met haar handje klem gezeten in ons tuinhekje, het litteken is nooit weggegaan. De rechterhand! Tussen duim en wijsvinger...'

De dokter reageert snel en keert zich nog sneller naar Susanneke. 'Geen moedervlekje, en ook geen litteken. Kom eens hier meisje, en bekijk met mij de hand!'

Een wit handje, net zo smal als dat van Ange, maar het is haar hand niet. De verpleegkundige keert heel voorzichtig de patiënte op haar zij. 'Zie je wel, geen moedervlekje op de plek waar u het beschreef. Wel een of twee hogerop.'

'Dat is duidelijk. Het is Ange niet, lieve mensen!'

Geurts slaakt een zucht van verlichting. Dit is voorbij, voor de familie Althuisius. Maar hem of een collega wacht de taak de familie van dit meisje op te sporen, die hetzelfde zal moeten doen als wat Susanneke heeft gedaan. Voor hen begint het pas.

Op de gang zegt de arts na een diepgaander onderzoek meer omtrent de lichamelijke eigenschappen van de patiënte te kunnen vaststellen. 'Het is zeer de vraag of ze het haalt, waarschijnlijk niet. In ieder geval dank voor uw komst en de moed!'

'Als ik het niet doe, wie doet het dan...' mompelt Susanneke.

Geurts zegt kort: 'Tot kijk!' tegen de arts en zijn assistente. Gedrieën lopen ze terug naar de uitgang.

'Koffie?' biedt hij aan.

Mark likt langs zijn droge lippen. 'Graag! Kom op, Susan, dit is een goed medicijn!'

Heel langzaam komen ze weer op verhaal. 'Dus het kan zijn dat het een volgende keer wel raak is,' zegt Susanneke schor.

'Laten we niet op de dingen vooruitlopen. Drink de koffie op, dan breng ik jullie naar huis. En, Susan, vertel het maar niet aan je moeder.

Misschien kun je je vader vragen de eerstkomende tijd geen afspraken buiten de stad te maken...'

Niets tegen haar moeder zeggen, het spreekt vanzelf! Susanneke zou het zelfs niet kunnen opbrengen van het gebeurde verslag te doen. Ze vormen twee partijen, zij en haar vader, gesteund door onder anderen Mark. De sterken. En heel alleen de andere partij: kwetsbare Rita Althuisius.

De lokale tv-zender Grensgebied weet een goede samenvatting te geven van het drama Ange Althuisius.

Geurts zit rechts van de interviewer, Susanneke links. Geen minuut is Susanneke nerveus geweest, de gedachte aan Ange maakt haar sterk. Hoe ze zelf overkomt? Dat is niet van belang. Na afloop geeft de regisseur haar een compliment.

Op de dag van uitzending komen er direct reacties. Mensen die menen Ange gezien te hebben bellen de politie. Elke tip wordt nagetrokken, telkens is er weer een sprankje hoop.

Ook bij de familie Althuisius rinkelt meermalen de telefoon. Jan is naar zijn werk. Rita draait telkens weer de band af waarop het interview staat. Anges foto groot in beeld. Het beantwoorden van de telefoon laat ze aan Susanneke over.

Met zorg ziet Susanneke haar moeder achteruitgaan. Er moet gauw wat veranderen!

Als voor de zoveelste maal de telefoon rinkelt, legt Susanneke de krant waarin ze trachtte te lezen, naast zich neer. Ze hoopt op reacties van Anges klasgenoten en ex-klasgenoten. De vakanties zijn bijna voorbij, wat dat betreft zou dit telefoontje best eens van een leraar kunnen zijn, hoopt Susanneke.

Tot haar verbijstering hoort ze de stem van een bekend tv-presentator. 'Ik heb u op het scherm gezien in verband met de verdwijning van uw zus Ange. Ik spreek toch met Susan Althuisius?'

'Ja!' zegt Susanneke kort.

'We willen u graag in onze actualiteitenrubriek hebben, Vermist, wat nu? Jullie zijn de enigen niet die zoeken naar een familielid. Wat wij willen is in de eerste plaats behulpzaam zijn bij een eventuele opsporing. Ten tweede...'

Susanneke valt de man in de rede. 'Amusement voor de kijker, dat pro-

beert u mij toch eufemistisch duidelijk te maken?'
Ben ik dat, zo scherp, recht op de man af? denkt Susanneke.

Alex Burggraaf haast zich Susanneke ervan te verzekeren dat ze uiterst behoedzaam omgaan met de gevoelens van de betrokkenen. 'Voor amusement kan men beter naar een spelshow kijken. Wat niet wegneemt dat ik uw cynisme heel goed aanvoel. Ik vraag ook niet of u en uw familie gelijk willen beslissen, denk erover na. Mag ik u morgen terugbellen? En mijn eigen nummer, privé zowel als op kantoor, geef ik ook door. Heeft u een schrijfhoutje?'

Susanneke haalt diep adem. 'Dat hoeft niet, meneer Burggraaf. Ik doe het, ongeacht wat mijn ouders ervan vinden. De situatie is zodanig dat elk overleg onnodig is. We doen er alles, alles aan...' Susanneke hoort haar stem beven. Ze bedwingt zich met alle kracht waarover ze beschikt.

'Zeker weten? Prima. Mag ik dan langskomen om het programma door te spreken? Ik vertel dan gelijk wie de andere gesprekspartners zijn. Laten we een afspraak maken, zo spoedig mogelijk als het kan. Ook in jullie eigen belang!' zegt hij na een lichte aarzeling.

Susanneke schrijft voor de zekerheid toch de nummers op die Burggraaf doorgeeft. 'Ja, stel dat mijn zusje vanavond voor de deur staat, dan is uw bezoek vrij overbodig!' zegt ze wrang.

'Laten we dat hopen,' reageert Alex Burggraaf kalm. En in één adem er achteraan vraagt hij: 'Schikt het morgenmiddag?'

'Het schikt...'

Alex Burggraaf. Een man die bekend staat om zijn directe wijze van aanspreken. Wie weet wat het interview allemaal los zal maken! Een landelijk uitgezonden programma reikt vele malen verder dan Grensgebied! Rita knipt eindelijk met de afstandsbediening het tv-toestel uit.

'Waren dat die lui van Grensgebied weer?' Ze staart met lege ogen naar het grauwe tv-beeld en luistert nauwelijks naar wat Susanneke antwoordt.

'Eigenlijk mogen we dankbaar zijn met die reactie!' Susanneke voelt opeens een dwaas optimisme in zich opborrelen.

'Waarom die pret?' Jan Althuisius is vroeg vandaag. Hij heeft werk meegenomen, gelukkig is dat mogelijk. Zijn ogen glijden over de onbeweeglijk zittende Rita en bekommerd richt hij zijn blikken op Susanneke.

'Pa, morgen krijgen we een man van de tv op bezoek. Alex Burggraaf van een actualiteitenrubriek. Weet je wie ik bedoel? Juist, die scherpe vent. Onverwacht kan hij zo mild glimlachen dat je hem iedere felle uitlating vergeeft. Hij heeft de opname gezien van Grensgebied en nu komen zij zelf met een programma dat eh...' Susanneke kijkt naar het randje van de krant waarop ze de telefoonnummers heeft gekrabbeld, plus de naam van het programma. 'Vermist, wat nu? En er komen nog een paar familieleden van mensen die zoek zijn!'

Jan veegt met een hand langs zijn kin die schraperig aanvoelt. Vanochtend heeft hij zich te haastig geschoren.

'Wat zeg je nu toch allemaal?' Rita lijkt wakker te schrikken. 'Wie haal je nu weer over de vloer?'

Jan en Susanneke kijken elkaar aan. Het gaat niet goed met mams, Susanneke leest wat zij denkt in haar vaders ogen.

'Kom, we gaan eerst eten. Rachel heeft voor ons gekookt en volgens Sander is het reuze lekker!'

Natuurlijk stelt Susanneke diezelfde avond Mark Karsemijer op de hoogte van wat er staat te gebeuren. 'Jij komt toch ook, Mark? Mijn moeder is zo in de war en pa kan moeilijk de hele middag vrij nemen!'

'Geen punt!'

Mark wil juist doorgeven welke reacties hij heeft gehad op de uitzending, als Susanneke door het kamerraam de wagen van Geurts aan ziet komen. 'Ik breek af, joh. Geurts komt eraan. Rare tijd voor een bezoekje!' zegt ze ongerust. Net voor ze neerlegt roept Mark nog gauw dat politiemensen dag en nacht werken.

Susanneke haast zich naar de voordeur. In plaats van een begroeting hijgt ze: 'Is er iets? Nieuws, slecht nieuws?'

Geurts schudt zijn hoofd, haast zich haar gerust te stellen. Hij heeft alleen een paar vraagjes. Hij klopt op Anges plakboek en wuift met de agenda.

'Met de microscoop erop gezeten?' informeert Jan, die op Geurts stem is afgekomen.

'Hoe gaat het met uw vrouw?' vraagt deze.

Jan schudt zijn hoofd. 'Ik heb haar zonet in bed geholpen. Morgen ga ik de dokter bellen, zo gaat het niet langer!'

Geurts noemt adressen van hulpverleners en bijstandteams. 'Ik dacht al:

jullie houden het wel erg lang vol, man!'

Gedrieën scharen ze zich om de eettafel. Susanneke vergeet koffie aan te bieden, het ontgaat de andere twee.

'Ik heb gezocht naar dingen als telefoonnummers, data, namen. En dan vooral naar herhalingen. Aanvankelijk vond ik niets, tot ik regelmatig dit hier aantrof...' Hij wijst met een stompe wijsvinger naar een bladzijde. Januari, schriftelijke overhoring Engels, een opstel en een dikke streep onder spreek-beurt! Geurts schudt zijn hoofd. 'Dat bedoel ik niet, maar dit wel.' Een krabbeltje in de hoek naast de datum. Een telefoonnummer en de initialen R. B. 'Enig idee voor wiens naam dat staat?'

Recht kijkt hij Susanneke en haar vader aan, om beurten, zoals een leraar van de laagste groepen dat kan doen.

'Dan bellen we toch dat nummer?' zegt Susanneke onnozel.

Geurts grijnst. 'En laat ik dat nu gedaan hebben! Helaas, geen antwoord. Maar natuurlijk heb ik laten uitzoeken van wie dat nummer is. De R is van Reinier, de B van Bakkeveen!'

Susannekes mond klapt onbevallig wijdopen.

'Ken je die naam? Ja, nu je het zegt...' aarzelt haar vader.

'Dat is toch de nieuwe gymleraar, pa! Weet je dat niet meer? Die is voornamelijk aangetrokken voor de onderbouw. Vlak na zijn verhuizing overleed zijn vrouw. Alle meiden – dat weet ik van Ange – liepen hem na als hondjes. Hoe strenger hij was, hoe meer ze hem adoreerden. Ik zag hem weleens voorbijkomen en ik heb een paar keer les van hem gehad.' Ze kijkt ongelovig van de agenda naar Geurts. 'En u denkt dat er een samenhang is met Anges verdwijning?'

Geurts heft een hand op. 'Ho ho, niet zo voorbarig! Ik wil slechts van jullie weten of Ange iets met de man had. Zulke dingen komen namelijk voor. Dat hij weduwnaar is weet ik inmiddels ook. Het is verdraaid jammer dat de grote vakantie ons parten speelt!'

Susanneke bladert door de agenda. Geurts heeft papiertjes gelegd op plaatsen waar telkens dezelfde aantekeningen staan.

'Wel vreemd, maar misschien is er een plausibele verklaring!' zegt ze aarzelend.

'Heel wel mogelijk, Susan. Toch trek ik het persoonlijk na. En als volgende week de scholen weer beginnen, ben ik van plan een woordje te

spreken tijdens de jaaropening. Zo noemen jullie dat toch?'
Achter hen gaat de deur open. Een zeer gehaaste Mark kijkt hen vragend
aan. 'En, was er wat bijzonders?'
Geurts grijnst. 'Collega-speurneus! Susan vertelt je het een en ander wel,
ik moet ervandoor. De agenda houd ik nog even in mijn bezit, net als het
plakboek.'
Jan loopt mee naar de deur om Geurts uit te laten. Susanneke kruipt weg
in Marks armen. 'Ik begrijp er niets meer van. Geurts denkt zulke rare
dingen, Mark!'
Maar Mark vindt wat Geurts denkt in het geheel niet raar. 'Hij heeft
gelijk, Susan, alles is mogelijk! Wat is die Bakkeveen voor vent?'
Er komen rimpels in Susannekes voorhoofd. 'Een man van rond de dertig, prototype van een gymleraar. Vrij streng, hij gaat afstandelijk met de
leerlingen om, met als gevolg dat ze gek op hem zijn, de meiden dan. De
jongens hebben liever 'tante Sydonia', de vrouwelijke gymleraar. Maar ik
geloof nooit dat Ange wat met die leraar had. En zeker niet op lichamelijk gebied!'
Mark kijkt zuinig. 'Zeg nooit 'nooit', lieverd. Juist een man die in zijn
omstandigheden verkeert, net zijn vrouw heeft verloren... Misschien viel
hij op een typetje als Ange!'
Susanneke slaat met haar vuisten op Marks borst. 'Zeg toch niet zulke
akelige dingen! Ange... een kind!'
Mark schudt Susanneke heen en weer. 'Hallo, worden we wakker? Ten
eerste is Ange geen kind meer, de foto's die ik van haar heb gezien vertellen me dat. Ten tweede hoef je niet per se een volwassen meisje te zijn
om eh...'
Mark zit even verlegen om woorden. Susanneke is een lieve meid, maar
op een bepaalde manier nog erg pril. Dit intrigeert hem. Haar naïviteit
op sommige punten prikkelt hem om haar nog beter te leren kennen.
Jan komt hoofdschuddend binnen, maar is zich niet bewust van zijn
lichaamstaal. 'Susan, wat is Bakkeveen voor kerel? We moeten dit laatste
maar verzwijgen voor je moeder. Die Bakkeveen...'
Susanneke en Mark gaan hand in hand op de bank zitten. Susanneke vertelt wat ze weet. 'Pa, de vakanties zijn praktisch om. Wie weet krijgen we
snel licht in de zaak!'

Het gesprek met Alex Burggraaf verloopt soepel. De man is zeer ervaren in het omgaan met mensen die problemen hebben, dat is te merken. Hij stelt de familie Althuisius op haar gemak, laat ze kalm het verhaal vertellen. 'Ik wil Susan graag in de uitzending hebben, je deed het voor de lokale tv goed. Allereerst dit, kunnen jullie me foto's van Ange bezorgen? Nog mooier zou het zijn als er video-opnamen beschikbaar waren!' Susanneke en Rita kijken elkaar aan. 'De buren...' zeggen ze gelijktijdig. Rachel en Daan maken van hun zoontje veel films, het kan niet missen of Ange staat er verscheidene malen op.

'Mam, als jij nu eens naar Rachel ging?' stelt Susanneke voor. Even mams lucht geven. Een opdracht geeft kracht, vindt ze zelf.

Rita knikt. 'Ja, da's goed, dan kan Rachel het gelijk uitzoeken. Eh... ze zijn wel erg zuinig op hun materiaal, meneer Burggraaf!'

Alex knikt haar vriendelijk toe en als Rita buiten gehoorafstand is laat hij even iets van zijn medeleven voelen. 'Het is wel wat voor je ouders. Daar komt nog bij dat jullie Ange een geadopteerd kind is. Ik weet uit andere gesprekken dat er schuldgevoel meespeelt, overigens ten onrechte.' Susanneke knikt. Heerlijk, dat begrip!

Mark is meer behoudend, hij kan de gedachte niet van zich afzetten dat het Alex voornamelijk gaat om een spannend televisieprogramma.

'Wie zijn de andere gasten?' informeert Susanneke.

Alex vertelt over de bezoeken die hij in het kader van zijn onderwerp al heeft afgelegd. De betrokkenen hebben toegezegd. Dan opent hij zijn koffer. 'Ik zal je de lijst namen geven, waarop ook die van de slachtoffers... pardon, de verdwenen personen staan. Data, plaatsen, kortom alles. Ik hoop dat je er geen bezwaar tegen hebt dat jullie gegevens aan deze lijst worden toegevoegd?'

Susanneke knikt weer. Ze zou het liefst met Alex meegaan om meteen de studio in te duiken.

'Jullie geval is het meest recent. Ik confronteer je dus met mensen wier zoon of dochter geruime tijd is verdwenen. Verder schuift bij ons aan tafel...' Alex laat een vinger over de lijst gaan. 'Zoals je ziet een psycholoog, een commissaris van politie en een journalist. Het wordt een programma van bijna een uur. Niet alles wat we opnemen zal gebruikt worden en je moet toch wel rekenen dat we een dag bezig zijn met de voorgesprekken en het filmen. Nu de datum...'

Susanneke herademt als ze hoort dat Alex een dag in de komende week heeft geprikt. 'Prima!' reageert ze.

Rita voegt zich in gezelschap van Rachel weer bij de anderen. Rachel en Alex geven elkaar een hand. 'U hebt dus materiaal voor ons. Fantastisch, mevrouw! Dat verlevendigt het verhaal, boeit de kijker en daar moeten we het van hebben. Een bewegend beeld komt beter over dan een starre foto. Nou, ik hoop dat onze uitzending zal helpen Ange terug te vinden! Reken maar dat we in dat geval terugkomen voor een tweede uitzending rond dit thema!'

Susanneke kan de rest van de dag een zekere opwinding niet van zich afzetten. Er wordt wat gedaan! Ze mag in actie komen!

Samen met Mark naar studioland.

'Nerveus?' vraagt Mark als ze de portier zijn gepasseerd. Susanneke heeft een plattegrondje op haar knieën en houdt precies in de gaten welk straatje ze in moeten om bij de juiste lokatie te belanden.

'Ik heb klamme handen, dat wel. Het is spannend. Wie weet zit Ange ergens waar ze de uitzending kan volgen, Mark!'

Mark zou willen dat hij een positief antwoord kon bedenken.

Rakelings langs hen rijdt een bekende nieuwslezer, ze zien het beiden, maar reageren er nauwelijks op. 'Een tijd terug had ik geroepen: daar heb je hem in het echt of zoiets. Nu doet het me niets, al liepen alle ministers hier op een rij...' Susanneke veegt een hinderlijke traan weg. Als ze maar niet tijdens de opnamen gaat janken. Mooi om op in te zoomen!

Mark gromt tussen zijn tanden als hij voor de derde maal een verkeerd pad kiest.

'Daar... die kant moeten we op!' Susanneke duwt hem de plattegrond onder de neus. 'En daar zijn ook parkeerplaatsen, heeft Alex gezegd!'

Mark manoeuvreert de auto tussen twee andere in en slaakt een zucht van verlichting. 'Kom op, Susan, ertegenaan!'

Susanneke knikt. Ze weet dat ze er belabberd uitziet, na een half doorwaakte nacht. De voor Parijs bestemde blazer en het rokje maken dat weer goed, hoopt ze.

Marks aanwezigheid is een steun, ze zijn zo vertrouwd met elkaar geworden. Zijn ene arm ligt vast om haar heen. Een kusje tijdens het lopen, dan staan ze voor een rechthoekig gebouw dat opvalt door de eenvoud ervan. 'De balie, daar moesten we de weg vragen,' herinnert Mark zich. Opnieuw passeren enkele tv-beroemdheden hen. Druk pratend, gesticulerend met de handen. Susanneke kijkt hen tersluiks na terwijl Mark zich de weg laat wijzen. 'Bedankt.'

Op een wandbord is te lezen welke opnamen deze dag gemaakt zullen worden, ook die van Alex Burggraaf staat erbij.

'Dat zag ik bij de ingang ook al!' merkt Susanneke op. 'Een verlicht bord met namen en die van de op te nemen uitzendingen. In ieder geval heb ik weer wat om aan Ange te schrijven in mijn brievenboek...'

Dan is er opeens Alex. Een andere Alex dan degene die bij hen op bezoek was. Deze man is geconcentreerd bezig, kortom de presentator die ze van het scherm kennen. Susanneke krijgt zowaar drie zoenen. Mark moet het doen met een schouderklop.

'Alles goed?' Op antwoord wacht hij niet. Hij voert hen naar een intiem ingerichte kamer. Strakke lijnen en kleuren, op en top modern, hedendaags. 'Ik zal jullie aan elkaar voorstellen...'

Susanneke schrikt als ze in de holle ogen van een radeloze moeder kijkt. De vader van – zo begrijpt ze direct – de verdwenen zoon is een lopend geraamte. Het is duidelijk te zien dat de situatie aan hen knaagt.

'U bent de bovenste van de lijst!' zegt Susanneke hartelijk.

De vrouw glimlacht moe. 'En jij bent hier vanwege Ange, is het niet?'

Naar een gespreksonderwerp behoeft niet gezocht te worden.

Een meisje komt koffie brengen. Terwijl Alex druk in de weer is met een regisseur en diens assistente druppelen de andere gasten binnen, allen in gezelschap van familieleden die buiten beeld blijven.

Nu de gasten elkaar enigszins hebben leren kennen, wordt de sfeer meer ontspannen. Er klinkt zelfs af en toe een lach of uitroep die op vrolijkheid duidt. Susanneke weet van zichzelf dat elke vorm van opgewektheid misleidend is, de zenuwen spelen hen allen parten.

Alex voegt zich na veel heen en weer geloop weer bij het gezelschap en vertelt nog eens wat de bedoelingen zijn. 'Ik neem jullie zo mee naar de plek van de opname, om wat sfeer te proeven. Het wachten is nog op de psycholoog, maar als ik me niet vergis komt hij er net aan.'

Het is geen hij maar een zij. Een goed gebouwde forse vrouw stapt de wachtruimte binnen. 'Helaas, Alex, je moet het met mij doen! Mijn collega is vader geworden en heeft zich bij vrouw en dochter gevoegd. Ik hoop dat je niet al te zeer geschokt bent!' Ze kijkt stralend het gezelschap rond, legt vertrouwelijk een arm om Alex' rug en knipoogt een paar keer in de richting van de gasten. Een perfect zittend mantelpak verhult de lastige plekjes. Haar sjaal zit echter scheef en het opgestoken haar is uitgezakt, alsof er zojuist een vogel zijn nestje in heeft gebouwd.

Susanneke houdt haar adem in. De psychologe, wat een mooi type! Alex kijkt zuinig.

'Man, de anderen schuiven toch een stukje op, dan komen we heus allemaal in beeld!' schatert de vrouw die zich aan iedereen voorstelt. 'Mijn naam is Amanda Meesters. Prettig kennis met jullie te maken, ik heb de lijsten bestudeerd!'

Alex heeft moeite om de aandacht opnieuw te vangen, het lukt pas als Amanda een stoel heeft en voorzien is van koffie met koek.

'Er gaan dus eerst twee mensen naar de schmink. Een van de meisjes haalt jullie zo meteen. Ondertussen neem ik nog wat tekst door met de anderen.'

Een man van de techniek komt met een stapel papier in de hand Alex storen. 'Er zijn problemen met de belichting, men is het niet eens over...' Alex verontschuldigt zich en haast zich achter de man aan.

'Hij vergeet het snuffelen!' merkt iemand op.

'Een zenuwenbaan!' roept een ander.

'Het lijkt mij wel wat!' zegt Mark.

Susanneke kijkt hem verbaasd aan en realiseert zich dat ze een eenheid vormen vanwege Ange. Zou dat ook het geval zijn wanneer ze elkaar onder normale omstandigheden hadden ontmoet?

Een modern gekleed meisje komt Susanneke als eerste halen. 'En...' Ze kijkt op haar papier dat vastgeklemd is in een daarvoor bestemde houder. 'Amanda Meesters?'

Amanda staat op en raapt haar vierkante handtas van de grond. 'Kind, ik heb mijn koffie nog niet eens op. Die neem ik dan maar mee!'

Naast de omvangrijke Amanda beent Susanneke over de duur uitziende vloerbedekking die elke voetstap dempt. Het meisje dat voor hen uit loopt heeft lange in een zwarte panty gehulde benen waarboven een minirokje. Haar eveneens zwarte truitje is zo kort dat een stukje huid rond de taille zichtbaar is. Susanneke voelt zich op slag een tuttebol. Waarschijnlijk is het meisje net zo oud als zij.

Amanda geeft haar een kameraadschappelijke stomp. 'Hoe gaat het, kind?'

Susanneke schiet in een nerveus lachje. Dat 'kind' lijkt een stopwoordje van Amanda te zijn.

'Hier is het, gaat u binnen!' zegt het meisje vriendelijk. 'Tinus, hier zijn je klanten!' roept ze over hun schouders heen het vertrek in.

De lampen schijnen fel, rondom tegen de wanden zijn toilettafels met spiegels, die de attributen op de planken weerkaatsen. Susanneke kijkt in het gezicht van een vrouw die haar vaag bekend voorkomt. Ze heeft een kapperscape om, de haren zijn samengebonden met een band. De visagiste is druk in de weer met een poederkwast en houdt geen moment haar mond. Dan kijkt een ander gezicht haar aan, strak, gespannen. Heel even is er grote verwarring, dan begrijpt ze dat ze naar zichzelf kijkt. Het lijkt of Amanda haar gedachten kan lezen.

'Ze kunnen er hier wat van!' Ze lacht breeduit.

Susanneke ziet zichzelf ontspannen lachen. 'Dat is wel te hopen...'

Amanda krijgt een stoel aangeboden naast Susanneke. Er duiken nog een paar deskundigen op en terwijl de juiste kleuren worden bepaald zegt de vaagbekende vrouw luid: 'Vergeet alsjeblieft mijn handen niet, Mary. Ooit gezien hoe walgelijk dat overkomt? Een bruin gezicht en witte handen. Een afgang!'

Susanneke kijkt steels opzij, ze hoort Amanda grinniken. 'Details... daar komt het op aan. Perfectionisme, dames!'

Wacht maar, denkt Susanneke wrang, wacht maar tot je iets meemaakt zoals dat wat ons is overkomen. Dan verleer je het perfect zijn, dan tellen andere dingen.

Pas als de vrouw wegstevent, herkent Susanneke haar. Het kijkje achter de schermen ontneemt heel wat illusies.

Mary kamt Susannekes haar naar achteren. 'Je hebt een fraaie haardos, is het goed dat ik het wat uit je gezicht kam?'

Susanneke vindt alles best en even vergeet ze de trieste reden van haar aanwezigheid. Snelle handen brengen vaardig de make-up op, ze ziet de metamorfose verbijsterd aan. 'Ben ik nu niet wat al te bruin?' Ze aarzelt. Mary stelt haar gerust. 'Ik weet wat ik doe. De studiolampen zijn zo fel, je komt zonder make-up over als een dood lijk!'

Susanneke schiet spontaan in de lach. 'Dat is dus dubbel dood!'

Gelijk is ze weer de ernst zelve. Dood, een lijk. Hopelijk kan Ange ooit meelachen om dat wat Susanneke nu meemaakt.

Mary knikt hartelijk. 'Kom, dan doe ik die handen van je ook nog!'

Een klein lachje via de spiegel, een wederzijds begrijpen.

Amanda bast: 'Je hebt vast een cursus psychologie gehad, Mary!'

Mary haakt de cape van Susannekes schouders los. 'Ik? Ik ben een natuurtalent!'

Een assistente van Alex komt hen halen. 'Even snuffelen, dames?' Amanda ziet er, nu ze is opgemaakt, een stuk beter uit. Dat is Susannekes mening. Een vleugje rouge, oogschaduw en een tint lippenstift die bij haar kleding past.

Snuffelen.

Alex is nauwelijks aanspreekbaar, één brok spanning is hij. 'Rond die tafel kunnen jullie straks plaatsnemen. Zo meteen worden de microfoons op de kleding aangebracht. Er komt heel wat bij kijken voor alles naar wens is, dat heeft de kijker meestal niet in de gaten. Als jullie vragen hebben...'

Susanneke ademt. 'Blij dat het niet rechtstreeks is. Wat als je je nu verspreekt of eh... een traan laat gaan!'

De assistente stelt haar gerust. 'Die traan is zo erg niet, hoor. Emoties mogen best gezien worden, mits ze oprecht zijn en op het juiste ogenblik. Wij houden alles in de gaten, de visagiste komt gelijk opdraven als er wat misgaat met de make-up of de kleding. Concentreren jullie je maar op wat Alex vraagt en speel in op dat wat de anderen opmerken. Ja? Kom, dan gaan we nog even naar de wachtkamer.'

Alex roept iets onverstaanbaars, maar de assistente schijnt hem te begrijpen!

'Over acht minuten is het zover. Sterkte allebei!'

De begeleiders, onder anderen Mark, krijgen een plekje aangewezen bij de regie.

'Hou je taai, lieverd!' fluistert Mark Susanneke in het oor.

Uiteindelijk zijn alle gasten zover dat ze rond de tafel kunnen gaan zitten. Alex werkt strak volgens het draaiboek, hij is duidelijk zelf ook naar de schmink geweest. Hij wijst ieder een plek aan en stelt hen op hun gemak. Een jongen komt hun allen een glas water brengen.

Weer verbaast Susanneke zich over het feit dat iedereen precies weet wat hij of zij moet doen, zonder een ander in de weg te lopen. De tune van het programma wordt gedraaid. Susanneke slikt, zeker weten dat ze straks geen woord kan uitbrengen. Dan is er opeens een hand op haar knie, onzichtbaar voor de anderen.

'Kop op!' fluistert Amanda en gelijk glijdt de spanning van Susanneke af. Alex groet zodra de muziek wegvalt de kijkers en stelt de gasten stuk voor stuk voor. Ernstig is hij, volkomen geconcentreerd op wat hij wil zeggen en de uitwerking daarvan. Hij is, begrijpt Susanneke, een echte vakman.

Hij opent kort het onderwerp, dan krijgt de moeder wier zoon al geruime tijd is verdwenen, als eerste het woord. Ze heeft vaker haar zegje gedaan, dat is te merken.

Amanda knikt en knikt, ze luistert zo intens, dat ze met haar lippen af en toe onhoorbaar iets prevelt.

Dan opeens, toch nog onverwacht, is het Susannekes beurt. 'Terwijl de kijkers nu een korte opname van je zusje zien, kun jij ons iets vertellen over Anges karakter en over de laatste dag dat ze in jullie midden was. Had ze problemen en zo ja, van welke aard?'

Vergeten zijn de schelle lampen, de mensen op de vloer die achter hun camera's staan, soms tot aan de enkels tussen de vele snoeren. Vergeten zijn alle kijkers. Alleen Ange telt.

Susanneke begint met het feit dat Ange het de laatste maanden steeds over haar *roots* had. De schoolproblemen stipt ze aan, met steeds de gedachte: ik moet niet dramatisch worden. Als Ange dit mocht zien moet ze zich niet behoeven te schamen.

'Wat zou je haar willen zeggen, Susan, als je haar nu via de buis zou toespreken?'

Susanneke haalt diep adem en kijkt dan recht in de camera. 'Ange, lieve schat, kom thuis! We missen je zo ontzettend! We houden van je... Als het mogelijk is, laat iets van je horen!' En dan is er toch een traan, die later zichtbaar in beeld wordt gebracht.

Het programma verloopt zoals afgesproken. Er ontstaat een discussie. Amanda legt uit hoe de stress van de families in elkaar zit, wat de problemen zijn.

'Dus men heeft hulp nodig, professionele hulp? Een bijstandsteam?' Amanda trekt alle registers van haar kennis open. Ze komt zo resoluut en sympathiek over, dat niemand aan haar woorden twijfelt.

Alex is in zijn nopjes. Deze vrouw is stukken beter dan haar collega die vader is geworden.

Nog een paar maal wordt Susanneke gevraagd details door te geven, met het doel de hulp van het publiek in te roepen.

Tot slot belooft Alex zijn kijkers terug te komen op het programma. 'Zodra er nieuws is, bijvoorbeeld een contact met de verdwenen personen, laten wij het u weten!'

Dan sluit hij af en bedankt de gasten voor hun komst, de tune wordt ingezet en opeens valt alle druk weg. 'Jullie deden het fantastisch!' zegt hij tevreden. De rest van de complimenten slikt hij in, want voor zulke uitlatingen zijn de mensen rond de tafel niet in de stemming.

'Wat een katterig gevoel opeens...' Susanneke aarzelt. Maar zodra ze Mark naar zich toe ziet komen, is ook dat verleden tijd.

'Je deed het prima, ik ben trots op je!' Mark glimt. 'Benieuwd wat mijn oude heer ervan gaat zeggen!'

Amanda sleept hen mee naar de kantine waar een lunch wacht. 'Ik ben geïntrigeerd door jullie geval. Mag ik nog wat doorvragen? Ik zou graag je ouders eens ontmoeten!'

Susanneke denkt aan haar wanhopige moeder, vaders flegmatisch gedrag. 'Graag Amanda!' reageert ze. 'Je komt als geroepen, ik meen het echt!'

Mark is de eerste die vragen stelt en wel over Amanda's werk. Het gesprek stokt geen moment. Er worden uiteindelijk afspraken gemaakt voor een bezoek.

Een paar gasten komen hen storen. 'Even afscheid nemen...'

Handen worden gedrukt, men kent nu elkaars leed, men deelt dezelfde pijn.

'Misschien tot ziens...' zegt Susanneke.

'Eet je broodje op, kind, je koffie wordt al koud!' Amanda moedert over

Susanneke alsof ze al jaren bevriend zijn.

Alex wacht hen op als ze na de lunch de kantine verlaten. 'Ik wens jullie veel sterkte. Hou me op de hoogte, Susan!' Amanda rijdt als eerste weg. 'Wat een wagen!' Mark grinnikt als ze haar nakijken. 'Alles rammelt, dat zo'n ding nog door de keuring is gekomen!' Susanneke glijdt in Marks auto op haar plaats. 'Misschien ook niet, rijdt ze zwart of hoe dat mag heten. Een fijn mens, nog fijner dat ze naar de Boslaan komt!' Susanneke is stil, heel de terugweg zwijgt ze. Mark concentreert zich op het verkeer, er is net geen sprake van een file maar veel scheelt het niet. 'Dank je wel, Mark, voor je steun!' zegt Susanneke als ze de Boslaan inrijden. 'Zonder jouw steun had ik het niet aangekund. Ik ben bang om naar de uitzending te kijken. Je komt dan toch wel?' Ze krijgt een kus als antwoord. Dan scheiden zich hun wegen, maar niet voor lang!

7

Boordevol verhalen zit Susanneke naar aanleiding van de tv-opnames. Haar ouders hoeven bepaald niet te trekken om de details aan de weet te komen. 'Dacht je dat die Amanda er iets voor zou voelen om hier eens te komen praten?' vraagt haar vader, schuins naar zijn vrouw kijkend, hoopvol. 'Vast!' meent Susanneke. 'Maar of het tussen jullie en haar zal klikken weet ik niet!' Amanda, die tegen Jan en alleman 'kind' zegt en op elke vraag een antwoord lijkt te weten. 'We moeten afwachten, ze zal best contact opnemen,' vermoedt Susanneke. Ze kan zelf haast niet wachten tot de datum van de uitzending is aangebroken.

Nu de vakanties praktisch voorbij zijn wippen oude bekenden die ze nog van school kent, regelmatig even aan. Eén bekent dat de drempel van huize Althuisius best hoog is. 'Net als bij een sterfgeval, of wanneer iemand een dood kindje heeft gebaard. Dan wil je wel gaan, maar met lood in de schoenen omdat je niet weet wat je moet zeggen.'

De dag voor de tv-opnames uitgezonden zullen worden, is Susanneke een en al onrust. 'Ik fiets nog wat, mam!'

Als vanzelf vindt ze de weg naar het huis van de leraar Engels. Nog voor ze bij zijn woning is, ziet ze tot haar innige vreugde dat de familie Van Dalen thuis is. Dat kan niet anders, want voor de deur staat een caravan en mensen lopen heen en weer met tassen en zakken.

Susanneke zet haar fiets tegen een paaltje, laat twee kinderen passeren en roept dan naar de caravan: 'Welkom thuis, meneer Van Dalen!'

Een verwonderd hoofd verschijnt uit een klapraampje. 'Een ontvangstcommissie?' Bert van Dalen heeft zijn gezin door woeste en afgelegen gebieden geleid, in weken bewust geen krant ingekeken. Even distantie van de wereld.

Susanneke lacht niet terug, een en al spanning is ze. 'Hebt u even tijd?'

Tegenover de ex-leraar Engels zit ze in de caravan, waar het ruikt naar kerrie en uien. 'U bent niet op de hoogte van wat er hier zoal is gebeurd?' vraagt ze ernstig.

Van Dalen wrijft over zijn kin die in dagen geen scheermes heeft gevoeld. 'Is het kabinet gevallen, de scholengemeenschap afgebrand?'

Nu glimlacht Susanneke mat. 'Het lijkt of u dat prettig zou vinden, zo'n brandje! Nee, het gaat om de verdwijning van onze Ange, net aan het begin van de vakantie!'

Bert van Dalen zet grote ogen op. Ange! Met haar groep heeft hij een prima band gehad, meteen al na de zomervakantie vorig jaar. Ze tutoyeerden hem gelijk en dat bleek heel goed te werken. 'Ange? Wat zeg je me nu!'

Susanneke vertelt, tot in details.

Bert luistert. Hij steekt de ene sigaret met de andere aan en gaat volkomen op in wat Susanneke vertelt, terwijl zijn kroost de caravan leeghaalt.

Als Susanneke ten slotte uitgeput zwijgt, dooft Bert zijn sigaret in een asbak, die door een meisje onder zijn handen wordt weggetrokken.

'Pap, mamma vraagt of je koffie komt drinken. De buren zijn er.'

'Ik kom zo,' zegt Bert automatisch. 'Geen enkel aanknopingspunt? Hoe is dat mogelijk!'

Susanneke zegt gehoopt te hebben dat hij als haar leraar iets over haar gedrag op school kon vertellen.

Bert strijkt nadenkend over het kunststofblad van het tafeltje waar beiden met de ellebogen op steunen. 'Ze ging veel met dat nieuwelingetje om, Francien Haag. Een meisje dat al vanaf haar kleutertijd psychische problemen heeft. Eigengereid, ze lijkt zeer zelfbewust maar ondertussen is ze de labiliteit zelve. Een grote mond met een klein hartje. Tja... wat kan ik over die vriendschap vertellen? Eigenlijk niets, Susanneke. Waarom kom je uitgerekend naar mij toe?'

Susanneke haalt haar schouders op. 'We checken immers alle mogelijke contacten. Ze lijkt in de lucht te zijn opgelost. Enfin, misschien levert de tv-uitzending morgen wat op!'

Bert hoopt dat met haar. 'En als de school weer begint, kunnen we een oproep doen. Je zegt maar in welke vorm we die moeten gieten.'

Susanneke vertelt wat commissaris Karsemijer van plan is. 'Hij wil zelf komen om, bijvoorbeeld tijdens de jaaropening, de zaak aan de aanwezigen voor te leggen. Als er een misdrijf gepleegd mocht zijn, kan heel misschien iemand een tip geven, iemand die haar op die bewuste dag nog heeft gezien!'

Bert schudt zijn hoofd. Hij heeft tijdens zijn leraarschap al heel wat meegemaakt. Een paar sterfgevallen, ziekte en het drama van een druggebruiker die zover de Noordzee in zwom dat van terugkeren geen sprake meer kon zijn. Maar een verdwijning, ook voor hem is dat nieuw. 'Het is erg voor je ouders. Ik neem vanavond nog contact met de collega's op, dat beloof ik je. Misschien heeft mevrouw Winkels van Nederlands nog opstellen liggen. Ze bewaart er veel, om ze ooit uit te geven. Het kan zijn dat Ange op die manier haar hart heeft blootgelegd. Er kan iets zijn in een leven dat onbespreekbaar is, begrijp je!'

Susanneke wurmt zich uit de te nauwe zitplaats. Teleurgesteld is ze wel. 'Had ze het nooit over haar *roots*?'

Bert schiet in de lach. 'Haar *roots*! Af en toe kwamen dat soort onderwerpen aan de orde. Er zitten nogal wat mensen op school met een donkere huidskleur, maar Ange was de meest Hollandse van hen allen!'

'Bert, waar blijf je!' Een kribbige stem en een dito hoofd dat naar binnen loert. Een korte blik op Susanneke. Ze wist het toen ze trouwde, een knappe vent heb je nooit alleen. Haar moeder had groot gelijk. Ze zijn nog niet thuis of er staat alweer zo'n meid op de stoep!

'Ik kijk morgen naar de tv, daar kun je van op aan. Veel sterkte, Susanneke, en groet je ouders van me.'

De teleurstelling maakt, als ze naar huis fietst, plaats voor een nog dieper verdriet. Het is bijna niet meer te dragen. Onzekerheid is een straf, erger dan opsluiting, denkt ze balorig.

Zoals altijd wanneer Susanneke de Boslaan inrijdt, gloort er de hoop dat er nieuws is. 'Yes!' zegt ze hardop als ze twee wagens ziet staan. Geurts is er, maar ook Karsemijer. Dat moet wat betekenen. Goed of slecht, in elk geval is er nieuws!

Zodra ze de huiskamer binnenvalt en de mannen toeknikt, valt er een stilte. 'Er is toch niet iets...' Ze durft haar zin niet af te maken.

'We hebben heel misschien een spoor, Susan. Ga zitten, dan vertel ik van voren af aan wat we ontdekt hebben!' zegt Geurts.

De man heeft een zorgvuldige manier van spreken, hij slaat geen detail over, maar wordt nooit langdradig. 'Zoals jullie weten heb ik Anges agenda van het afgelopen jaar minutieus bestudeerd, evenals haar plakboek. Wat regelmatig terugkwam, was een bepaald telefoonnummer. En wel dat van de leraar gymnastiek.' Even werpt hij een blik recht in Susannekes ogen om te zien of er een reactie is, ook al zou deze nog zo gering zijn.

'Bakkeveen, Reinier Bakkeveen. Nou ja, daar waren we allemaal op gesteld. Hij is afstandelijk en houdt er geen lievelingetjes op na. Een correcte man, echt waar. Ik kan me niet voorstellen dat uitgerekend Ange voor hem valt! Mijlenver staat hij van haar af. Hij is geen type dat vrouwen en meisjes lokt met flauwigheden, zoals onze vorige gymleraar!' Alsof ze hem verdedigen moet, ze hoort het zelf.

'Ik meen ook vastgesteld te hebben, Susan, dat je zus meermalen contact met hem had buiten de schooluren!'

Susanneke hapt naar adem. Als dat waar is, beschikt ze zelf over geen enkel greintje mensenkennis. 'En wat nu, is hij al verhoord? Of is ook hij op vakantie?' Fel is de klank in Susannekes stem. Ze balt haar vuisten, laat de woede in zich omhoog komen. Beter kwaad dan tonen wat er echt in haar omgaat.

'Bakkeveen is momenteel onvindbaar, maar dat zal niet lang meer duren aangezien de vakanties praktisch voorbij zijn.' Karsemijer dwingt hen tot zwijgen. 'Als deze ontdekkingen naar buiten komen, kan onze vrind zich prepareren en dat dienen we te vermijden!'

Terwijl Jan en Rita zich concentreren op hetgeen de politiemannen hun voorleggen, glipt Susanneke naar haar eigen kamer.

Ze diept een schoolfoto op, genomen afgelopen winter. Reinier Bakkeveen, ze heeft hem snel gevonden. Een ernstige man van rond de dertig. Innemend, niets mis mee. En hij zou Ange... onmogelijk! Ze dweepte niet, zoals andere meiden uit haar groep, met de gymleraar. De afstand was veel te groot, vond ze nuchter. Verspilde energie. Ze heeft het vervelende gevoel dat Reinier Bakkeveen ten onrechte bij het drama wordt betrokken. Ze legt de grote foto op haar bureau, gaat voor het raam staan en overdenkt de nieuwe informatie nogmaals.

Morgen is de uitzending. Wie weet kijkt ook Reinier Bakkeveen, komt hij zelf met een reactie. Want daarvoor zijn ze gewaarschuwd door zowel Alex als Amanda. Er zullen veel reacties komen. De dagen worden merkbaar korter nu de zomerhitte voorbij is. Stel dat Ange ergens ligt, weggeworpen na gebruik. Susanneke legt haar voorhoofd tegen het koele vensterglas. Ange, niet Ange! Was het maar morgen!

Stromende regen. 'Juist goed,' vindt Mark. 'Dan kijken er meer mensen tv. Vooral de zappers!'

Susanneke heeft het koud, ondanks de wollen sokken, haar lange broek en een van haar vaders truien waar ze heerlijk in kan wegkruipen. 'Ik zou het liefst achter de leuning van een stoel gaan zitten en over de rand gluren.'

Ze praten allemaal, Jan, Rita, Susanneke en Mark, maar niemand neemt nota van wat de ander zegt. Tot de omroeper in beeld verschijnt en de overbekende tune klinkt, dan zwijgen ze allemaal.

Even knikt Rita naar de buis. 'Staat de video aan?'

Jan knikt. 'In orde.'

Geleidelijk aan voelt Susanneke zich ontspannen. Een buitenstaander zou kunnen zeggen dat het een goede uitzending is. Helaas zijn ze zelf geen buitenstaanders, maar betrokkenen, hoofdpersonen zelfs.

Dan komt Ange in beeld, samen met Sander. Rita springt op en loopt snikkend weg uit de kamer. 'O pappa, dit is te erg...' fluistert Susanneke. Mark hurkt naast haar neer. 'Kom maar, hou me maar vast!'

Nog voor het eind van het programma rinkelt de telefoon. Klasgenoten van Ange, zelfs MaiLy belt en vraagt of ze op bezoek mag komen.

'Kom morgen maar, we hebben nu genoeg aan onszelf!' zegt Jan kort.

Op de stoep voor hun huis ontmoeten huisarts Branderhorst en de wijk-predikant elkaar. 'Als wij elkaar tegen het lijf lopen, Branderhorst,' merkt de dominee op, 'dan duidt dat zelden op iets goeds.' Ze zijn echter beiden welkom. De arts maakt zich bezorgd over de toestand waarin Rita verkeert. Nog even en ze stort in, weet hij.

Mark houdt de wacht bij de telefoon en maakt af en toe een notitie waarvan hij denkt dat deze van belang kan zijn.

Het wordt een avond gevuld met spanning, verwachting en vrees. Een avond, die niet licht vergeten zal worden. Een avond, waarop Susanneke vellen volschrijft in het logboek voor Ange. Ze besluit met de zin: 'O, Ange, zul je dit ooit lezen?'

Zoals ze wel vaker doet neemt Susanneke de middag na de tv-uitzending de fiets, om doelloos rond te rijden in de hoop, de dwaze hoop, iets te ontdekken. Even het winkelcentrum door, een buitenwijkje pakken, een stukje fietspad langs de provinciale weg. Terug naar de bewoonde wereld. Waarschijnlijk heeft haar moeder bezoek van MaiLy en Susanneke heeft geen lust tot converseren. Ze noemt het voor zichzelf dat ze 'schor' is van het luisteren.

Als het begint te regenen besluit Susanneke een supermarkt in te duiken. Ze zal wat lekkers meenemen voor vanavond. Mam denkt nergens meer aan, ze doet geen boodschappen en laat het koken aan anderen over. De mensen om haar heen zijn bijna allen vakantiebruin. Zoals de man voor haar bij de taartvitrine. Het dochtertje is bijna vuil van bruinheid.

'Graag twee moorkoppen!' zegt de man kort, terwijl het kind zich tegen zijn ene heup aandringt. Een slordig bij elkaar geraapt paardenstaartje, afgetrapte sandaaltjes.

'Ik verstond u niet!' De verkoopster kijkt vragend over de toonbank.

'Twee soezen, die daar!'

Pang! zegt Susannekes hart. Ze staart naar de rug van de man en hoopt dat hij zich niet zal omkeren. Reinier Bakkeveen. Terug van vakantie. Wat moet ze doen? Op dat moment keert hij zich wel om, de gebaksdoos in twee handen.

Susanneke wil wegduiken tussen de schappen met zoutjes, maar het is tevergeefs.

'Dag Susanneke, fijne vakantie gehad? Ik dacht dat jij al wel in Parijs zou zitten!'

Dat hij dat nog weet. 'Eh...' Haar vingers klauwen om de rand van de supermarktkar.

'Voel je je niet goed? Even de frisse lucht in?'

Susanneke schudt haar hoofd. Ze kan toch niet zwijgen? Toch zot om nu niets over Ange te zeggen. Ze mompelt: 'We hebben al weken zorg om mijn zusje. Om Ange...'

Reinier doet een stap dichterbij en het enige wat Susanneke kan denken is: Wat een lichte ogen heeft hij, grijs met een randje.

'Is ze ziek? Dat meen je niet!'

'Erger!' fluistert Susanneke. Ze lijkt haar moeder wel. Meteen overstuur als de naam Ange valt.

Reinier knikt richting uitgang. 'Kom, dan moet je me er alles over vertellen. Even dit afrekenen!'

Susanneke sjokt achter hem aan, een lege kar, een leeg hoofd. Ze kan niet langs hem bij de kassa, anders had ze alsnog de benen genomen.

Een man tikt haar op de arm. 'Mag ik uw kar?' Hij duwt haar een gulden in de hand.

Reinier geeft na betaling zijn dochtertje de doos in handen. 'Voorzichtig ermee, Elien!' Het regent nog steeds, zelfs onder de overkapping zwiepen af en toe regen- en windvlagen schuin omlaag. 'Wat is er precies aan de hand? Ik ben met Elien naar familie van mijn vrouw geweest. In Canada, ik ben dus niet op de hoogte!'

Zijn ogen staan oprecht en Susanneke kan niet anders dan haar verhaaltje afdraaien. Ongeloof tekent zich af op het gelaat van Reinier. Dan klemt zijn ene hand zich rond een elleboog van Susanneke. 'Kom, in mijn wagen zitten we droog!'

Hij grijpt Elien bij de hand en zo, tussen de twee 'vrouwen' in koerst hij naar zijn auto.

Elien staat node de gebaksdoos af. 'In de kofferbak dat ding en jij als een razende Roland naar binnen!'

Susanneke spant zich in om zichzelf weer in bedwang te krijgen. Dit is toch te gek voor woorden.

Reinier opent het portier voor haar en duwt haar naar binnen. 'Wil je je jas uit?' informeert hij, maar Susanneke schudt haar hoofd.

De regen gutst tegen de ruiten, een voorproefje van de herfst. Dit weer past prima bij haar gevoelens!

In korte bewoordingen herhaalt Reinier datgene wat Susanneke hem heeft verteld. 'Heb ik het goed begrepen?' besluit hij.

Susanneke schudt haar hoofd. 'Dat is nog niet alles.' Ze werpt een blik over haar schouder om te zien of Elien hoort wat er gezegd wordt. Het kind heeft een koptelefoon op haar hoofd en neuriet een liedje mee. 'Dikkertje Dap...'

Plompverloren gooit Susanneke het eruit. Dat, wat haar dwarszit. 'U krijgt vandaag of morgen de politie op uw dak. Ja, echt waar.'

Reinier knikt. 'Natuurlijk, iedere docent zal gehoord worden.'

'U wordt verdacht. Uw telefoonnummer stond meer dan eens in Anges agenda. En nu denken ze...'

Recht kijken ze elkaar aan en op dat moment is het voor Susanneke alsof er iets knapt in haar hoofd. Reinier Bakkeveen, niemand meer dan haar ex-gymleraar. En nu... nu ziet ze in hem een man. De vader van dat kleine ding op de achterbank. Een aantrekkelijke man, tamelijk introvert. De reden daarvan is waarschijnlijk zijn pijn om het verlies van zijn vrouw.

Susanneke raakt in verwarring. Ze slaat haar ogen neer. 'Ze denken een spoor gevonden te hebben... ik vind het niet eerlijk!' Ze hoort Reinier zwaar ademen. Zijn handen ballen zich tot vuisten en opeens herinnert Susanneke zich de keren dat diezelfde handen haar – en anderen – opvingen na een inspannende oefening.

'Ange? Hoe komen ze erbij! Ange was een van mijn babysitters. Zij en nog een paar meisjes ontfermden zich af en toe over Elien. Als ze ziek was, of wanneer onze schooltijden te veel verschilden. Heeft ze dat thuis nooit verteld?'

Susanneke zwijgt.

'Susan!'

Verschrikt kijkt ze omhoog, ze voelt een doordringende blik op haar gezicht rusten. 'Eigenlijk niet. Ange zei thuis niet zo veel. Ze vertelde nooit wat over school, weet u. Maar ik zal getuigen. Als het moet lieg ik de hele boel aan elkaar. Ik zal getuigen dat ik me herinner dat Ange het er weleens over heeft gehad!'

Reinier schiet in de lach. 'Malle meid! Het zal zo'n vaart niet lopen. Ik kan toch bewijzen dat ik op vakantie was? Wanneer is het precies gebeurd?'

Intiem is de sfeer, auto's knorren hen voorbij, mensen rennen onder hun paraplu's van de winkel naar de wagens.

'Dus u zou er in principe best wat mee te maken kunnen hebben. Natuurlijk zal na de ondervraging blijken dat u en Ange niets hadden!' zegt Susanneke kinderlijk. En opeens, smekend bijna, komt ze met: 'U mag niet zeggen dat ik u getipt heb...'

Reinier lacht hard en kort. Elien neemt even de koptelefoon van haar oren om 'm meteen terug te plaatsen. Pappie is in gesprek en dan moet ze zich koest houden.

'Getipt nog wel! Enfin, een gewaarschuwd mens... Ange was voor mij niet meer dan een van de behulpzame meisjes die graag wat wilden bijverdienen. Al met al is het een ellendige situatie, Susan. En ik bedoel niet mijn eigen positie, die beduidt namelijk niets en dat zal blijken. Het is afschuwelijk voor je ouders. Ik zag in Canada op de plaatselijke tv iets dergelijks. Die wanhoop van de ouders, hun schuldgevoelens, afschuwelijk! Zoiets in je eigen kring maakt dat je bang wordt voor de veiligheid en kwetsbaarheid van eigenlijk iedereen. Een mooi meisje als Ange loopt meer gevaar dan een ander, zou je denken. Maar dat is niet waar, bleek uit een onderzoek. De school begint weer, Susan. Wie weet wat of er nu boven water komt!'

Susanneke voelt dat een hete traan zich vermengt met de regendruppels die uit het haar lopen en zich een weggetje zoeken over de huid van haar gezicht. 'Het is zo erg allemaal, mijn moeder is over de rooie, weet je. Weet u...'

Een warme hand die troostend over haar wang gaat. 'Zeg maar jij en Reinier, Susan. Je bent niet langer een leerlinge van me. Ik zal helpen waar ik kan. Enneh... laat de politie maar komen!'

Susanneke houdt haar adem in. Ze moet zich bedwingen om niet een hand over de zijne heen te leggen. Hoe kun je tegelijkertijd diep ongelukkig en opgewonden zijn?

'Kan ik je een lift geven?' biedt Reinier aan.

Susanneke mompelt een bedankje. 'Ik heb mijn fiets hier.'

Reinier knikt. 'We zien elkaar tijdens de jaaropening, Susan. Afgesproken?'

'Mag ik bellen om te vragen hoe het gesprek met de politie is afgelopen? Ik heb soms het gevoel dat ze een spoor volgen en bijna uitgraven om ons het gevoel te geven dat er wat gedaan wordt!'

Reinier zegt kort maar krachtig dat hij zulke gedachten naar het rijk der fabelen verwijst.

'We houden moed, jullie staan er niet alleen voor, meisjelief!'

Meisjelief... Susanneke morrelt aan de deurkruk. Mam zal niet weten waar ze blijft. Reinier buigt zich over haar heen en heel even voelt ze zijn schouder en arm tegen haar lichaam.

'Natuurlijk mag jij bellen. Ik heb een schoon geweten en hoop ondanks dat hen toch ergens mee van dienst te kunnen zijn. Kop op, Susanneke!'

Susanneke rent naar de overkapping waar haar fiets staat, ze voelt dat hij haar nakijkt. Even later rijdt hij toeterend voorbij. Reinier Bakkeveen. Vreemd dat je iemand die je al tijden kent opeens met zulke andere ogen beziet! Ze kan er niet over uit.

Van de regen merkt ze niets, pas als ze druipend op de keukenmat staat en haar moeders verwijten over zich laat komen, is ze terug op de wereld. 'En ik ben gebeld door dat mens van de tv... Die Amanda. Jij was er niet om de telefoon aan te nemen!' Het klinkt als een verwijt, een klaaglijk en bovenal onverdiend verwijt.

Mam is mam niet meer, beseft Susanneke voor de zoveelste maal. 'Maar nu ben ik er wel. Even mijn jas te drogen hangen. Ik geloof dat ik een douche neem, ik ben nat tot op het vel!'

'Maar als de telefoon gaat...'

'Dan ben ik er met drie tellen!'

Lauwwarm water over haar naakte huid, een koestering bijna. Susanneke sluit haar ogen en laat de betovering van de korte momenten in de auto terugkomen. Reinier, zijn wonderlijk lichte ogen. De rimpeltjes eromheen die vertellen dat er verdriet is geweest, misschien nog wel is. Meisjelief. Een stopwoord? Susanneke beweegt haar lichaam onder de stralen. Ze draait met haar verstijfde schouders, heft het halflange haar op en vlecht het boven op haar hoofd in elkaar. Een beetje shampoo in de palm van haar hand. Weelde, water en zeep. Hoe zou het Ange vergaan?

Susanneke draait de kraan uit. Het is net of ze een paar minuten Ange was vergeten, een overdreven schuldgevoel doet haar bijna stikken.

Ze wikkelt een handdoek om haar hoofd en als de telefoon ratelt, grist ze haar badstof peignoir van een haak en roetsjt naar beneden. Ze is haar moeder voor, gelukkig maar. Ze heeft geen behoefte aan nog meer onverdiende verwijten. 'Ben jij het, Amanda, dat is een verrassing!' Ze zegt het, maar meent het ook.

'Belofte maakt schuld, dat schreven ze vroeger regelmatig in mijn poëziealbum. Daar zal wel een reden voor zijn geweest!'

Susanneke glimlacht. Mal mens! Amanda is recht op de man af. 'Nieuws?' Geen nieuws.

'Ik wilde een dezer dagen eens langskomen, Susan. Ik heb het gevoel iets voor jullie te kunnen zijn. Zeg maar wanneer het schikt, ik noem wat data.' Geen woord over het eerder gevoerde telefoontje.

De afspraak is snel gemaakt.

'Ik wil dat mens niet!' klaagt Rita als Susanneke opgewekt verslag doet van het korte gesprekje. 'Mam, ze komt niet alleen voor jou. Ik heb haar leren kennen, weet je wel!'

Terwijl Susanneke zich aankleedt moppert ze voor zich heen: 'Het zijn de medicijnen, die maken van mam een ander mens! Ange! Kom terug!'

De ochtend van de jaaropening is Susanneke vroeg wakker. Vorig jaar was ze nog als leerling van de partij en zich goed bewust van het feit dat het haar laatste schooljaar zou worden. De studie in Parijs was al meer dan een vaag plan, kreeg vaste vormen. Het au pair-adres had ze al in haar agenda staan.

Na een paar dagen heftige regenval lijkt de zomer weer terug te zijn. Geen weer om je binnen schoolmuren te begeven.

Gekleed in haar body inspecteert Susanneke haar klerenkast. Ze wil zich wat uiterlijk betreft, onderscheiden van de leerlingen. Waarom zou ze niet kunnen zeggen. Eens aan Amanda vragen! Ze kiest een kort rokje met bijpassende blazer. Een zijden topje hoort erbij, herinnert ze zich, gravend tussen de kleding. 'Hebbes, mijn Parijse outfit. Het zij zo. We gaan ertegenaan, Ange!' Meer dan eens betrapt ze zich erop in gedachten gesprekken te voeren met haar zusje. Weer een vraag voor Amanda...

Op de afgesproken tijd arriveert Mark. Het flitst door Susanneke heen: wat is hij ongelofelijk trouw. Een vriend in de ware zin van het woord. Bij hem kan ze zichzelf zijn, zonder enige inspanning. Voetstappen op de trap. Zijn bekende fluitje, de tune uit een film.

Even houdt Susanneke haar adem in. Het is haar of er een vraag is gesteld door een onzichtbaar persoon, misschien haar alter ego. Of ze van Mark houdt? Ze struikelt bijna over haar pumps. Ange, het gaat nu alleen om Ange. Verder wil ze niet denken.

Een klopje op haar deur. 'Zó... jij ziet er chic uit! Op wie wil je indruk maken?' Mark kust haar op het puntje van haar neus.

'Misschien heb ik behoefte aan wat meer zelfvertrouwen. A propos, heb jij nog wat van de affiches van Ange weten te bemachtigen?'

Mark knikt. 'Achter in de auto. We doen een tweede poging en delen die dingen naar hartelust uit. Heb je die vent nog gebeld, de gymleraar?'

Susanneke buigt zich zo diep ze kan en frommelt haar panty wat strakker om de enkels. 'Ik ben er niet toe gekomen. Heb jij nog wat van je pa gehoord over hem?' Ze heeft zichzelf weer in de hand, volkomen in de hand.

'Pa laat er niets over los, dat kan twee dingen betekenen. In elk geval zal hij er straks ook bij zijn. Kom op, dan gaan we!'

Rita zit nog in haar ochtendjas aan de ontbijttafel. Haar ogen zijn dik vanwege het gebrek aan slaap. Ze verbrokkelt een beschuit en staart in het niets.

'Mam... we gaan. Mam, ruim je zo de tafel af? Ik ben er over een uurtje weer, echt waar!' Susanneke legt haar ene wang een moment op haar moeders slordige haar. Ze vangt een bezorgde blik van Mark op. Het gaat niet goed met mam. 'Lieverd, hou je nou even goed. Ik ben er echt zo weer. En toe, trek wat fleurigs aan. Dag...'

Mark legt een arm om Susannekes rug. 'Het komt misschien allemaal wel weer goed. Wie weet wat deze dag ons brengt! Een van die honderden jongelui hoeft maar iets te weten en hup... de sluier wordt opgelicht!'

Susanneke monkelt iets onverstaanbaars. Haar gedachten snellen vooruit. Ze zal hem weer zien. Reinier. O, ze is zo nieuwsgierig of hij is aangepakt door Karsemijer en Geurts. Misschien is het hem tegengevallen dat ze niet heeft gebeld.

Een hand van Mark op haar knie. 'Niet zo nerveus, meisjelief!'
Meisjelief, dat zei Reinier ook tegen haar. Susanneke bijt tot bloedens toe
op haar onderlip.
'We zijn aan de vroege kant. Kom, dan zoeken we de directie op, Susan!'

Diep onder de indruk zijn de aanwezigen als de politieman is uitgesproken. De directeur heeft hem vrij snel na de opening het woord gegeven.
Boordevol vragen zitten de jongelui. Vooral Anges ex-klasgenoten hebben het er moeilijk mee.
Als hun gevraagd wordt te reageren staat een jongen op. Of Anges verdwijning met de verkrachtingszaak te maken heeft die nogal eens in het
nieuws is. 'Zo'n vent met een Arafatdoek om z'n kop, gekleed in een
leren jack!'
Geurts reageert meteen. 'Waarschijnlijk niet, we hebben geen reden om
aan te nemen dat dit het geval is. Alhoewel we niets kunnen uitsluiten!'
Nu barsten de vragen los. Logische en andere, door emotie ingegeven.
Susanneke voelt zich getroost door de belangstelling. Het oprechte
medeleven.
Onverwacht vraagt de directeur of Susan naar voren wil komen om verslag te doen over de periode vanaf de verdwijning tot nu.
Vlotter dan ze zelf had durven hopen komt ze uit haar woorden. Bijna
met handen en voeten spreekt ze. Haar gehoor luistert ademloos. Dan
zijn er ogen die haar recht aankijken. Een haast onmerkbaar knikje. Een
duim die – ook bijna onmerkbaar – het 'goed zo'-teken maakt. Twee tellen is ze van haar stuk, dan is zíj er weer, Ange.
Susanneke besluit met: 'Ik vraag dan nu met klem aan Anges ex-klasgenoten en eventuele relaties uit andere groepen: blijf zo meteen na afloop
hier, dan kunnen we met de heren Karsemijer en Geurts een overzicht
maken en kunnen misschien een tipje van de sluier oplichten!'
Steels veegt Susanneke langs haar ogen. 'Bedankt voor het luisteren...'
fluistert ze. Even is het doodstil, dan barst een applaus los. Susanneke
schudt haar hoofd en haast zich de aula uit. Even alleen zijn, doet er niet
toe waar.
Dan is er een hand op haar schouder. 'Susan... je bent een kraan. Ik heb
trouwens nog een telefoontje van je te goed!'

Ze staat een moment roerloos. Beide handen klemt ze tegen haar borst die snel op en neer gaat, zoals vroeger na een moeilijke gymoefening. 'Ik... sorry, Reinier. Echt sorry. Ik durfde niet. Was het akelig?' Dan pas keert ze zich om.

Reinier stopt zijn handen diep weg in zijn broekzakken en haalt de schouders op. 'Wat heet akelig? Ik heb naar waarheid alle vragen beantwoord en of deze aldus zijn geaccepteerd, weet ik niet. Er zijn nog wat twijfels, volgens mij ongegrond. De tijd zal leren wie gelijk heeft, Susan. De andere meiden die me hielpen zullen mij gelijk geven. Jammer, doodjammer dat Ange thuis niet over deze bijverdienste heeft gesproken. Maar ik vertrouw erop dat wat mij betreft de problemen spoedig zullen zijn opgelost. Ange, zij is de kern van het probleem, het gaat om haar. Jij gelooft me toch? Dat is heel belangrijk voor me, Susan!'

Susanneke voelt hoe ze knikt, ze opent haar mond, maar een antwoord geven lukt niet.

Stemmen, voetstappen, kreten en uitingen van leven. Echter niet zoals anders gelach, geen blijdschap en overmoed, de jeugd eigen.

Automatisch doen zowel Reinier als Susanneke een stap naar achteren.

Snel zegt Reinier voor het tumult hen nadert: 'Ik zal er voor jullie zijn en doen wat ik kan om te helpen, hoe dan ook. Je kunt op me rekenen!'

Susanneke knikt en fluistert dan: 'Dank je wel, Reinier!' Dat het zo moeilijk is om die naam te zeggen.

Een knikje, dan wordt de leraar opgenomen in de massa en kan Susanneke eindelijk naar haar stille plekje waar ze kan uithuilen.

'Waar zat je al die tijd!' Mark is verontwaardigd. 'Ik dacht even dat je in je uppie naar huis was gegaan. Waar zat je?'

Susanneke doet haar best schuldig te kijken. 'Ik moest even tot mezelf komen. Sorry, Mark. Ik ben naar buiten gegaan, ginds achter het fietsenhok. Daar is een hoekje...'

'Al goed!' mompelt Mark. Hij trekt Susanneke tegen zich aan. 'De directeur wil je spreken. De leraren plus pa zitten op je te wachten. Zeg, ik heb ondertussen kennisgemaakt met die Reinier Dinges. Aardige vent en geen type dat kleine meisjes het hoofd op hol brengt. Nog even, liefje, dan gaan we naar huis! We kunnen je ma niet al te lang aan haar lot overlaten!'

En dat laatste is maar al te waar. Bij thuiskomst vinden ze een totaal ontredderde Rita. 'Er kwam weer een journalist aan de deur, met een fotograaf. Van een landelijk dagblad. En ik heb ze weggestuurd. Nogal op een grove manier, maar ik was zo ten einde raad! Ze hebben wel een foto gemaakt. Kijk eens hoe ik eruitzie...'

Susanneke omarmt haar moeder. 'Wat doet dat ertoe? Al zag je eruit als ma Slonsika zelf. Je zou zulke lieden lijfstraffen moeten geven. Nu ben ik er. Zijn wij er...' voegt ze er snel aan toe als ze Mark hoort kuchen.

'Ga naar boven, mam, en trek wat fatsoenlijks aan. Doe het voor mij! Ik zet een sterke bak koffie. Dat is klaar als jij beneden komt!'

Samen kijken ze haar wanhopige moeder na als deze de trap opklautert.

'Ze doet ook nog wat jij zegt!' zegt Mark verbaasd.

Susanneke knikt verdrietig. 'Moet wel, ze heeft iemand nodig die haar programmeert. Maar soms... soms kan ik het ook niet!' Ze leunt tegen zijn schouder en huilt. 'Soms... soms ben ik woest op Ange, is dat slecht van me?' Susanneke veegt haar ogen droog aan het colbertje van Mark. 'Ik hou rimpels van al dat gejank over...'

'Da's erg!' meent Mark. En op gemaakte toon zegt hij: 'Lieverd, waarom gebruik je toch dezelfde crème niet als mijn vorige vriendin, zij straalde elk uur van de dag!'

Susanneke geeft, opeens weer zichzelf, Mark een dreun tegen zijn borstkas. 'Kom op, dan zetten we samen koffie. Gunst, als jij er toch eens niet zou zijn...'

Als jij er eens niet zou zijn. Lang, heel lang, denkt Susanneke na over die ene opmerking van haar. Mark, de trouwe Mark die zomaar in haar leven is binnengewandeld. Meer dan gewoon is hun vriendschap. En diep in haar hart was er een overtuiging: als deze nachtmerrie voorbij is, komen wij, Mark en ik, aan onszelf toe. Aan ons samen.

Sinds heel kort is dat verlangen totaal weg, opgelost in het niets.

De reden is die andere naam. Reinier...

8

AMANDA, EEN HOOFDSTUK APART IN HET LEVEN VAN DE FAMILIE ALTHUI-sius. Alsof ze er constant is. Haar eerste bezoek was reeds zo indringend en liet een stroom van gedachten en ideeën na. Nauwelijks waren deze verwerkt, of het tweede bezoek werd aangekondigd. Vanaf die tweede keer worden er geen afspraken meer gemaakt, Amanda komt en gaat wanneer het haar goeddunkt.

Jan Althuisius heeft maar één reactie op Amanda's aanwezigheid: vluchten. Hij laat zich niet inpakken door uitgekiende methoden, beweert hij. Rita echter knapt zienderogen op. Amanda brengt haar in contact met ouders van adoptiekinderen en met mensen wier zoon of dochter eveneens is verdwenen.

'Er is niets zo goed als contact met lotgenoten. Denk bijvoorbeeld aan de A.A.!'

Susanneke is dolblij met Amanda's bemoeienis die bij wijze van uitzondering volkomen gratis is. 'En nog thuisbezorgd ook!' heeft ze zelf aangevuld. Nee, ze zou door dit leed wat de familie is overkomen geen cent rijker willen worden.

Zodoende heeft Susanneke plotseling niet meer alleen de verantwoording voor haar moeder. Jan werkt praktisch weer hele dagen en neemt slechts vrij wanneer de situatie dit vereist. In haar logboek schrijft Susanneke: Ange, je bent nu al langer dan twee maanden weg. Kom je nog wel terug?

Het contact met Mark beperkt zich tot de weekenden gezien zijn studie. Vreemd genoeg mist Susanneke hem minder dan ze gevreesd had. Mark vindt de dagen echter veel te lang duren en belt regelmatig. Wat het onderzoek betreft, na een regen van tips lijkt er een stilstand te zijn ingetreden. De scholieren kwamen met allerlei herinneringen, de gouden tip bleef echter achterwege. Susanneke voelt zich onzeker ten aanzien van Reinier. Dolgraag wil ze de banden strakker aanhalen, maar ze durft het niet. Tot haar moeder op een avond vraagt of 'die ene leraar van Ange' nu door de bewijzen ontlast is. 'Waarom bel je die man niet, Susanneke?' Rita is zo afhankelijk geworden, dat het niet in haar opkomt zelf de telefoon ter hand te nemen.

'Ja, waarom niet?' Susanneke zucht.

Onlangs heeft haar vader de telefoon ingeruild voor een *handy*, een snoerloos apparaat. Susanneke neemt het toestel mee naar haar kamer, ze weet Reiniers nummer uit het hoofd. Ze moet lang wachten eer er wordt opgenomen.

Ietwat kortaf klinkt Reiniers stem: 'Bakkeveen!'

'Ik ben het maar, Susan...'

Op slag verandert Reiniers stem. 'Da's een verrassing, Susan. Heb je nieuws?'

Susanneke nestelt zich op haar bed en drukt de hoorn tegen haar ene oor.

'Nee, jij? Ik bedoel... het onderzoek, de ondervragingen?'

Reinier lacht ingehouden. 'Tjonge, ik dacht bij mezelf: zou ze dan nooit informeren? Tja, Anges schoolvriendinnen hebben mij zo goed als vrij-gepleit. Een vaag vermoeden is helaas blijven hangen en ik zal er alles aan doen om ook dat kwijt te raken. Al is het alleen voor Elien.'

Susanneke knikt, ze realiseert zich even niet dat Reinier dat natuurlijk niet door de telefoon kan zien. 'Hoe gaat het met haar? Ze is nu toch naar school?'

'Nu even niet,' vertelt Reinier. 'Ze heeft het flink te pakken. Oorontsteking, een dikke keel, hoesten. Tja, dat is tobben met de ver-schillende oppassen!'

Spontaan roept Susanneke. 'Wil je dat ik kom?'

Stilte. 'Meen je dat echt? Kun je dan weg?'

Susanneke herhaalt wat Amanda hun aan het leren is. 'We moeten pro-beren de draad weer op te pakken. Zien dat we doorgaan, met of zonder Ange. Dat klinkt zo keihard, Reinier... Maar ik zie aan mijn moeder dat het werkt. Ze doet weer wat in huis, kleedt zich tenminste aan en is zelfs naar de kapper geweest. Het verdriet en de spanning zijn er niet minder om. Amanda noemt het een soort zelf opgelegde discipline. En omdat mijn moeder minder druk op me uitoefent, heb ik mijn handen meer vrij dan voorheen. En ja, ik wil graag op Elien passen. Al ben ik niet zo goed met kinderen als Ange!'

Reinier kan wel juichen. 'Kun je nu niet even langskomen om een en ander door te spreken? Elien slaapt toch nog niet, dan kunnen we haar meteen vertellen dat ze niet meer naar de buren hoeft.'

Susanneke staat al. 'Ik kom eraan!' Ze sjeest de trap af.

Rita kijkt verstoord op uit het oefenboek dat Amanda heeft achtergelaten. 'Is er wat met die man? Hebben ze hem nog iets ten laste kunnen leggen?'

Susanneke beheerst zich, het is nergens voor nodig dat mam haar enthousiasme ontdekt. 'Ik heb hem beloofd langs te komen. Zijn dochtertje is ziek, hij zit zonder oppas. Ik heb aangeboden te helpen. Ik loop toch vaak doelloos rond...'

Jan knikt. Doen, Susan! zeggen zijn ogen. Rita wil tegensputteren, maar Susanneke heeft haar jas al aan.

'Ik weet niet hoe laat ik terug ben, wacht maar niet op mij. Ik neem de fiets, het ruikt zo lekker naar vallend blad!'

Ze weet dat de stilte in de huiskamer indringend zal zijn zodra ze de deur achter zich dicht heeft getrokken. Nu haar moeder minder vaak een beroep op haar doet, verdrinkt ze bijna in haar eigen verdriet. Passen op Elien zal haar afleiden, het gevoel geven nuttig te zijn. Zoals gewoonlijk zoeken haar ogen onderweg de posters waarop Anges afbeelding staat. De meeste zijn door regen en wind gescheurd, sommige totaal verdwenen of bedekt door een ander pamflet.

Stug trapt ze door, de stevige wind doet haar gezicht gloeien. Herfst, en nog steeds zijn ze Anges verblijfplaats geen stap genaderd.

Reinier heeft duidelijk op de uitkijk gestaan. De deur van de vriendelijke woning, een semi-bungalow, zwaait al open voordat Susanneke haar fiets op slot heeft gezet.

Even kijken ze elkaar aan, een vreemd soort begroeting. 'Dag...' zegt Susanneke aarzelend. Reinier geeft haar een schouderklopje. Hij is gekleed in een joggingpak dat Susanneke nog kent van de gymlessen.

'Slaapt ze?'

Reinier schudt zijn hoofd. 'De kleine puk is echt ziek. Morgen bel ik de dokter. Kom op, dan gaan we samen naar boven.' Susanneke heeft haar jack nog aan, ze trekt het al klimmend op de treden uit.

'Pappie... ik wil drinken!' klinkt een klaaglijk stemmetje.

Op slag heeft Susanneke herinneringen aan vroeger. Als ze zelf ziek was, week mam geen moment van haar zijde, ze draafde af en aan met appelmoes en frisdrank. Ze verzon spelletjes en las voor tot ze schor was. Ook speelde ze platen en cassettes met sprookjes en muziek. Heerlijk, die aandacht! Arme Elien, die is op dit gebied vast niet verwend.

Zodra ze Susanneke gewaarwordt, duikt ze diep weg onder haar dekbed. Weer een vreemde tante!

'Je kent haar wel, Elien, de mevrouw die in onze auto heeft gezeten toen het zo regende. We waren net terug van vakantie en hadden taartjes gehaald!'

'Soezen!' zegt een schor stemmetje vanonder het dek.

Susanneke gaat behoedzaam op de rand van het bed zitten. 'Mag ik morgen een paar uurtjes op je passen als je pappie naar school is? Ik heb thuis nog mooie boekjes, die breng ik mee!'

Twee koortsige oogjes verschijnen vlak boven de rand. 'Goed...' En dan, gretig bijna: 'Kun je ook zingen? Van beertje Pippeloentje? Daar heb ik een cd van!'

'Ken ik!' stelt Susanneke haar gerust. 'Maar nu moet je proberen te slapen, des te eerder ben je beter. Weet je nog hoe ik heet? Susan!' Ze geeft het kind wat water te drinken. Vreemd, bedenkt ze, dat ze zichzelf tegenwoordig voorstelt als Susan. Het klinkt zo veel volwassener dan het vertrouwde Susanneke.

De oogjes worden kleiner, het kind ontspant zich. Reinier knipt een schemerlampje aan en doet het grote licht uit. 'Eh...' zegt hij, richting Susanneke.

'Ik blijf nog even, goed?' Susanneke geeft haar jack in Reiniers handen en doet haar best niet aan hem te denken als ze heel zacht een oud slaapliedje begint te zingen. 'Maantje tuurt, maantje gluurt al door de vensterruiten, zijn de kindertjes al naar bed of spelen ze soms nog buiten? Lieve maan, kijk eens aan...' Als Susanneke zover met het liedje is gekomen, slaapt het patiëntje al. Op een fluistertoon besluit ze haar versje, terwijl ze op haar tenen naar de overloop sluipt. 'Morgen komt er een nieuwe dag, dan kun je weer zingen en spelen!'

Reinier wacht op haar met een glas wijn. 'Ik heb maar wat ingeschonken, ik weet niet eens of je het lekker vindt!'

Susanneke knikt. Al was het pure stroop, ze zou ervan genieten. 'De wijn is precies goed,' beweert ze als was ze een kenner. Zo zittend tegenover elkaar, komen de woorden vanzelf.

Reinier vertelt over zijn huwelijk en de dood van zijn vrouw. 'Het went nooit, weet je. We hadden het goed samen. Op zoiets ergs reken je niet, wie wel? Je hebt geen leven als je constant rekening moet houden met wat er zou kunnen gebeuren. Voor Elien was het een ramp. En ik? Ik ben volkomen afhankelijk van anderen. Een kinderdagverblijf kon ik niet betalen. Gelukkig gaat ze nu naar school en zo nodig kan ik een beroep doen op de naschoolse opvang. Ik mag niet klagen. Echter, zodra er ziekte in het spel komt, zit ik klem. Jouw hulp is een geschenk uit de hemel, weet je dat?'

Susanneke drinkt haar wijn veel te vlug, Reinier schenkt bij.

'Ik ben zelfs blij met de afleiding. Echt waar,' zegt zij.

Dan is het Susannekes beurt om te vertellen. Als ze aan de gestagneerde Parijse plannen toe is, schiet haar gemoed vol. 'Wie weet komt het er ooit nog van. Als er iets ergs met Ange gebeurd blijkt te zijn, of als er onzekerheid blijft... dan kan ik mijn ouders onmogelijk in de steek laten. Wat Amanda ook mag zeggen!'

Verhalen over Amanda veraangenamen de sfeer. Reinier schatert om de dwaze stem waarmee Susanneke haar imiteert. 'Tja, Susan, ik zit vaak te denken aan Ange, aan de mysterieuze verdwijning. Ange gedroeg zich de laatste maanden voor de vakantie nogal lauw. Hebben meisjes van die leeftijd wel meer. Hormonen, zeg ik dan tegen mezelf. Val ze niet te hard. Ze stond ietwat buiten de groep en dat is volgens mij gekomen door het contact met dat meisje Haag. Toe... help me eens? Francien. Een goedgebekt geval, maar een met een trieste achtergrond. Vanaf haar peuterjaren een zenuwpatiëntje. Ja, ik weet wat je zeggen wilt, ze is ergens opgenomen, niet?'

Susanneke knikt driftig. 'Daar ben ik zelf achteraan geweest. Francien is verhuisd, zo omstreeks Anges verdwijning. Francien was niet aanspreekbaar, zelfs onbereikbaar! Ange was wel erg op haar gesteld, maar dat was tijdens de schoolperiode. Eigenlijk is het spoor toen doodgelopen.'

De stilte die valt is geladen. Reinier staat op. 'We gaan er samen nogmaals achteraan. Om Ange, maar ook om mijzelf, Susan!'

Susanneke begrijpt hem. O ja, volledig! Maar daar is Ange, om wie het eigenlijk gaat. Schor vraagt ze, langs hem kijkend: 'Is het je daarom te doen, wil je je eigen gelijk gerechtvaardigd zien? Ange komt bij jou toch op de tweede plaats...'

Reinier schraapt nerveus zijn keel en loopt dan op Susanneke toe, legt beide handen op haar stoelleuningen. 'Susan!'

Susanneke drukt haar rug zo stijf als ze kan tegen de rugleuning. Reiniers nabijheid brengt haar in verwarring. Alsof ze door hem begrip te schenken Ange verloochent.

'Susanneke!' Het 'Susanneke' klinkt uit zijn mond als een koosnaampje. 'Meisje, het gaat mij in de eerste plaats om Ange. Ik slik dat wat Franciens familie heeft gezegd niet voor zoete koek. Geloof me, ze was Anges vertrouwelinge! Als iemand ook maar iets over Anges gevoelsleven weet, is zij het.'

Alsof haar oogleden verzwaard zijn! Susanneke dwingt zichzelf hem aan te zien, ze probeert krampachtig nuchter over te komen en vooral volwassen. Ze wil niet dat hij in haar nog steeds het schoolmeisje ziet.

'Susan... we doen het samen! Als Elien zaterdag wat beter is gaan we naar Franciens ouders. Zij is het enige spoor dat we hebben!'

Susanneke ruikt Reiniers aftershave, ze voelt zijn warme adem. Geen wonder dat horden schoolmeisjes verliefd op hem zijn. Hij is zo onbereikbaar als de maan. Afstandelijk, ook al voelt ze zijn lichaamswarmte. Dan, heel onverwacht, is zijn mond op de hare. De kus is kort, maar lang genoeg om Susanneke van streek te maken.

Reinier richt zich op. 'Sorry, Susan! Sorry, maar ik kon niet anders. Ik wilde dit al zo lang doen. Jij... jij was een van de weinige meiden op school die me met rust liet en juist dat intrigeerde me. Susanneke Althuisius... een groot kind of een volwassene die boven het gegiebel staat? Je zou naar Parijs gaan, uit mijn gezichtsveld verdwijnen en dat was goed. Toen ik je echter in die supermarkt zag staan, zo onverwacht... Wel, hier wil ik het – voorlopig – bij laten!' Reinier lacht kort, vreugdeloos.

'Wel een lange verklaring voor een simpel zoentje, niet?' Susanneke merkt niet dat ze alles wat ze aan vingers heeft tegen haar lippen heeft gezet. Ze probeert een glimlach te verbergen.

Reinier trekt haar handen weg en ziet de glimlach. 'Ach, jij. Je bent echt zo'n Susanneke... blijf zoals je bent, volwassen maar puur!'

Susanneke heeft zich hersteld. 'Dat klinkt chocoladeachtig! Toe, geef me voor de schrik nog maar een glas wijn!'

Reinier haast zich aan die wens te voldoen. 'Je laatste glas, straks moet je nog op de fiets.'

Reinier heeft behoefte aan iets sterkers. Met een glaasje in zijn hand beent hij door de kamer. 'Schikt het je zaterdagochtend?'

Susanneke denkt aan Mark. Moet ze hem inlichten? 'Ik heb tot nu toe alles wat er te ondernemen viel samen met Mark Karsemijer gedaan. Maar om bij die familie aan te komen met drie man, dat lijkt me overdreven.'

Reinier is het daarmee eens. 'Je licht hem in, zegt eerlijk hoe ik erover denk. Als Franciens ex-leraar heb ik eerder toegang.'

Susanneke zet haar glas op tafel. 'Ik moet naar huis...' Ze is nerveus, vertelt Reinier dat die emotie vaak zonder aanleiding op haar afkomt. 'Dan word ik onrustig en wil weten of het goed is met ma. Pa, die redt het wel, maar mijn moeder... En dan is er altijd de dwaze hoop... misschien hebben ze ondertussen wat gehoord!'

Reinier knikt. Zijn vriendelijk gezicht is een en al bezorgdheid. De familie Althuisius verkeert in een onmogelijke situatie. Niets kunnen doen, alleen hopen en wachten. Witheet werd hij vanochtend toen hij een poster van Ange zag, een zwarte snor boven haar lip, een brilletje op, dikke rimpels in het voorhoofd. Alles aangebracht met viltstift. Hij zal net zo lang doordrammen tot hij weet wie het pamflet op de schooldeur heeft geplakt. Dat soort humor is uit den boze. Goed dat Susanneke dit niet weet. 'Dwaze hoop... Een mens mag altijd blijven hopen, Susan. Dwars door alles heen. Geloof, hoop en liefde...'

Reinier kijkt neer op Susanneke als ze haar jack aanschiet. 'Susan...' Even aarzelt hij, zegt dan toch wat hij denkt. 'Ben je nooit bang om alleen in het donker over straat te gaan? Mijd je sinds Anges verdwijning eenzame fietspaden en wat dies meer zij?'

Susanneke haalt haar schouders op. 'Soms ben ik bang. Ik spreek dat niet uit, bewust niet. Want als ik eraan toegeef, is het hek van de dam. Dan weet ik zeker dat er een moment komt dat ik de deur niet meer uit zou durven gaan. Ik hou sinds Ange weg is niet meer van spannende films, waarin achtervolgingen en schietpartijen elkaar afwisselen. Ook niet van sensatieverhalen op de tv, ook al heb ik zelf meegewerkt aan een ervan!'

Reinier loopt achter haar aan naar de voordeur. Ze dempen hun stemmen onbewust vanwege Elien. 'Nog reacties daarop gehad?'

Susanneke knikt. 'Allemaal loos alarm. Wel komt er nog regelmatig post met betuigingen van medeleven. En er is een verzoek of ik mee wil werken aan een kerstprogramma, maar ik geloof dat ik het niet doe. Het levert toch niets op...'

Reinier legt achter Susanneke staand zijn handen op haar schouders. 'Zaterdag gaan we samen op pad. Weet je dat ik me erop verheug, ook al is de reden het toppunt van leed!'

Beschaamd buigt Susanneke haar hoofd. 'Ik weet het... ik voel me soms zo schuldig dat ik vrij rond kan lopen, terwijl mijn zusje...'

Even trekt Reinier haar lichaam tegen het zijne. 'Vanaf nu heb je mij bij je hulptroepen. Afgesproken?'

Susanneke knikt. 'Tot morgen, hopelijk wordt Elien vannacht niet al te vaak wakker...'

Het is buiten onbehaaglijk, de wind heeft aan kracht gewonnen en vallend blad hoopt zich hier en daar op. 'Het wordt nu zo snel donker...' klaagt Susanneke.

Reinier kijkt toe als ze haar fiets van het slot draait. 'Ja, we schuiven zo de herfst in. Kop op, Susan, en tot morgen. Acht uur!'

'Ik zal er zijn!' roept ze over haar schouder. En terugfietsend naar huis overdenkt ze hoe Mark het beste benaderd kan worden. Ze wil hem immers niet kwetsen!

Het wordt Susanneke gemakkelijk gemaakt. Vrijdagavond belt Mark op met de boodschap dat hij een leuke uitnodiging voor het weekend heeft. 'De school waar ik momenteel stage loop, heeft een Frans weekend georganiseerd en aangezien dit een van de onderdelen van mijn studie is, ben ik gevraagd. Onder voorwaarde dat ik deel in de onkosten. Stokbroden, kaasjes, rode wijn... alles is daar welkom. Ik zou graag gaan, maar ik wil weten of jij het zonder mij kunt stellen.' Het komt er zo vlot uit: of jij het zonder mij kunt stellen.

Susanneke lacht geforceerd. 'Zeg, je hoeft je niet te verontschuldigen, je hebt geen verplichtingen naar mij toe! We zijn slechts vrienden en geen verloofd paar...' Ze houdt haar adem in, vrezend voor de reactie van Mark.

'Geen verloofd paar...' herhaalt hij. En dan komt zijn reactie. 'We zijn aan handen en voeten gebonden vanwege je zusje. Maar als dat probleem uit de wereld is en wij elkaar leren kennen zonder die druk, dan weet ik nog zo net niet...'

Susanneke valt hem in de rede: 'Laten we niet op de dingen vooruitlopen, Mark. Eh... misschien is het wel goed als we even afstand van elkaar nemen!'

'Er valt momenteel toch niets te ondernemen, Susan. Toch voel ik me niet lekker na wat jij er hebt uitgekraamd!'

Susanneke staat op het punt te vertellen dat ze plannen heeft buiten hem om. Toch maar niet doen, dat kan achteraf ook nog wel, besluit ze. Haastig begint ze over het Franse weekend.

'Wil je soms mee?' biedt Mark aan. Hij kan het best organiseren.

Snel bedankt Susanneke. 'Ook ik heb zo mijn bezigheden, Mark. Veel plezier en bel van de week nog eens om te vertellen hoe het was! Adieu!'

Pas voor Susanneke naar bed gaat vertelt ze haar ouders dat ze zaterdag weer op Elien gaat passen. 'Ze is nog steeds ziek en volgens Branderhorst moet ze beslist een paar dagen binnen blijven. Ja, ik weet dat het zaterdag is, maar haar vader heeft elders verplichtingen!'

Nog voor Rita een opmerking kan maken, zegt haar vader: 'Ga jij je gang maar, Susan. Ik heb er eens over nagedacht: zou je er niets voor voelen een baan te zoeken? De situatie waarin we ons nu bevinden kan nog lang duren. Het gaat niet aan dat je hier je tijd verspilt...'

Nu valt Rita haar man in de rede: 'Jan dan toch! Ik heb Susanneke zo vaak nodig! Ange is nog steeds zoek, weet je wel. In tijden van nood...'

Jan legt Rita liefdevol maar beslist het zwijgen op. 'Wij mogen Susan niet misbruiken. Natuurlijk zal ze er zijn als dat nodig is, maar er zijn meer mensen die je bijstaan. Dat mens, die Amanda, de buurtjes en andere lui uit de laan. Zelfs dokter Branderhorst maakt regelmatig tijd voor jou vrij!'

Susanneke geeft haar moeder een nachtzoen. 'Niet over tobben, mamaatje. Ik zal er zijn als je me nodig hebt, dat weet je toch! En een baan... ik zal mijn best doen. Maar of dat zal lukken! Mag ik eerlijk zijn? Ik hunker er soms naar om iets buitenshuis te doen te hebben. Het vreet aan je... je wordt verteerd door angst en toch wil je zelf overleven. Ik weet me ook

geen raad met die dubbele gevoelens! Ik voel me soms schuldig...'
Opeens is Rita weer de moeder die ze altijd was tot voor de verdwijning
van Ange. 'Susan, dat is niet nodig. Maar het is wel een normale reactie,
zegt Amanda. En zij kan het weten. Ook de ouders die ik gesproken heb
op de bijeenkomst hebben dergelijke ervaringen opgedaan in het eigen
gezin. Schat, ik wil jou niet ook nog eens kwijtraken! Zoek maar een
baan, doe wat leuks, volg een cursus of ga weer sporten. Kortom,
Susanneke: leef!'
Jan kijkt ongelovig naar zijn vrouw. Is dit Rita die zulke dingen zegt?
Rita knikt naar de twee anderen. 'Ik ben bezig alles omtrent Ange over te
geven aan God. Hij weet waar ze is en Hij is bij haar, dat kan niet anders.
Ik bid alleen nog maar; laat ons weten wat er is gebeurd zodat we haar
kunnen... begraven.'
Ontzet kijkt Susanneke haar moeder aan. 'Ja, maar mam... heb je dan
geen hoop meer?'
Rita schudt haar hoofd. 'Als ik zo denk, kan ik het gemakkelijker dragen.
Laat me nou maar, ga niet rommelen in mijn manier van denken. Ik heb
geen keus. Krankzinnig worden of dit!'
Jan en Susanneke wisselen een blik.
'Ga maar slapen, Susan. Als je morgen op dat meisje moet passen zul je je
nachtrust nodig hebben!' vindt Jan.
Susanneke begrijpt de hint. Pa wil nog wat met mamma praten, ontdek-
ken hoe ze zich werkelijk voelt en in hoeverre deze nieuwe standpunten
van haarzelf zijn.

Reinier heeft een oppas voor Elien georganiseerd. Tot Susannekes verbazing doet een haar onbekende man die bewuste zaterdagochtend de deur
voor haar open. 'Is Reinier...' Ze kijkt langs hem de hal in, vrezend dat
Reinier een onverwachte bezoeker heeft.
'Ik ben de achterbuurman. Wij mannen passen in deze wijk regelmatig
op elkaars kroost als de vrouwen sporten of winkelen!' zegt hij olijk knip-
ogend. Hij doet een stap achterwaarts, steekt een hand uit en stelt zich
voor. 'En jij bent Susan, kan niet missen.'
Reiniers stem klinkt op vanuit de kamer. 'Kom verder, Susan, laat je door
Karl niet weerhouden!'

Elien, nog bleekjes, zit naast haar vader aan de ontbijttafel die tot Susans verwondering keurig is gedekt, zelfs de servetten zijn niet vergeten. Reinier doet aandoenlijk zijn best vader en moeder tegelijk te zijn.

Hij begroet Susan en geeft in één adem Elien toestemming van tafel te gaan.

Het kind rent op Susan toe. 'Ik wil mee met jullie, Susan!'

Susan streelt het meisje over het haar. 'Dat gaat niet, schatje, weet je nog wat dokter Branderhorst heeft gezegd? Binnenblijven!' Susan belooft grif dat ze volgende week weer komt oppassen.

'Pas maar op!' bromt de achterbuurman. 'Voor je het weet maakt Rein misbruik van je goedheid!'

Reinier is doof voor diens plagerijtjes, hij kust Elien, grabbelt een diplomatenkoffertje uit een hoek en zegt gereed te zijn.

'Breng je dan wat mee!' smeekt Elien.

'Misschien. Kom, Susan, laten wij geen tijd verliezen. En je weet het, buur. Als er voor deze dame gebeld wordt, is ze net even weg voor een boodschap!'

Het is de tweede keer dat Susanneke naast Reinier in diens auto schuift.

'En, hoe reageerde je vriend?'

Vriend. 'Je bedoelt Mark? Die heeft toevallig wat anders. Komt dus goed uit. Eh... weet je de weg? De volgende afslag is het handigst.'

Ze leggen de route in een saamhorig zwijgen af. Reinier merkt op, zodra ze de bebouwde kom binnenrijden, dat hij 's ochtends tijd nodig heeft om op gang te komen. 'Jij?'

'Ik ben 's ochtends snel op temperatuur, geen last van ochtendziekte. Eh... ik ging vorige keer die kant op...' Susan maakt een vaag gebaar. 'Die kant op en vervolgens heb ik de auto geparkeerd bij een supermarkt. Dan ben je vlak bij de winkelstraat. O, ik ben zo nieuwsgierig, Reinier!'

Er is nog volop parkeerruimte. 'Dat zal,' beweert Reinier, 'over een uurtje wel anders zijn.' Hij wijst naar een paar mensen die met dozen lopen. Platte witte dozen zijn het. 'Taarthalers!' zegt Reinier grijnzend. 'Die komen, kopen een lading taarten en gaan weer!'

Terwijl Reinier een parkeerkaartje haalt, ordent Susanneke haar kleding. Even een blik in een spiegeltje. Een veegje lippenstift en wat rouge kan ook geen kwaad. Ze is zo mogelijk nog bleker dan Elien. Het sjaaltje in de hals van haar mantel is fel en haalt de fletsheid van haar verschijning ietwat weg.

'Zo... we kunnen hier twee uur staan, Susan. Klaar?'

Dwars over de parkeerplaats zoeken ze hun weg. Tijdens het lopen raken hun handen elkaar en als dat voor de tweede keer gebeurt, grijpt Reinier die van Susanneke. 'Zo, nu rechtsaf?'

Susanneke herkent sommige punten in de straat. 'Daar! Haag Schoenen!' De zaak is grondig vernieuwd, dat is het eerste wat Susanneke opvalt. De gevel is verfraaid en teruggebracht naar de oorspronkelijke stijl. De etalage is in herfstsfeer, bijzonder origineel. De etaleur was niet tevreden met hier en daar een handjevol kastanjes en verdord blad uit het plaatselijke park.

'Chic! Dat zal de prijs van de schoenen ook wel zijn. Ik had pantoffeltjes voor mijn kleine meid willen kopen, help je me bij het uitzoeken?'

Ze zijn niet de eerste klanten. Een paar dames, gezeten op stoeltjes, zijn zo ongeveer begraven tussen dozen en schoenen. Het winkelmeisje lijkt er geen problemen mee te hebben. Ze snelt waarschijnlijk voor de zoveelste maal naar het magazijn en roept over haar schouder dat meneer en mevrouw gerust even mogen rondkijken.

'We kunnen moeilijk met onze ogen dicht in een hoek gaan staan wachten tot zij tijd heeft,' vindt Reinier.

'Daar staan de slofjes. Kijk toch eens wat een schattig spul. Beestenkoppen, honden, tijgers... wat leuk!'

Reinier aarzelt. 'Wat zou ze leuk vinden? Ik denk...'

Susanneke pakt een poezenpaartje. 'Ik denk dat ze deze erg leuk vindt. Ze zijn net echt, haast knuffels.'

De prijs is er dan ook naar, maar dat schijnt Reinier niet te kunnen schelen. 'Hopelijk is de familie thuis...'

Dan wordt het fluwelen gordijn dat magazijn en winkel scheidt, opzijgeschoven en een man stapt de zaak binnen. Een korte groet. 'Kan ik u helpen?' Een blik op de poezen.

'Dat hoop ik!' zegt Reinier op gedempte toon. Hij zet de slofjes op de toonbank en steekt een hand uit, dit tot verbazing van de heer Haag.

'Mijn naam is Bakkeveen, dit is mijn vriendin Susan. Ik heb uw dochter indertijd op school gym gegeven en Susans zusje was haar vriendin!'

Alsof er een scherm valt. 'Wat moet u van Francien? Ze kan onmogelijk bezoek ontvangen!' Ervaren vingers die op de kassatoetsen tikken. De prijs wordt genoemd op een toon die betekent: verdwijn.

Reinier leunt echter genoeglijk tegen de toonbank, terwijl Susanneke, de vriendin, zich het liefst uit de voeten had gemaakt. 'Het spijt me, meneer Haag. We komen voor een belangrijke zaak. Moeilijk om dit hier ter plekke te bespreken. Susans zusje had slechts één vriendin, uw dochter. Ange is verdwenen, dat moet u toch bekend zijn. De pers heeft er de nodige informatie over verstrekt!'

De kassalade wordt met een beheerst gebaar gesloten. 'Komt u maar mee naar boven.' En tegen het winkelmeisje: 'Ik ben zo terug, Miranda!'

Susan stommelt achter de mannen de onbekende trap op. Vanuit een vertrek waarvan ze vermoedt dat het de keuken is, hoort ze de stem van de huishoudelijke hulp die haar de eerste maal te woord heeft gestaan.

Meneer Haag opent de kamerdeur en verrast kijken zowel Reinier als Susanneke om zich heen. Wat een ruimte. Wat een inrichting! Niets, geen enkel rondslingerend voorwerp, duidt erop dat er in dit huis een meisje woont.

'Gaan jullie zitten, ik waarschuw mijn vrouw. Die is beter dan ik geschikt om dit soort zaken af te handelen.'

Lang hoeven ze niet te wachten. Susan meent de gesoigneerde vrouw die zich als mevrouw Haag voorstelt, weleens ontmoet te hebben. 'Mijn man had een wonderlijk verhaal. Maar wacht eens... kort na het overlijden van moeder is er een keer gebeld. Dat was u, neem ik aan? Ik kon u toen niet verder helpen. Waarom komt u dan toch terug?'

Reinier neemt het woord en Susanneke leunt dankbaar achterover op de bank. Zo naast Reinier lijkt het leven simpeler, alsof er minder valt te strijden. 'Het is afschuwelijk wat u vertelt. Laat ik nu ons verhaal vertellen dat niet minder triest is dan het uwe!'

Mevrouw Haag schetst een Francien die zelfs Reinier niet kende. 'We zijn omwille van het kind meermalen verhuisd zodat ze op een nieuwe school een dito start kon maken. Waarom? Al vanaf dat ze heel klein is leidt onze Francien aan dwangneurosen. U kent het wel van kinderen: hekjes aantikken, stenen tellen, wachten met antwoord geven tot je een bepaald versje in je hoofd hebt opgezegd. Was de ene dwang over, dan kwam de andere. Op het laatst begon ze te jokken, wat ik niet begreep. Ze wilde haar afwijking voor ons verbergen. Op een gegeven moment kreeg ze op school bijbelles van een leraar die goed kon vertellen en opeens veranderde ze. Ze werd voor een kind van die leeftijd zeer gelovig...' Mevrouw Haag heeft moeite met haar woordkeus. 'Gelovig, maar ook sterk bezig met de dood. Die leraar gaf positieve antwoorden op haar vragen en zo leerde ze met haar angst voor scheiding en dood om te gaan. Wij hoopten dat ze haar kinderkwaaltjes ontgroeid was. Wij verhuisden... om de bekende reden. Inderdaad sprak ze vaak over Ange, maar ze nam haar zelden mee naar huis. Op school ging het ook wel, geloof ik. Toen werd oma ziek en kwam te overlijden. Dat was een breekpunt. Ze sloeg om als het blad aan een boom. Leven na dit leven... vragen en vragen. De oude angsten kwamen als monsters op haar af! Ze was niet te hanteren voor ons. Tja, zo komt het dat ze is opgenomen tot op de dag van vandaag. Dus u begrijpt dat Francientje u niets maar dan ook niets kan vertellen!'

De huishoudelijke hulp komt koffie brengen en doet net of ze Susan nooit heeft gezien.

'Toch wel, mevrouw Haag. Ik geloof dat Francien de enige is die ons een stapje dichter bij Ange kan brengen, omdat die twee hartsgeheimen deelden, begrijpt u?'

Mevrouw Haag klemt haar handen ineen, ze draait een kostbare ring om en om. 'Het kan niet!'

Susanneke vecht tegen haar emoties. Ze lijkt mam wel, mam van een paar weken terug. Tranen druppelen langs haar wangen, haar handen maken ongecontroleerde bewegingen.

Reinier diept een zakdoek op, geen van beiden bekommert zich erom of deze brandschoon is of niet. Hij dept voorzichtig Susannekes ogen en fluistert iets liefs dat ze maar half verstaat.

'Het is voor u... erg. Heel erg. Weet u wat? Ik moet maandag naar de kliniek en ik zal een afspraak maken met de arts en therapeute die haar behandelen. Misschien kunnen ze een uitzondering maken. Weet u, ze wordt als het ware geherprogrammeerd. En daar passen geen beelden van vroeger tussen, het kan haar dus schaden. Ik doe het niet graag, maar ik zal mijn best doen!'

Susanneke stamelt een woord van dank en stopt haar hoofd weg tegen Reiniers borst. Het gaat zo vanzelf.

De sfeer is opeens meer ontspannen. Mevrouw Haag stelt vragen, ze vergeet haar ring te draaien en leeft mee.

Dan gaat de deur opnieuw open en stapt grootpapa Haag binnen.

'Vader, bent u al terug, ik heb bezoek. Even voorstellen...'

Susan begrijpt dat dit de vorige eigenaar is. De opa van Francien. Opa hoeft geen koffie, hij trekt zich terug om een paar brieven te schrijven.

Mevrouw Haag zegt, zodra de oude heer hen heeft verlaten: 'Vader komt maar niet over het gemis van moeder heen. We hebben het op onze eigen manier geen van allen gemakkelijk. Ieder huisje heeft zijn kruisje!'

Susan en Reinier drinken nog een tweede kopje koffie, dan voelen ze beiden dat ze mevrouw Haags tijd niet langer in beslag mogen nemen.

'U kunt ervan op aan dat ik mijn best zal doen. Met wie van u beiden kan ik het beste contact opnemen?'

Reinier tovert een visitekaartje te voorschijn. 'Als u mij na zevenen wilt bellen, mevrouw, zal ik zeer dankbaar zijn.'

Susan moet zich bedwingen om de vrouw niet te omhelzen. 'Ik dank u...'

Wrang reageert mevrouw Haag: 'Ik ben óók moeder, moet u weten. Ik dacht aan de uwe, vandaar!'

Puur uit de behoefte iets terug te doen, schaft Susanneke ook een paar slofjes aan, voor de kleine buurjongen. Ze weet Sanders maat niet precies, het is gokken. 'Iets circusachtigs, daar is hij gek op!' herinnert ze zich hardop. Het worden pantoffeltjes in de vorm van olifanten. De slurven schudden grappig heen en weer. 'Zal hij leuk vinden. Zijn ouders doen zo veel voor de mijne, er mag best af en toe eens iets tegenover staan!' meent ze.

Buiten kijken de twee elkaar aan. 'Missie niet mislukt. En we hebben nog een uur en een kwartier voor de parkeertijd is afgelopen Wat doen we?' Reinier grijnst van oor tot oor.

Even protesteert er iets in Susannekes hoofd. Zij en de gymleraar, samen in een vreemde stad!

Gezeten achter een kop koffie en een fors stuk appeltaart komt het gesprek moeiteloos op gang. Reinier vertelt over zijn jeugd, de vanzelfsprekendheid waarmee hij wiskunde ging studeren. 'Jawel, keurig afgemaakt ook. Toentertijd prakkiseerde men er niet over om van de ene studie naar de andere te fietsen. Maar het bloed kroop waar het niet gaan kon. Sport bleef een belangrijke plaats in mijn leven innemen. Vandaar dat ik na de wiskunde naar de opleiding ben gegaan waar ik echt zin in had. Daarna kreeg ik vlot werk, ik gaf twee vakken op mijn vorige school. Tja, toen mijn vrouw kwam te overlijden ben ik minder gaan werken. In verband met Elien.'

Susanneke heeft beide handen om de koffiekop gevouwen, ze neemt af en toe een slokje. Ze merkt niet eens dat ze ononderbroken naar Reinier kijkt. Zo samen te zitten in een oubollig café waar nepbloemen op verschoten kleedjes in smakeloze vaasjes staan. Waar een dienster met geblondeerd haar op te hoge hakken onverschillig de bestellingen uitdeelt als was het huiswerk. Uit een luidspreker komt muziek die Susanneke niet ligt, meer Anges stijl.

Niets van al die kleine ergernissen storen haar. Ze heeft slechts oog voor de man aan de andere kant van het verschoten kleedje.

'Wat kun jij goed luisteren, Susan. Weet je dat ik nooit over mezelf spreek? Vreemd is dat, ik voel steeds sterker de behoefte om jou een kijkje in mijn verleden te geven, alsof ik je erbij wil betrekken!'

Een hand schuift in haar richting. Reinier draagt geen ringen. Even vraagt Susanneke zich af waar hij hun trouwringen heeft gelaten. Weggeborgen, misschien in een duister hoekje van een lade. Maar het verleden laat zich niet wegbergen. Bovendien is er een levende herinnering, Elien.

'Het is allemaal erg moeilijk voor je geweest, Reinier. Ik weet dat het afgezaagd klinkt, maar je bent rijk. Rijk met een meisje als Elien!'

Reinier haalt diep adem. Hij lijkt iets te willen zeggen, maar opeens wordt zijn mond een rechte streep. Zijn hand glijdt terug en pakt de koffiekop bij het oor. 'Tja...' En dan wil hij weten: 'Zie je in mij nog steeds de leraar die goed was voor een uurtje gym of sporten?'

Susanneke bloost vanuit haar hals. Ze schudt haar hoofd. 'Meestal niet, pas als ik ga nadenken realiseer ik het me.'

'Nog koffie?'

Susanneke schudt haar hoofd. 'Laten we maar gaan, Reinier. De parkeertijd is bijna verlopen.'

Reinier helpt Susanneke in haar jas, ze groeten het kauwgom kauwende dienstertje dat zowaar vriendelijk glimlacht en hen een prettig vervolg van de dag toewenst.

Reinier legt, eenmaal buiten, een arm losjes rond Susannekes schouders. 'Dat loopt zo fijn!' zegt hij.

Susanneke zou willen vragen of hij dit bij ieder vrouwelijk gezelschap doet. 'Maandag weten we meer!' Ze zucht als ze naast Reinier in de auto schuift. 'Ik ben zo benieuwd...'

Susanneke heeft de grootste moeite de nieuwe ontwikkelingen voor zich te houden. Zelfs wanneer Mark belt, beheerst ze zich. Stel je toch voor dat Francien iets weet, het zou toch kunnen?

Pas op zondagmiddag herinnert ze zich het cadeautje voor de kleine buurjongen, Sander. 'Zat nog in mijn tas, leuk hè, mam? Die slofjes zag ik in een winkel en ik dacht: net iets voor dat jochie. Ze doen zo veel voor ons!'

Susanneke is blij even het huis te kunnen verlaten. Mam heeft een verdrietige bui, ze wordt gekweld door hoofdpijn en is niet aanspreekbaar. Eenmaal buiten haalt ze diep adem. De lucht is pittig, doet denken aan nachtvorst vermengd met de geur van brandend haardhout.

'Je komt als geroepen!' beweert buurman Daan. 'Sander is bezig zijn moeder dol te maken!'

Rachel zegt vergoelijkend dat Sander aan het eind van de middag altijd vervelend is. 'Hij wordt moe, vandaar. Ga lekker zitten, Susan. Ik durf het bijna niet te vragen, is er nieuws?'

Susanneke denkt aan haar bezoekje aan Franciens huis, maar rept er niet over. Eerst afwachten hoe de zaken zich ontwikkelen. 'Ik heb een cadeautje voor Sander. Ogen dicht, buurmannetje en steek je handjes maar uit!'

Stijf knijpt Sander zijn oogjes dicht. Dan voelen zijn handen de poezelige vacht en hij jubelt: 'Een beest!'

Olifantjes die je aan je voeten kunt doen. Hij trapt zijn schoenen uit en even later paradeert hij door de kamer, de slurfjes steken parmantig omhoog. 'Ik heb echt olifanten gezien, met Ange. Wil jij mijn circusboeken zien?'

Hij is al naar boven voordat Susanneke heeft kunnen antwoorden. 'Hij blijft vragen naar Ange. Het kan je zo bekruipen. Ik heb met je ouders te doen.'

Susanneke knikt. 'Het is zo uitzichtloos. De onzekerheid maakt ons kapot. En vooral mamma heeft het zwaar. Soms vliegt ze letterlijk tegen de muren op, komt met de vreselijkste mogelijkheden aan. Als er iets in de krant staat over een verkrachting of moord is het: zoiets kan ons ook overkomen, het is niet altijd een ander die de klappen krijgt. Veel mensen leven mee, maar zich in onze situatie verplaatsen, dat kan niemand!'

Sander stort zich haast van de trap en op dezelfde manier rollebolt hij de kamer binnen, met onder zijn armpjes een stapel boeken.

'Toe maar!' Susanneke lacht, ze trekt een komisch gezicht en zegt: 'Drie dagen later...'

Sander zit al naast haar, hij perst zijn lijfje tussen Susanneke en de stoelleuning. 'Die eerst. Doet Ange ook altijd.'

En Susanneke leest voor, over plofje die zo lelijk was dat hij een minderwaardigheidscomplex had. Tot hij zijn eigen olifantenfamilie ontdekt.

'Nou die!' De ark van Noach. 'Niet echt circus...' Sander aarzelt. En dan, bladerend in een 'saai' boek zonder plaatjes, roept hij: 'Ange... Ange en ikke in het cirrecus!'

Susanneke grist een foto uit Sanders handjes. 'Tsss... Kijk nou toch, die moet gemaakt zijn vlak voordat ze verdween!'

Rachel en Daan veren op en buigen zich rechts en links van Susanneke over de kiek. Een polaroid opname. Op zich niets bijzonders, ware het niet dat Ange duidelijk zichzelf niet is. Ze straalt en is op een ongekunstelde manier charmant. Tranen druppen op het boek zonder plaatjes.

Sander wil zijn foto terug, maar Rachel brengt deze in veiligheid.

'Later krijg je hem terug. Susanneke wil hem aan haar vader en moeder laten zien. Vertel eens over het circus, Sander!'

Het geheugen van een kleuter is niet dat van een volwassene, wat hij zich nog herinnert is vermengd met fantasie.

Susanneke schudt haar hoofd. 'Misschien dat mensen haar daar nog gezien hebben. Het moet toch na te gaan zijn wanneer ze met Sander daar is geweest?' Susanneke probeert die eerste vakantiedagen in haar geest terug te halen. Haar ouders vierden hun vijfentwintigjarig huwelijksfeest, zelf was ze in die tijd nog vervuld van haar Parijse plannen, de studie, het werk in een gezin.

'Ik ga thuis snorren in mijn dagboek. Wie zal zeggen of dit een link is. De politie kan een oproep doen: wie heeft Ange bij het circus gezien? Misschien in gezelschap van eh... een man? Degene die haar iets heeft aangedaan...'

Rachel doet haar best de opgewonden Susanneke tot bedaren te brengen. 'Vergeet nou niet, lieverd, dat ze daar met Sander is geweest! Met een kind...'

Susanneke knikt. 'Het is telkens weer of je een strohalm wordt aangereikt. Je denkt houvast te hebben, maar zakt toch terug in de plomp. Het is alleen, ze kijkt zo dolgelukkig, terwijl er thuis met haar geen land was te bezeilen. Maar goed, houden jullie die foto maar zolang. Mamma kan er vast niet tegen Anges laatste kiekje te zien.'

Sander is diep teleurgesteld als Susanneke zonder verder iets voorgelezen te hebben, opstapt.

'Ik kom nog wel eens terug, kleine man!' belooft ze. 'Zorg goed voor je olifanten!'

Even een straatje om, kuieren langs huizen waar geluk heel gewoon is. Tv-beelden schitteren met hun felle kleuren door praktisch elk raam. Susanneke heeft het gevoel alsof ze zichzelf ziet gaan, alleen in het donker. Moederziel alleen en barstens vol angst en verdriet. Waarom vindt ze nu in haar geloof geen troost? Zijn dan alle woorden die ze op dat terrein jegens anderen heeft gebruikt, leugens?

Even leunt ze tegen de stam van een beuk, vlak bij huis. Ze omarmt de boom als was hij een mens. 'God, waar bent u... de schaduw aan mijn rechterhand... ik kan toch niet meer? De last is te zwaar!' O, heerlijk donker, niemand ziet haar ontreddering. Geen mens, maar als een onzichtbare deken voelt ze opeens de omarming. Zonder woorden, geen teksten die gedachteloos misbruikt worden. Troost, nieuwe kracht voor dit moment. Even glimlacht Susanneke door haar tranen heen. Inderdaad, wat heeft ze nu aan troost en kracht voor straks, voor morgen? Haar wang heeft ze zo stijf tegen de stam gedrukt, dat deze pijnlijk aanvoelt.

'Ik ga naar huis...' mompelt ze tegen de beuk. Nieuwe moed! Ze recht haar schouders.

Thuis wachten haar ouders, ze versnelt haar pas. En straks, voor ze gaat slapen, haalt ze haar logboek tevoorschijn om in alle rust de eerste dagen na Anges verdwijning door te lezen.

Tot haar teleurstelling vindt Susanneke niet één aanwijzing in haar dagboek die terugvoert naar het circus. Peinzend staart ze voor zich uit. Het is stil in huis. Ze hoort zichzelf zuchten. Ange...
Dan, gelijk een bliksemflits, weet ze het. Ze duwt het schrift van zich af en sluipt naar Anges kamertje. Waarom heeft ze niet eerder aan Anges 'geheime' plekje gedacht? Ooit heeft Ange haar in een intieme stemming getoond waar ze haar spaarpot verborgen heeft. Susanneke peutert de voet van de schemerlamp die naast het bed staat, open. Ze legt de lamp op het bed, de voet neemt ze mee naar haar eigen kamer. Geen enkel geldstuk vindt ze. Een paar repetities – dik onvoldoende – en een foto.
Ange, alleen Ange, op de rug van een slome olifant. En naast haar de knapste jongeman die ze ooit heeft gezien. Het 'yes!' komt diep uit haar hart. Dit moet een spoor zijn!

9

Lang heeft Susanneke nagedacht over de foto. Ze peinst er niet over om haar ouders hiermee lastig te vallen. Valse hoop? Als dat zo mocht zijn, is de slag des te groter. Zeker is dat Ange in dat circus heeft genoten en niet alleen van de voorstelling of Sanders vreugde. Er moet wat zijn voorgevallen.
Ze zou diezelfde ochtend nog naar Karsemijer of Geurts zijn gegaan, ware het niet dat er een afspraak loopt met Francien. Weliswaar een voorlopige en onzekere afspraak, maar toch.
Ze wil de touwtjes in handen houden en voorkomen dat haar ideeën als onbelangrijk worden bestempeld.
Ze is als eerste op en na een slok melk en een hap brood is ze klaar om te vertrekken. Een kladje voor haar ouders op de keukentafel. Een vertrouwd communicatiemiddel dat perfect functioneert.
De maandag heeft Susanneke altijd al een moeilijk door te komen dag

gevonden. Nu bespeurt ze niets van die gevoelens. In een mum van tijd is ze bij het huis van Reinier.

'Tjonge, jij bent er vroeg bij!'

Verlegen kijkt Susanneke hem aan. Hij is nog ongeschoren en gekleed in een kamerjas. Twee bruine, harige benen steken eronderuit. Ze maakt een gebaar dat duidt op teruggaan.

Reinier echter trekt haar het huis in. 'Nu hoef ik niet alleen te ontbijten. Kijk niet zo dom! Of moet ik zeggen: verlegen?' Hij houdt haar even tegen zich aan.

Dan roept Elien van boven: 'Ik moet, pappa!'

Susanneke lacht. 'Ze moet. Dat kan toch boven? Zal ik haar helpen?'

Reinier knikt. 'Zet haar dan ook maar onder de douche, alsjeblieft. Dan zet ik een kopje thee.' Hij kijkt Susanneke na als deze de trap op loopt. Even omzien, een lachje dat van alles kan betekenen. Of misschien niets.

'Jij bent vast al een boel beetjes beter!' zegt Susanneke als ze Elien op de overloop ziet staan. Witjes, maar de koorts is weg.

'Ik kan nog niet alleen...' zegt ze aarzelend.

Susanneke doet alsof het haar dagelijkse werk is en wijst naar het toilet. 'Roep maar als je klaar bent, dan zoek ik kleren voor je, want ik geloof dat je vandaag best eventjes naar buiten mag.'

Beneden fluit Reinier een wijsje, de ketel valt vals in en de geur van gebakken eieren met spek zweeft naar boven.

Tien minuten later schuiven ze achter de gedekte tafel. 'Ontbijt je altijd zo uitgebreid?' informeert Susanneke.

Reinier grijnst. 'Altijd. Dan kan ik ertegen. Om een uur of twee begint mijn maag te knorren en dan zie ik wel verder. Elien, handen vouwen.'

Slordig rebbelt het kind in één adem: 'Herezegendezespijs. Amen!'

Susanneke bedwingt een lachje.

Reinier schenkt thee, hij overhandigt Susanneke haar kopje. Ze lijkt het niet te zien, zo druk is ze bezig met het rommelen in haar tas. 'Reinier, kijk eens wat ik vond. Ik herinnerde me dat Ange een soort geheime bergplaats had toen ze jonger was.'

Reinier tuurt naar de foto en is het ontbijt vergeten. 'Wat denk je dan wel, Susan?'

'Wat? Wel, dat ik zoiets was vergeten!' Susanneke vertelt van het kiekje dat uit Sanders prentenboek kwam. 'Ange en dat kind samen, het kind keek benauwd, maar Ange straalde. En zie eens hoe die jongeman naar haar kijkt! Het moet wat betekenen, Reinier. Ik heb het nog aan niemand laten zien. Ik ben zo bang dat ik met een kluitje in het riet wordt gestuurd, vandaar. Ik heb meer vertrouwen in jou.'

Reinier grijnst jongensachtig en merkt niet dat zijn dochter een beker melk omstoot.

'Dat is heel goed, heel goed. We kunnen dit natuurlijk niet achter blijven houden, maar wel tot we met die Francien hebben gesproken. Tjonge, wat zou hierachter kunnen zitten?' Hij geeft haar de foto terug.

'Misschien kun je met Elien naar de copyshop om er een paar afdrukjes van te laten maken. Mocht de politie deze tip niet voldoende natrekken, dan kunnen we dat altijd zelf nog doen. Zeg, hoe is dit mogelijk? Ik neem aan dat alles goed is doorzocht! En eh... wat zei Mark ervan?'

Susanneke drinkt van de thee die precies goed is, niet te sterk en geurig. Ze voelt het thuis opgeschrokte brok brood nog zitten. 'Ik heb hem nog niet gesproken, maar dat komt wel.' Ze staat op om een doek te pakken en de bende rondom Eliens bord op te ruimen.

Reinier werkt een forse portie brood naar binnen, drinkt de theepot ongeveer leeg en vraagt dan Elien of ze sinaasappels uit de kamer wil halen. 'Op de fruitschaal,' voegt hij er ten overvloede aan toe.

Een blik op de keukenklok vertelt hem dat er nog tijd is voor een babbeltje. En terwijl hij de oranje schil met zorg pelt, verwoordt hij zijn zorgvuldig overdachte mening omtrent Susannekes huidige leven. 'Buiten alles wat er op je afkomt om, Susan, ben ik van mening dat je een baantje moet zoeken. Doet er niet toe wat. Dat is ook beter voor je moeder.'

Susanneke hapt naar adem. Dat baantje, ja daar is ze het mee eens. 'Waarom, beter voor mijn moeder?'

Reinier legt zijn gebruikte fruitmesje op tafel en veegt zijn handen af aan zijn dijen. 'Kijk, Susan. Het is voor iedereen duidelijk dat je opgeslokt wordt door de feiten, maar dat niet alleen. Je bent constant bezig met hoe het je ouders vergaat. Je denkt wat zij denken, voelt wat zij voelen. Zo help je hen niet echt. Door voor jezelf op te komen raak je meer los van hen en kan je ze daardoor ook beter steunen. Samen jammeren en huilen is niet echt troosten, weet je.'

Susanneke voelt zich gekwetst. Teleurgesteld in hem zegt ze: 'Wat weet jij nu van onze verhoudingen thuis? Ik kan ze toch niet in de steek laten!'

Opnieuw doet Reinier een poging duidelijk te maken wat hij vindt, maar Susanneke valt hem in de rede. 'En mijn plannen om naar Parijs te gaan dan... dat zou niet gebeuren als ik een... een verkeerde binding met thuis zou hebben!'

'Je begrijpt het niet, Susan. Je gedraagt je zoals jij denkt dat je ouders dat zouden willen, zonder je af te vragen of je het zelf bent die zus of zo doet. Hun mening is bij voorbaat al de jouwe. Ook na de periode Ange, hoe het ook moge aflopen, moeten jullie verder leven. En hoe erg het misschien ook zal worden, je kunt niet het verlengstuk van je ouders zijn en in een soort symbiose blijven leven. Je door God gegeven persoonlijkheid komt zo niet tot zijn recht, begrijp me goed. Hoe ik dat weet?'

Even zwijgt Reinier om een partje sinaasappel tot zich te nemen. 'Dat was bij Eliens moeder het geval. Het waren de ouders zelf die dit inzagen. Mijn vrouw zat muurvast aan haar ouders, ze was overbezorgd. Een psycholoog heeft op een gegeven moment orde op zaken gesteld en heel langzaam zag ze in wat er fout was. En dat loslaten heeft niets met liefde te maken, ze hield niet minder van haar ouders. Maar door zichzelf te worden, voor zichzelf op te komen waar nodig en een eigen mening te vormen, werd ze wel de dochter die haar ouders graag wilden hebben. Het is een moeizaam proces dat zich bij de meeste mensen in de pubertijd afspeelt. Loslaten, zelfstandig worden en dan terugkeren in de juiste positie. Probeer het te begrijpen, lieve schat!'

Susanneke zit met tranen in de ogen te luisteren. Ze ervaart Reiniers woorden als kritiek.

Hij staat op, komt achter haar staan en doet of hij haar afwerende houding niet merkt. Even drukt hij haar hoofd tegen zich aan. 'Ik zeg het voor je eigen bestwil, ook voor je ouders. Die hebben meer aan een volwassen dochter dan aan een groot kind dat elke wens van hun lippen leest.'

Susanneke fluistert, diep gekwetst: 'Je lijkt Amanda wel. Die zegt ook van die dingen en maakt mijn moeder soms van streek!'

Handen die haar schouders strelen en haar bovenarmen vasthouden. 'Je moeder krijgt ongetwijfeld de kracht om door te gaan, ook als het met Ange mis mocht blijken te zijn. Naast elkaar werken om erbovenop te komen functioneert, niet elkaar vasthouden als drenkelingen om vervolgens samen kopje onder te gaan. Loslaten is vaak de compagnon van wat wij liefde noemen. We praten er nog wel verder over. Kijk me aan...'

Elien is naar de kamer gegaan en zapt met de afstandsbediening van het ene kinderprogramma naar het andere.

Onwillig geeft Susanneke gehoor aan dat verzoek. Reiniers ogen zijn vervuld met iets wat Susanneke niet kan vatten. Ogen, de spiegels van de ziel. Dan is zijn mond op de hare, heel kort.

'Sinaasappel...' mompelt ze verward als hij haar weer loslaat.

Reiniers lach werkt op beiden bevrijdend.

Lang nadat hij is vertrokken overdenkt Susanneke zijn woorden en langzaam begint ze te begrijpen dat deze slechts door liefde kunnen zijn ingegeven.

Samen met Elien gaat ze even naar de stad. Foto's kopiëren, wat gebruiken in een restaurant, door een stille Hoofdstraat wandelen. De winkels zijn bijna allemaal dicht, ze gaan pas tegen een uur weer open. Gelukkig is de copyshop ook een drukkerij en heeft daarom andere sluitingstijden.

'We gaan naar huis, Elien, samen werken aan het huiswerk dat je juf aan pappa heeft meegegeven!'

Blaadjes die gekleurd moeten worden, een simpele opdracht is erin verwerkt. Meer en minder, hoog of laag. Elien trekt haar neus ervoor op.

'Da's voor groep een!'

Susanneke wijst haar op de woordjes die ingevuld moeten worden. 'Nee hoor, daar... daar moet boom staan. En daar roos. Welke boom is hoger?'

Zo krijgt Elien langzaamaan toch plezier in haar werkje en tegen lunchtijd besluit Susanneke dat ze samen best naar haar moeder kunnen gaan voor een boterhammetje.

Ze treft een tamelijk opgewekte Rita aan.

'Kindlief, ik heb toch zo'n prettig telefoongesprek gehad met een journaliste van een damesblad! Ik heb toegestemd in een interview.'

Susanneke kreunt. Weer zo'n tante over de vloer. Ze zou willen roepen:

mam, het gaat ze om het verhaal, het drama. Sensatie. Maar dit keer zwijgt ze.

De dag valt Susanneke lang. Er komt een telefoontje van Mark en even voelt ze zich schuldig dat ze hem buiten de ontwikkelingen houdt. 'Sterkte, Susan!' Als ze de hoorn teruglegt op het toestel, bedenkt ze dat ze niet eens heeft geïnformeerd naar zijn weekend.

Na de thee wordt het tijd om met Elien terug te gaan. Rita heeft een pannetje eten extra gekookt. 'Dan hoeft die man vanavond niet nog eens aan de slag. Eh... je mag hem graag, is het niet, Susanneke? Ik dacht nog wel dat Mark en jij... Per slot van rekening heeft die leraar een kind. Een verleden...'

Over Eliens hoofdje worden die zorgelijke moederlijke woorden uitgestort.

'Ach, mam...' Susanneke haalt haar schouders op. 'Wat is nu van belang? We zijn toch allemaal vol van hetzelfde... Ange!'

Rita kust haar dochter en ook Elien krijgt een knuffeltje. 'Kom maar eens gauw terug!' zegt Rita enthousiast. Ze kijkt hen na. Susanneke die meer en meer een 'Susan' gaat worden. Een kind achter op haar fiets, het kind van een ander. Waarom lopen de dingen toch altijd anders dan je hoopt en verwacht?

Zo komen haar gedachten vanzelf terug op dat ene. Anges verdwijning. Met Ange is de vreugde uit het huis verdwenen. Het geluk om de kleine dingen van alledag. Angst en onzekerheid hebben die plaats ingenomen. Maar ook, zo ervaart Rita, is haar vertrouwen op God beproefd. Niet alleen haar verstand vertelt haar dat, ook het gevoel. Meer en meer tracht ze Hem daarin te betrekken. Want het gevoel, dat is ze toch zelf? Rita Althuisius, de moeder die haar kind zo mist.

'Bloemen, voor mij?'

Susanneke heeft de hutspot opgewarmd, het ruikt heerlijk in de keuken. Elien zit aan tafel te kleuren en roept: 'Haai, pappie!' Dan buigt ze zich weer diep over haar werkje.

'Haaien zwemmen in de oceaan!' zegt haar vader.

Reinier legt Susanneke een geurende bos herfstchrysanten in de armen. 'Om vanochtend, ik heb je laten schrikken. De reden is dat ik eerlijk

tegen je wil zijn, omdat je zo belangrijk voor me bent geworden!'
Susanneke stopt haar gezicht in de bloemknoppen. 'Mallerd... Maar toch bedankt!'
Opnieuw eten ze gedrieën aan de keukentafel. Eliens mondje staat niet stil. Af en toe wisselen de volwassenen een woordje. Na het eten leest Reinier een stukje voor uit een kinderbijbel. Hij leest goed, zelfs Susanneke luistert geboeid.
'Wij ruimen samen op, hè Susan?' zegt het kind als Reinier het boek weglegt.
'Tijd om te bellen!'
Susanneke stapelt de borden op elkaar. 'Het is geen moment uit mijn hoofd geweest. Ik heb er buikpijn van!'
Vijf minuten voor zeven rinkelt de telefoon. Elien zit, gekleed in haar nachtgoed, naar een geliefd tv-programma te kijken. Susanneke gooit een tijdschrift dat haar toch niet boeide aan de kant en komt naast Reinier staan, die inmiddels de telefoon van de haak heeft gegrist. Toch klinkt zijn stem kalm. 'Bakkeveen, goedenavond!'
Hij trekt Susanneke tegen zich aan, buigt zijn hoofd en hoorn zodat ze mee kan luisteren. 'Maar dat is schitterend, mevrouw Haag! Wij zijn u zeer erkentelijk. Moment, dan noteer ik adres en tijd!'
Susanneke legt beide handen op haar maag die samenkrimpt van de spanning.
Reinier krabbelt een paar woorden op een blocnootje en betuigt nogmaals zijn dank, mede namens Susan. Zodra hij de verbinding heeft verbroken, tilt hij Susanneke van de grond en draait haar rond en rond tot ze ademloos samen op de bank vallen.
'Wat doen jullie gek! Ik kan zo niets horen!' bromt Elien verstoord.
Reinier trekt Susanneke mee naar de keuken. 'We kunnen er morgenmiddag terecht. Bij het gesprek zal een therapeut zitten die elk moment kan ingrijpen. Er zal een voorgesprekje plaatsvinden waarin ons precies wordt uitgelegd hoe Franciens toestand is!'
Dan ligt Susanneke opeens vast in Reiniers armen en is zijn mond op de hare. 'Geen sinaasappels dit keer!' fluistert hij tegen haar trillende lippen die worden gevangen door een begerige mond.
Duizelend laat ze hem begaan, ze ervaart de handen die haar rug strelen

en lijken te zoeken als iets vanzelfsprekends. De gymleraar verdwijnt voorgoed naar het verleden. De armen die haar vasthouden, de mond die haar kust, het lichaam dat haar begeert, behoren toe aan Reinier. En het allerbelangrijkste is het besef dat de aantrekkingskracht voortkomt uit diepe gevoelens die wederzijds blijken te zijn!

Toch blijft Susanneke die avond niet lang. Nadat ze Elien naar bed heeft gebracht en ze naar beneden is gelopen, wordt ze bijna zichtbaar in een nevel van verlegenheid gehuld.

Reinier staat midden in de kamer op haar te wachten, hij spreidt zijn armen uit. 'Kom jij eens hier, Susan, malle, malle meid... Kijk me aan, ja?'

Haar blikken kruipen omhoog en blijven haken bij de mond die glimlacht en die ze nu zo goed kent.

'Susan...'

Mooie ogen heeft hij, met randjes. Ogen die haar vertellen dat hij haar begeert en meer dan dat.

'Susanneke, wil je mijn vrouw worden, de moeder van Elien? Als alles achter de rug is en de gemoederen gekalmeerd... Ik ben van je gaan houden!'

Ze loopt op hem toe. Haar ogen zouden het liefst één worden met de zijne, een onmogelijke gedachte. Liefde tussen twee mensen, die lichamelijk één kunnen zijn, maar altijd weer worden gescheiden, zo zijn ze geschapen. Maar de ziel, het hart, kan afstanden overbruggen en in die wetenschap kan ze volmondig 'ja' zeggen.

Terug naar huis, alleen met dat grote nieuws dat nog geheim moet blijven. Zo willen ze dat beiden.

Morgen gaan ze samen naar de inrichting waar Francien verblijft en weer zal ze jokken, om haar ouders te sparen. Ook dat is liefde.

'Fijn dat je niet zo laat bent!' zegt haar vader ter begroeting. 'Ik heb nog een vergadering en je moeder heeft een afspraak met dat mens gemaakt!'

Amanda, weet Susanneke, terwijl ze een vaas voor Reiniers bloemen zoekt.

'Ze doet goed werk, pap. Ze helpt mamma beter dan wie ook. Maar ik begrijp je volkomen!' Ze zet de chrysanten in de hal op een tafeltje. Bloemen... voor het eerst sinds 'toen'.

Terwijl Rita een diepgaand gesprek heeft met Amanda, verblijft

Susanneke op haar kamer. Zogenaamd om wat brieven te schrijven. Ze heeft de krant meegenomen, wie weet staat er een baantje in. Maar de krant blijft ongeopend op de grond liggen, ze raakt geen pen aan. Ze moet alleen zijn, om de gedachten te ordenen die door haar hoofd ijlen. Reinier... Heel haar gevoelsleven ligt overhoop. Eén ding is overheerlijk, ze weet dat wat ze ervaart geen bevlieging is.

Mark... de vriendschap die ze tijdens de zomervakantie hebben opgebouwd... We zijn niet verloofd, zei zij. Misschien is het wel goed als we eens even afstand van elkaar nemen, dat waren haar woorden.

Van beneden roept moeders stem: 'Susanneke, wil je nog eens koffiezetten?'

Amanda zit in een tentjurk op vaders stoel, een schaal speculaas binnen handbereik. 'Kindlief, ik hou je moeder gezelschap als de dame van het vrouwenblad komt. Zo raakt Rita niet van streek en ik zal ervoor zorgen dat er niets wordt gedrukt wat ook maar zweemt naar sensatie!'

Ietwat puffend buigt Amanda zich naar voren en hengelt wat uit haar enorme handtas. 'Ik heb cijfers, luister mensen. Weet je hoeveel personen er in Nederland per jaar – per jaar! – verdwijnen? Drieduizend...? Vijfhonderd? Na een paar dagen keert zo'n tachtig procent terug. Vandaar dat er niet op slag alarm wordt geslagen als iemand een vermissing opgeeft. Een aantal van de verdwenen mensen laat toch na verloop van tijd wat van zich horen. Echter...'

Rita maakt een bezwerend gebaar met beide handen. 'Die cijfers ken ik allang, Amanda. Zal ik het voor je afmaken? Circa honderdvijftig mensen blijven weg, lijken van de aardbodem verdwenen. Raadsels...'

Even lijkt Amanda uit het veld geslagen. Ze neemt twee speculaasjes, legt ze op elkaar en werkt ze vlot naar binnen. 'Wat ik ook begrepen heb uit diverse onderzoeken, Rita en Susan, is dat je na verloop van tijd een streep onder het verleden moet zetten. Proberen opnieuw te beginnen!'

Susanneke wil reageren op dit advies, ze voelt verontwaardiging omhoog stijgen.

Rita schudt haar hoofd. 'Dat is theorie, Amanda. Wij hebben als achterblijvers met zo veel verdriet te kampen, daar kan niemand echt inkomen. De eeuwige onzekerheid. Maar ook: de omgeving...'

Amanda werpt een blik op de koekjes en Susanneke kan niet anders dan haar de schaal nogmaals voorhouden. 'Wat nou omgeving? Jullie hebben geweldige buren!'

Rita schudt verdrietig haar hoofd. 'Rachel en Daan en buiten hen nog een paar. Dat is alles! Ik zal mijn bewering staven met een voorbeeld.'

Nu is zelfs Susanneke geboeid. Mam vertelt haar ook niet alles!

'Ik stond onlangs achter de wagen, de winkelwagen, met de rug naar de voorkant. Het regende en ik had een jas van Susanneke omgeslagen. Dat zal de reden zijn dat men mij niet meteen herkende. Wat dacht je dat ik opving?' Rita's ogen lijken kinderlijk groot in haar gezicht. 'Een paar lui uit het eind van de laan zeiden: 'Wat dacht je, zo'n geadopteerd kind uit een vreemde cultuur... Misschien zijn ze wel dankbaar verlost te zijn van dat kind. Zo te zien gaat het leven daar gewoon verder, hoor...' En de ander: 'Geen eigen vlees en bloed, dat merk je dan toch wel. Ik kan me niet voorstellen dat een van mijn meiden ervandoor zou gaan. Die worden niet door kerels meegenomen, zij geven geen aanleiding. Reken maar dat, als ze dat kind vinden, ze al die tijd dood blijkt te zijn.' Zo ongeveer ging dat gesprek...'

Susanneke hurkt bij haar moeder neer. 'O mam, toch! Wat deed je toen?'

Rita glimlacht mat. 'Ik vulde mijn mandje met alles wat ik maar grijpen kon, dingen die ik nooit nodig heb. Gelatinepudding, blikken knakworst, zelfs babyvoeding. Toen liep ik naar voren en groette hen alsof ik niets had gehoord. Ik geloof wel dat ze geschrokken waren, die twee!'

Even is het stil in de kamer, dan barst de koekoeksklok in een voor hun gevoel nijdig roepen uit en dat breekt de spanning.

'Dat moet je doorgeven tijdens het interview. Ik vind dat er meer onderzoek naar moet worden gedaan!' zegt Amanda gedecideerd.

Susanneke kijkt machteloos haar moeder aan. 'Mam, dan toch... Hoe kun je nu zoiets voor je houden? Gedeelde smart is toch halve smart!'

'Geef me nog maar wat koffie!' verzoekt Rita vermoeid.

Susanneke giet de kan leeg, haar hand die het kopje aanreikt trilt. Schuldgevoel maakt zich van haar meester. Ze kan en mag en wil haar ouders niet in de steek laten, voor zichzelf gaan leven, ook al is het Reinier die dat zegt. Ook al heeft hij het grootste gelijk van de wereld.

Elien is bij de buren, deelt Reinier mee na de langdurige begroeting. 'Is er wat, lieverd van me?'

Susanneke legt haar gezicht tegen Reiniers overhemd. 'Ja, natuurlijk, er is toch altijd wat!' Ze vertelt in korte bewoordingen dat wat haar moeder is overkomen. 'Ze praten ons een schuldgevoel aan, Reinier. Zo oneerlijk!' Reinier drukt Susanneke tegen zich aan. 'Ik heb een goed gevoel over het gesprek met Francien. Kom op, dan gaan we!'

Zoals dat vaker het geval is, zwijgen beiden tijdens de rit. Reinier concentreert zich op het verkeer, Susanneke is vol van de gedachten die door haar hoofd tollen.

'Het is buiten de stad, zei mevrouw Haag. Let jij op of je borden ziet, Susan? Heidehuis heet het. Hm, geen heide te bekennen, die naam is vast vóór de ontginningen ontstaan!'

Susanneke tuurt door de beslagen ruiten. Het regent, de bomen zijn op een enkele na, het blad kwijt.

'Daar, een klein bordje onder aan die paal waar ook industrieën op staan. Rechtsaf.'

Dwars over een industriegebied voert hun weg. Onverwacht bevinden ze zich in een bebost gebied. 'Dus toch heide!' merkt Susanneke op.

De weg verandert in een pad, zonder enige waarschuwing. Modder spat hoog op en Reinier mompelt een verwensing.

'Daar, Heidehuis. Tjonge, wat een villa!' Susanneke drukt haar neus tegen de ruit. Een riant buiten, minstens honderd jaar oud, maar perfect onderhouden.

Reinier mindert vaart en rijdt de poort binnen. Opzij van het pand zijn parkeerplaatsen, de eerste tien zijn voorzien van een bordje op een paal met de naam van een arts of andere medewerkers.

'Je kind zal hier maar zitten!' zegt Reinier begaan. Susanneke reageert scherp: 'Je kind zal maar verdwenen zijn!'

Als de motor is stilgezet overvalt hen een doodse stilte.

'Susanneke, liefste toch... Probeer je zinnen in de hand te houden. Reken niet te vast op resultaat!'

Susanneke staat al buiten. Natuurlijk stapte ze midden in een plas. Vuile schoenen en vlekken op haar panty.

'Kom op, maatje!'

Reinier legt een arm rond haar schouders en geeft haar een vluchtige kus. Zo lopen ze naar de brede voordeur. Op hun bellen wordt vrij snel opengedaan. Een vriendelijke vrouw informeert naar de reden van hun komst. Kort legt Reinier die uit en wordt dan onderbroken door een kalme stem die zegt: 'Het is goed, Ans. Ik heb een afspraak met deze mensen. Komt u verder!'

Gehoorzaam als kleine kinderen lopen ze achter de vrouw aan die zich nog niet heeft voorgesteld. Dat doet ze pas nadat ze de deur van een kamer achter hen heeft gesloten.

'Mijn naam is Lies van Dongen. Ik ben Franciens therapeute. Eén ervan, kan ik beter zeggen. En u bent meneer Bakkeveen, als ik goed ben ingelicht. Uw naam ben ik even kwijt!' Ze kijkt naar Susanneke.

Deze drukt de koele hand en noemt haar naam.

'Gaat u zitten. Ik zal bellen om thee. Of wilt u liever koffie?'

Thee is goed, knikken beiden.

Pas als de jonge medewerkster de bestelling op tafel heeft geplaatst, komt Lies van Dongen ter zake. 'Het gaat om een vriendin van Francien. U weet waarom het meisje hier is?'

Kort en emotieloos vertelt Lies hoe het ziektebeeld van Francien in elkaar steekt. Ze besluit met: 'Wij trachten haar te herprogrammeren. Dat is een moeizaam proces, maar nu kan het nog. Als haar problemen vast gaan zitten, komt ze er nooit meer af, of er moet een wonder gebeuren. Dus ik hoop dat u begrijpt dat ik niet kan toestaan dat u op welke manier dan ook, Franciens behandeling in gevaar brengt. Ook al gaat het om een ander meisje. Ik heb de verantwoording voor Francien.'

De ogen staan koud. Susanneke huivert. Wat een naar mens, denkt ze bevooroordeeld.

Nauwelijks is de thee op, of Lies staat al. 'Volgt u mij maar.'

De gang is lang, uitgestorven lijkt het huis. Een brede trap voert hen naar de tweede verdieping. Uit een kamer klinkt muziek, er wordt gezongen. 'Men oefent voor het kerstconcert dat we jaarlijks geven!' deelt Lies ongevraagd mee. Dan blijft ze staan. 'Francien weet van uw komst, ik heb echter niets verteld omtrent de reden. Ik vrees dat ze, als ik dat wel had gedaan, allerlei leugens bijeengeraapt zou hebben. Dat is een onderdeel van haar ziekte, we dienen er rekening mee te houden. Het komt voort uit zelfbescherming. Dan is ze goudeerlijk, dan liegt ze weer.'

Een klopje op de deur waarachter Francien zich bevindt. Lies wacht niet op antwoord. 'Dag, Francien, hier is bezoek voor je!'

Het meisje staat voor het raam, de rug naar hen toe. Een lange paardenstaart op de rug, gebogen schouders. Een spijkerbroek met een trui zoals Ange er ook een heeft.

'Dag, Francien!' zegt Reinier.

Langzaam keert het meisje zich om.

'Gunst, u... meneer Bakkeveen! Ik dacht dat iedereen me wel zou zijn vergeten!'

'Laten we gaan zitten!' stelt Lies voor.

De stoeltjes zijn modern en zitten ellendig, vindt Susanneke.

'Je weet wie ik ben, Francien?' Susanneke kan niet langer zwijgen. 'Ik ben de zus van Ange. We hebben elkaar weleens gezien op het schoolplein.'

Er komt wat leven in Francien. Haar wangen kleuren. 'Ja, natuurlijk. Wat zullen ze op school lachen als ze te horen krijgen dat ik in een gesticht zit.'

Lies verbetert haar. 'Als je het eens anders verwoorden zou, opvanghuis bijvoorbeeld. Bovendien geloof ik niet dat Susanne er over zal spreken, daarvoor is ze niet gekomen. Ik geef je nu het woord, Susanne!'

Susanne. Weer eens wat anders. 'Het gaat om Ange.' Razendsnel tovert Susanneke de foto uit een zak. 'Ken je de jongeman op die foto?'

In beide handen houdt Francien de foto vast. 'Kennen niet!' zegt ze naar waarheid.

Susanneke trapt er niet in. 'Weet je dan wie het is?'

Francien herinnert zich het gesprek met Ange nog heel goed, er mankeert niets aan haar geheugen. Ze was jaloers op Ange, die dat niet merkte. Ze weet ook wat ze heeft beloofd: zwijgen. Doen wat je belooft, tot in het extreme, dat hoort ook bij haar ziekte.

Susanneke en Reinier kijken elkaar aan.

Lies weet echter dat een 'nee' uit Franciens mond de waarheid niet hoeft te zijn. 'Laat mij maar, mensen. Francien, dat vriendinnetje van je is verdwenen, kort nadat jij haar als een van de laatsten hebt gesproken. Dat nemen we aan, omdat Ange geen andere vriendinnen had buiten jou.

Jullie kwamen samen van school. Weet je dat nog? Dat heeft Susanne gezien, samen met haar moeder!' Met andere woorden: hier kun je niet over liegen.

Francien kijkt naar het gezichtje van Ange en knikt langzaam.

'Verdwenen? Hoe verdwenen? Weggelopen?' Ze is zo geagiteerd, dat haar brillenglazen beslaan.

Reinier vreest dat ze zo niet verder komen. Hij doet een slag in de lucht. 'Jij weet wie die jongeman is, nietwaar? Wil je het ons zeggen, meisje? We zoeken al weken en weken wanhopig naar een aanknopingspunt, maar vinden er geen. Onze hoop is op jou en jou alleen gevestigd.'

Dan lijkt Lies van Dongen een verandering te ondergaan. Haar stem wordt vleiend, lief zelfs. Haar harde gelaatstrekken verzachten zich.

Ze raakt voorzichtig een hand van Francien aan. 'Als je iets weet, meisje, zeg het dan. Je kunt het hun beter vertellen dan dat je nog een bezoek krijgt. Van de politie.'

Nu kijkt Francien echt bang. 'Ik heb beloofd mijn mond te houden. Ik heb het Ange beloofd...'

Het wordt trekken en trekken om het weinige dat Francien weet, boven tafel te krijgen. 'Mijn oma ging dood, dat heb ik haar verteld. Oma Haag. Mijn moeder was zo van streek, ze wilde meteen verhuizen. We zagen elkaar toevallig in de stad en toen vertelde ze het me!'

Ange was dus verliefd. Verliefd tot over haar oren op een jongen uit het circus. Francien heeft het moeilijk met haar nauwgezette geweten. Ze begint te huilen, geluidloos en zielig. Susanneke voelt zich schuldig. Nerveus kijkt ze Lies aan.

'Je bent een kraan, Francien, je hebt jezelf overwonnen, weet je dat? Je hebt gekozen voor je vriendin, ook al heb je je woord ervoor moeten breken. Het gaat in het leven om keuzes. Soms moet je iets kiezen waar je het niet mee eens bent, omdat dit het beste is. Zie je wat het gevolg is? Nu kunnen deze verontruste mensen in een richting gaan zoeken die jij hebt geopend. Dankzij jou en jou alleen! Ik vind je een kraan. En ik geloof dat het bezoek nu beter kan vertrekken. Ik blijf bij Francien en ik hoop dat u zelf de weg terug kunt vinden. U heeft toch begrepen dat wij geen prijs stellen op een vervolgbezoek? Niet van u beiden, niet van een instantie. Wij beschermen onze gasten.'

Ze neemt Francien in haar armen, Reinier en Susanneke zijn lucht voor haar.

'Gek mens...' fluistert Susanneke als ze samen op de gang staan, hand in hand.

Uit de muziekkamer komt een in het Frans gezongen kerstlied. 'Minuit crétien...'

Beneden in de hal komt de vriendelijke gastvrouw hen tegemoet, knikt en blijft knikken tot ze de monumentale voordeur heeft geopend. Ans, herinnert Susanneke zich. 'Dag, tot ziens,' zegt Ans.

Reinier houdt Susannekes ene elleboog stijf vast. Hij voelt wat er in haar omgaat, herkent de voortekenen van een orkaan.

Eenmaal in de auto hoeft ze zich niet meer in te houden. 'Wij beschermen onze gasten, nota bene! En daar moet Karsemijer het dus mee doen. Dat pikken ze niet, Reinier! Als dit geen spoor is, weet ik het niet meer. Die knul kan haar ik weet niet wat hebben aangedaan. Reinier... Ze...'

Een hand over haar mond. 'Zwijgen, Susanneke. Stop met speculaties. Ik breng je naar huis en rijdt dan door naar het bureau. Misschien tref ik die ander, Geurts. Ze zullen niet blij zijn met ons initiatief.'

Susanneke briest. 'De politie heeft zich laten afschepen door ma Haag. Dood spoor, Francien was al verhuisd tijdens de verdwijning, de oma lag op sterven. Het klopt allemaal voor geen meter!'

Reinier kan Susanneke niet tot bedaren brengen en start de motor. Sneller dan gewoonlijk rijdt hij terug naar de eigen woonplaats. 'Ik bel je, Susan, zodra ik contact heb gehad met Geurts. Of met Karsemijer.' Op de hoek van de Boslaan stopt hij de wagen en neemt Susanneke kort in zijn armen. 'Bedaar een beetje, ja? Schrijf alles maar op in je dagboek, dan krijg je misschien wat overzicht. Lieverd, hou je taai!'

Susanneke kijkt even later de auto na tot deze om de hoek is verdwenen. Waarom is ze nu niet wat blijer? Ze sjokt naar huis. Tot haar schrik staat de wagen van Karsemijer op de oprit. Karsemijer, het kan natuurlijk een vriendschappelijk bezoekje zijn. Of... Ze trapt het hekje open, slentert naar de voordeur en priemt de sleutel in het slot.

In de hal staan haar ouders, Karsemijer staat tegenover hen. Er valt een doodse stilte zodra Susanneke binnenkomt.

'Kind...' Haar vader pakt haar bij de hand. Haar moeder begint te huilen.

'Ze is gevonden... dood?' roept Susanneke.

Karsemijer schudt zijn hoofd. 'Kom kom, Susan, zo kennen we je niet? Ik kwam vertellen dat we de fiets van je zusje hebben gevonden. Opgevist uit de gracht, samen met drie andere rijwielen. Het nummer klopte met dat wat is opgegeven.'

Susanneke wankelt op haar benen, ze gaat pardoes op het haltafeltje zitten. 'Anges fiets, ze was er zo blij mee... Hoe kan dat?'

Op momenten als deze haat Kees Karsemijer zijn beroep. Hij wilde de mare echter ook niet door een ander laten overbrengen. 'Gaat het wel, Susan?'

Hij ziet Susanneke wit wegtrekken. Ze knikt heftig van 'ja'. Moet ze nu wel of niet vertellen van Francien? Is het beter haar ouders er buiten te laten?

Kees Karsemijer kijkt de kleine kring rond. 'Het spijt me, mensen, ik moet ervandoor. Ik zal mijn vrouw vragen vanavond langs te komen. Goed, Rita?'

Rita knikt zwijgend.

Jan Althuisius opent de voordeur. 'Man, jij kunt er niets aan doen. Wie weet zijn we een stapje dichter bij de oplossing gekomen. Die onzekerheid... daar gaan we kapot aan. Hopen en vrezen, dat is al wat we doen!'

Met lange stappen beent Karsemijer naar zijn auto. Steekt al lopend een hand op ten afscheid.

Opeens lijkt Susanneke wakker te worden, ze mompelt iets van 'Mark' en holt achter hem aan. Ze klampt zich aan zijn ene arm vast en hakkelt de zinnen eruit. Niet nodig dat pa en ma het horen, ze is af en toe onverstaanbaar.

'Wat zeg je? Naar die vriendin? Dat is toch zinloos, meiske?'

Wild schudt Susanneke haar hoofd. 'Zeker niet! Hier, een foto, die vond ik onlangs. Ik ben er niet alleen heen geweest, samen met...'

'Mark?'

Ze schudt haar hoofd. 'Nee, de gymleraar, de man die jullie even verdacht hebben. Ik pas nu af en toe op zijn dochtertje. We kunnen het samen goed vinden. Zodoende...' En nogmaals vertelt ze over het gebeurde, ditmaal kalmer.

'Stap in, dan gaan we naar het bureau, Susan, hopelijk treffen we Bakkeveen daar nog.' Hij schraapt zijn keel en zegt dan moeilijk: 'Ik moet je eerlijk bekennen dat ik die eenmansacties buiten de politie om, niet bijzonder waardeer...'

Susanneke knikt, schijnbaar schuldbewust. 'Even mam zeggen dat ik meega. Ik verzin wel wat...'

Karsemijer keert zijn wagen en wacht tot hij Susannekes voetstappen achter zich hoort. Hijgend ploft Susanneke naast hem neer. De vondst van de politie valt in het niet bij hetgeen ze zo meteen gaat vertellen.

Reinier en Susanneke worden tot en met uitgehoord. De sfeer is bepaald koel. Reinier had niet anders verwacht, hij kan omgaan met wat op hem afkomt.

Susanneke echter heeft het er te kwaad mee. Ze gedraagt zich doorgaans zo dat ze niemand ergert, liever slikt ze eigen meningen in dan de stemming te bederven.

Later, als Reinier haar terugbrengt, kaart hij dit gedrag aan. 'Susan, probeer toch voor jezelf op te komen! Eerlijk zijn, recht door zee... Niet bang zijn voor mensen. Heb je het nu zelf niet gemerkt?'

Susanne zakt onderuit. 'Je hoeft me niet op te voeden, Reinier, ga je mee naar mijn ouders? Dan vertellen we hun over Francien. Ik kan alles opeens niet meer overzien. Toe, je buurman kan nog best een uurtje langer op Elien passen.'

Reinier aarzelt. 'Als je maar niet denkt dat ik hen wat op de mouw kan spelden, schatje. Ik bedoel ten opzichte van ons tweetjes. Ik hou van je, ze mogen het van mij weten.'

Susanneke schurkt zich tegen Reinier aan. 'Ik denk dat Karsemijer het ook wel gemerkt heeft...'

'Arme Mark!' Reinier grijnst. 'Kom op, meid, we gaan ertegenaan. *La vie est en marche...*'

Inderdaad, Susan is het ermee eens. Er gaat wat gebeuren!

10

HIER WAS MARK KARSEMIJER NIET OP VOORBEREID. NATUURLIJK ZIET HIJ IN één oogopslag dat er iets gaande is tussen Susan en die gymleraar.

'Mark... jij, wat een verrassing!' Susanneke blijft stokstijf in de deuropening van de huiskamer staan. Achter zich voelt ze de aanwezigheid van Reinier. Als één mens staan ze daar ten overstaan van de anderen. Mark grijnst verlegen. Hij weet zich even geen raad met zijn houding. 'Je hebt vrij,' stelt Susanneke vast.

Mark knikt. 'Genomen. Ik was nieuwsgierig, niet ten onrechte zo bleek. De fiets is gevonden, wat nu?'

Susanneke trekt Reinier verder de kamer in. Als hij zich nu maar niet door de aanwezigheid van Mark laat beïnvloeden, toch naar huis wil bijvoorbeeld.

Rita zit stilletjes in de hoek van de bank, ze houdt een zakdoek als propje in haar ene hand. Jan heeft zojuist het ijsberen gestaakt. Marks bezoek was hun een ware afleiding.

Reinier geeft iedereen een hand. Hij kent de familie vaag, dit is de eerste keer dat er nauwer contact is.

Jan kijkt scherp van Susanneke naar Reinier en trekt zo zijn eigen conclusies.

'Wij komen van het bureau!' Susannekes stem klinkt opgewonden. 'Wij – Reinier en ik – hebben een bezoek aan Francien gebracht. Wat bleek? Onze Ange heeft haar vlak voor de verdwijning verteld verliefd te zijn op een circusartiest. En een foto hebben we ook!'

Rita wordt zo mogelijk nog bleker, ze staat op het punt van flauwvallen. Mark knipt met een vinger en duim. 'Tjonge, daar wist ík niks van!'

Susanneke heeft haar antwoord allang klaar. 'Jij had dit weekend toch een feestje. En we konden het best samen af, en per slot van rekening is – was – Reinier Anges leraar. Mam, niet flauwvallen!'

Zonder veel omhaal van woorden maakt Reinier het verhaal af.

'En nu?' Jan staat naast Rita, hij houdt haar rechterhand tegen zich aan.

'En nu? Nu gaan ze op zoek naar dat circus. En er komt een oproep in de streekbladen: wie heeft Ange samen met Sander gezien tijdens een voorstelling? Nou, als daar geen reactie op komt, weet ik het niet meer. Meisjes zoals Ange vallen doorgaans best op!'

Jan wil weten hoe Karsemijer reageerde. 'Nou ja...' Susanneke en Reinier kijken elkaar aan. 'Best wel geprikkeld omdat we het buiten hen om hebben gedaan. Maar volgens mij was Francien dichtgeklapt als ze een vreemde voor zich had gekregen. Nee, ik heb geen spijt!'

Mark kijkt van de een naar de ander. 'Mensen, zal ik eens naar de patat-boer gaan en een portie voedsel halen?'

Susanneke kijkt hem dankbaar aan. Wat is hij toch trouw! Ze volgt hem als hij naar de gang loopt, zijn leren jack van de kapstok neemt.

'Mark...' Het licht in de hal is niet helder, Susanneke kan zijn gelaatsuit-drukking niet erg goed waarnemen. 'Mark...'

'Het is goed, Susan, je hoeft je bij mij niet te verontschuldigen. Per slot van rekening waren wij nog in het vriendschapsstadium, nietwaar?'

Susanneke knikt bedrukt. Bah, altijd dat schuldgevoel! De ene keer hier-voor, de andere keer daarvoor.

Mark weet waar de boodschappentas te vinden is, hij werpt een blik op de inhoud van zijn portemonnee en vertrekt zonder groet.

Wanneer Susanneke de kamer weer binnenkomt, zijn haar ouders in diep gesprek gewikkeld met Reinier. Ze herademt, het klikt!

'We moeten het nu aan de politie overlaten. Wij kunnen ze niet voor de voeten lopen. Voor ons is het afwachten!' Jans stem klinkt gedecideerd.

Rita is het met hem eens. 'Ik zal al dankbaar zijn als er een eind aan de onzekerheid komt. Wat we ook te horen krijgen... Ik heb het kind liever in het graf dan deze kwelling!'

Reinier wil zeggen: blijf positief, maar er is weinig om positief over te zijn.

Rita is wat opgeleefd. 'Vertel eens wat je weet over Francien, Susanneke!'

Uitgebreid gaat Susanneke op dit verzoek in. Nog voor ze is uitverteld keert Mark terug met een tas vol patat friet en de nodige snacks. Zonder het te zeggen denken allen hetzelfde: vreemd dat ondanks alles de eetlust niet is verdwenen!

De raderen van het politieapparaat draaien op volle toeren. Het persbe-richt is de deur al uit, de verwachtingen zijn hooggespannen.

Het gezin Althuisius is na de aanvankelijke opwinding in doffe berusting teruggevallen. Jan gaat weer hele dagen werken. Rita doet in huis slechts het hoognodige en kan geen moed meer vinden om de deur uit te gaan. Ze vermoedt overal loerende ogen, vals geroddel. Het is haar niet uit het hoofd te praten. Nu pas merkt de familie wie hun werkelijke vrienden zijn. Karsemijer en zijn vrouw, MaiLy Lam uit de boetiek, natuurlijk Amanda, en de naaste buren.

Susanneke heeft voor halve dagen een baantje bij een benzinepompstation gevonden. 's Ochtends halfacht moet ze beginnen en om halftwee zit haar taak erop. Zo heeft ze dagelijks tijd om Elien op te vangen als deze uit school komt.

'Je houdt van die man, is het niet?' Rita begint te beseffen dat het leven doorgaat, met of zonder Ange.

'Ik hou van hem, mamma. Het is vanzelf gekomen. Ik had het eerder willen zeggen, maar ik vond het zo ontactisch...'

Rita schudt haar hoofd. 'Malle meid! Je hebt al genoeg opgeofferd aan de situatie. Nu komt er nooit meer iets terecht van je Parijse plannen, besef je dat wel? Reinier is geen jongen zoals Mark die nog moet werken aan zijn carrière.'

Susanneke is dankbaar dat haar geheim is uitgelekt, nu hoeft ze zich niet meer in te houden omtrent bepaalde onderwerpen. 'Vind je me geen trouweloze zus, verliefd worden terwijl Ange...'

En Rita, die zichzelf constant zulke dingen verwijt, lacht haar oudste dochter uit. 'Schuldgevoel, jij! Dankzij jou hebben pa en ik het tot nu toe gered!'

En daar kan Susanneke het mee doen.

Er komen reacties op het persbericht binnen. Diverse mensen hebben Ange in het circus gezien. Een vrouw herinnert zich nog dat ze zich ergerde omdat Ange voorgetrokken werd. Ze had niet eens geld bij zich, toch mocht zij met dat kind op de foto. De conclusie is: Ange had wat met een artiest. Ze leek niet depressief, maar genoot van de voorstelling zoals iedere andere aanwezige.

En net op een moment dat Rita weer in de put is gezakt, komt er eindelijk een goed bericht. Een jongen die meer dan één krantenwijk heeft, komt een verklaring afleggen. Een versleten jack, een spijkerbroek waar opzettelijk gaten in zijn gemaakt en haar dat gebundeld is in een staartje. Hij bekent een fiets bij het circus gestolen te hebben, later wist hij zich geen raad met het ding en dumpte het in de gracht. Met de vermissing van Ange blijkt hij na een scherp verhoor niets van doen te hebben. 'Ik mot niks met meiden, ze kosten je alleen maar poen en ik spaar voor een motor!' Duidelijke taal.

Toch weer hoop voor de ouders van Ange. De fiets is dus niet door een vermoedelijke moordenaar verdonkeremaand.

Op een avond – het is inmiddels bijna december – komt Kees Karsemijer verslag doen omtrent de zoektocht naar het circus. 'Ze lijken met de noorderzon vertrokken, naderhand zijn we erachter gekomen dat de boel failliet is. Nu zoeken we langs de Duitse grens, erover en richting België. Er zit in zoverre schot in de zaak dat als we die artiest weten te vinden, we iemand hebben die ons heel misschien verder kan helpen.'

Susanneke zit te popelen. Het liefst zou ze er zelf op uitgaan. Samen met Reinier overal navraag doen.

Reinier ziet geen heil in Susannekes woeste plannen. 'Meisjelief, dit zoeken is vakwerk. Vooral nu de politie buitenlandse collega's heeft ingeschakeld, hebben wij ons kalm te houden!'

Zo rijgen de dagen zich aaneen in een grauwe troosteloosheid. Het weer werkt niet mee. De zon laat zich zelden zien, grauwe wolken bedekken de hemel en af en toe regent het dagen achtereen.

Sinterklaas gaat aan hen voorbij, de gebruikelijke voorbereidingen voor de kerst blijven achterwege.

Susanneke is blij met haar baantje, ze spreekt zo mensen buiten het eigen kringetje. Ze doet nieuwe contacten op en herstelt enkele oude. Waar een pompstation al niet goed voor is! Een vrije dag is bijna een feestelijk gebeuren, ware het niet dat er altijd die domper is.

Zaterdagochtend, uitslapen, plannen maken met Reinier. Elien moet nieuwe kleren, als dat geen reden is om naar de stad te gaan!

Susanneke is gewend om vroeg op te staan, ook dit keer is ze als eerste beneden. Ze maakt de ontbijttafel klaar en loopt naar de brievenbus om de krant te halen. Zowaar, de post is er ook al. Sjokkend in haar vaders te grote pantoffels bladert ze de brieven door. Kijk aan, het damesblad met ma's interview is uitgekomen! Susanneke laat een enveloppe vallen. Dagelijks komen er brieven vol medeleven. Pa en zij houden deze in eerste instantie achter om Rita te sparen. Alleen de bemoedigende epistels spelen ze door. Susanneke aarzelt, moet ze het damesblad meteen geven of even bewaren?

Automatisch opent ze de opgeraapte enveloppe. Tjonge, wat een slordig handschrift!

Aan de familie van Ange

Ange komt misgien gouw thuis, zodra ze kan. De hartelijke groetten van Ange, ze mist jullie nu.

Een afzender is er niet. Susanneke voelt hoe het zweet haar uitbreekt. Is dit een smerige grap, of misschien toch een levensteken? Moet ze ermee naar Geurts, of Karsemijer storen in zijn vrije tijd? Ze leest de weinige regels wel twintig keer. Waarom zou iemand zulke dingen schrijven als er geen grond van waarheid in zou zitten?

'Susan, wat scheelt eraan?' Jan staat opeens voor haar, zijn blik gericht op Susannekes voeten. Meermalen per week kan hij zoeken naar zijn slippers, het lijkt wel familiebezit!

'Pa, lees dit eens...' Susanneke drukt zich tegen haar vader aan, samen lezen ze de 'brief'.

'Dit is wel heel merkwaardig, kind. Ik ga er meteen mee naar Kees. Zeg nog maar niets tegen je moeder, misschien is het loos alarm. Vreemd, heel vreemd!'

Zo komt het dat Susanneke samen met haar moeder aan de ontbijttafel zit. Het interview wordt door Rita nauwelijks bekeken. 'Laat die krant maar zitten. Het is raar hoe onbelangrijk zulke dingen zijn geworden. Vroeger, voor dat met Ange, zou je toch in alle staten zijn geweest als er iemand van de krant voor jou kwam. Nu doet het je niets!'

Susanneke plaagt haar moeder. 'Toen had je ook niets te vertellen, lieve mam. Nu zijn we goed voor een artikel!' Dan valt haar blik op de piano. 'Wat heb je nu toch gedaan!'

Een reeks ingelijste Anges kijkt haar aan. Ange, vanaf dat ze bij hun in huis was tot en met de laatste foto die is genomen tijdens het zilveren huwelijksfeest van Jan en Rita.

'Zo ben ik met haar bezig, in positieve zin. Zou ze echt wel geweten hebben dat ik zielsveel van haar houd?'

'Mam! Dat is vragen naar de bekende weg. Eet een broodje, speciaal voor jou gekocht, gisteren na mijn werk!'

Eerder dan Susanneke verwachtte staat haar vader weer in de kamer. Zijn gezicht is rood van de kou. Hij wrijft zijn handen tegen elkaar warm. 'De wagen wilde niet starten, er moet een nieuwe accu in. Ik heb de fiets gepakt en dan is het toch een heel eindje naar Karsemijer. Enfin, nu ben ik er weer. Met een paar kopieën!'

Rita kijkt hem verdwaasd aan. 'Wat moet jij nu zo vroeg op de ochtend bij Kees en Bonnie? Heb je geheimen voor me?' Dan krijgt Rita de brief onder ogen. 'Dit... dit is écht, denkt Kees?'

Jan knikt. 'Kijk, honderd procent zekerheid hebben ze niet. Maar Kees vermoedt, dat deze brief naar Anges verblijfplaats zal leiden. Hoe dan ook. Een onderzoek wordt gestart. Ja, ze kunnen zo veel op dat gebied! Het zou kunnen betekenen dat een groot gebied waar nu gezocht wordt, uitgeschakeld kan worden.'

Susanneke zou die ochtend het liefst thuis zijn gebleven, maar anderzijds wil ze Reinier niet voor het hoofd stoten. Ook hij is verrast over het feit dat er post is gekomen, een soort levensteken.

Ze raken er beiden opgewonden van, met als gevolg dat Eliens garderobe wel erg uitgebreid wordt. Want je vreugde moet toch een uitlaadklep vinden!

En dan, ruim een week later, is er post voor Susanneke persoonlijk. Ze keert de slonzige enveloppe om en om, durft 'm bijna niet te openen. Een wonder dat zij het is die de brieven heeft opgeraapt. Haar moeder is, zo weet ze, in de loop van de ochtend opgehaald voor een bijeenkomst van ouders van verdwenen kinderen. En haar vader is op de zaak blijven lunchen.

Susanneke zet de thermostaat van de verwarming hoger en gaat met de brief in de erker zitten. Zorgvuldig ritst ze de enveloppe open.

Allerliefste Susanneke,
Je zult wel verbaasd zijn van mij na al die tijd een brief te krijgen...

Ange, het is een brief van Ange! Het hart bonkt Susanneke in de keel.

Er is zo veel gebeurd, Susanneke, ik durf niet maar zo naar huis en vraag jou om hulp. Ik heb namelijk een ongelukje gehad en ben tijdelijk mijn geheugen kwijt geweest, sinds kort weet ik weer wie ik ben en zo. Alles rondom het ongeluk is uit mijn geheugen en dat heb ik van anderen moeten vernemen. Ik kan me voorstellen dat het voor pappa en mamma een te grote schok zal zijn als ik maar zo thuiskom. Dat kan ook niet, hoor. Ik schrijf niet waarom, dan schaad ik anderen die lief voor me waren. Susanneke, kom me halen. Eerst praten we samen en dan baan jij de weg voor me, is dat goed? Ik schrijf nu een adres op en een tijd, beloof me dat je het niemand zult vertellen! Niet aan de politie of aan pappa en mamma. Eerst beloven dan mag je de achterkant van de brief lezen!

Ange, kinderlijke Ange. 'Ik beloof het!' zegt Susanneke schor. Ze keert de brief om. Een adres in Duitsland, de Wassenburgerstrasse nummer tien. Een klein dorpje vlakbij Kleef. Klebe, heeft Ange erop gezet.

Minutenlang staart Susanneke naar de brief. Tranen druppelen op het papier, in haar hart gloeit een dankgebed. Ange zal thuiskomen.

Het is voor Susanneke de natuurlijkste zaak van de wereld dat ze Reinier inschakelt.

'Nog een bof dat ze de zaterdag heeft gekozen. Tja, jij zal vrij moeten vragen, voor mij ligt het gemakkelijker. En wat zeggen we je ouders?'

Susanneke heeft haar leugentjes al klaar. 'We gaan naar een kerstmarkt. Om er even uit te zijn. En Elien, die laten we bij mijn ouders. Ze noemt ze al opa en oma, Reinier!'

Het leugentje wordt rap geslikt.

Susanneke heeft haar dagboek in een tas gepropt samen met enkele kranten waarin interviews staan.

Het vriest licht, de somberheid is uit de lucht. 'Ik heb geen hap gegeten, Reinier. Wat zullen we aantreffen?'

Reinier schudt zijn hoofd. 'Dat is afwachten, schatje. Kalm proberen te zijn. We stoppen zo meteen voor een kop koffie, of je wilt of niet!'

Ze zijn niet de enigen die de weg naar een kerstmarkt zoeken. 'De winkels sluiten daar om halfdrie, geloof ik,' meent Susanneke. 'Vandaar dat de mensen zo vroeg op pad zijn!'

Na de koffie is het niet ver meer. Reinier zegt weleens in deze omgeving te zijn geweest. 'Mijn vrouw winkelde graag met haar ouders in Emmerich, daar heb ik nu profijt van!'

Toch vinden ze de wijk waar ze moeten zijn maar met veel moeite. En, eenmaal in het juiste district, is het nog zoeken. De huizen zijn armoedig, slecht onderhouden.

'Daar dan... woonwagens!' Susanneke wijst naar een groep caravans die langs de oever van de Rijn staat, verscholen achter laag struikgewas. 'Wat zal ze in angst zitten...' Susanneke rekt haar nek uit.

'Hier moet het zijn, lieveling!' Reinier parkeert de auto op een plek achter een vervallen schutting. 'Ga maar alleen, ik kom je zo achterna.'

Susanneke knikt. Zo hebben ze dat afgesproken. Ze klemt een hand om de tas, met de andere houdt ze haar kraag dicht. Het lijkt wel of het hier kouder is dan bij hen.

Zoeken? Niet nodig. Ze komt haar tegemoet. Ange Althuisius, Koreaanse van geboorte.

'Ange dan toch...' Het is Ange, of toch niet? Het haar is geknipt, het lijkt wel geverfd in een vale kleur die het midden houdt tussen rood en bruin. Ze ziet er slecht uit, het gezichtje is inwit. Een wijde slobbertrui hangt bijna tot op haar knieën.

'Susanneke...' Geen stap kan het meisje verder zetten.

Susanneke echter lijkt benen als springveren gekregen te hebben.

Armen die elkaar omvatten. Zoenen, snuffelen aan elkaar, strelen. Ongeloof. Huilen en lachen tegelijk, terwijl duizend vragen in hun hoofden zweven.

'Je hebt toch...' Anges stem lijkt zwaarder te zijn geworden.

'Niemand wat verteld, alleen de man met wie ik ga trouwen als alles weer normaal is, schatje. Schatje dan toch!'

Opeens verstijft Ange, Susanneke voelt het. 'Wat doet die man hier, wat doet Bakkeveen hier?'

Susanneke sniklacht. 'Met hém ga ik trouwen, lieverd. Kom, hij bijt niet.'

Reinier ziet meteen wat Susanneke ontgaat. Dit is niet de Ange die ze kennen, het schoolmeisje. Dit is een vrouw die veel heeft meegemaakt.

'Gaan jullie mee naar binnen? Ik woon sinds kort alleen. Ze hebben me gedumpt als oud vuil.'

De caravan is keurig opgeruimd, maar zo afschuwelijk koud, tochtig en armoedig dat het Susanneke en Reinier zwaar te moede wordt. Ze bedanken voor koffie of thee.

'Ik heb ook niks bijzonders. Geen fris of zo. Susanneke... dat je gekomen bent! Ik ben zo bang voor pappa en mamma. Ze willen me vast niet terug als ze alles weten...'

En dan komt het verhaal. Haar verliefdheid op de knappe Janos Biedermann. 'Hij leek op een filmster. Aardig was hij ook, echt waar. Ik kwam daar voor de laatste keer... Mijn fiets was nog gestolen ook... We namen afscheid. Het was zo hartverscheurend, dat weet ik nog wel. Wat ik nu ga vertellen heb ik via anderen gehoord.'

Susanneke is zo bang voor wat ze te horen zal krijgen, met open mond luistert ze.

'Janos was hoge stellages aan het afbreken. Hij demonstreerde een nieuwe oefening. Ik klom hem na, overmoedig, zei hij later. Ik deed een paar leuke zwaaien en toen schijnt het gebeurd te zijn, ik viel. Het net was al weg en ik was buiten kennis. En natuurlijk...' Ange heeft moeite zich goed te houden. 'Natuurlijk ga je nu vragen waarom er geen dokter bij kwam, waarom ik niet naar het ziekenhuis werd gebracht, of jullie niet gewaarschuwd werden...'

Ange verhaalt toonloos over de armoe en de zorg om het circus. Op het randje van faillissement, werken met illegale artiesten uit het Oostblok, geknoei met persoonsgegevens, met passen, vergunningen.

'Dus men kon zich geen politie veroorloven, dat zou betekenen dat de zaak op de fles ging. Daarom namen ze mij mee, eerst naar een grensplaats. Ze zorgden echt goed voor me. Een van de jongens had veel medische kennis in huis. Ik kwam snel bij, maar ik wist niet meer wie ik was! Dat kwam hen wel goed uit. Ik zeg geen kwaad woord over ze, het was alsof we één familie waren. Echt waar. Janos en ik waren gek op elkaar. Hij beloofde met me te trouwen zodra er geld was. Toen werd hij weggekocht. Dat was de nekslag voor het circus, maar hij wilde carrière maken. Voor mij...' Ange huilt geluidloos. Haar ogen staan hol. Toch vindt ze de kracht om door te gaan. Meer en meer kwam de herinnering weer terug. Ze durfde het niet te zeggen, want inmiddels werkte ze mee. Geverfd haar, slonzige kleding. 'Janos kwam afscheid nemen, hij ging naar Amerika. Zijn familie was zo bedroefd... Janos... hij is verongelukt. Net als zijn ooms, die ook zonder net werkten. Ik krijg een kind van hem en hij zal het nooit te zien krijgen...'

Susanneke omarmt haar zusje. Samen huilen ze, hun tranen vermengen zich.

Reinier houdt zich stil op een afstand. Een baby. Eigenlijk is Ange... weduwe. Eenzaam, zwak, overspannen en waarschijnlijk nog patiënt. Een geheugenstoornis.

'Schande... schande...' fluistert Susanneke. Woede doet haar haast stikken. 'Waarom kom – kwam je niet thuis, schatje?'

Ange snikt: 'Ik was mijn identiteit kwijt, pas sinds kort komt alles langzaam terug.' Even lijkt ze op de oude Ange als ze vraagt: 'Was ik heus op tv? Ze werden hier bang, wilden me toen kwijt.'

Susanneke kreunt van pure machteloosheid. Zo veel onnodig leed!

Hartstochtelijk roept Ange dan: 'En Janos, hij is dood! Hij was net zo'n waaghals als zijn ooms. Stunten, durven wat een ander niet in zijn hoofd haalt. Ooit, zo beloofde hij, zou hij stoppen. Hij had niet weg mogen gaan, zonder hem was ons circus niets meer... Hij deed het voor mij en het kindje!'

Susanneke en Reinier kijken elkaar aan. Ons circus. Ange heeft een leven geleid waar zij geen van allen deel aan hebben gehad. Susanneke laat haar het logboek zien. 'Dat heb ik voor jou bijgehouden, lieverd. Kun je bijna van dag tot dag lezen hoe het ons is vergaan.'

Reinier kijkt, terwijl de zussen praten, steels om zich heen. Ange moet hier weg en wel zo snel mogelijk.

'Hoe staat het nu met Janos' familie, Ange?' vraagt Reinier.

Ange vertelt dat ze weinig contact met hen heeft. 'Ze zijn eigenlijk verontwaardigd dat ik Janos niet heb tegengehouden, maar ze wisten dan ook niet dat we een kindje kregen. Ik... ze weten het nog steeds niet. En dat wil ik zo houden!'

Dan zegt ze iets wat Rita de rest van haar leven zal koesteren. 'Mamma heeft mij willen hebben, uit een ver land laten komen. Wel, mamma – en pappa natuurlijk ook – zal mijn kindje helpen grootbrengen!'

Susanneke ziet Reiniers blikken door de kleine ruimte gaan. Hij wil weg, begrijpt ze. 'Ange, je gaat met ons mee. Ja? Ze zullen thuis zo gelukkig zijn!'

Ange schudt driftig haar hoofd. 'O nee, jij moet ze voorbereiden. Ik ben mezelf niet meer. Alsjeblieft, Susanneke, alsjeblieft!'

Reinier hakt de knoop door. 'Ange, zoek je spullen bij elkaar. We nemen je mee maar brengen je elders onder. Je mag bij mij logeren, bijvoorbeeld. Bij eh... je aanstaande zwager.'

Weer schudt Ange van nee. 'Denk toch aan Elien, die zal schrikken. Wat wel zou kunnen... Breng me naar MaiLy, Susanneke, daar wacht ik op jouw bericht. Hoe ze thuis reageren...'

Susanneke kan praten wat ze wil, Ange blijft op haar strepen staan. 'De overgang is te groot, begrijp dat dan toch! Mamma zal zo schrikken als ze me ziet zoals ik nu ben...'

Susanneke raapt een paar kledingstukken op waarvan ze denkt dat het Anges bezit is. 'Wat neem je mee. Van wie is deze caravan?'

Ange trekt een versleten koffertje onder het bed vandaan. 'Wat hier in zit moet mee en die dozen daar. Janos' cd-verzameling zit erin, ook zijn foto- en plakboeken. Verder heb ik eigenlijk niet veel.' Ze kijkt bijna beschaamd om zich heen. Grijnst dan met iets van de oude humor, de ogen worden streepjes. 'Ik lijk de verloren dochter wel, niet? Maar ik heb geen varkensvoer gegeten.'

Reinier fronst zijn wenkbrauwen. 'Is dat alles, die doos... de koffer? Kom op, dan gaan we hier weg!' Hij zegt niet wat hij denkt, maar de omgeving benauwt hem haast lijfelijk. De muffe geur die in de caravan hangt maakt hem misselijk.

Ange kijkt vertwijfeld om zich heen. 'Het is goed,' zegt ze berustend. Een dik wollen vest doet dienst als mantel. 'Raar om zo pardoes te vertrekken. Meneer Bakkeveen, de sleutel moet weggebracht worden. Wilt u dat doen?'

Reinier legt zijn handen op de veel te magere schoudertjes. 'Ange, ik word zoiets als je broer. Zeg maar Reinier...' Hij buigt zich diep en kust Ange voorzichtig op één wang. 'Zusje!'

Anges ogen vullen zich met tranen. 'Ik geloof dat Susanneke boft! De sleutel moet naar de laatste caravan gebracht worden, daar woont de beheerder. Gunst, wat raar om zomaar te vertrekken...'

De bagage is snel vervoerd. Terwijl de zussen samen achter in de auto kruipen, brengt Reinier de sleutel weg.

'Heb je honger?' informeert Susanneke.

Ange lacht. 'Ik heb nooit meer echt honger. Weet je nog hoe ik vroeger eten kon?'

Susanneke neemt Ange in haar armen. 'Vanaf nu is de nachtmerrie voorbij.'

Ange knikt nadenkend. 'Dat zou ik wel willen, maar er is zo veel dat ik niet verwerkt heb. En dan dat gat in mijn geheugen...'

'We beginnen overnieuw. Kijk, daar is Reinier alweer. Op naar MaiLy!'

Susanneke heeft slechts een paar zinnen nodig om MaiLy op de hoogte te brengen.

'Ange... je meent het niet. Breng haar hier, Susan. Ik zal voor haar zorgen!'

Als was ze een dief, zo snelt Ange van de auto naar de zaak. Gebogen schouders, het hoofd omlaag.

Susanneke straalt, maar Reinier denkt: we zijn er nog niet, nog lang niet!

'Hoe vertel ik het mijn ouders?' Susanneke bijt haar lippen bijkans stuk als Reinier de Boslaan indraait.

'Kalm blijven, liefje. Als je wilt doe ik het woord...'

Rita en Jan zitten samen stilletjes in de kamer. Jan leest iets voor uit de krant, Rita staart uit het raam.

'Daar zijn de kinderen. Vreemd dat Reinier zo snel eigen is geworden!' Rita veert op. 'Ze zullen wel zin in koffie hebben, denk ik.'

Jan grijnst. 'Hoop je. Jij stopt iedereen die een paar uurtjes weg is geweest bij thuiskomst gelijk vol...'

Een plagerijtje zoals vroeger.

'Mam...' Susanneke is opgewonden. Haar ouders zien het meteen.

Rita begint te beven. 'Zeg het maar, kind!'

Zo had Susanneke het niet bedoeld, ze heeft onderweg nog zo gerepeteerd.

Jan vouwt bedachtzaam zijn krant op. 'Ga nou eerst eens zitten, juffrouw onrust!'

Susanneke schudt haar hoofd en kruipt zo ongeveer bij haar moeder op schoot. 'Mam, weet je dat je van blijdschap ook een hartinfarct kunt krijgen? Beloof me dat je kalm blijft...'

'Ange?'

'Ange, mam, ze komt gauw thuis! Zal ik maar beginnen met het te vertellen?'

Het gebeurde is gauw verteld. Details zijn er nog te over, daar moet Ange zelf mee komen. Jan heeft inmiddels een fles wijn ontkurkt. 'Waarom komt het kind niet naar huis!' zegt hij hoofdschuddend.

Reinier neemt nu het woord. 'Daar moeten we begrip voor hebben. Reken erop, mensen, dat er nog vaak vragen zullen rijzen die geen antwoord krijgen. Er is te veel gebeurd met haar. Tja, ze zal een medisch onderzoek moeten ondergaan, de pers komt over ons heen...'

Susanneke straalt. Ons, zegt Reinier. Hij hoort bij hen.

'Reken maar dat Ange bevreesd is voor wat over haar heen komt. En dan heeft Susan het belangrijkste nog niet verteld.'

Susanneke knikt. 'Mam, ze zei: mamma en pappa hebben mij uit een ver land gehaald en grootgebracht. Ze zullen nu ook mij helpen met het opvoeden van mijn kindje...'

Rita is verbijsterd. Haar kleine Ange zwanger, dat kan toch niet!

'Ze is geen kind meer, mam. En wees blij dat ze het niet heeft laten weghalen, daar zou ze nooit overheen zijn gekomen. Je wordt oma, mam!'

Rita haalt diep adem. Dit kan er ook nog wel bij. Met een steelse blik op Reinier, zegt ze: 'Ik was al oma!'

Elien, die bij Sander speelt, heeft het geluid van haar vaders wagen gehoord en hand in hand met het vriendje stapt ze de kamer binnen. 'Waar zijn de kerstspulletjes die jullie hebben gekocht?'

Susanneke kijkt even of ze het in Keulen hoort donderen. 'We hebben wat anders meegebracht. Iemand anders, Ange.'

Elien klapt in de handjes. En ook Sander slaakt een vreugdekreet. Rita kan haar teleurstelling niet verbergen. Waarom komt ze nu niet hier thuis!

Susanneke begrijpt haar moeder volledig. 'Ze handelt zo uit liefde, mam. Juist voor jullie doet ze zo! Ik baan de weg voor haar!'

Dan gaat de telefoon. Jan zit het dichtst bij het toestel. 'Ange, jij bent het, mijn lief kind...'

Susanneke stopt haar hoofd stijf tegen Reiniers borst. Als mam huilt wil ze troosten. Maar tranen op haar vaders wangen...

'We hebben liters gehuild met ons allen...'

Waarop Reinier opgewekt reageert met: 'Gelukkig dat lachen minder vochtig is, anders zouden we binnenkort verdrinken!'

MaiLy Lam heeft een wonder verricht. Anges haar is kortgeknipt in een coupe waar een kapper tevreden mee zou zijn. De kleur is als die van haarzelf en er zit warempel een beetje glans in. MaiLy zou geen boetiek-houdster zijn als ze voor Ange niet de leukste spullen uit de rekken had gehaald. Een donkere panty, een kort rokje en een ruimvallende trui van een bijzondere kwaliteit.

'Zo kun je de hele wereld onder ogen komen. Je ouders zullen verrast zijn. Wat een beetje slaap en goed eten in één dag al niet kunnen doen!' MaiLy heeft gepraat als Brugman. Ange moet zo snel mogelijk de feiten onder ogen zien en proberen de draad weer op te pakken.

'Jij krijgt maar met één ding tegelijk te maken, liefje. Kom, dan verrassen we je ouders...'

Zondagochtend, vlak voor Kerstmis. Susanneke is met haar vader naar de kerk. Rita voelt zich naar lichaam en ziel te zwak om de deur uit te gaan. En, misschien belt Ange nog. Ze is in een feestelijke stemming. Anges kamertje is kant-en-klaar, de familie en bekenden zijn ingelicht. Nog heeft ze pret als ze aan de verbaasde kreten denkt die Kees Karsemijer uitstootte toen Jan hem inlichtte. Ze hebben wat afgebeld, gisteravond.

Mark is langsgeweest. Rita heeft als enige gemerkt dat hij het best moei-lijk vindt Susanneke met een ander zo intiem te zien. Lang staat ze daar niet bij stil. Ange, alles draait om Ange. Dat was al lang zo, het zal voor-lopig niet veranderen. Het koffiefilter is gevuld, uit de diepvries heeft ze appeltaart gehaald. Het wachten is op de kerkgangers.

'Hulst...' prevelt ze. Dat staat feestelijk. In de voortuin staat een hulstboom te pronken met een kleed van rode bessen. De vogels beginnen er al aan te trekken. Eerst een grote vaas pakken. Net als ze uit het messenblok het scherpste exemplaar heeft uitgezocht, is het of er een bos hulst binnen-wandelt. Hulst met rode bessen, een kort rokje waaronder een paar grie-zelig dunne benen. Het mes klettert op de grond. Ange! 'Ange, mijn Ange!' Rita had kunnen weten dat hulst prikt, het doet echter niets af aan de onzegbare vreugde die haar overspoelt.

MaiLy pakt de takken van Ange af en loopt ermee naar de klaarstaande vaas op het aanrecht. Ze is even te veel.

'Mammie... ik heb je zo gemist!' Anges ogen kijken bang naar het gezicht van haar moeder, als zoekt ze er een verwijt in. Woede ook misschien. Maar niets van dat alles.

'Nu krijg ik je voor de tweede keer, lief kind van me!'

Ange had geen beter moment kunnen uitzoeken om huiswaarts te keren. Samen, gearmd, lopen ze naar de kamer waar het lekker warm is. 'Ik heb Susannekes dagboek gelezen, mam. Ik ben erg onder de indruk van wat jullie moesten meemaken door mijn schuld. Kunnen jullie het me echt ooit vergeven?'

Rita omarmt dit donkere kind van haar dat ze zo innig liefheeft.

'Vergeven? Ach, schat, straks als je zelf een kindje hebt, zul je begrijpen dat in situaties als deze dat woord geen inhoud heeft. Dan is er slechts liefde.'

Ange kijkt naar de piano waar Anges in alle leeftijden staan.

'Dus toch de verloren dochter...'

'Als je aan het verhaal van de verloren zoon denkt, jezelf ermee vergelijkt, zal blijken dat je niet het slechtste deel hebt gekregen. Want daar was het ook: eind goed, al goed!'

Eind goed, al goed? Vaak denkt Ange in de weken die volgen aan die woorden. Ze verbetert ze met: nu begint het pas.

De verwerking van Janos' dood, de onzekerheid waaraan ze vaak ten prooi is geweest. Wie ben ik? Wie was ik? Het terugkerende geheugen, stapje voor stapje. Ze kreeg best vriendschap en liefde van de groep, maar het was zo anders dan ze was gewend. Zelfs Janos bleek niet dezelfde te zijn als degene op wie ze verliefd was geworden.

Het kan niet anders of Amanda stort zich op Anges problemen. Ze stopt heel wat uurtjes in gesprekken. Net als dokter Branderhorst, die een uitgebreid onderzoek heeft bevolen. En alsof dat niet genoeg is, zijn er ook nog de politieverhoren. Men tracht de circusmensen te vinden, hen te confronteren met de overtredingen. Maar dit blijkt – gelukkig vindt Ange – een onmogelijke zaak. Ze heeft gebroken met de groep en wil er het liefst niet meer aan denken, maar dat lukt niet! Want trappelt er in haar lichaam niet een kindje dat circusbloed in de aderen heeft? Behalve de politie meent de pers ook rechten te hebben. Want ze waren ook goed om het nieuws wijd en zijd te verspreiden, nu willen ze het *happy end* ook aan de grote klok hangen. De familie Althuisius spant zich in om Ange te beschermen, maar dat valt niet mee. Op de meest onverwachte momenten duikt er een fotograaf op. Of een journalist stelt vervelende vragen. Is ze misbruikt? Porno misschien?

Ange zelf komt op het idee toe te geven en mee te werken aan een tv-uitzending die op oudejaarsavond zal worden uitgezonden, onder leiding van Alex Burggraaf. 'Dat klaart de lucht! En van tevoren spreken we af wat er gevraagd zal worden!'

Een rechtstreekse uitzending wordt het. Ange is haar zenuwen de baas zodra ze de eerste vraag heeft beantwoord. Ze vertelt dat ze dagelijks leest in Susannekes dagboek. 'Zo komen we weer tot elkaar. En één ding wil ik duidelijk maken: ik zou nooit, waarom dan ook, van huis weggelopen zijn. Daarvoor was geen reden. En van hieraf wil ik een oproep doen aan allen die zulke plannen wel koesteren: weet wat je de achterblijvers aandoet. Dat is niet te beschrijven.'

Ange komt aandoenlijk over. De vragen zijn goed doorgenomen, ze komt niet voor vervelende verrassingen te staan.

Of ze tot besluit nog wat te zeggen heeft?

Het is weer de oude Ange die de oogjes tot spleetjes knijpt, dan pas doet de mond mee. 'Ik ben dankbaar hier te mogen zitten. Nu ben ik in één klap over de angst voor confrontaties heen, want nu hoef ik niemand meer iets uit te leggen, iedereen heeft het verhaal kunnen horen. En ja... allen die om mij in de zorgen hebben gezeten, wil ik danken. Pappa, mamma, mijn zus en de anderen. Het spijt me. Ik hou van jullie. En ik heb ook wat geleerd, ik heb geleerd op God te vertrouwen. Toen het erop aankwam en ik in diepe nood was, begreep ik dat je erop moet vertrouwen dat Hij zorgt, als een vader. Ja, dat wilde ik nog kwijt!'

Jan en Rita zijn trots op hun dochter. Ange is terug. Ze zal het redden. Straks is ze moeder. Zelf haast nog een kind.

Toch wil ze de draad van de studie weer oppakken, desnoods een schriftelijke cursus. Net als ze de papieren daarvoor wil aanvragen, staat er een delegatie van haar school op de stoep. Jongelui uit haar vorige klas en van een groep lager.

'Ange, je hoort bij ons, we verwachten je in september terug!'

Haar zwangerschap is natuurlijk allang bekend. Er is om gegiebeld. Hoe kon ze zo stom zijn? Zo zijn er veel verschillende reacties. Had het niet ieder ander meisje ook kunnen overkomen?

Ange hoort bij hen, op school.

In de late lente wordt het kindje geboren. Het is geen zware bevalling, het meisje is niet groot en weegt nog geen zes pond. Ze is kerngezond. 'Een kleine Ange!' Rita kan haar geluk niet op. Het is voorbij. 'Ik noem het naar jou, mam, dat heb je verdiend. En naar pappa. Rie-Janneke... Leuk?'

De naam van de vader lijkt vergeten, maar niet door Ange. Zij zal hem haar leven lang in haar hart meedragen.

Susanneke voelt iets van vage jaloezie als ze haar kleine nichtje in haar armen houdt. 'Je bent mij voor, Ange!'

Waarop Ange komt met: 'Maar jouw dochter kan al lezen!'

Samen met Reinier, langzaam wandelend door de Boslaan die in feestelijk groen is gehuld, voelt Susanneke zich gelukkiger dan ooit. Ze haakt niet meer naar grootse dingen, enorme plannen hoeven ook niet. Ze hebben allen geleerd dat geluk in de kleine dingen van alledag huist. Maar toch...

'Reinier, ik zou ook wel zo'n klein kindje willen. Wij hebben het daar nooit over gehad...'

Reinier neemt haar ten overstaan van enkele voorbijgangers in de armen. 'Ik heb gewacht op een teken van jouw kant. Nu ben je zover, liefste. Je vertelt het me met je hele wezen. Wanneer trouwen we? Voor de zomervakantie?'

De rust is – voorzover mogelijk – in huis en in hun levens teruggekeerd. Nu is de tijd rijp om beslissingen te nemen.

'Wij zijn zeker van elkaar, wat staat ons in de weg?' Susanneke kijkt om zich heen, de hele natuur lijkt de adem in te houden.

'Vraag het me, Reinier daar heb ik als meisje al van gedroomd!'

Reinier buigt zich over een hegje, plukt brutaalweg een donkerroze pioenroos en valt midden op het wandelpad op zijn knieën, vlak voor Susanneke. 'Liefste Susanne, wil je met me trouwen?'

Een paar vogels scheren laag over hun hoofd, met takjes in de snavels. Ook zij bouwen hun nestje.

Enkele voorbijgangers mogen meegenieten van het schouwspel, niet wetend dat het om een huwelijksaanzoek gaat.

Het 'ja, ik wil!' wordt alleen door Reinier gehoord.

Ach, een zoenend paartje achter een dikke beuk, dat ziet men wel vaker.

Het eerste cadeautje dat Susanneke na de innige zoen krijgt, is een hart.

Een hart, gekerfd in een stam.

Daar, waar eens een poster van Ange hing, prijken nu twee namen, omlijst door een groot hart.

Ange

1

'HEB JE NIET IETS FEESTELIJKERS OM AAN TE TREKKEN?'
Rita Althuisius kijkt geërgerd naar haar dochter Ange, die gekleed in een spijkerbroek met dito blouse de huiskamer binnenkomt.
'Niet nodig. Ik wil me niet van de anderen onderscheiden. Wat had jij willen voorstellen? Een jurk met strookjes en kantjes, zoals je voor Rianneke hebt gemaakt? Dit is prima.'
Ange heft haar kin uitdagend op, steekt de handen in de broekzakken en poetst de neus van haar linkergymp schoon aan de achterkant van het in spijkerbroek gehulde rechterbeen.
Gekwetst kijkt Rita haar dochter aan.
'Doe het dan voor ons, voor pa en mij. Voor Susanneke. Het is feest, Ange. Feest.'
Ange snuift. Zo lang ze zich kan herinneren is haar moeder dol op alles wat naar feest riekt. Leuk, vaak lief. Maar ook dikwijls irritant.
'Mam...' zegt Ange nu op beheerste toon, 'wees even reëel. Ik wil me niet onderscheiden van de anderen en je weet deksels goed waarom. Ik weet dat je denkt dat ik alles net zo wil hebben als toen Susanneke haar einddiploma kreeg. Maar van mij hoeft dat niet. Laat mij nou maar in mijn eigen kloffie naar de uitreiking gaan. Alsjeblieft geen poespas...'
Gesmoord mompelt Rita: 'Trek dan alsjeblieft een schone blouse aan en een broek zonder scheur. Zoals je er nu uitziet, val je juist op!'
Ange moet toegeven dat in die redenering enige waarheid schuilt.
Het erbarmelijke huilen van een peuter doet hen beiden opschrikken. De deur wordt met een ruk opengegooid en beide vrouwen roepen gelijktijdig: 'Wat is er gebeurd?'
Anges vader, Jan Althuisius, draagt zijn krijsende kleindochter in beide armen, probeert met zijn stem boven het gejammer uit te komen.
'Niks aan de hand... ze had ruzie met een jochie op wiens trekkertje ze ervandoor ging. Alsjeblieft, deze oppas gaat zich verkleden.'
Ange steekt haar armen uit. 'Ukkepuk, wat ben je toch een driftkop. Kom maar bij...'
Het kind trapt met beide beentjes, weert Ange af. 'Ommerie... ikke wil Ommerie!'

Vertederd neemt Rita het kind van haar man over. 'Kom maar, poppie. Oma trekt jou je feestjurkje aan. Kindjes die huilen kunnen echt niet naar een grotemensenfeest!'

Rita ziet Ange niet meer staan, bekommert zich om het betraande snuitje en knuffelt net zolang tot de boosheid uit de donkere oogjes heeft plaatsgemaakt voor glimmertjes.

Anges mond vertrekt tot een streepje.

Ommerie en Rianneke. Haar kind. Háár kind! Rie-Janneke. Vernoemd naar beide adoptiefouders. Grootouders, die de functie van ouders vervullen.

Ange glipt weg uit de kamer, sluipt de trap op. Gehoorzamen aan ma; er zit niets anders op. Ze hoort haar vader fluiten in de badkamer. Haar hart verzacht zich. Ze heeft schatten van ouders, die niet verdiend hebben dat ze zich onhebbelijk gedraagt. Zoals nu.

Zuchtend stroopt Ange de geliefde broek af, trekt een vrij nieuw exemplaar aan, en om ma ter wille te zijn, plukt ze een vrolijke blouse van zuiver zijde uit de kast. Felle kleuren, die goed staan bij haar donkere huid.

'Kindje, wat ben je mooi!'

Ange komt tegelijk met haar vader de gang in.

'Kijk naar jezelf, pa! Tjonge, je ziet eruit alsof je naar een groot feest moet!'

Jan zit anders in elkaar dan zijn vrouw. Hij houdt Ange staande, trekt haar tegen zich aan. 'En ruik mijn nieuwe aftershave eens... Nou nou, kom hier mijn kind en kijk me aan!'

Ange voelt zich week worden. Lieve, trouwe pap. Een rots in de branding. Ze leunt tegen zijn borst, rolt zijn nieuwe stropdas om een vinger.

'Ahum!' kucht Jan. Hij streelt het glanzend zwarte haar en licht dan met een vinger Anges gezicht omhoog. Ange trekt haar wenkbrauwen op, haar ogen verdwijnen bijna onder de pony.

Jan plaagt, terwijl hij de pony opzijschuift: 'Doe die gordijntjes eens opzij... Rakker. Ange, het is feest. Voor ons allemaal. Voor jou het meest. Jij hebt het gepresteerd om ondanks alles je havo te doen, zelfs doorgezet tot het atheneum. Wilskracht, doorzettingsvermogen. Wij zijn trots op jou en vooral je moeder wil dit laten merken. Mopper maar niet te veel op haar. Je weet toch hoe ze is?'

Geen preek over dankbaarheid die Ange zou moeten voelen. Zo zit Jan Althuisius niet in elkaar. Vals sentiment is hem vreemd en iemand gevoelsmatig bewerken, haat hij.

Ange laat tot zijn stille vreugde zijn das met rust. Slanke armen die zich om zijn hals kronkelen. Een zijdezachte wang tegen de zijne.

'Ik ben al braaf, Janneman. Zie je wel hoe ik lach?'

Jan houdt zijn donkere dochter op armlengte van zich af. Wat houdt hij van dit kind! Een kind van bijna eenentwintig. Een vrouw. Hij glundert.

'En als iemand vandaag meer aandacht aan je geeft dan jou lief is, komt dat alleen maar omdat ze je mooi vinden. Net als ik!'

Ange schatert nu voluit, haar rechte tanden staan parelend op een rij, een cadeautje van de natuur.

'Dertien in een dozijn zoals ik. Maar kom, dan gaan we maar. Over een paar uur is alles voorbij...'

Rita en Jan Althuisius kijken verbaasd op dat Ange weigert met hen mee te rijden in de auto.

'Ik ga met de fiets, net als anders. Bovendien wacht Jollie op me.'

Niet Jollie is de reden, maar de kleine Rianneke. Ange wil door de medescholieren niet graag gezien worden met haar dochtertje. Twee werelden die ze zo graag gescheiden wil houden. Op sommige dagen is dat bijna onmogelijk. Zoals nu.

Ange rukt in de schuur haar mountainbike uit het rek, slingert een rugzakje om en haast zich de tuin uit te komen.

'Ange, wacht!'

Ange herademt als ze ziet dat het buurvrouw Rachel is die haar tegenhoudt.

'Meid, ik kan niet naar de uitreiking komen. Zonde nou toch... ik krijg onverwachts mijn broer over, je weet wel, die uit Amerika! Echt wat je noemt onverwachts. Je neemt het me toch niet kwalijk?'

Rachel is een van Anges beste vriendinnen, al vanaf het moment dat ze buren zijn.

'Natuurlijk niet... snap ik toch... Ik wilde maar dat het gedoe voorbij was.'

Ange kijkt bij het uitspreken van die woorden zo ongelukkig dat Rachel onwillekeurig in de lach schiet.

'Malle, je doet alsof je voor een tribunaal moet verschijnen. Straks heb je je diploma op zak... de wereld gaat voor je open!'

'Vast!' sombert Ange. En opeens haastig: 'Ik moet ervandoor. Tot straks dan maar!'

Rachel kijkt hoofdschuddend haar jeugdige vriendin na. Ange lijkt geboren voor problemen. Hopelijk krijgt zij de kans haar te helpen die op te lossen.

Eenmaal tussen de jaargenoten wordt Ange innerlijk wat rustiger. Ze doet haar best lichtpuntjes te zien. En bovendien is daar ook nog Jollie; sinds een paar jaar trekken ze samen op. Beiden zijn wat ouder dan de anderen. Jollie heeft met ziekte te maken gehad en is lange tijd bij haar ouders in het buitenland geweest.

Anges studietijd is uitgelopen in verband met een onverwachte en niet gewenste zwangerschap. De twee zijn elkaar tot steun geweest of, zoals Jollie het vaak noemde, de lamme helpt de blinde. 'Ange, jij bent verlamd door je verleden, ik verblind door de chaos van de lesstof! Maar samen redden we het!'

Ange aarzelt even voor ze zich bij de klasgenoten voegt. Pas als ze Jollies rechte rug voor zich ziet, herademt ze.

'Ha die Jollie!'

Jollie is niet alleen wat ouder dan de gemiddelde geslaagde, ze oogt ook zo. Ze kleedt zich anders, maakt zich bescheiden op en haar manieren lijken bestudeerd kalm.

'Jij hebt zitten stressen. En waarom helemaal?' Jollie schudt haar hoofd. 'Je bent bang voor aandacht. Bang dat iemand iets zal zeggen dat de hoofden doet draaien: o... is dat nou die Ange...'

Ange legt een hand over Jollies mond.

'Niet zeggen. Vandaag speel ik de geslaagde leerling, weet je wel? Morgen zien we verder!'

Beiden worden opgenomen in een groep die richting aula loopt.

'Ik benijd je, Ange, jouw familie is tenminste aanwezig. De mijne zit in het Midden-Oosten! Trouwens, mijn vader heeft een aanbod: ambassadeur in een Amerikaanse staat. Wedden dat hij het doet?'

Ange vindt Jollies achtergrond boeiend. Ze heeft veel gereisd, komt uit zo'n geheel ander milieu dan zijzelf.

'Daar is je zus!' zegt Jollie opgewekt.

Anges zus die getrouwd is met de gymnastiekleraar Bakkeveen, straalt aan alle kanten. 'Ange, wat hebben we naar deze dag uitgekeken! Eindelijk verlost van de gehate schoolbankjes!'

Susanneke Bakkeveen-Althuisius omhelst haar zus spontaan.

'Ik kon geen oppas krijgen... het lukte op het laatste moment. Maar hier ben ik dan! Zijn pa en mam er al? Hebben ze Rianneke bij zich?'

Ange wijst met een duim over haar schouder. 'Ik zag net een glimp. Als ze maar niet denken dat ik bij hen ga zitten!'

Susanneke knikt begrijpend.

'Je bent toch vrij om te doen wat je wilt. Ik zie je straks!'

Jollie trekt Ange mee naar een rij stoelen vlak bij het podium.

'Die zijn voor ons. Ik ben benieuwd hoe de leraren reageren op de 'valse' dichtkunst van onze groep!'

De stemming is opgewekt, af en toe klinkt gelach op. Een vrolijk soort spanning is voelbaar.

Zoals verwacht vindt de opening minuten later plaats dan gepland. De rector wordt met applaus ontvangen, sommige jongelui stampen in een gescandeerd ritme met hun voeten.

Jollie mompelt: 'Ik begin me echt te oud te voelen voor deze kinderschaar!'

Ange knikt, ze schrikt als ze een kinderstemmetje hoort schallen. Natuurlijk Rianneke. Waarom moest dat kind zonodig mee!

De speech van de rector is kort, spitsvondig en boeiend. Na zijn openingswoord spreekt de schooldominee een gebed uit, waarna de festiviteiten een aanvang kunnen nemen.

Allereerst is daar de zanggroep die in de loop van de jaren zoveel ervaring heeft opgedaan, dat hetgeen ze nu ten gehore brengen bijna professioneel is.

Al met al duurt het toch nog behoorlijk lang voor eindelijk de diploma's kunnen worden uitgereikt. Vooral door de voordrachten, waarin de gedragingen van de leraren worden gehekeld. Alles mag en kan nu immers! Ange heeft met haar zus Susanneke te doen als diens man, Reinier Bakkeveen, een paar vegen uit de pan krijgt.

'Eigenlijk een beroerde baan, leraar!' huivert Ange.

Jollie grinnikt: 'Ze kiezen er toch zelf voor! En de vakanties maken veel goed!'

Ange voelt de spanning stijgen. Hopelijk is de uitreiking alfabetisch gerangschikt.

Helaas is er een pauze ingelast, er wordt rondgegaan met koffie, thee en fris.

'De verkoop van de koeken is voor een goed doel, een project in een Afrikaans kindertehuis,' roept een jeugdige stem door de krakende microfoon.

Ange dwingt zich even om te kijken. Op de achterste rij zitten haar ouders, Susanneke en de kleine meid. Rianneke heeft haar ontdekt en wuift. Het kind is een ster in het creëren van bijnamen. Oma Rita is Ommerie, haar moeder Ange: Mamange.

Ange voelt het aankomen. Het schelle stemmetje dat roept: 'Mamange, hier zitten we!'

Ange duikt weg. Spottend komt Jollie: 'Kind, je gedraagt je alsof we in de jaren vijftig vertoeven!'

Ange is dankbaar dat de pauze eindelijk wordt beëindigd.

De rector neemt de plaats op het podium achter de lessenaar in. Zijn blikken glijden over de hoofden, hij knikt tevreden.

'Lieve mensen, jongelui, jullie kunnen me geloven of niet, dit is voor mij de mooiste dag van het jaar!'

De schooldirectie mag dan ook dankbaar zijn. Het percentage geslaagden is dit keer hoog.

'Alfabetisch!' verzucht Ange dankbaar als Job Aarends als eerste naar voren wordt geroepen.

Job Aarends krijgt zijn papiertje niet zonder meer overhandigd. De begeleidende preek is op hem afgestemd en uitgebreid. Een flitslicht helt op, er wordt druk gekiekt.

'Althuisius, onze eigen Ange Althuisius! Waar zit ze, de trots van ons jaar!'

Gezwollen taal. Ange krimpt ineen. De trots. Het mocht wat! Haar lijst was niet slecht, maar lang niet de beste.

De rector grijpt Anges beide smalle handen. Het wordt griezelig stil in de zaal. Anges ogen kijken smekend in die van de rector. Maak het kort, zou ze willen roepen. Maar dat is de rector niet van plan.

'Doorzettingsvermogen! Hier staat de verwoording van dat begrip. Velen van u kennen Ange persoonlijk. Anderen misschien uit verhalen. Zoals zij zich na haar ontvoering destijds heeft weten terug te vechten naar het schoolleven is een vermelding waard. We praten er nooit meer over, Ange. Maar de feiten liggen er. En nu op deze bijzondere dag, wil ik jou extra aandacht geven. Omdat je een voorbeeld voor anderen bent. De tanden erin, tegenslagen overwinnen. Eerst je havo. Nu het atheneum. Helaas heb je niet gekozen voor een vervolgstudie. Maar ik weet zeker dat wat jij ook moge ondernemen, een succes zal worden. Karakter verloochent zich nooit! Je bent een 'winner'.'

De rector neemt de trillende handen van Ange in de zijne, heft de handen omhoog.

'Wij hebben jou de jaartrofee toegekend. Niet omdat je de beste studieresultaten hebt behaald, maar vanwege je instelling!'

De conciërge reikt de rector een zilveren beeldje op sokkel aan: het schoollogo. Een opspringend mensenkind, met in een hand een studieboek. De naam van de school is knap door de kunstenaar in het silhouet verwerkt.

Ange denkt de klassieke woorden: als nu de grond zich eens onder haar voeten mocht openen. Waarom de ellende waarmee ze nog dagelijks tobt, publiekelijk verwoorden? Vanwege de sensatie? De ontvoering, de reden ervan. Haar diepe liefde voor de circusartiest, de vader van Rianneke. Een ongeluk dat tot geheugenverlies leidde. Uiteindelijk waren het haar zus en zwager die haar wisten te redden. O, ze moet dankbaar zijn. Dankbaar aan haar ouders, die Rianneke hebben verzorgd zodat zij kon leren.

Een trofee. Ze wil dat ding niet hebben! Stel dat ze ervoor bedankte...

De rector 'zwamt' nog even door over normen en waarden. Nee, Ange krijgt haar diploma niet geruisloos aangereikt.

Het verleden wordt opgerakeld, gebruikt om het heden ermee te kleuren. Voor haar heeft deze dag alle glans – voor zover aanwezig – geheel verloren. Een pagina uit een roddelblad. Er zal weer over haar worden gepraat, net als toen. Stemmen die zwijgen als ze passeert.

'Het is mij een eer, Ange Althuisius, om jou niet alleen onze trofee te overhandigen, maar ook je diploma. Ik zou zeggen: doe er wat mee!'

Applaus. De kwelling is bijna ten einde.

'Mamange!' roept Rianne. En Ange, Ange kijkt niet om. Ze distantieert zich van haar dochter, terwijl er vertederende geluiden opklinken.

Opeens is daar Susanneke, haar zus. Een arm om haar heen.

'Gefeliciteerd!'

Bloemen voor Ange.

De rector doet een stap opzij en knikt instemmend.

Susanneke kent haar zus als geen ander. Ze buigt zich over naar de microfoon en zegt quasijolig: 'De woorden blijven mijn zus in de keel steken, begrijpelijk! Namens haar bedankt...'

Meteen daarna fluistert ze Ange in een oor: 'Ik wist er echt niets van, net zomin als Reinier. Kom op, het is voorbij.'

Ze trekt Ange van het podium af en leidt haar terug naar haar plaats. Overal ogen die hen volgen. Gefluister.

Susanneke werpt een niet mis te verstane blik over haar ene schouder richting rector. Als vrouw van een leraar behoort ze haar plaats te kennen. Maar het liefst zou ze na afloop protest hebben aangetekend. Door Ange zo in het middelpunt te plaatsen... De kwetsbare Ange confronteren met de donkere bladzijden uit haar leven.

Jollie Kramer neemt het beeldje van Ange over en laat het in haar tas glijden.

'Je bent een kei, kop op, meid!'

Susanneke deelt niet de trotse gevoelens die haar ouders ongetwijfeld koesteren. Het succes van Ange straalt op hen af, dat is waar. Ze neemt zich voor via haar man alsnog een woord van kritiek te plaatsen, desnoods onder vier ogen. Maar het kwaad is geschied.

Halverwege de uitreiking wordt nogmaals gepauzeerd.

'Jij wilt nu weg!' stelt Jollie vast en Ange, Ange knikt stom.

'Laf. Of niet!'

Jollie schudt haar hoofd. 'Ik ga met je mee. Van mij hoeft het ook niet meer!'

Zonder van wie dan ook afscheid te nemen, vertrekken beiden via een zijdeur. Buitengekomen haalt Ange diep adem.

'Mijn ouders zullen mij dit niet in dank afnemen. Ze hebben ook bloemen bij zich... straks zoeken ze mij.'

Jollie slaat haar armen om de ontredderde Ange heen.

'Ik ga zo meteen wel even naar ze toe om te vertellen dat het jou te veel is geworden. Weet je wat? We pikken een colaatje bij Michel. We vieren het afscheid op onze eigen manier. Gaat het weer?'

Ange wacht, geleund tegen een muur die heet is van de zomerzon, tot Jollie terug is.

'Ze begrijpen het best, maar blijven zelf nog even zitten om niet de aandacht te trekken. Besef je wel dat we hier nu voor de laatste keer samen over het plein lopen?'

Naast elkaar fietsend vinden ze hun weg naar hun stamcafé Michel.

'Als ik alles had geweten, was ik niet gegaan. Raar... ik had onbewust een voorgevoel.'

Jollie heft haar glas.

'Op ons. Op de toekomst, Ange. *Forget it*. Vanavond heb je thuis je eigen feestje. Ik kom zodra ik met mijn ouders heb gebeld. Weet je wat wij moesten doen? Er samen een weekje of wat tussenuit. Goed voor jou. Jij vooral hebt tijd nodig om je te bezinnen op de toekomst. Mijn oma is een paar maanden naar mijn ouders, ik heb de sleutel van haar huis in Scheveningen. Zullen we het doen? Samen vakantie vieren? Je hebt oppas voor Rianneke...'

Ange stoot met haar ene voet tegen de tas waar de gehate trofee in zit.

'Het is zo dubbel, mijn levenstreintje ontspoort steeds. Scheveningen? Ik wil best. Mijn ouwelui hebben een bungalow ergens in Limburg besproken, daar gaan ze heen met Susanneke, Reinier en hun kroost. Ach, je hebt gelijk. Ze kunnen best zonder mij...'

Wat Jollie betreft, is de afspraak gemaakt. 'Ik vraag het straks aan oma. Voor de vorm, de schat vindt toch alles goed wat ik doe!'

Samen fietsen ze door de straten naar de Boslaan, waar Ange sinds haar adoptie woont. Ze wijst naar de gevel van het vooroorlogse huis, waar gelukkig geen schooltas aan een stok hangt.

'Ik heb mijn moeder laten beloven dat ze geen poespas zou uithalen. Het is toch zo'n feestdier!'

'Maar een lieve!' vindt Jollie. 'Tot straks, Ange! Enneh... kijk wat vrolijker.'

Ange stapt af om het tuinhekje te openen. Pa heeft het onlangs vernieuwd in verband met uitbreekpogingen van Rianneke. Als Ange het

hekje automatisch goed sluit, overvalt haar een beklemming.
'Wat nu!' mompelt ze. Hoe nu verder?
Haar schouders zakken moedeloos omlaag, het grind op het tuinpad lijkt
niet om door te komen. Een succes is behaald. De finish gepasseerd, ze
heeft de trofee in de tas. De toekomst lijkt een grijs, grauwend dier met
een enorme muil en een verlangen om haar in een snelle beweging op te
slurpen.
Even zich verstoppen voor dat monster. Welja! Een vriendin met een huis
in Scheveningen is zo gek nog niet.

2

HET IS STIL RONDOM HET HUIS.
Ange noemt het voor zichzelf zomermiddagstilte. De warmte hangt
loom tussen het groen en maakt dat sommige planten hun kopjes laten
hangen.
Vanavond, na zonsondergang, zal pa sproeien, weet ze. Zorgvuldig, plant
na plant, struik na struik. Heerlijk zoals het dan ruikt.
Ange poot haar fiets in de schuur, een vaste gewoonte. Hoeft ze er straks
niet meer voor in de weer. Ooit is er een fiets van haar gestolen en dat
gebeurt, als ze het kan verhoeden, geen tweede keer.
'Sufferd!' roept ze hardop. Natuurlijk geen sleutel. Ze is vanmiddag vertrokken zonder haar handtasje. Normaal gesproken is mam thuis.
Eigenlijk komt ze nooit voor een dichte deur.
Als ze nog een onparlementaire kreet heeft geslaakt, doet een onbekende stem haar opschrikken.
Vreemd toch dat haar schrikreacties zo heftig blijven! Ze kijkt om zich
heen, ziet nergens een mens die bij de stem hoort, tot haar oog op de heg
tussen hun tuin en die van de buren valt.
Het gat – de kortste route naar Rachel – is gevuld met de bovenkant van
een mannenfiguur.
'Is het allemaal zo erg?' roept een sympathieke stem. De 'r' klinkt ver-
basterd en op slag weet Ange met wie ze te doen heeft. De broer van
Rachel.

De man wurmt zich nu met moeite geheel door de heg, wat takjes moeiteloos doet knappen.

'Hé, dit is een privé-doorgang, bestemd voor mij en mijn kleine buurvriendje!' lacht ze.

'Jij bent Ange, Rachel heeft me over je verteld. Gefeliciteerd, Ange!'

Ange bloost. Rachel heeft verteld. Alles? Of alleen maar een paar luchtige dingetjes?

'Dank je. Het is een verlossing om van de schoolboeken verlost te zijn!'

De Nederlandse Amerikaan staat nu in zijn volle lengte voor Ange. Een niet onknappe man met een brutaal gezicht. Slordig haar en sportief gekleed. Hij steekt een hand uit.

'Ik ben Stef Dubois en voor een paar maanden je buurman!'

Ange kijkt verlegen op.

'Welkom dan maar. Ik hoorde van Rachel over je. Eh... is ze niet thuis?'

Stef schudt zijn hoofd.

'Ze is Sander halen. Hij is zwemmen en ik heb een dutje gedaan. Je weet wel: jetlag. Tot ik door een jongedame werd gewekt!'

'Nou ja...' verontschuldigt Ange zich. 'Als je je eigen huis ook niet in kunt...'

Stef biedt Ange op zijn vlotte manier een drankje aan.

'Wat let je? Je weet de kortste weg!'

Achter elkaar kruipen ze door het gat. Ange giechelt: 'Je breekt onnodig takken. Ga in het vervolg maar via het hekje.'

Stef trekt Ange omhoog, kijkt haar plagend aan. 'Zou jij dat leuk vinden, als ik die weg vaak zou benutten?'

Ange laat zich op een van de witte tuinstoelen vallen.

'Misschien!' zegt ze voorzichtig.

Stef kuiert naar binnen en komt terug met twee longdrinkglazen waarin ijsklontjes ritmisch tinkelen.

'*Here you are, lady.*'

Stef laat zijn lichaam neer op een linnen klapstoel die kraakt onder zijn gewicht.

'Op je toekomst! Ga je studeren?'

Ange luistert geamuseerd naar zijn niet accentloze Nederlands.

'Ik peins er niet over! Zoals je misschien van Rachel weet, heb ik een dochter!' Zo, dat is eruit. Vanonder haar pony gluurt ze hem aan. Geen duidelijke reactie.

'Dat is geen reden om niet te gaan studeren. Misschien krijg je later spijt!' Ange schudt gedecideerd haar hoofd. 'Je lijkt mijn moeder wel... Ik zou in de eerste plaats niet weten wat ik zou moeten gaan studeren. Bovendien valt het ook met een bul op zak niet altijd mee om een baan te vinden!'

Stef vertelt hoe zijn leven is verlopen. 'Vlot afgestudeerd, voor de 'aardigheid' er een jaartje Amerika aangeknoopt. Even buiten de deur neuzen. En wat gebeurde? Ik kwam via een vriend in zaken terecht waar ik absoluut niet voor gekozen had. Wat bleek? Deze *boy* is een perfecte inkoper. Een paar treden van de maatschappelijke ladder nam ik moeiteloos.'

Ange luistert geboeid, kauwt zonder erbij te denken de ijsklontjes tussen haar kiezen fijn.

Moeiteloos. Het klinkt niet eens opschepperig, vindt ze.

'Het vervolg ging minder vlot, ik moest cursussen volgen *and so on*. Daarom ben ik hier. Een kijkje nemen bij een dochtermaatschappij. Rapporten maken. Maar eerst... eerst even een paar weekjes vakantie!'

Ange knikt.

'Je hebt geluk gehad. Niet iedereen heeft een kruiwagen. Ik stel geen hoge eisen. Niet meer...'

Ze zwijgt abrupt. Het moeder worden en zijn heeft haar veranderd. Een tienermoeder, dat was ze. Gelukkig kende ze dankzij haar ouders geen geldelijke problemen.

'En de liefde? Stel je daar ook geen hoge eisen aan?' vist Stef op zijn vrijmoedige wijze.

'Jij durft!' Ange zet haar glas op de tafel.

Stef lacht gemoedelijk. 'Zonder durf kom je nergens. Bovendien heb je een kind, groen ben je dus niet!'

Ange voelt dat ze het kookpunt bereikt. Ze staat op en kijkt neer op de zittende man, wat een goed gevoel geeft.

Dat duurt overigens maar even, want zodra Stef ook staat, krimpt ze innerlijk ineen.

'Tot ziens, meneer!' Ze wendt zich rap om, duikt naar de heg en is verdwenen. Achter zich hoort ze Stef lachen. Waarom is ze toch niet vlotter gebekt en waarom zo kwetsbaar?'

'Ange...'

Gelukkig, haar ouders zijn er met Susanneke en haar man. Rianneke wordt door opa gedragen. Een slapend kopje tegen zijn schouder.

'Ik had geen sleutel!'

Alsof er niets bijzonders is voorgevallen, zo gedraagt het gezelschap zich. Alleen Susanneke laat zich kennen.

'Het is passé, Ange! Een streep eronder. Kom, laat ons feesten!'

Rianneke wordt op de bank in de kamer gelegd. Heerlijk koel is het daar.

'Laten we binnen blijven!' stelt Ange voor. 'Het is buiten veel te warm! Willen jullie mijn lijst niet zien?' Ze kletst aan een stuk door. Niet naar buiten waar de kwetsende Stef hen kan horen.

'En je trofee, lieverd,' glundert Rita.

Zwager Reinier legt een arm rond Anges schouders.

'Je bent fantastisch, en je moet me geloven dat ik niets wist van de ver-kiezing. Als dat wel zo was, zou ik er een stokje voor hebben gestoken!'

Rita reageert verontwaardigd: 'Het is juist iets om trots op te zijn! Wat jou, pa?'

Pa mompelt iets over koffie en thee.

'Ik ga naar de keuken. We bewaren de wijn maar voor vanavond.'

Ange bekijkt de trofee, de lijst en het diploma.

'Het is zo'n raar gevoel om opeens verlost te zijn van die boekentroep! Geen uittreksels meer, geen scripties,' zegt ze.

Rita knuffelt haar dochter.

'Over twee weken trekken we er heerlijk op uit met ons allen. Je hebt toch wel zin?'

Ange overlegt met zichzelf of dit het juiste moment is om over Scheveningen te beginnen. Misschien komt het er later niet meer van.

'Natuurlijk mam. Alleen, ik heb er behoefte aan om even alleen te zijn. Vandaar dat Jollie heeft bedacht dat we het huis van haar oma in Scheveningen kunnen lenen.'

Rita kijkt verbaasd. 'Maar dan ben je toch ook niet alleen? Ik bedoel: als je met Jollie gaat.'

Susanneke schikt gebak op een schaal.

'Mam, Ange is op het randje van een overspanning, dat is iedere examen-kandidaat. Niks bijzonders, mam. Laat haar toch even relaxen zonder de zorg voor Rianneke...'

Rita krijgt rode vlekjes in haar hals.

'Ja maar... ik zorg toch altijd voor het kind? Waarom dan...'

'Gebak. Kom, Rita, schenk jij de koffie?'

Rianneke wordt wakker en vraagt limonade. Rita vliegt naar de keuken en voor het eerst krijgt Ange een kriebelig gevoel ten aanzien van haar moeder. Rianneke wordt op haar wenken bediend. Verwend. Zo deed mam vroeger beslist niet voor haar en Susanneke!

'Laten we het even over vanavond hebben!' Susanneke brengt het gesprek handig op een ander thema.

'Het zal wel een soort instuif worden, niet? Komende en gaande geslaag-den?'

Ange schudt haar hoofd.

'Er is volgende week een feestje, maar daar gaan Jollie en ik niet heen. Zo'n kinderachtig gedoe.'

Reinier grinnikt. 'Jij bent ook al zo'n bejaarde dame, ik kan me er wat bij voorstellen. Kom, Susan, het is onze tijd. Mensen, tot vanavond!'

Rianneke heeft zich hersteld en duikt met haar poppenwagen de tuin in. Ange hoort haar om de buurjongen roepen, haar grote vriend van bijna acht jaar die binnen de tuinhekken graag met Rianneke speelt. Daar waar de straat begint, houdt de liefde op.

'Sa-han-der!' galmt Riannekes ijle stemmetje.

Ange loopt haar moeder na als deze richting keuken gaat.

'Mam... je begrijpt het toch wel. Voel je je nu gekwetst of zo? Ik weet dat ik zonder jou nergens was en ik ben heus dankbaar, echt.'

Rita reageert spontaan. 'Het was alleen even schrikken omdat ik dacht... maar dat doet er niet meer toe. Susan heeft gelijk. Jij moet je eens even losmaken van alles en iedereen. Je wilt je toekomst overdenken, is het niet? Vergeet nooit: wij zijn er altijd voor je. Ook als je wilt gaan stude-ren. Stil nou...' Een bezwerende hand. 'Ik bedoel geen universiteit. Maar gewoon... de een of andere beroepsopleiding!'

Ange pikt een appel van de fruitschaal en doet quasi onverschillig: 'Ik zie wel...'

Buiten hoort ze Sander driftig converseren met zijn oom, Rianneke schatert.

'Ga lekker buiten zitten, ik zorg voor alles,' adviseert haar moeder.

Ange schudt haar hoofd.

'Ik wilde nog even naar de boetiek. MaiLy heeft me iets feestelijks beloofd als examencadeautje! Even aan pa vragen of ik met de auto mag!'

MaiLy Lam drijft al jaren een exclusieve kledingzaak niet ver van het centrum. De grote overeenkomst die de basis van de vriendschap tussen Ange en haar vormt, is hun gelijkheid van ras. Later kwamen er andere motieven bij. Ange weet dat ze bij MaiLy altijd terecht kan. Het leeftijdsverschil is vervaagd sinds Ange noodgedwongen innerlijk een grote sprong heeft moeten maken.

Op warme zomermiddagen is het niet druk in de boetiek en MaiLy is zelfs blij met de afleiding.

'Gefeliciteerd, meid! Kom mee, ik heb een cadeautje voor je. De blouse die je nu aanhebt, zal erbij in het niet vallen!'

Ange laat zich graag verwennen door MaiLy, die precies haar wensen kent.

'Kijk, hoe vind je dit?'

Ange staart met grote ogen naar het feestelijke jurkje dat in een paskamer aan een hanger pronkt.

'Wat een kleuren, wat mooi, MaiLy! Als ik nou gezakt was?'

MaiLy frunnikt de knoopjes van Anges blouse – ook afkomstig uit de boetiek – open.

'Dan was het een troostprijs geweest. Deze japon is geknipt voor een dag als vandaag. Letterlijk. Zomers, feestelijk. Fijne kleuren die bij jou horen. Oei, wat kleef je! Het is ook zo warm, niet?'

Even later staart Ange naar haar eigen spiegelbeeld.

'Dit is heel mooi, MaiLy. Chic! Volwassen... Ik... ik weet niet wat ik moet zeggen. Je bent een schat...'

MaiLy straalt. Heerlijk vindt ze het om mensen mooier te maken. Maat en leeftijd doen er voor haar niet toe.

'Je hebt een prima confectiemaat, Ange. Je doet hem toch wel aan vanavond? Anders kom ik niet,' dreigt ze.

Ange zegt plechtig: 'Zonder jou zou het geen feest zijn. Ik eh... ik moet je wat vertellen, MaiLy... Ik ben zo gekwetst. Niet dat feit maakt me bang. Maar het idee dat ik zo kwetsbaar ben. Wat moet ik er toch mee aan! Onderhuids ben ik altijd bang... altijd op mijn hoede. Kon je stukken van het leven na ze uitgegomd te hebben maar overdoen!'

MaiLy luistert naar Anges relaas; ze kan zich zo de ontreddering voorstellen.

'Jij wilt sinds de affaire met het circus het liefst in een hoekje wegkruipen. Dat gaat niet, Ange. Maar nu is het de tijd niet om erover door te praten. Ik zie een paar klanten aankomen. Hier worden we steeds gestoord. We maken een afspraak en dan praten we alles nog eens door.'

Ange knikt dankbaar. Net als ze de kleedkamer wil induiken om de japon uit te trekken, stuift een klant op haar af.

'Wat zij daar draagt... hebt u dat in mijn maat? Zoiets zoek ik al tijden!' MaiLy moet nee verkopen.

'Dit japonnetje is speciaal voor mevrouw daar ontworpen. Doorgaans verkoop ik confectie, maar een enkele keer glipt er iets exclusiefs binnen. Ik heb best wel een jurkje dat ernaast gelegen kon hebben!'

Ange glimlacht fijntjes. Die MaiLy. Op subtiele wijze weet ze haar klanten te binden.

Terwijl Ange in haar eigen kleding schiet, plukt MaiLy het jurkje van de hanger en neemt het mee om in te pakken. 'Tot vanavond!' fluistert ze Ange toe.

Op lichte voeten zweeft Ange de zaak uit. Assepoes die naar het bal toe gaat. Haar eigen bal. Misschien komt die veramerikaanste broer van Rachel wel om het hoekje kijken. Zeker weten dat ze hem op afstand houdt!

Niet alleen Ange, maar ook Jollie mag er zijn. Haar moeder heeft uit Israël een hautecouturepakje gestuurd.

'Maar dat van jou, Ange, verslaat het mijne. Ik ben zo gewoon om te zien, jij hebt dat oosterse, dat mystieke!'

Ange schatert haar tanden bloot.

'Malle, dat verzin je, of heb je dat ergens gelezen? Ik en mystiek! Ik ben jaloers op jouw blonde haar. Het mijne is glad als spek!'

Samen staan ze voor de spiegel in Anges slaapkamer. Zij aan zij, om samen in beeld te komen.

Opeens ernstig zegt Jollie: 'Laten wij ophouden te zeuren over onzinnigheden als uiterlijk en zo meer. Als je maar lekker in je vel zit, tot je doel komt, jezelf vindt!'

Ze loopt naar het wijdgeopende raam en bestudeert de omgeving.

'Oma vond het goed dat we in haar huis komen. Ik had niet anders verwacht. Als het zulk weer blijft, boffen we. Zeg...' Jollie dempt haar stem, 'wie is dat stuk daar? Wat een...'

Ange staat al naast haar en kijkt vol afschuw naar Stef Dubois, die vrolijk met haar vader komt aanwandelen, in zijn hand een boeket.

'Een broer van de buurvrouw. Een kwal...' Het komt er aarzelend uit.

'Geloof ik.' Jollie lijkt opeens van Ange weg te drijven. Ange heeft al vaker gemerkt dat de oorzaak ligt in de confrontatie met een man die in Jollies lijn ligt.

'Je mag hem hebben!' doet ze royaal, alsof ze wat te schenken had!

'Dames! Hoe gaat het?' Stef kijkt omhoog, gebiologeerd door de frisse, jonge vrouwengezichten.

'Wie heeft je uitgenodigd?' roept Ange vrijmoedig.

Jollie geeft haar een stomp in de zij. 'Zoiets laat je toch niet gaan...' sist ze tussen haar tanden. 'Zo'n man is een gift!'

Ange voelt verzet. Ze haat dit soort spelletjes. Aantrekken, afstoten. Elkaars terrein verkennen. Kortom, flirten. Ze heeft te veel meegemaakt. Echte liefde gekend, al was het maar heel kort.

Jollie grist haar toiletspullen uit haar elegante tasje dat van zilver lijkt. Zorgvuldig maakt ze zich op en hoort amper wat Ange zegt.

Ange trekt haar neus op. Ze bekijkt zichzelf langs Jollie heen. Haar jurk overtroeft die van Jollie, maar voor de rest... ze draait nonchalant het halflange haar in een wrong. Helaas heeft ze geen spelden om het vast te zetten. Uit een la van haar commode vist ze een haarband en schuift die op de juiste plaats.

'Wat heb je...? O, wat schalks staat dat,' bewondert Jollie als ze Anges arm pakt om naar beneden te gaan.

Ange peinst over het woord schalks.

'Waar haal je het vandaan,' bromt ze.

Rianneke staat beneden aan de trap hen op te wachten.

'Ikke mag van Ommerie net zo lang wakker blijven tot... tot ik ombommel van de slaap. Zegt Ommerie. Wat ben je mooi, Mamange!'

Jollie hurkt bij het kind neer.

'Jij bent ook zo mooi. Geef Jollie maar een handje, dan gaan we samen de tuin in.'

Een kind aan de hand flatteert, vindt Jollie. Ange weet dit, laat haar begaan en slentert achter de twee naar buiten.

De eerste gasten zijn gearriveerd. Jan Althuisius heeft stoelen en tafels bij de buren rechts en links geleend. Het belooft een drukte van jewelste te worden. Ange is sinds het drama van haar verdwijning zo'n beetje 'ieders kind' geworden. Heel de buurt heeft zich ingespannen om de familie destijds te steunen en licht in de zaak te brengen. Ange ondergaat de belangstelling gelaten.

Jollie hoeft geen moeite te doen om Stefs aandacht te vangen. Stef weet meteen de juiste toon te vinden en Ange denkt: 'Zo meteen gaat hij nog kraaien.'

Nog meer bloemen krijgt ze en de pakjes stapelen zich op. Rachels man Daan komt met lampions aanzetten en roept alles wat man is om te helpen.

'Vooruit, lui, die dingen moeten in de bomen en aan de muren!'

Rita loopt met een rood hoofd rond. Ze is in hart en nieren gastvrouw, bij haar mag er niets misgaan. Als het cateringbedrijf in een busje voorrijdt, slaakt ze een zucht van verlichting.

Het gemak dient de mens. Het verzorgen van de avond kost op die manier het nodige, maar het is het waard!

Ange heeft het naar haar zin, dat ziet ze in één oogopslag.

'Wat zie je er mooi uit. Zeker een cadeautje van MaiLy!'

Susanneke komt de keuken binnen, haar kleine zoon Jan-Jaap aan de hand. Achter haar het meisje uit een eerder huwelijk van Reinier.

'Maar jullie mogen er ook zijn. Elien is net een prinsesje.'

Susanneke glimlacht. Ze stuurt de kinderen naar buiten. 'Ga maar naar Sander en pas goed op Jan-Jaap!' Dan zegt ze: 'Ik kom je helpen, moedertje! Ga naar buiten en geniet een beetje!'

Tot Jollies teleurstelling wint Ange het die avond van haar: Stef is niet bij haar weg te branden. Wat heeft zij wat ik mis? vraagt Jollie zich af. Het zal het mysterieuze zijn dat Ange onbewust uitstraalt.

Jollie vernedert zich niet door Stef achterna te lopen, dat vindt ze stijlloos. Ze is per slot van rekening gekomen om het succes van hen beiden te vieren, niet om op mannenjacht te gaan!

Aanvankelijk is Ange niet zo blij met de aandacht van Stef Dubois. Het lukt haar niet hem te ontlopen. Ze moet toegeven dat hij een bepaalde spanning bij haar weet op te roepen. Wanneer het bedtijd voor Rianneke is, vlucht Ange met het kind naar boven.

'Ommerie...' zeurt Rianneke.

Ange geeft geen krimp. 'Oma is druk. Kom op, je mag zo je bed in. Zonder tandenpoetsen!'

Rianneke is slap van vermoeidheid en daarom gewillig.

Ange frist zich wat op in de badkamer, een tipje verse parfum, een vleugje lippenstift. Onder aan de trap wacht haar een verrassing.

'Ange!' Een ernstig kijkende Stef. 'Ik heb je pijn gedaan, vanmiddag. Ik gooi wel vaker iets ondoordacht eruit. Ik neem mijn woorden terug!'

Ange is blij met het schemerlicht.

'O... Na...natuurlijk! Ik was het al vergeten!' jokt ze. Staand op de tweede traptree, is ze op ooghoogte met de man tegenover haar.

'Opnieuw beginnen? Even kennismaken!' Een ferme handdruk, een onverwachte kus op een warme wang. 'Mijn naam is Stefan Dubois. Met wie heb ik het ongelooflijke genoegen?'

Ange giechelt: 'Mallerd!'

Stef doet een stap achteruit, steekt beide armen uit.

'Kom op, Ange, waag de sprong in de toekomst! Ik laat je niet vallen!'

En Ange, Ange kan niet anders dan springen, recht in Stefs armen.

3

HET BLIJFT ZOMER. IN EEN BOVENSTEBESTE STEMMING RIJDEN ANGE EN Jollie richting kust.

'We gaan niet op vakantie, maar in retraite,' heeft Jollie halverwege beweerd. 'In tijdelijke afzondering. En wee je gebeente als je begint te zeuren over Rianneke of schuldgevoelens toont!'

Dat is Ange niet van plan. Ze heeft even tijd voor zichzelf nodig, hoe egoïstisch dat ook mag klinken. Nee, als ze echt vakantie wilde, zou het doel minstens Zuid-Frankrijk zijn geweest.

Jollie rijdt snel maar voorzichtig. Ze heeft op haar laatste verjaardag van haar ouders een wagentje gekregen.

'Heerlijk toch, dat ouderlijke schuldgevoel!'

Ange kan er niets aan doen dat haar gedachten toch telkens naar huis reizen. Naar Rianneke, die nauwelijks afscheid van haar heeft genomen. Naar haar moeder, die de opvoeding van Rianneke als levensdoel lijkt te hebben. En o ja, dan is daar natuurlijk ook de aantrekkelijke Stef Dubois. In niets doet hij Ange denken aan haar eerste grote liefde. Stef is zelfverzekerd, terwijl Janos het tegenovergestelde was.

Ange dringt de herinneringen weg. Het verleden heeft haar niets te bieden, behalve Rianneke. Ooit zal Rianneke vragen gaan stellen over haar *roots*, zoals ze zelf ook deed in de puberteit. Maar zover is het nog lang niet.

Vlak voor Den Haag wordt het verkeer merkbaar drukker, maar Jollie rijdt verbeten door en haalt in waar mogelijk is, terwijl haar kaken driftig een kauwgum bewerken.

Zodra Scheveningen op de borden verschijnt, begint Jollie te stralen.

'Ik ben een kind van de zee. Heerlijk, heerlijk! Ook al regent het pijpenstelen. Ik ben vroeger heel vaak bij oma geweest als mijn ouders in het buitenland zaten en ik vakantie had van het internaat. Liever bij oma dan naar het een of andere vakantiekamp. Kijk, daar staat het al, Scheveningen-strand!'

Ange richt zich wat op teneinde de omgeving beter in zich te kunnen opnemen.

Oude huizen, begin negentienhonderd gebouwd. Hier en daar is een nieuw pand in oude stijl opgetrokken, elders zijn woningen duidelijk gerestaureerd.

'Ik ruik de zee,' beweert Jollie en schuift haar zonnebril tot boven op haar kruin. 'Je kunt hier heerlijk uitgaan. Ik zal je laten zien wat uitgaan is!'

Ange bromt wat binnensmonds. Ze hoeft niet zo nodig. Ze wil denken, denken en nog eens denken.

Jollie wijkt uit voor een tram.

'Daar moet ik altijd weer aan wennen. Die trambanen en de bijbehorende regels. Kijk toch, de wagens puilen uit vanwege het aantal strandgangers! Wat een leuk gezicht! Scheveningen heeft allure!'

Ange knikt. Ze twijfelt opeens of ze er wel goed aan heeft gedaan met Jollie mee te gaan. Misschien had ze beter in haar eentje thuis kunnen blijven. In de buurt van Stef!

Jollie remt af. 'We zijn er bijna. Zie je die plakkaten om de lantaarnpalen? 'Swinging Scheveningen'. En reken maar dat het gaat swingen. Overal muziek. Op de boulevard, op de Strand Palace Promenade. En dan de vuurwerkavonden!'

Ange zucht: 'Je lijkt wel een juffrouw van de VVV. Zeg...' onderbreekt ze zichzelf, 'je kunt hier nergens parkeren. Kopstaart staan de auto's hier!'

Jollie vertelt dat oma sinds kort haar voortuin heeft opgeofferd om er een parkeerplaats van te laten maken. 'Zonde natuurlijk, maar nood breekt wet. Kijk, we zijn er!'

Riante herenhuizen die een eigen stijl hebben. Niet bijzonder breed, maar wel hoog. Balkons, uitbouwen en tierlantijntjes behorend bij de bouwstijl. Voor oma's woning is een draaihek van spijlen, zo op het oog antiek. Jollie stapt uit, sleutelt aan een voor Ange niet zichtbaar slot en ziedaar, het hek vouwt zich op zodat Jollie haar wagentje via het trottoir tot vlak voor het huis kan rijden.

'We zijn er! Welkom in Scheveningen!'

Ange klautert, stijf geworden, de auto uit.

'Het is wel druk hier op de weg. Het verkeer rijdt vast en zeker dag en nacht door!'

Jollie knikt, terwijl ze het hek weer sluit.

'Wen je zo aan. Kom op, onze vakantie kan beginnen!'

Ange is gecharmeerd van de woning. Vanbinnen is alles wat maar nodig was, vernieuwd. De woning ademt een luxe uit die Ange vreemd is. Op zulke momenten realiseert ze zich dat Jollie een totaal andere achtergrond heeft dan zijzelf.

'Jou heb ik de logeerkamer achter toebedeeld. Je bent niet aan straatherrie gewend en ik, ik geniet ervan. Bij iedere optrekkende motor denk ik: waar gaan de bezitters ervan naartoe? Naar welke uitspatting?'

Ange ontdekt telkens trekjes in Jollie die haar voorheen niet zijn opgevallen.

Wanneer ze tegen Jollie zegt dat ze de keuken een plaatje vindt, reageert deze met: 'Maar wij eten buiten de deur. Ik heb van pa een bepaald budget gekregen en reken maar dat het erdoorgaat... Ik neem een douche, ik kleef van onder tot boven!'

Ange duikt de keuken in. Ze heeft trek in thee. Wachtend op het water roept ze: 'Mag ik even naar huis bellen, Jollie?'

Jollie roept dat ze met zulke domme vragen niet lastiggevallen wil worden. 'Al het mijne is het jouwe!'

Ange neemt de draagbare telefoon uit de kamer mee naar de keuken en draait het thuisnummer.

Lang hoeft ze niet te wachten.

'Zijn jullie al in Scheveningen? Gelukkig!' zucht haar moeder, waarop Ange reageert met: 'Je doet alsof we aan duizend gevaren hebben blootgestaan, mam! Ik... ik wil alleen even weten hoe het gaat. Met Rianneke en zo. Het afscheid was zo raar!'

Rita Althuisius lacht. 'Je kent de kleine meid toch! Op die leeftijd zijn kinderen egocentrisch als de pieten. Zit daar maar niet over in. Ik ben bezig een vakantie-outfit voor haar te naaien. Zo schattig, Ange! En o ja, ik heb Stef het adres van jullie gegeven. Misschien komt hij een dezer dagen langs.'

Ange hoort de fluitketel schor blazen. 'Ik ga thee zetten, mam. Goeie reis naar Limburg en eh... bel je nog eens?'

Als in een droom zet Ange thee en schikt twee beeldige kopjes van porselein op een blad. Stef die hen komt opzoeken.

Jollie dwarrelt de trap af, gekleed in een zonnejurkje.

'En, laat me raden. Je voelt je schuldig, schuldig, schuldig. Vanwege Rianneke. Heb ik het goed?'

Ange antwoordt niet. Jollie zal niet kunnen begrijpen wat het is om verscheurd te worden. Enerzijds is daar haar kind, anderzijds het geweldige verlangen om de vleugels uit te slaan.

Jollie legt een arm om Ange heen.

'Hoor je me! Geen getob! We gaan straks lekker naar zee als de drukte weg is. Waarom neem je ook niet even een douche?'

Ange loopt naar de woonkamer. Een hoog vertrek met langs de wanden eiken lambrisering.

'Eerst thee, Jollie. Dat lest de dorst het beste. Mogen die tuindeuren open?'

Jollie knikt, even later zweeft een zware rozengeur het vertrek binnen.

'Ken je hier eigenlijk, buiten je oma om, nog meer mensen?' vraagt Ange.

Jollie knikt gretig. 'Vroeger zat ik met mijn ouders vaak wekenlang in een hotel. Ma wilde steevast naar het Promenade Hotel. Ik zag daar de zogeheten vakantievriendjes en -vriendinnetjes terug. Feest! Hoe oma ook soebatte: de familie wilde niet bij haar logeren. Misschien ontmoet ik vandaag of morgen een oude relatie!'

Ange is niet te porren om mee te gaan naar het strand.

'We laten elkaar toch vrij, zo is de afspraak.'

Jollie kijkt ongerust in Anges richting.

'Malle, je bent geloof ik echt overspannen! We gaan in ieder geval vanavond lekker dineren. Waarom doe je niet even een schoonheidsslaapje, dan ben je straks weer fit!'

Alleen in het grote huis overvalt Ange een ongekende eenzaamheid. Ze klautert de trap op en gaat naar haar tijdelijke kamer. Ze opent ook hier de ramen en balkondeuren. Diep ademt ze de zilte lucht in. De geluiden lijken van ver te komen. Autogeruis, een claxon, trambelgerinkel.

Ange gaat op het bed liggen. Ze voelt een ontspanning over zich komen. De zomerwind doet de lange vitrages heen en weer deinen. Kijkend naar die witte flarden stof, worden Anges ogen zo moe dat ze als vanzelf in een lichte slaap glijdt.

Zomer, zon, zee.

Van praten en mediteren komt weinig. Jollie heeft onvoorstelbaar veel energie. Dan weer is het winkelen in de stad: de Passage, het centrum Babylon, of gewoon de markt over. Overal weet ze de leukste adresjes om te lunchen of om simpelweg koffie te drinken.

Terwijl Jollie zomers bruin en vitaal wordt, voelt Ange zich verslappen.

'Als ik eens 'nee' zeg tegen je plannetjes, ben je dan boos?' vraagt ze op een ochtend als ze samen in de tuinkamer ontbijten.

Jollies blauwe ogen worden kogelrond.

'We hebben toch een afspraak? Vrijheid – blijheid! Als je niet meewilt, ga ik op bezoek bij die leuke meid die we gisteren op het strand hebben leren kennen. Trouwens... vandaag komt oma's hulp. Kun je haar instructies geven. Ze kan onze was bijvoorbeeld doen en de bedden verschonen.'
Ange knikt maar eens.

De vakantie valt haar tegen en het liefst ging ze naar huis. Ook daar kan ze nu alleen zijn.

Oma's hulp is een stille vrouw. Het werk 'vliegt' haar uit de handen. Razendsnel gaat ze met stof- en sopdoeken door het huis, verschoont de bedden en lapt hier en daar een raam.

Na de koffie besluit Ange er even tussenuit te gaan. Alleen. Zonder Jollie is alles anders. Nu heeft ze tijd om de kleine, maar goed verzorgde voortuintjes te bekijken. Het valt niet mee om in dit zeeklimaat, zo weet ze van oma's hulp, planten en struiken in leven te houden.

Op de boulevard gekomen geniet ze van weer andere dingen, waarvoor Jollie geen oog heeft. De uitstallingen voor de winkeltjes: emmers vol scheppen, netjes aan een stok en ander strandspeelgoed. Vrolijk wapperen zonnehoeden die aan een touw zijn bevestigd heen en weer.

Kinderen staan begerig en eisend tussen de spullen, de ouders zijn in vakantiestemming en vrijgevig. Flarden van allerlei talen dwarrelen door elkaar.

Ange voelt hoe ze glimlacht. Hier te zijn met Rianneke. Wat zou het kind genieten. Waarom heeft ze het kind toch met haar ouders laten meegaan? Wordt het geen tijd dat ze zelf de verantwoordelijkheid voor het kind op zich neemt?

Om zich heen ziet Ange opeens veel, heel veel kindertjes van Riannekes leeftijd. Aan de hand van een ouder, zittend in een buggy. Gezinnen.

Bruusk maakt ze rechtsomkeert. Weg van het boulevardleven! Ze duikt een cafeetje in, bestelt een sorbet en dwingt zichzelf te genieten.

Op weg naar huis schaft ze zich bij een kiosk een paar kranten aan. Een dagblad, wat damesbladen en een boekje ter verstrooiing. Thuisgekomen blijkt oma's hulp te zijn vertrokken. Het ruikt in huis naar schoonmaakmiddelen en alles wat zij en Jollie hebben laten slingeren, is keurig opgeruimd.

Ange sleept een linnen klapstoel naar de voortuin. Het is daar heerlijk toeven, zolang Jollies auto er nog niet is!

Ange installeert zich met haar lectuur en een fles cola tussen de bakken die vol staan met geraniums en lobelia's. Zo te zien heeft de hulp ze zorgvuldig van water voorzien.

Ange geniet voor het eerst oprecht van haar vakantie. Alleen, er komt niets terecht van haar plannen om te denken.

Ze bladert in de tijdschriften. Kookrubrieken, mode, een brokje wetenschap. De wind speelt met de bladen van de krant, en omdat Ange geen lust tot lezen heeft, brengt ze haar lectuur in veiligheid door deze onder een poot van haar stoel te schuiven. Niet alleen met de krant speelt de wind, ook met het haar en de stof van haar zonnejurkje. Een diepe ontspanning overweldigt Ange en, ondanks het straatgeroezemoes, valt ze in slaap.

Ze hoort niet hoe het zijhekje openknarst, noch de voetstappen op het tegelpad. Pas als ze verkoeling voelt die over haar komt, ontwaakt ze.

Een wolk is er niet de oorzaak van. De schaduw van een mens lijkt haar huid verkoelend te strelen. Ze legt een hand boven haar ogen.

'Stef! Hoe... Jij!'

Stef Dubois is tevreden met Anges reactie. Juist zo had hij gehoopt dat ze zich zou gedragen! Hij buigt zich naar haar over, zoent haar op een wang en legt een boeket rozen op haar schoot.

'Dag, mijn magneetje!' zegt hij plagend, en hurkt naast haar neer. 'Mijn verrassing is dus gelukt?'

Ange knikt. Ze vecht met een vreemd soort verlegenheid.

'Ben je speciaal...? Je zult wel hier in de buurt moeten zijn?' veronderstelt ze.

Stef zegt plechtig: 'Ik ben enkel en alleen voor jou hier gekomen!'

Ange hervindt haar kalmte. 'Dan haal ik wat fris voor je, je zult uitgedroogd zijn!'

Stef grijpt haar handen en trekt haar op. 'Wat is het moeilijk hier een parkeerplaats te vinden, zeg! Ik heb een wagen gehuurd voor de tijd dat ik hier ben en die staat maar even drie straten verder geparkeerd!'

'Nederland slibt dicht!' lacht Ange en raapt haar kranten bijeen en stopt haar neus in de rozen.

Stef bewondert het huis.

'Hier wonen mensen met kapitaal. Mijn keus is het niet, ik zou liever in een moderne bungalow willen wonen. Eh... met jou!'

Ange lacht gelukkig. 'Mallerd! Kom, help me even de stoel wegzetten, straks wil Jollie haar wagen op deze plek parkeren.'

Stef houdt geen oog van Ange af als deze bezig is glazen vol te schenken. 'Ook ijsklontjes? Ja natuurlijk. En chips... er zijn ook chips. Lekker zout, goed bij dit weer.'

Stef draagt het dienblaadje en loopt achter Ange aan richting tuinkamer. 'Je hebt mooie benen!' bewondert hij.

Ange krimpt innerlijk ineen. Het was een ander, het was Janos, die zulke dingen zei. Jai mooie maisje... Gebrekkig Nederlands. Ze dwingt zichzelf terug naar het heden.

'Hoe komt het dat je zo'n hoorbaar accent hebt? Ik dacht altijd dat mensen die in het buitenland hebben gewoond dit uit een soort aanstellerij deden. Maar jij bent niet eh... aanstellerig!'

Stef legt uit dat hij al jaren niets anders dan Engels spreekt. 'Dan krijg je dat vanzelf. Ik moet me dwingen bepaalde uitdrukkingen in het Nederlands te zeggen. Sterker nog, ik moet er soms bij nadenken. Stoort het je?'

Ange neemt een slok van haar frisdrank en rukt vervolgens een zak chips open.

'In het geheel niet, het is zomaar een vraagje.' Haar ogen lachen hem toe, maken dat ze nog iets schuiner lijken te staan dan normaal. Stef beheerst zich, het liefst zou hij dit wezentje in zijn armen nemen om het nooit meer los te laten. Ze is zo puur, zo anders dan de vrouwen uit zijn kennissenkring, ginds, aan de andere kant van de oceaan.

'Je moeder zei dat je wilde nadenken over je toekomst. En, ben je al op een spoor gekomen?'

Ange kijkt ongelukkig. 'Ik kom niet aan denken toe. Ik weet nog steeds niet wat ik wil. En dat komt voornamelijk omdat ik een kindje heb, Stef! Jij zult je dat niet kunnen voorstellen. Net als Jollie, die doet daar ook gemakkelijk over. Maar Rianneke is er nu eenmaal. En met haar... de herinneringen.'

Stef laat zijn fris voor wat het is en hurkt naast Anges stoel.

'Wil je erover praten? Met mij? Ik heb twee enorme flaporen.' Hij plaatst zijn handen achter zijn gehoororganen, en maakt zo Ange aan het lachen. 'Jij zult het stom vinden... dat ik een kind heb, bedoel ik. Ik was een tienermoedertje!'

Stef heeft met veel moeite zijn zus het een en ander ontfutseld. Begrijpen kan hij alles niet, zelfs accepteren mislukt.

Voorzichtig komt hij: 'Had je geen abortus kunnen doen? Je was nog zo jong?'

Ange verstijft, zowel geestelijk als lichamelijk.

'Daar was geen medische reden voor. En bovendien: ik heb bepaalde normen.'

Stef knikt, streelt Anges vingers die nerveus in elkaar kringelen.

'Je bent zeker nogal gelovig?'

Ange knikt stug. 'Ook dat... Ieder kind is een schepsel Gods. En ik ben, hoe de omstandigheden ook zijn, tegen het afbreken van een zwangerschap. Buiten medische redenen... als je leven bedreigd wordt. Een kind is geen pakketje dat je afwijst. En bovendien was ik er zelf... bij. Het gebeurde... Ik heb veel van Riannekes vader gehouden. Meer wil ik er niet over kwijt!'

Stef ziet dat Ange het er moeilijk mee heeft. Hij staat op en haalt in de keuken de zojuist aangebroken fles frisdrank. Even Ange tijd gunnen om te herstellen.

Terug in de kamer gooit hij het over een andere boeg.

'Je boft met je ouders. Rianneke heeft het prima, zo te zien. Je moeder is een kloek. Het kind komt aan liefde niets tekort! En ik geloof dat je het kind niets tekortdoet, als je nu voor jezelf kiest. Ga eens praten op het arbeidsbureau of laat je testen. Ik wil je best helpen, Ange. Dan leer ik je meteen beter kennen. Daarom ben ik ook hier.'

Heel zacht is Stefs mond op de hare, en Anges hart lijkt een vreemde duikeling in haar borstkas te maken. Wil ze dit echt? Ze is nu ouder en wijzer dan toen met Janos. Zoiets zal haar nooit weer overkomen. Het was als vallen in een stroomversnelling.

Haar handen kruipen omhoog, vinden elkaar achter in de nek van Stef. Ze geeft toe. Sinds Janos heeft ze elke mannelijke toenadering weten te verijdelen. Tot nu toe.

Stef houdt haar even van zich af en kijkt diep in de donkere ogen.

'Oef... wat heb ik hiernaar verlangd! Lach nog eens, lieve Ange!'

Ange glimlacht, de lippen opeen. Stef haalt diep adem en dan is het gedaan met zijn zelfbeheersing. Onervaren is hij niet. Niet 'groen', zoals hij het zelf wilde noemen. Weg, weg die gedachte.

'Ik ben smoorverliefd op je en ik geloof dat mijn gevoelens beantwoord worden!'

Ange hoort het hek buiten rammelen en maakt zich los van Stef. Hoogrood zijn haar wangen.

'Daar is Jollie. Zij hoeft niet te weten...' Het komt er schutterig uit.

Stef grijnst. 'Die Jollie is niet g...' Groen, had hij willen zeggen. 'Niet gek... Goeie vriendin heb je aan haar!'

Jollie zegt niet verbaasd te zijn Stef aan te treffen, sterker nog: 'Ik dacht, waar blijft hij toch? Je kunt hier logeren als je wilt.' En dan, plagend: 'Rooooozen...!!!!'

Stef knikt verheugd. 'Ik kan een dag of vijf blijven, dan heb ik afspraken in Amsterdam en Den Bosch. Fideel van je, Jollie.'

Stef nodigt hen uit ergens te gaan eten.

'Een leuk eethuisje, niet te chic. Jij weet wel wat, Jollie?'

Het wordt een avond die Ange niet snel zal vergeten. De bijna onmerkbare aandacht van Stef voor haar. Een drukje van zijn knie tegen de hare, onder tafel. Een bepaalde blik in de ogen.

En Jollie, Jollie doet alsof ze niets merkt.

Weer thuis klaagt ze doodmoe te zijn.

'Ik kruip er vroeg in. Jij wijst Stef de andere logeerkamer wel, Ange? En... morgen ben ik de hele dag afwezig. Onze nieuwe kennis heeft nota bene vrienden die ik nog van vroeger ken! Enfin, tegenover jou, Ange, hoef ik me niet schuldig te voelen.'

Samen met Stef wandelen door de zomernacht, op zoek naar zijn wagen. Hand in hand, zich in niets van andere verliefde paartjes onderscheidend. Geuren om hen heen, die van de zee, vermengd met olie uit een van de vele kramen.

'Even langs de zee?' bedelt Ange.

Iedere gedachte die komt plagen duwt ze resoluut van zich af. Ze wil gelukkig zijn. Een mens moet het geluk grijpen als het voorbijkomt, misschien gebeurt dit nooit weer, houdt ze zichzelf voor.

Later zal ze met Stef praten over hun achtergronden. Ze weet niet eens of hij, net als zijzelf, belijdend christen is. Zo niet, dan wordt het moeilijk. Mam zei vroeger: twee geloven op een kussen, daar slaapt de duvel tussen. Ze zou niet altijd haar standpunten kunnen verdedigen. En dan is Rianneke er ook nog.

Een rimpeltje tussen haar wenkbrauwen verklapt iets van het innerlijk. Stef neemt haar onder een lantaarnpaal in zijn armen. Kust het plooitje weg, neemt haar mond in bezit. Moeilijkheden zijn er om uit de weg te ruimen, vindt hij. En Ange, ach, Ange kan dan wel enige ballast hebben in haar levenspakket, het kan nooit zo problematisch zijn of hij, de diplomaat, weet er weg mee!

'Mag ik je instoppen?!' bedelt Stef als hij en Ange uren later stilletjes de trap zijn opgeslopen.

Ange kijkt streng. 'Zeer beslist niet!'

Janos – zijn liefde voor haar. Ze heeft geleerd en is heel voorzichtig geworden met het geven van zichzelf. En niet alleen op lichamelijk gebied, ook geestelijk houdt ze veel voor zichzelf. Was ze vroeger vrij en spontaan, nu is ze achterdochtig, geremd.

Stef lacht binnensmonds. 'Ben jij er zo een. Wel, ik waardeer dat. Mijn vader zei vroeger vaak: wie wat bewaart die heeft wat.'

Ange maakt zich los uit zijn armen.

'Dat sloeg vast en zeker op de inhoud van de spaarpot, ondeugd! Morgen is er weer een dag en ik beloof je dat ik van je zal dromen!'

Stef grinnikt. 'Daar kan de afgewezen minnaar het mee doen!'

Nog heel lang ligt Ange wakker, verscheurd door twijfels. Zou haar verliefdheid wel van hetzelfde niveau zijn als die van Stef? Is hij uit op een goedkoop avontuurtje, een tijdverdrijf voor de periode die hij in het land is?

Moegetobt rolt Ange op een zij, propt een kussen tegen zich aan en zoekt haar heil in een gebed. Een smeekbede.

'Vader, behoed me voor vergissingen. Spaar me voor nog meer verdriet, ik kan het niet aan. En geef me van Uw wijsheid mee.' En heel kinderlijk fluistert ze erachteraan: 'En o Heer, geeft u Stef een heerlijke nachtrust.'

Kilometers van Ange vandaan ligt een klein meisje, net zo opgerold in haar nestje als haar moeder. Haar nachtgebedje was simpeler. 'Ikke sapen, ikke moe...' Moeder en kind, een twee-eenheid, volgens de natuur.

Ange en Rianneke, verder van elkaar verwijderd dan een aantal kilometers!

4

DE KORTE VAKANTIE IN SCHEVENINGEN WORDT TOTAAL ANDERS INGEVULD dan Ange zich had voorgesteld. Niets, maar dan ook niets is er van haar planning gekomen.

Op de terugweg is ze nog niets wijzer omtrent haar toekomst. Wel heeft ze twee ontdekkingen gedaan. Ze is smoorverliefd. Voor het eerst sinds Janos Biedermann. Dat is de eerste ontdekking. De tweede is minder leuk: ze heeft Jollie van een totaal andere kant leren kennen. Verlost van de druk die de opleiding hen oplegde, hun beider wilskracht 'om er te komen', maakt dat Jollie zichzelf eindelijk toelaat te zijn wie ze echt is. Een vrije meid met een onstuitbare levenslust.

Slechts één keer hebben ze het diepgaand over de veranderingen gehad. 'Jij hebt de druk van een kindje, ik niet. Nog lang niet en misschien wel nooit!' heeft Jollie meer eerlijk dan lief opgemerkt.

Dit heeft Ange pijn gedaan. Zelf vindt ze in stilte Rianneke ook een last. Een lieve, maar geen lichte last.

Op de terugweg regent het. Er staat een onvriendelijke wind die het gevoel geeft dat het opeens herfst is geworden. Ange is blij naar huis te kunnen. Ook al zal ze daar niemand aantreffen.

Jollie heeft contact met haar ouders gehad en afgesproken dat ze een paar weken naar hen toe gaat.

'Misschien ga ik toch studeren. Wat moet ik anders met mijn leven? Ik voelde me te oud voor de schoolbanken, maar te jong om te gaan rentenieren.'

Zo drijven de twee al uiteen terwijl ze lijfelijk naast elkaar in de auto zitten.

Stef heeft enkele dagen bij hen doorgebracht. Ze hebben geluierd op het strand, een tocht gemaakt op een vissersboot, langs de kustlijn. En natuurlijk gewinkeld en diverse musea bezocht. Ange heeft zich uitgesloofd Stef van zijn Amerikaanse 'r' te verlossen.

'Het lijkt misschien wel even interessant, maar uiteindelijk wordt het irritant!'

Stef was een gewillige leerling die na ieder succesje beloond wilde worden.

De rit valt Ange lang. Ze heeft Stef gewonnen, maar Jollie verloren en dat doet pijn.

Jollie zet Ange bij haar thuis af.

'Ik moet nog wat regelen op het reisbureau en kan niet met je mee naar binnen. Ik bel je gauw en ga heus niet zonder afscheid weg!'

Ange haast zich het huis binnen. Het is er kil, maar dankzij de bezoekjes van buurvrouw Rachel niet muf. De planten zijn verzorgd en de post ligt op een keurig stapeltje op vaders bureau, met daarnaast de kranten.

Ange schuift haar koffer onder de trap, zet een pot koffie en gaat met de post in een stoel zitten.

Het meeste is voor haar ouders. Rekeningen, een schrijven van de gemeente en wat privé-post. Met een mok koffie in beide handen droomt ze weg.

Stef. Hij is voor een paar dagen naar Brussel. Contacten leggen.

'Denk om je 'r'!' heeft Ange geplaagd. Ze mist hem nu al. Wat moet dat straks als hij teruggaat naar Boston? Zal ze meegaan? Als wat? Als zijn vrouw? Maar ze kennen elkaar nauwelijks. Is hun verliefdheid sterk genoeg om uit te monden in een huwelijk? Sterk genoeg om een grote afstand aan te kunnen?

De regen slaat kil tegen de ruiten en doet Ange huiveren. Het maakt ook dat ze zich verlaten voelt.

Aan de kapstok hangt een vest dat haar moeder vaak aantrekt als ze in de tuin bezig is en het lijkt Ange precies het kledingstuk voor een moment als dit. Ze voelt zich minder eenzaam, alsof mams armen rond haar zijn.

De koffie maakt dat ze vanbinnen wat warmer wordt. Ange trekt de stapel kranten naar zich toe. Pa zal ze ongetwijfeld alle doorwerken. Ze moeten dus op datum blijven liggen. Toch eens zien of de namen van de geslaagden erin staan. Jawel: Ange grinnikt als ze haar naam tussen de andere vindt.

Net als ze het dagblad voor gezien houdt, valt haar oog op een artikeltje waarin een haar bekende naam opvalt. Ange? Ange hoe en wie?

Althuisius dus.

De trofee. Uitgereikt aan een bijzondere leerling. Niet de allerbeste, maar de doorzetster!

Vol afgrijzen vliegen Anges ogen over de regels. Allerlei zaken worden opgerakeld. Een verliefde tiener die met een circus meeging, die een ongeluk kreeg wat tijdelijk geheugenverlies tot gevolg had... Familie die via de tv een oproep deed... Ieder spoor liep dood. Gelukkig was er een goede afloop.

En... een zwangerschap.

Conclusie: een zwangerschap op jeugdige leeftijd behoeft geen ramp te zijn. Met de juiste begeleiding kan een doel worden gesteld en behaald.

Niet iedere 'verdwijning' of 'ontvoering' loopt slecht af. Zaak is wel dat het thuisfront inderdaad een front blijft! Thuis en opleiding.

'Proficiat, Ange Althuisius!' Ange voelt zich misselijk worden. Wat een smerige streek.

Ze dacht, na het laatste tv-interview dat ze indertijd had toegestaan, dat ze voorgoed verlost was van publiciteit. Niet alleen om zichzelf. Ook al walgt ze van het krantenbericht. Nee, om Rianneke.

Janos is dood. Veel familie had hij niet meer. Ooms zijn, net als Janos, verongelukt. In de piste. Waaghalzen. Zijn ouders hebben zich na het faillissement teruggetrokken. Murw van de vele klappen. Ze durven zich waarschijnlijk niet in Nederland te laten zien, ze staan namelijk op een zwarte lijst. Te lang hebben ze met illegalen gewerkt uit het buitenland, vervalste papieren en zo meer. Maar toch... Stel...

Een kindje van Janos.

Ange begint geluidloos te huilen. Vangt het drama nu van voren af aan? Rianneke is van haar... van haar alleen. Van haar en Janos. Zou Stef haar achtergrond ooit willen en kunnen begrijpen?

Het geluid van een sleutel die in het voordeurslot draait, doet haar opschrikken.

'Rachel... ben jij het maar!'

'Wat een begroeting!' lacht Rachel en legt het avondblad op tafel.

'Ik had je nog niet terug verwacht. Hebben jullie het naar je zin gehad?' Haar ogen spreken duidelijke taal.

Ange kleurt. 'Stef is naar Brussel.'

Rachel lacht luidkeels. 'Verliefd op mijn broertje... Mooier had ik het niet kunnen verzinnen. Zo fijn voor je, Ange. Maar à propos, wat zie je witjes!'

Een blik op de krant die naast Ange op de grond ligt, verklaart de reden ervan.

'O, ik had dat stuk weg moeten doen. Trek het je toch niet aan! Journalisten en sensatie. Even nieuws, de volgende dag wordt er op de markt prei in verpakt.'

Ange biedt Rachel een mok koffie aan.

'Ik ben bang, Rachel. De familie van Janos... dat onderwerp is hier taboe. Pa en ma denken dat ik, als ik er niet over spreek, er ook niet over denk. Maar er is te veel gebeurd. Door hard te leren en me op mijn studie te gooien, kon ik alles wegduwen. Nu de druk van de ketel is, lijkt alles opeens veel en veel moeilijker.'

Rachel weet niet zonder meer een bevredigend antwoord te geven. Aarzelend komt ze met: 'Zie je geen spoken? Het is onderhand vier jaar terug. Misschien leven de ouders van Janos niet meer. De troep is toch uiteengevallen? Bovendien hebben ze geen rechten. En ze weten niet eens dat jij een kindje van Janos hebt!'

'Die stomme krant ook!' snikt Ange. 'Alles is de schuld van die beroerde trofee. Ik zou hem willen teruggeven!'

Rachel weet Ange zover te krijgen dat ze met haar mee naar huis gaat.

'Dan koken we samen. Daan komt laat thuis en Sander is naar een ponykamp. We hebben het rijk alleen!'

Gekalmeerd – althans uiterlijk – keert Ange pas tegen twaalven terug naar huis. Ze neemt zich voor uitgebreid met haar ouders te praten zodra de gelegenheid zich voordoet. Deze opstuwende angst kan ze niet alleen aan.

Na een onrustige nacht besluit ze een bezoekje aan de boetiek van MaiLy te brengen.

Het regent niet meer, maar de harde wind heeft de nodige schade aangericht. Hier en daar hangen planten geknakt omlaag en de eiken en beuken die de Boslaan omzomen hebben vroegtijdig bladeren moeten prijsgeven. Maar de zon schijnt weer.

Op haar fietsje rijdt Ange richting centrum. Zoals altijd is MaiLy blij haar jonge vriendin te zien.

'Meid, wat fijn dat je er weer bent. Heb je nog meer vakantieplannen?'

Achter de zaak is een piepklein keukentje waarnaast een praktisch ingericht kantoor. MaiLy woont zelf boven de zaak, wat tot gevolg heeft dat ze zich met de boetiek getrouwd voelt.

'Ik weet niet... Ik zit te krap bij kas om te doen wat ik zou willen. Ik kan moeilijk mijn ouders vragen een reisje naar Mallorca te financieren. Trouwens... ik ben zo verliefd, MaiLy!'

Razend nieuwsgierig is MaiLy. Ze vraagt Ange totaal uit en concludeert: 'Zo te horen is hij jou wel waard. En hoe zit het met Rianneke?'

Ange haalt hulpeloos haar schouders op en is dankbaar dat op dit moment een klant binnenstapt. Een klant met – zo te horen – hoge eisen. Kassa, denkt Ange.

Stef en Rianneke. Zou dat samengaan?

Glunderend komt MaiLy even later terug in het keukentje, waar Ange bezig is verse koffie te zetten.

'Ik kan deze week wel sluiten! Had ik maar vaker zo'n klant! Ze heeft me verlost van een rek kleding dat ik aan de straatstenen niet kwijt kon. Ik wilde wel korting aanbieden, maar het was zeker weten dat deze dame haar aankopen dan minder spectaculair vond!'

Ange opent met haar tanden een rol biscuit.

'Wat fijn voor je. Eh... de zaken gaan toch wel goed?'

MaiLy glimlacht fijntjes. 'Dat jij dat vraagt. Ja, de zaken gaan wel goed. Maar niet met mij.'

Ange schrikt. 'Je bent toch niet ziek? Zeg op!'

MaiLy glimlacht. 'Lekker die koffie. Nee, ik ben niet echt ziek. Maar ik moet wel naar het ziekenhuis voor een medische ingreep. Sst... niets ernstig. Op gynaecologisch gebied.' Ze legt uit wat de klachten zijn en hoe de specialist denkt haar te kunnen helpen. 'Al met al zal ik een dag of vijf in het ziekenhuis moeten blijven en ja, dan mag ik nog geen hele dagen werken. En dat geeft problemen. En waar vind ik een goede invalkracht? Een die ik kan vertrouwen?'

Haar ogen glinsteren Ange tegemoet, boven de rand van het kopje.

Ange kijkt haar aan. 'Hoe zou je het vinden als ik het deed? Ik doe het met plezier voor je, MaiLy. Dan kan ik eindelijk eens iets voor je terugdoen!'

MaiLy beweert dat dit geen taal is die tussen vrienden wordt gebezigd. 'Terugdoen!' besluit ze quasi boos. En dan, een spits vingertje heffend: 'Een klant. Laat zien wat je kunt!'

Ange kijkt twijfelend naar haar spijkerbroek en T-shirt. MaiLy ziet haar denken en grabbelt een jakje dat over de rugleuning van een stoel hangt naar zich toe.

'Aantrekken! Over je T-shirt. Nieuwe mode!'

Ange grijnst. Ze recht haar smalle rug, doet haar best zo professioneel mogelijk over te komen.

'Goedemorgen, mevrouw. Kan ik u helpen of kijkt u liever zelf even rond?'

De mevrouw is hooguit midden twintig en in Anges ogen een soort model. Verveeld werpt ze een blik op de rekken.

'Ik weet niet... ik zoek iets voor mijn verlovingsfeestje. Feestelijk, sportief, origineel... Zomers, maar toch niet te!'

Ange peinst over de combinatie feestelijk-sportief. Als ze een eerlijk advies mocht geven, zou ze zeggen: 'Bent u wel in de juiste zaak?'

Dan valt haar oog op een hemelsblauw ensemble dat nog onder een plastic hoes hangt. Waarschijnlijk pas binnen.

'Als dit uw maat is, zou u het kunnen proberen!'

Het 'model' staat even paf.

'Dat is nou net wat ik zoek!'

Ange knikt zogenaamd begrijpend. Er is namelijk niets sportiefs aan het pak te zien. Maar goed, de klant is koningin. Ze begeleidt hare majesteit naar een paskamer. 'Als u hulp nodig hebt, ik ben in de buurt!'

Een onkoninklijke reactie. 'Ik ben niet gehandicapt en kan uitstekend zelf een jurk aantrekken!'

Ange slikt een antwoord in. Ze heeft nog heel wat te leren.

Vanachter het gordijn dat toegang geeft tot de privé-ruimte kijkt MaiLy toe, knipoogt begrijpend.

'Hebt u ook schoenen in achtendertig? Die ik nu aanheb staan er bespottelijk bij!'

MaiLy wijst naar een onopvallende kast waarin schoenen staan die slechts af en toe bij een bepaald kledingstuk worden verkocht.

Ange antwoordt bevestigend en kiest een paar hooggehakte exemplaren uit.

'Deze met dunne bandjes hebben zelfs een versiering in dezelfde kleur blauw als het ensemble!' meent ze te kunnen opmerken. Het model reageert niet. Als ze even later de paskamer uitkomt, houdt Ange de adem in. Wat een mooi mens.

'Ik kan hakken goed gebruiken. Mijn aanstaande is nogal lang en ik wil niet te veel bij hem afsteken!' geeft ze prijs.

Ange is zo wijs zich van commentaar te onthouden. Iets aanprijzen zou achterdocht kunnen oproepen.

'Ik heb mijn keus gemaakt, juffrouw. Eh... ik zoek nog het een en ander voor feestelijke gelegenheden. Is dit alles wat u hebt?'

Ange haast zich te zeggen dat er iedere week nieuwe voorraad komt. Dat heeft ze MaiLy dikwijls horen beweren tegen klanten. 'En zoals altijd: van elke maat maar een enkel exemplaar. Dit om vervelende toestanden te voorkomen.'

De klant zegt tevreden: 'Daarom kom ik ook graag hier. U ziet me snel terug!'

Zodra het model is verdwenen en de deur veilig achter zich heeft dichtgetrokken, komt MaiLy handenklappend tevoorschijn.

'Je bent geslaagd! Keurig gedaan. Oei...' Ze draait met haar ogen. 'Ik heb zo'n hekel aan dat mens! Ze verbeeldt zich heel wat. En je moet weten dat ze de aardigste man uit de stad heeft gevangen! Ze gaan zich dus verloven. Dat hoor je niet veel meer. Maar misschien heeft zij het nodig om hem aan haar te binden.'

Als Ange de naam van 'de aardigste man' hoort, is de belangstelling gewekt.

'Maar die ken ik toch! Zijn ouders zijn vrienden van de mijne. Je weet toch wel... Karsemijer heeft zich destijds ingespannen toen ik bij Janos was. Ik heb ze in geen tijden meer gezien. Mark had destijds wat met onze Susanneke, geloof ik. Voordat ze verliefd werd op Reinier.'

MaiLy knikt bevestigend.

'De ouwelui zijn verhuisd, maar dat weet je natuurlijk. En Mark is sinds kort terug in de stad. Hij weet niet waaraan hij begint.'

Het onderwerp Mark en 'model' wordt op typisch vrouwelijke wijze nog verder uitgediept.

'We roddelen niet!' besluit Ange verdedigend.

'Welnee, we lichten slechts een doopceel,' stemt MaiLy in. 'Maar jij bent geslaagd voor verkoopster. Ange, wil je het echt? Ik zal je zo dankbaar zijn!'

Ange omarmt MaiLy. 'Als jij belooft helemaal gezond terug te komen!'

Opgewekter dan ze zich in dagen heeft gevoeld, verlaat Ange de boetiek. MaiLy heeft haar vertrouwd gemaakt met de boekhouding en de manier waarop de kassa werkt. Ange heeft op haar beurt beloofd zo snel mogelijk terug te komen om te assisteren en zodoende alvast wat ervaring op te doen.

Terwijl ze richting centrum fietst, glimlacht ze stilletjes. Zo bescheiden lief als MaiLy opmerkte: 'Maar je zult je uiterlijk wel moeten aanpassen, Ange. Desnoods zoek je wat bedrijfskleding uit in de rekken.'

Ange wipt bij een warenhuis naar binnen en op de bovenverdieping zoekt ze een plaatsje in het restaurant. Een broodje gezond, een beker melk en een appel. Genietend kijkt ze neer op de hoofden van het winkelend publiek. Straks staat ze aan de andere kant van de lijn, is ze zelf verkoopster en ze heeft er nog zin in ook! Eindelijk een doel. Wat niet wegneemt dat ze buiten dat doel om toch de resterende tijd moet vullen. Slenterend door het warenhuis, waar het volop opruiming is, stuit ze op een soort lappenkraam. Enkele vrouwen staan gebogen over de stoffen, terwijl hun kinderen hinderlijk om hen heen hangen. Kinderen in de leeftijd van Rianneke.

Ange blijft staan. Vergelijkt de meisjes met haar dochter. Er schiet een nare gedachte door haar hoofd. Rianneke, mams kindje.

De vrouwen juichen over bepaalde stoffen en spreken een vaktaal die voor Ange vreemd is. Ongemerkt sluipt ze naderbij.

De ene vrouw beweert: 'Ik haal wel eens een jurkje voor Sientje in die dure kinderzaak. Ik knip het model na en breng het jurkje terug. Gratis een origineel patroon!'

De twee hangen slap van het lachen over de stoffen, als waren het schoolmeisjes. Ze kibbelen goedmoedig om een couponnetje en als ze een dik
boek waarin patronen staan gaan bekijken, gluurt Ange mee. Zelf kinderkleding maken. Zou het moeilijk zijn? Per slot van rekening kruipt
mam ook vaak achter de naaimachine. Zij, Ange, heeft de laatste tijd niets
anders gedaan dan leren en nog eens leren.

De vrouwen krijgen Ange in de gaten en maken bereidwillig ruimte.

'Het is zo spotgoedkoop!' beweert de een. 'Zelfs als je er een patroon bij-
koopt!'

Ange neemt een jeanslapje in haar handen. Een bloesje, rode knoopjes.
Ze ziet het voor zich.

'Is het erg moeilijk?' vraagt ze schuchter.

De vrouwen beginnen gelijk te praten.

'Gewoon doen, leren van je fouten!'

De ander zegt: 'Of een cursus volgen. Heb ik ook gedaan!'

Ange twijfelt. 'Hoeveel heb ik nodig voor een kind van drie? Mijn dochter is niet zo fors...'

Even is het zwijgen pijnlijk. Dat tengere ding, moeder van een kind van
drie? Bereidwillig houdt de een een bladzijde uit het patronenboek voor
haar neus. 'Hier staat hoeveel stof je nodig hebt. Dat couponnetje is groot
genoeg. Daar houd je aan over. Zelfs een lange mouw lukt nog!'

Een halfuur later staat Ange op straat met een tasje waarin een patroon,
een lap stof en knoopjes zitten.

Fietsend naar huis denkt ze: Ik lijk wel dwaas!

Maar nog geen uur later vindt ze zichzelf terug achter de naaimachine
van haar moeder. Ze is bezig voor Rianneke. Het geeft een ongelooflijk
fijn gevoel.

Terwijl de machine snort en niet al te rechte naden maakt, realiseert
Ange zich: ik ben moeder. Ik ben de móéder van Rianneke!

Later op de dag belt Stef vanuit Brussel.

'Ik verlang naar je. Tjonge, ik wist niet dat ik zo'n heimwee kon hebben!'

Ange straalt. Ze ziet zichzelf weerkaatst in het glas van een raam.

'O Stef, wat heerlijk... Ik ook, ik snak ook naar je...'

Dan zegt ze: 'Ik heb een baan, Stef. Tijdelijk, maar toch...'

Stef knort. Een baan betekent dat Ange er minder voor hem zal zijn.

'Hoe voelt het?'

Ange slaakt een tevreden zucht. 'O... zo goed. En ik ben voor Rianneke een bloesje aan het naaien.'

Stef reageert niet. Hij kan zich zijn geliefde niet voorstellen achter een naaimachine, bezig met pietepeuterig kleine frutsels.

'Stef?' aarzelt Ange, bang iets verkeerds te hebben gezegd.

Stef haast zich haar nogmaals zijn liefde te verklaren. 'En hoor je wel hoe goed mijn 'r' is? Weet je dat ik iets moois voor je heb gekocht? Wauw, je zult verwonderd zijn. We moeten nog eens samen naar Brussel! Met recht een bruisende stad.'

Als Ange na twintig minuten de hoorn teruglegt op het toestel, voelt ze zich niet langer 'mama'. Ook niet de aanstaande verkoopster. Ze is verliefd. Een vertrouwd gevoel, toch ook weer nieuw. Anders dan toen.

Ze staart naar de naaimachine, de restjes stof op de grond. O, het bloesje komt wel af. En anders morgen of overmorgen. Het fijne moedergevoel is opgelost.

Ange voelt zich vrouw. De geliefde van een zeer aantrekkelijke man!

5

'Ik ben altijd nerveus als we Ange even niet bij ons hebben gehad. Hoe zou ze eraan toe zijn? O Jan, het blijft een probleemkind!'

Jan knippert met de autolichten, een groet aan Susanneke en Reinier, die de afslag die naar hun huis voert hebben genomen.

'Je zei het weer!' merkt Jan geduldig op.

'Wat nou!' Rita Althuisius trekt met driftige bewegingen een haaknaald door rode katoen.

'Kind, je zou geen kind meer zeggen als je het over Ange hebt. Ze is volwassen, Rita.'

Rita zucht. 'Kind of geen kind, daar gaat het niet om. Je weet best wat ik bedoel. Jij bent straks weer naar de zaak en ik, ik zit er alleen mee. Als Ange weinig omhanden heeft, haar draai niet kan vinden, is ze vaak onmogelijk. Dat weet je best!'

Jan zucht onhoorbaar. 'Als je haar eens wat meer met Rianneke alleen liet,' aarzelt hij.

Rita snuift. 'Zodat het kind niet meer weet waar ze aan toe is. Ik weet best dat ik slechts haar oma ben. Maar zolang Ange zich zo onstabiel gedraagt, sta ik mijn taak niet af!' Beiden zwijgen tot Jan de Boslaan indraait.

'Ange heeft jou – ons – nodig, Rita. Gun haar de tijd en fiets niet zo achter haar aan! Ik zeg het nog éénmaal: ze is geen kind meer!'

Rita is voor niets bang geweest. Ze treft in de woonkamer een ijverige Ange aan, die bedolven lijkt onder lapjes en slierten bont gekleurd band. 'Ha! Daar zijn jullie! Wat vroeg! Sorry voor de troep! Waar is Rianneke?'

Rianneke slaapt op de achterbank, prinsheerlijk zittend op haar comfortabele zitje. Ange kust haar ouders vluchtig en haast zich naar de wagen. Ze tikt tegen het raam, waardoor Rianneke wakker schrikt.

'Mamange!'

Ange haakt de gordels los en neemt het bezwete kind in haar armen.

'Wat zie je er goed uit, meisje van me! Mama heeft een bloesje voor je gemaakt! Kom maar gauw mee passen!'

Terug in de kamer vindt Ange een nog steeds verbaasde moeder. 'Wat ben jij aan het doen! Aan het naaien! Maar dat kun je toch niet? Ben je wel voorzichtig met mijn naaimachine?'

Anges humeur is niet stuk te krijgen.

'Lieve mam, ik heb in een paar dagen al heel wat geleerd. Nou, wat vind je van dat bloesje? Alleen de knoopsgaten lukten niet. Toen het klaar was, kwam ik er pas achter hoe dat moest. Al naaiend krijg ik steeds meer ideeën, wil je dat geloven? Kom Rianneke, laat Mamange jou eens helpen. Hup, je T-shirt uit...'

Jan sjouwt met de koffers, een glimlach om de mond. Die Rita. Altijd maar weer in zak en as. Mooi dat ze er dit keer finaal naast zat.

Het bloesje past en die knoopsgaten, ach, die worden voor het grootste gedeelte bedekt door de nogal grote knopen.

Rita opent haar mond om kritiek te geven, een blik op haar man doet haar zwijgen.

'Hoe heb je het gehad, ki... Ange?'

Jan voorziet zijn vrouwen van appelsap en snijdt een Limburgse vlaai aan.

'Als jij je afvraagt hoe het komt dat je moeder en ik uitgedijd zijn, weet je nu het antwoord!'

Ange kijkt naar de grote stukken rijstevlaai die op tafel staan.

'Dat is dus meteen onze lunch! Eh... wel leuk, mam!' keert ze terug naar de gestelde vraag. 'Scheveningen is leuk, het huis was geweldig. Maar Jollie... die leek losgeslagen. Ze is nu met haar ouders op vakantie. Enneh... Stef heeft ook een dag of wat bij ons gelogeerd!'

Ange buigt zich diep over het bordje waarop de taart verleidelijk ligt te zijn. Ze gluurt vanonder de pony naar haar ouders. 'En... we hebben wat samen. Zo, dat is eruit!'

'Kind!' roept Rita en Jan vergeet haar te berispen.

'Hoe... wat...? Eh... verliefd, verloofd...'

Ange schudt haar hoofd. 'We zijn gek op elkaar, verder is er nog niets.'

Verloofd, ze moet opeens denken aan de lastige klant die zich met Mark Karsemijer gaat verloven.

'Wie verlooft zich tegenwoordig nou nog! En mam...' Nu staan Anges ogen ernstig, recht kijkt ze haar moeder aan. 'Ik zal heus niet voor de tweede keer dezelfde fout begaan. Ik ben nu ouder en heel wat wijzer, ook al denk jij van niet! Heel, heel kalm aan beginnen!'

Jan knikt zijn jongste warm toe. 'Lieverd, wij vertrouwen je toch! Je hoeft jezelf niet te verdedigen. Die kerel, Stef Dubois, komt uit een goed nest. Zijn ouders waren fijne mensen.'

Rianneke dolt door het huis, blij met het teruggevonden speelgoed.

'Mijn eigen boekjes... de poppenwagen... kijk toch eens!'

Ange verheft haar stem en deelt mee: 'En ik heb een baan. Tijdelijk... Ik ga bij MaiLy in de winkel. Ze moet geopereerd worden en is zodoende even uit de roulatie.'

Rita kijkt ontevreden. 'Je hebt je vwo toch niet gehaald om winkelmeis-je te worden?'

Ange roept: 'Maaa...!'

Jan kijkt ongelukkig van de een naar de ander.

'Het is een begin. Zo kan Ange leren met mensen om te gaan. En even de tijd nemen om zich te bezinnen. Want als ik het goed heb, is daar in Scheveningen niet veel van terechtgekomen.'

Ange schuift weer achter de machine.

'MaiLy is zo'n schat van een mens. Ze woont tegenwoordig boven de winkel omdat ze dichter bij haar werk kan zijn. Maar ik geloof dat ze haar huisje wel mist! Misschien ga ik wel op haar kamers logeren als ze in het ziekenhuis ligt. De boekhouding bijhouden enzo. Weet je dat ze doodsbang is voor overvallers? Ze heeft me precies uitgelegd wat ik in zo'n geval moet doen en hoe het alarm werkt.'

Terwijl Ange vlijtig doorwerkt, vertelt haar moeder over hun vakantie.

'Jammer dat jij er dit keer niet bij was!' eindigt Rita.

Ange knikt. Ze zou nu kunnen zeggen: Mam, ik ga misschien nooit meer mee. Eindelijk wil ik mijn eigen zin eens volgen!

Ange zwijgt.

'Ruim je de boel wel op voor we gaan eten? Ik heb geen zin in gedoe met bordjes op schoot!'

Rita knoopt een schort voor en zakt af naar de keuken.

'Ja, mam!' mompelt Ange.

Het plezier in haar werk is plotseling weg. Ze stopt haar creaties in een plastic tas.

Na het eten racet Ange richting MaiLy. De tas met kleertjes heeft ze in haar rugzak gepropt. Kijken wat MaiLy ervan vindt.

In de winkel is het een drukte van belang. Een stel meisjes graait en grabbelt tussen de rekken met kleding en gaat niet bepaald voorzichtig om met de waren. Ange ziet meteen aan het gedrag van MaiLy dat deze niet content is met deze klanten. Helaas, er is geen manier om hen te corrigeren!

Ange verdwijnt naar het kantoortje waar ze haar 'winkeluniform' heeft hangen. Met het rechte rokje en de charmante blouse trekt ze gelijk een onzichtbaar omhulsel van zelfverzekerdheid aan. Het haar wordt snel in een wrong gedraaid, wat haar ouder doet lijken.

'Dames, al een keus gemaakt?' Ze recht haar schouders en zowaar, ze krijgt aandacht.

'Is dit niet afgeprijsd?' vist een slordig uitziend meisje.

Ange kijkt opzettelijk medelijdend. 'U kent het merk? Juist, Parijs. Ik denk niet dat de fabrikant ons nog zou leveren als we knoeiden met de prijskaartjes. Aan het rek dat bij de ingang staat, hangt een ander soort pakjes en die zijn wel afgeprijsd. Kan ik advies geven?'

Later krijgt Ange van MaiLy te horen dat ze perplex heeft gestaan. 'Je hebt het in je! Ik ben vaak te bang om de mensen af te wijzen. Weg te jagen. Maar jij deed het fantastisch!'

Ange glimt en is blij met het complimentje. Teken dat ze op de goede weg is.

Ze laat MaiLy de kinderkleertjes zien en ze verontschuldigt zich voor de gemaakte fouten die ze maar meteen aanwijst.

'Ik vind dat schattig, Ange. Heb je die kleurencombinaties zelf bedacht? Knap, hoor. Ik heb wel eens overwogen te verbouwen en een kleine afdeling peuterkleding te gaan verkopen. Misschien komt het ervan als jij voorgoed bij me wilt blijven...'

Ange kijkt verrast op.

'Je zou zelf kleertjes in productie kunnen nemen. Wat werk uitbesteden en zo. Boetiek voor moeder en kind!'

MaiLy knikt. 'Ik heb voor het najaar een collectie zwangerschapskleding besteld. Zo tegen de kerst willen ook vrouwen met een dikke buik er leuk uitzien!'

Ange is beretrots op het feit dat MaiLy, die ze nu al jaren bewondert, haar voor vol aanziet, vertrouwt en als medewerkster wil hebben.

'Denk maar eens goed over alles na, Ange. Er is niets leuker dan te brainstormen. En... misschien wil je op den duur ook wel boven wonen. Dan zoek ik weer een flatje aan de rand van de stad.'

Ange kleurt. Weg uit huis. Een eigen verdieping waar ze Stef kan ontvangen.

'Rianneke...' schrikt ze.

MaiLy knikt. 'Ook over haar zul je moeten nadenken, lieverd. Ik ben een buitenstaander, maar zie beter dan jij dat je het kind verliest aan je moeder. Rianneke heeft je moeder niet nodig, het is andersom. Rita heeft het kind nodig. Klinkt hard, niet? Ik wil je geen pijn doen, maar zoals het nu gaat, is het voor jou wel erg gemakkelijk!'

Thuisgekomen zit Ange nog met die laatste opmerking. Het nare is dat MaiLy gelijk heeft. Ze heeft zelf absoluut geen deel aan Riannekes opvoeding.

Als ze 's avonds met haar ouders in de tuin zit, gooit ze een visje uit. Om te zien hoe de reacties zullen zijn.

'Nu ik straks zelf ga verdienen, kan ik voor Rianneke best een crèche betalen. Zo'n twee, drie keer in de week moet toch haalbaar zijn. Ik vind haar soms net zo'n oud vrouwtje. Ze moet nodig onder de kinderen!'

Rita verschiet van kleur.

'Oud vrouwtje! Daar kun jij toch niet over oordelen. Wat heb jij nu voor verstand van kinderen! En wat zulke kosten betreft: heb je pa of mij ooit horen klagen dat we iets voor Rianneke achterwege lieten vanwege het geld? Ik eet nog liever droog brood dan het kind tekort te doen. Ik heb akelige dingen gehoord van die crèche. Besmettelijke ziekten... achteloze leiding.'

Ange slikt haar boosheid in.

'Mam, dat zijn lelijke beschuldigingen. Ik weet zeker dat er niet veel aan de crèche hier in de buurt mankeert. Sander van hiernaast is er ook geweest, weet je nog? En dat ik geen verstand van kinderen heb... is dat mijn schuld?'

Toch tranen van boosheid. Ange springt wild op, en rent weg, duikt door het gat in de heg en is ongrijpbaar voor de ouders.

Jan ritselt met zijn krant. Een woordloze taal.

'Moest dat nou zo, Rita? Je hebt Ange gekwetst.'

Rita gooit haaknaald en katoen van zich af, tussen de kopjes en glazen.

'Ik houd er niet van als ze een grote mond opzet. Zonder ons zou er destijds niet veel van Rianneke terecht zijn gekomen!'

Jan Althuisius doet er het zwijgen toe.

Alsof er een keus gemaakt kon worden! Alsof Rita destijds iets anders ook maar overwogen had! Ange, hun eigen Ange was na maanden weer in hun midden. Zwanger. Maar ook zwak en wanhopig.

'Loop nou niet weg, luister naar me, lieveling. Je laat je meedrijven door de angst Rianneke ooit te moeten afstaan. Daar is voorlopig geen sprake van. Maar ooit zal Ange trouwen of op zichzelf willen wonen. Een kind hoort bij de moeder. Dat wisten we van meet af aan. Rianneke hoort bij Ange...'

Hoewel Jan niet luid spreekt, is wat hij zegt zeer nadrukkelijk beklemtoond.

'Je zult de feiten onder ogen moeten zien en je innerlijk erop voorbereiden dat die tijd aanstaande is. Je moet Rianneke leren loslaten en geen chantage plegen. Probeer het tenminste!'

Rita huilt geluidloos. Ze is stapeldol op het kind. Na Susanneke bleek een nieuwe zwangerschap onmogelijk. Zo is Ange in hun leven gekomen. En ze is voor hen net zo dierbaar als waren ze de biologische ouders. Rianneke, dat was een cadeautje voor haar. Een onverwacht extraatje.

Het leven zonder Rianneke zal leeg zijn. Zinloos. Rita durft het niet hardop uit te spreken.

'Het is niet eerlijk...'

Jan probeert zijn vrouw te troosten.

'Ik ben er toch ook nog...' zegt hij onhandig.

Aan de andere kant van de heg wordt gelachen. Rachel en Daan plagen Ange.

'Schoonzusje... wie had gedacht dat wij nog eens door familiebanden met elkaar verbonden zouden worden.'

Rita trekt haar haakwerk weer naar zich toe.

'Ik wil Ange niet kwijt. Haar geestelijk verliezen, Jan. Ze drijft van ons weg, net als toen. Zou het toch komen doordat ze niet van ons vlees en bloed is...'

Jan vouwt de krant op. Van lezen komt niets meer.

'Dat zou ik niet denken. Hoeveel mensen raken – soms tijdelijk – hun eigen vlees en bloed niet kwijt? Nee, dat is onzin, Rietje. Ange maakt een bepaalde fase door. Je weet toch nog wel van jezelf dat het volwassen worden met sprongen gaat? Het kind heeft een tijd stilgestaan. Studie... noem maar op.'

Rita glimlacht. 'Nu zeg je het zelf ook. Het kind... Ange!'

Jan herademt. Rita is weer aanspreekbaar en hij weet zeker dat hij niet hoeft te vragen of ze zich straks bij Ange verontschuldigt!

Stef is terug uit Brussel. Hij heeft voor Ange een beeldige halsketting meegebracht. 'Een voorbode op de verlovingsring!'

Ange is dolgelukkig. Haar ouders kunnen het goed vinden met Stef, evenals haar zus en zwager. De zomer heeft extra glans gekregen, Ange geniet van de dagen.

Er zijn echter een paar addertjes onder het gras. Rianneke.

Het kind lijkt ineen te schrompelen als Stef in de buurt is. Ze kruipt achter een gordijn of onder de tafel, om maar niet met hem in contact te hoeven komen. Iedere toenaderingspoging van Stefs kant wordt afgekapt. Het maakt Ange nerveus. Rianneke hoort bij haar! Ze is een ondeelbaar stukje van haar bestaan.

Uiteindelijk negeert Stef het kind, praat echter ook nooit met Ange over haar. Hun verliefdheid staat centraal. Af en toe bekruipen Ange angstgevoelens, is de zomer opeens minder mooi.

Een tweede zorg dient zich vrij snel aan, Stef denkt er niet over om met Ange mee te gaan naar de kerk.

'Ik ben een man van de wetenschap, Ange... Ik heb mijn bedenkingen en ik ga niet zitten huichelen. Zelfs niet om jou te plezieren. Nooit zal ik proberen jou van je geloof af te houden. Je bent net als mijn zus. Rechtlijnig denkend. Weet je, iedereen vult de Godspersoon naar eigen dunken in. Net als de Bijbel. En wat is het gevolg? Scheuringen, meningsverschillen. Eerlijk gezegd vind ik het zonde van mijn tijd om die te verdoen met fantasieën en leugens!'

Dat komt bij Ange heel hard aan. Juist dankzij haar geloof heeft ze destijds de problemen kunnen overleven. Ze praat en getuigt niet gemakkelijk, het zit heel diep in haar ziel verankerd. Het is een weten. Een leven naast een man die Gods bestaan ontkent.

'We zien wel wie gelijk krijgt, als ik kom te sterven, merk ik het wel...'

Ange staat met de mond vol tanden. Nu is de tijd daar om te kiezen. Waarom neemt een man als Stef niet de moeite het te onderzoeken?

'Ik wil het zelf doen, Ange. Mijn eigen verantwoordelijkheden dragen. De mens is zo slecht nog niet. En wat hoor je van de kansel? Zonde... boete... vergeving... Ik heb daar geen zin in!'

Iedere avond bidt Ange voor Stef, en als ze 's nachts wakker is, wijdt ze menig kwartiertje aan een smeekbede tot haar hemelse Vader: 'Heer... ik houd toch van hem. Laat hem zien dat U echt bent en dat ook hij U nodig heeft!'

Met niemand praat Ange over die verdrietjes. Ze is bang voor commentaar, kritiek. Mam zou zeggen: Maak het uit nu je nog niet zo vastzit aan hem. Later kun je het niet meer opbrengen!

Zo zal iedereen op zijn of haar eigen wijze reageren. Heel diep vanbinnen torst Ange de zware last, helemaal alleen.

Op de dag dat MaiLy zich klaarmaakt om naar het ziekenhuis te gaan, is het stralend weer. Ze geeft Ange nog wat laatste instructies.

'En denk erom: je kunt me bellen. Eerst even die operatie, het bijkomen en zo meer. Wees niet bang me te belasten!'

Heel alleen begeeft MaiLy zich naar het ziekenhuis. 'Ik heb een wagentje en ik breng mezelf weg! Niets bijzonders aan. En jij, Ange, mag mijn auto gebruiken. Kom vanavond maar op bezoek!'

MaiLy heeft weinig vrienden en al helemaal geen familie. De kennissen die ze heeft, wonen in een ander deel van het land.

Het is Ange vreemd te moede als ze haar vriendin ziet wegrijden en in de boetiek alleen achterblijft.

Om de aandacht elders op te richten, neemt ze een poetsdoek ter hand en een fles reinigingsspray. De deurknop, het glaswerk. De glazen toonbank. Geen plekje slaat ze over. Als de telefoon rinkelt, is Ange meteen terug op de wereld.

'Met boetiek MaiLy. Goedemorgen, u spreekt met Ange!'

Zo, dat is eruit. Ze heeft vlijtig geoefend en met goed resultaat.

Een spreekbuis van een inkoopfirma deelt mee dat er vertraging is bij een bepaalde levering.

'We doen wat we kunnen. Helaas!'

Ange maakt aantekeningen in een schrift. Als ze vragen heeft, krabbelt ze deze ook op papier, zodat ze samen met MaiLy de problemen kan bespreken.

De eerste ochtend is het vrij rustig, maar in de middag komt ze handen tekort.

Er wordt gevraagd naar MaiLy.

'Alsjeblieft geen details geven. Zeg maar dat ik blindedarmontsteking heb.'

Ange jokt vlotjes en krijgt heel wat groeten over te brengen.

Aan het eind van de middag wacht haar een verrassing, een bekende figuur opent de deur van de zaak en laat 'het model' binnen.

'Mark! Mark Karsemijer!'

Ange voelt dat ze gaat stralen. De trouwe Mark heeft zich destijds ingespannen om haar terug te vinden. In die periode heeft haar zus een soort dagboek bijgehouden omtrent de gebeurtenissen en heel wat keertjes kwam de naam Mark er in voor. Ze heeft Mark geruime tijd niet gezien, hij is wat breder en manlijker geworden.

'Wat doe jij hier, kleine Ange!' Zijn handdruk is stevig en Ange voelt haar vingerkootjes kraken.

'Ik neem waar voor de eigenares. En jij... jij gaat je verloven, is het niet?'

Het model dat Mireille blijkt te heten, kijkt verveeld van de een naar de ander.

'We kunnen in deze stad nergens komen zonder dat Mark wordt aangesproken. Ben jij ook een van zijn oude liefjes?'

Ange voelt zich blozen. 'Ik ken Mark op een andere manier. Kan ik iets voor u doen?' Mark is 'jij' en het model is 'u'.

Mark gaat op een wit stoeltje zitten dat er plots als speelgoed uitziet.

'Ik kom kijken of er nog wat nieuws is binnengekomen. Ach ja... ik zie het al.'

Het wordt passen en nog eens passen. Ange is druk in de weer om de achteloos neergeworpen kleding terug te hangen. Dat wordt morgen strijken. Ze ergert zich, maar laat het niet merken.

Mark heeft een krant gevonden en verdiept zich in de sportpagina.

Uiteindelijk maakt Mireille een keus. Ange kan haar nieuwsgierigheid niet bedwingen en vraagt: 'Hebt u deze kleding beroepsmatig nodig?'

Mireille glimlacht genadig. 'Ik werk bij de tv. Nooit gezien? Het programma waarin actualiteiten van 'een andere kant' belicht worden?'

Ange verstijft als Mark zich in het gesprek mengt en zegt: 'Ze werkt voor Burggraaf. Die man ken jij ook, Ange.' En tegen Mireille: 'Ange is eens een tijdje spoorloos geweest en via Burggraaf hebben we toen een oproep gedaan. Ange is zelf op zijn verzoek nog eens geweest om eh... uitleg te geven. Het programma had toen een andere intentie, ze hebben nu een andere manier van aanpak, geloof ik!'

Ange voelt zich ellendig. Altijd weer loopt ze op tegen het verleden!

Mark merkt het niet en hij bewondert Mireilles keus.

Mireille is onverwachts wat toeschietelijker tegen Ange. Ze vertrouwt haar toe: 'Ik vervul de functie van aangeefster. Ik stel Alex Burggraaf een vraag of lees wat voor uit een krant, waarop Alex dan de interviews doet. Zeg... als u – ik zal maar 'je' zeggen – eens iets binnenkrijgt waarvan je denkt dat het mijn smaak is, mag je me bellen!'

Ange krijgt een visitekaartje in de vingers geduwd, knikt bereidwillig maar denkt: Echt niet! Nooit!

Korte tijd later draait ze de deur achter het paar op slot. Mark kijkt om, zwaait kameraadschappelijk.

Hij legt verliefd een arm rond Mireilles heupen. Een geïrriteerde beweging van Mireille. Hand in hand lopen ze de smalle straat uit.

De deur op slot, een knip onderaan en een heel hoog. Kon ze die twee mensen maar voorgoed buiten haar leven sluiten. Duidelijk komen de tv-beelden weer terug. Ze was nog zo jong en kwam volgens zeggen vertederend over. Ergens in een verborgen hoekje ligt de band. Ze heeft hem slechts één keer teruggezien.

Automatisch verricht Ange de noodzakelijke handelingen. Kassa afsluiten, de winkel zuigen en de prullenbakken legen.

'Ze kunnen me wat!' roept Ange luidkeels tegen een paar naakte etalagepoppen die op aankleding wachten. 'Het verleden is voorbij, het doet me niks meer. Ik leef nú...!'

Ze kan roepen wat ze wil, maar dat heerlijke, blije zomergevoel lijkt voorgoed op de vlucht!

Zelfs het in een tiental stukjes scheuren van Mireilles kaartje geeft geen opluchting.

6

DE EERSTE MAAL DAT ANGE BIJ MAILY LAM OP BEZOEK GAAT, IS HET ZOEken naar de juiste afdeling en dito kamer.

Ange, niet gewend aan ziekenhuizen, voelt zich opgelaten en wilde wel dat ze iemand had gevraagd mee te gaan. Mam, of bijvoorbeeld Susanneke.

Het blijkt dat MaiLy een kamer deelt met slechts één andere patiënt.

'Rustig, heel rustig en daar houd ik van, Ange!' MaiLy heeft niet veel te vertellen. 'Ik mag niets meer eten tot na de operatie. Reken maar dat ik later de schade zal inhalen!'

Ange kent MaiLy niet als patiënte, laat staan in bed.

Ze moet vertellen hoe haar dag was.

'Ik schrijf alles in een schriftje, zodat ik je niets vergeet te vragen. O ja, een leverancier heeft gebeld. Over een zending...'

MaiLy is met haar gedachten helemaal terug in de boetiek. 'Je blijft toch wel slapen? Dat vind ik een prettig idee. En je mag gerust mijn naaimachine gebruiken. En al eet je de diepvries leeg, het maakt niet uit!'

Ange krijgt voor ze vertrekt de autosleuteltjes van MaiLy's wagen mee. 'En vergeet niet schone lingerie voor me te pakken, Ange. Oef, ik ben niet gewend om zo afhankelijk te zijn!'

Ange troost haar. 'Je vraagt het toch aan mij... Ik doe het graag, ook al zie ik je liever in de winkel!'

Terugrijdend bedenkt Ange dat ze nog niet eens verteld heeft over het model dat Mireille heet.

Voor ze naar de zaak terugrijdt, wipt Ange even bij haar ouders aan. Rianneke is al naar bed. Vader zit geboeid voor de tv en haar moeder is bezig een vestje voor Rianneke in elkaar te zetten.

'Stef was hier, ik heb hem naar de boetiek gestuurd!' deelt Rita haar dochter mee. 'Hoe was het met MaiLy en wanneer wordt ze geholpen?'

Ange geeft de gevraagde informatie, maar als haar moeder wil weten wat er precies aan schort, moet Ange het antwoord schuldig blijven.

'Ik weet het niet precies... Iets routinematigs, volgens MaiLy. Maar ze moet wel vijf dagen blijven!'

'Dat is lang,' vindt Rita. 'Ze sturen de mensen tegenwoordig heel snel naar huis. Misschien heeft ze je niet alles verteld. Het zullen wel myomen zijn die eruit moeten. Dat kan inderdaad heel onschuldig zijn.'

Ange gaat ervan uit dat dit het geval is. Ze bewondert het vestje, drinkt samen met haar moeder koffie in de tuin en dist voorvallen op die ze heeft meegemaakt.

'Weet je wie ik heb leren kennen? De verloofde van Mark Karsemijer. Ze werkt bij de tv.'

Rita knikt. 'Dat weet ik. Af en toe bellen zijn moeder en ik met elkaar. Ze zijn bezorgd om Mark. Hij heeft al twee keer een studie eraan gegeven, nu wil hij weer wat anders. Hij is nota bene tegen de dertig. Vroeger werd je uitgescholden als 'gedropte student'. Tegenwoordig mag je switchen. Zo noemt jullie generatie dat toch?'

Ange voelt zich aangesproken. 'Nieuwe tijden, nieuwe mogelijkheden, mam!' doet ze gemakkelijk. Echt mam om kritiek op jou via het gedrag van een ander uit te spreken. Ze plaagt: 'Ik sta misschien volgende week wel bij de slager, en het marktwezen lijkt me ook wel wat! En... ik kan ook altijd nog naar Amerika gaan, met Stef. En daar een studie oppakken. Zoiets wil Jollie ook doen!'

Rita kijkt geschokt en als Ange allang is weggereden, overdenkt ze nog die laatste uitlating.

De volgende ochtend komt Ange met moeite uit MaiLy's logeerbed. Stef is heel erg lang gebleven. Hij deed opnieuw een poging om te mogen blijven slapen. Maar Ange houdt vast aan haar standpunt. Dit keer houdt ze vol. Als de relatie eenmaal een lichamelijke factor erbij heeft, zo weet ze uit ervaring, wordt het moeilijk duidelijkheid te krijgen over wat ze echt wil.

Tegen tien uur wordt ze onrustig. Nog een kwartier, dan ligt MaiLy op de operatietafel. Ze huivert. Na haar ongeluk destijds, in het circus, heeft ze korte tijd aan geheugenverlies geleden. Vandaar dat ze doodsbang is voor narcose. Het ene moment klim je in een hoge piste, grijp je je vast aan touwen en stellingen en opeens ben je 'van de aarde'.

Automatisch helpt ze klanten, strijkt een paar verkreukelde blouses op en verwerkt de post.

Pas om halftwaalf durft ze te bellen: de operatie is achter de rug. Mevrouw Lam ligt op de uitslaapkamer.

Het liefst zou Ange de winkel op slot doen en naar MaiLy racen. Helaas heeft MaiLy haar dit dringend verboden. 'Als een cliënt een keer voor een dichte deur heeft gestaan, is de achterdocht gewekt. Ik zet, als er zo'n noodgeval is, ook nooit op de deur: door omstandigheden gesloten. Dat kan van alles zijn. Sommige mensen zijn allergisch voor zo'n kreet. Ik doe het anders: 'ik ben even' – bijvoorbeeld – 'op ziekenbezoek en hoop snel terug te zijn'.'

Tot Anges genoegen komen haar moeder en Susanneke die middag op visite, samen met Rianneke.

'Mamange! Ik heb een ijs gehad. Een heeeel grote!'

Ange laat iets van haar ongerustheid merken.

'Ik vind het zo sneu dat MaiLy daar in haar uppie ligt wakker te worden...'

Susanneke hakt de knoop door. 'Jij gaat toch even, dat moet kunnen. Mam en ik passen op de winkel. Een jurk verkopen kan ik ook.'

Ange aarzelt. Zou dit wel stroken met de afspraak?

'Ga maar!' vindt ook Rita. 'Je kunt met een halfuur terug zijn. En in die tijd kan er hier niet veel misgaan!'

Anges gevoel wint het van haar verstand. Ze haast zich de deur uit en in de bloemenshop van het ziekenhuis koopt ze een boeket waarvan ze zeker weet dat MaiLy er blij mee zal zijn.

'Jij... o stout ding! Je hebt de deur toch op slot!' zegt MaiLy zwakjes.

Ange grijnst. Kust MaiLy heel voorzichtig op het voorhoofd.

'Geen briefje op de deur. Mamma en Susanneke passen even op. Ik ga zo weer en kom vanavond terug. Maar ik wilde je zo graag even zien. Hoe gaat het?'

MaiLy probeert te glimlachen, wat mislukt.

'Belabberd dus!' constateert Ange. Ze zet de bloemen in een vaasje, vlak bij het bed zodat de patiënte ze niet alleen kan zien maar ook ruiken. Ze streelt een van MaiLy's smalle handen. 'Probeer maar wat te slapen. Mag je al wat drinken?'

MaiLy schudt haar hoofd. 'Straks. Ze zijn bang dat ik ga overgeven.'

Anges hart loopt over van medelijden. Natuurlijk is dit alles slechts tijdelijk. Morgen ziet het er heel anders uit. Maar nu is nu.

'Dag, MaiLy. Rust maar uit, ik pas op je winkeltje! Tot vanavond.'

Ange is inderdaad snel terug.

'Een halfuur!' hijgt ze binnenkomend.

Rita en Susanneke luisteren naar Anges verslag.

'Vanavond is ze alweer een stuk beter. Zul je zien!' Susanneke heeft opeens haast. 'Mijn oppas moet om vier uur weg. Kom op, mam. O ja... weet je wie er net is geweest?'

Susanneke maakt een beweging met beide handen, Anges ogen gaan mee en ontdekken het gisteren verkochte kledingstuk.

'Mireille natuurlijk. Mankeert er wat aan dat ding!'

Susanneke grinnikt, wijst op een torn in de zijnaad. 'En kon ze dat zelf niet maken?'

'Nou moe...' puft Ange verbaasd. 'Dus ik moet dat even voor mevrouw repareren.'

'Hij was er ook bij, Mark!' Susanneke, die ooit een kortstondige, maar hechte vriendschap met Mark had, heeft nog altijd een zwak plekje voor hem. 'Hij is veranderd. Lijkt opeens meer op pa Karsemijer.'

Ange plaagt: 'Je kijkt zo verrukt, laat je man dat maar niet zien en horen!'

Susanneke schudt haar hoofd. 'Mij krijg je niet op de kast. Houd ons op de hoogte wat MaiLy betreft!'

Tijdens een rustig halfuurtje repareert Ange Mireilles kledingstuk. Zittend op een kruk achter de toonbank geniet ze ondanks alles toch van haar bezigheid. Ze is graag met de handen in de weer. Op de achtergrond speelt een band met rustige muziek, die de oudere klanten niet irriteert en zelfs de meer jeugdigen weten te waarderen. 'Bedrijfspsychologie' noemt MaiLy dat.

Pas als ze het dunne garen afknipt, realiseert ze zich dat ze haar dochtertje zonder enig schuldgevoel heeft zien vertrekken.

Tegen vijf uur staat opeens Mark Karsemijer in de winkel.

'Hallo, Ange. Is dat ding klaar?'

Ange is oprecht verheugd hem te zien.

'Helemaal alleen?' informeert ze, de japon inpakkend.

'Mireille is naar de studio. Ik ben zo'n beetje haar huisknecht en chauffeur tot ik mijn draai heb gevonden!'

Ange kan het niet laten te vragen wat Mark van plan is te gaan doen.

'Je studeerde toch? Wat ga je nu doen?'

Mark gaat op de punt van de toonbank zitten. 'Dat jij dat vraagt. Zal ik je mijn geheime fantasieën toevertrouwen?'

'Moet je doen,' zegt ze glimlachend. Ze gaat zitten op de voor de klanten onzichtbare kruk achter de toonbank en plant haar ellebogen weinig elegant naast de kassa.

Mark grijnst.

'Jij voelt je hier happy, niet? Wel... ik gesjeesde jongen, ben een kwelling voor mijn ouwelui. Je weet hoe pa is! Een modelpolitieman. Keurig op tijd promoties gemaakt. Tja... als jochie wilde ik hen altijd ter wille zijn. Misschien weet je nog dat ik ooit een zusje heb verloren? Ik sloofde me uit altijd lief en gehoorzaam te zijn, te doen wat mijn ouders wilden of wat ik dacht dat ze wilden. Ze mochten immers niet nog meer verdriet hebben! Dat was verwarrend. Mijn toekomst leek uitgestippeld, helaas begon de ellende tijdens de studie. Telkens weer ontdekte ik dat ik deed wat ik dacht dat anderen van me verwachtten!'

Ange knikt.

'Ik herken dat. Je kunt er pas iets aan veranderen als je dat geconstateerd hebt, Mark. Maar ga door, voor er weer een klant komt!'

Mark vertelt over zijn teleurstellingen. Hoe moeilijk het was zijn ouders weer mee te delen dat hij wat anders wilde. 'Switchen! Dat mag toch tegenwoordig? Ik weet ook nog niet echt wat ik wil...' Mark glimlacht. 'Het politiewezen trekt mij ten dele wel aan, maar ik vind me te oud om daar nog mee te beginnen. Bovendien, de zoon van Karsemijer moet ook zo nodig. Het recherchewerk is boeiend. Het slokt je wel op. De werkelijkheid is bepaald geen tv-serieverhaaltje. Tja, nu ben ik bezig informatie in te winnen. Ik beschik over een paar leuke kruiwagentjes, Ange. Via Mireille heb ik wat mensen leren kennen. En na de nodige testen is gebleken dat ik geschikt ben voor de journalistiek. Buitenland, reportages, verslaggeving. Ik spreek mijn talen uitstekend, dat is een pre. Natuurlijk mis ik de nodige ervaring en gerichte opleiding. Maar eh...' Mark slaat zijn ogen neer om bescheidenheid te veinzen. 'Ik blijk een natuurtalent. En de eerste opdracht is een feit. Ik ga naar Turkije voor een verslag. Daarna China.'

Ange is gepast verbijsterd.

'Spreek je dan Chinees?' vraagt ze vol ontzag.

Mark schatert. Knijpt Ange speels in een wang.

'Mal kind! Het gaat om christenen die samenkomen in hun huizen en zogeheten 'huisgemeenten' vormen. Zoals je misschien weet, is men niet in alle staten gesteld op het christendom. Het moet geen zoetgevooisd verhaaltje worden. Een eerlijk verslag, een kijkje in de harten en levens van mensen. 'Waarom bekeren juist zij zich'.'

Ange ziet door het raam een paar dames hun kant op komen en springt van de kruk.

'Kun je daar je geld mee verdienen?' vraagt ze meer eerlijk dan gepast.

'Dat is wel de bedoeling. Als ik Turkije en China heb gehad, hopen Mireille en ik te trouwen. Want dan krijg ik namelijk te horen of ik een contract krijg!'

Ange fluistert nog gauw voor de deur wordt geopend: 'Als je dan ooit naar Korea wordt uitgezonden, ga ik met je mee!'

Mark pakt de tas, knipoogt naar Ange en beent de winkel uit.

Ange concentreert zich op de wensen van de vrouwen. Die laten merken het prettig te vinden door Ange geholpen te worden. Hun 'Tot ziens' klinkt gemeend.

's Avonds blijkt MaiLy iets beter aanspreekbaar te zijn. En luisteren kan ze ook. Ange moet alles vertellen wat er die dag is voorgevallen. Vreemd genoeg houdt ze het verhaal van Mark voor zich.

MaiLy lijkt opgelucht als het bezoekuur voorbij is, om haar mond verschijnen vermoeidheidsplooien.

De rest van de avond is voor Stef.

Samen genieten op het grote balkon achter het woongedeelte.

'Zo zal onze toekomst zijn!' gniffelt Ange. 'Jij, ik en Rianneke natuurlijk. Ze wordt hoe langer hoe wijzer en ik hoop dat ze snel zal begrijpen dat jij en ik bij elkaar horen!'

Stef legt zijn voeten op de rand van het balkon.

'Zou je denken? Ik, stiefvader. Een moeilijk begrip, Ange. Ik vind kinderen sowieso een moeilijk begrip. Dat mensen in deze tijd nog kinderen willen!'

Ange protesteert luidkeels, stoort zich niet aan eventuele buren die haar kunnen horen.

'Hoor jij zelf wat je zegt? Willen! Alsof een mens een fabriekje is. Kinderen worden je gegeven. Zo heeft God het gewild. Stef, geloof dat toch!'

Ze zakt op haar knieën naast hem en stopt haar bedroefde gezicht weg op zijn schoot. Stef streelt het gladde haar, speelt met een onwillige sliert die uit het kapsel is ontsnapt.

'Zo cru bedoel ik het allemaal niet, liefje. Natuurlijk wil ik ooit graag kinderen van ons samen. Maar eerst gaan we samen genieten! Die mogelijkheden houden namelijk een keer op. Je wordt ouder, weet ik wat er allemaal kan gebeuren. En als je eenmaal kinderen hebt, ken je geen rustig moment meer. Jij mag je moeder wel erg dankbaar zijn. Wij, bedoel ik! Want als wij samen naar Boston gaan, kan zij voor Rianneke zorgen. Dat is ideaal. En maak me niet wijs dat je dat niet wilt! Erg veel moedergevoelens toon je ook niet. In mijn ogen ben je echt nog een vrije meid!'

Een vrije meid. Een vrouw zonder dochter.

'Zie je dat echt zo, Stef? Maar dat is niet waar.'

Stef trekt Ange op zijn knieën, kust haar vol vuur en dooft de twijfels.

'Je móét aan jezelf denken, Ange. Je ontplooien. Daar heb je recht op. Sterker: het is je plicht. Het kind mag jou niet in de weg staan. Weet je wat? Ik zal mijn goeie kant laten zien. We gaan zaterdag samen naar de dierentuin!'

Ange schudt haar hoofd.

'De winkel. Dan moet het maar op zondagmiddag. Eerst informeren of mijn ouders geen afspraak hebben, of Rianneke wat anders is beloofd...'

Stefs uitgesproken meningen maken Ange bang. Nog dagen erna tobt ze erover, het verdringt allerlei andere gedachten.

Tot ze, de dag voor MaiLy's ontslag uit het ziekenhuis in de gang door een jonge, vrouwelijke arts wordt tegengehouden.

'U bent familie van mevrouw Lam?' Ange knikt en mompelt: 'Zoiets ja.'

De arts loodst haar mee naar een rustige hoek in de brede gang.

'Mevrouw Lam is behoorlijk van streek, een collega van mij is nu bij haar. Het blijkt dat de uitslag van het onderzoek niet was zoals wij veronderstelden. U begrijpt me? Niet het ergste denken. We hebben iets weggenomen wat niet goed was. En net op tijd. We houden haar onder controle om te zien of de toestand stabiel blijft. Het was schrikken, wij – dus zij ook niet – hadden dit namelijk niet verwacht. Ik zal even zien of ze weer aanspreekbaar is!'

Ange blijft ontzet alleen in de nis achter, ze kluift haar zakdoek van ellende bijna op. Niet MaiLy. Haar liefste vriendin. Niet dat erge.

De arts komt terug om Ange te halen.

'Mevrouw is heel kalm nu. Ze heeft zich hersteld en wil graag dat u bij haar komt. Ze mag gewoon naar huis, hoor. Maar er zijn wel afspraken gemaakt voor de controles. Sterkte!'

Sterkte. Zo'n kort, simpel woordje, zo gemakkelijk uitgesproken. Ik kan er niks aan doen, alles is naar voor je, houd je taai. Zo vertaalt Ange het. MaiLy ligt alleen. De patiënte naast haar is ontslagen.

Een wit gezichtje op een te groot kussen. Een smalle hand die nerveus een uitgezakte permanentkrul op zijn plaats drukt.

'Je hebt het gehoord, Ange?'

Anges slanke armen zijn al voor zo ver mogelijk om MaiLy heen.

'Het is niet echt dodelijk... Je wordt beter, je was op tijd! Het is eruit... Knokken, MaiLy. Voor mij, doe het voor mij!'

MaiLy's tranenstroom is gestelpt, de vloed gedroogd. Ze knikt.

'Het was zo schrikken. Zo onverwachts... Ik dacht: een routineoperatie! En nu dit...'

Een verpleegkundige brengt thee, ook Ange krijgt een kopje. Thee drinken, een koekje eten. Gewone dingen die hen beiden weer terugbrengen in het hier en nu.

'Ik blijf nu natuurlijk voor je werken en bij je wonen tot je alles weer aankunt. Niet tobben!' zegt Ange tussen twee slokken door.

'Lieverd!' MaiLy zegt niet wat ze in haar eerste schrik heeft overwogen: de boel verkopen en zich terugtrekken. Ergens een klein huisje zoeken en er het beste van maken.

'De prognose is niet slecht. Maar het idee... het is zo wennen. De grond onder je voeten wankelt!'

Ange beseft dat het goedkoop zou zijn om nu met vrome praatjes aan te komen. Die kan MaiLy zelf ook wel verzinnen.

'Als jij een tijdje bij me blijft wonen, zal het allemaal goed gaan. Ik kan wat rusten, de therapie volgen... Niet te ver vooruit denken. Bovendien zorg jij voor de nodige afleiding. Als je wilt, kunnen we een peuterafdeling openen. Zodat jij je eigen inbreng krijgt... worden we compagnons!'

Ange knikt.

Geen Boston. MaiLy heeft haar nu meer nodig dan Stef.

'Ik wil wel, MaiLy. Ik vind het heerlijk om in de boetiek te werken. Zelfs het stofzuigen en repareren van kleding vind ik leuk. We redden het samen best wel.'

MaiLy knijpt zacht in een hand van Ange.

'Best wel.'

Eenmaal thuis bij haar ouders kan Ange haar verdriet en schrik niet meer bedwingen.

'Mam... ze zal toch niet... toch niet sterven?'

Rita houdt Ange dicht tegen zich aan. 'Als ik je nu zeg: onze tijden zijn in Gods hand, word je dan wat rustiger? MaiLy is een sterke vrouw en nog jong ook. Ze heeft goede kansen, ze was er op tijd bij. Dat is positief. Het leven is niet altijd gemakkelijk en eerlijk, Ange. Het gaat vaak anders dan wij verwachten!' Dit is Rita op haar best. Ze weet precies de woorden te vinden die Ange weer opbeuren.

Rianneke schrikt als ze Mamange ziet snikken.

'Be-je gevalt!' roept ze. 'Heb je bloed-en-pleister?'

Alsof het een recept is. Bloed en pleister.

Ange schudt haar hoofd, strekt haar armen uit, Rianneke kruipt tegen haar moeder aan.

'Watte dan?'

Ange verwoordt het heel simpel.

'Een vriendinnetje van Mamange is erg ziek en daarom moest ik even huilen, lieverd.'

Rianneke knikt, maakt zich los en roept: 'Dan heb dat vriendinnetje van jou natuurlijk bloed-en-pleister!'

Het kind gaat over tot de orde van de dag.

Moeder en dochter kijken elkaar aan.

'Een kind te zijn...' zucht Ange en leunt moe tegen haar moeders schouder.

'Je moet nu flink zijn, MaiLy rekent op je. Geen gemakkelijke taak. Ik had je wat leukers toebedacht!'

Ange schudt haar hoofd. 'Ik ben voor het eerst in mijn leven nuttig. En als MaiLy helemaal beter mag worden, ben ik de gelukkigste mens op de wereld!'

Stef is er niet om haar te troosten, hij is voor enkele dagen in het buitenland. Rita beweert dat ze heel goed met Stef kan praten.

'We denken over veel dingen hetzelfde. En volgens zijn zus is dat zogenaamde ongeloof van hem slechts een fase, Ange.'

Pas later, terug boven de boetiek, vraagt Ange zich af waarover mam en Stef dan wel zo goed kunnen praten. Over Rianneke en haar toekomst? Een vage angst bekruipt haar. Stefs verlangen een leven met Ange te starten zonder Rianneke past goed in haar moeders toekomstbeeld. En voor het eerst twijfelt Ange; mag ze wel voor zichzelf kiezen? Wil ze dat ook?

En wat nog belangrijker is: kan ze dat?

Als de gedachten te benauwend worden, zoekt Ange werk. Ze stort zich op haar nieuwe hobby. Vrolijke lapjes stof worden als 'vanzelf' leuke kleertjes, dankzij de professionele naaimachine van MaiLy. Het vergaat haar net als Mark Karsemijer; ze beschikt over niet-vermoede talenten!

7

ANGE IS NIET GELUKKIG ÍN HAAR RELATIE MET STEF, TERWIJL ZE WÉL GELUK-kig is mét haar relatie. Ze kan en wil hem niet missen. Ook al staat Rianneke levensgroot tussen hen in. Het uitstapje naar de dierentuin is geflopt. Rianneke griezelde van de grote dieren, zelfs de aapjes konden haar niet bekoren. Ange moest de buggie duwen, Stef diende zelfs op een meter afstand te blijven.

Stef is ook niet gelukkig met de situatie. Hij wil nog niet zo ver gaan dat hij Ange voor een keus stelt: Rianneke of ik. Hij zoekt naarstig naar andere oplossingen.

Ondertussen gaat Ange op in haar werk. Daar is ze voorlopig onmisbaar. MaiLy rust de eerste tijd na thuiskomst en werkt later slechts enkele uren per dag.

Ange is verbaasd als MaiLy op een rustige ochtend meedeelt: 'Ik heb goed nagedacht, Ange... Ik ga door met de zaak!'

Ange morst van schrik met de suiker, redt nog net de pot.

'Was jij dat dan van plan... ik bedoel: wilde je stoppen?'

MaiLy ziet er weer goed uit en ze voelt zich ook beter.

'Ach... soms dacht ik: waar doe ik het voor? Maar nu jij er bent, heb ik nieuwe impulsen. Ik heb van de klanten zulke leuke dingen over je gehoord, Ange. En dat heeft mij de zaak ook weer met andere ogen laten zien. Het zou jammer zijn als ik vertrok. We hebben een flinke klanten-kring. We betekenen iets voor de mensen. En wat moet ik thuis? Vierentwintig uur per dag? Ik ben nog veel te jong om te gaan rentenie-ren. Ook al voelde ik me de laatste tijd honderdtien.'

'Toe maar...' lacht Ange beverig. Bijna was ze haar job kwijt geweest.

'Geen suiker meer in de koffie en thee.' MaiLy legt een hand over haar kopje. 'Ik ben door al het nietsdoen een paar kilootjes aangekomen en die wil ik kwijt. Ik wil positief blijven, Ange!'

Ange knikt heftig. Aan haar zal het niet liggen als dat niet het geval mocht zijn. Ze kijkt om zich heen. Rond hen, in het kantoor, staan dozen met daarin een gedeelte van de najaarscollectie. Nog even, zo heeft MaiLy voorspeld, en de vrouwen komen snuffelen, en als het goed is ook kopen.

'Ik wil jou meer verantwoordelijkheden geven. We gaan in het vervolg op maandagochtend samen naar Amsterdam voor de inkoop. Ik leer je waar je op moet letten en breng je in contact met de juiste mensen, zodat je het op den duur ook alleen kunt. Enneh... ik ga verhuizen!'

Ange schenkt nog eens koffie in en hapt gretig van een speculaasje: het eerste dit seizoen.

'Ik ben dwaas geweest om mijn leuke huisje op te geven. Gisteren heb ik een bezoekje aan een makelaar gebracht en de folders bekeken. Ik wil weer een huisje met een tuin. En jij, Ange, mag dan boven wonen. Ik had de indruk dat je graag zelfstandig wilde gaan wonen.'

Ange knikt heftig. 'Dat wil ik ook dolgraag. Maar Rianneke... ik kan niet voor haar zorgen en gelijk werken. Ze zou natuurlijk naar een crèche kunnen; als het moet hele dagen. Maar dat kan ik mam weer niet aandoen! Ik zit in een moeilijk parket. En dan is Stef er ook nog.'

Ange zwijgt, tot MaiLy zegt: 'Vertel het me maar!'

Ange geeft zich bloot, laat merken hoeveel ze om Stef geeft. 'Het is wederzijds, MaiLy. Maar Rianneke... wat zou er toch zijn dat ze zich zo tegen hem verzet? In het allereerste begin was daar geen sprake van. Het kan ook niet zijn dat ze jaloers is op Stef, want wat heb ik nou voor binding met mijn eigen kindje? Ze is mams Rianneke...'

Tranen glijden over Anges wangen, ze lijkt het niet te merken.

MaiLy zegt aarzelend: 'Toch ben je schatrijk met dat kind. Voor mij is dat niet meer weggelegd. Het komt wel goed, zodra Rianneke groter is. Je moeder wordt ouder, eens zal ze blij zijn de verantwoordelijkheid terug te kunnen geven!'

Ange schiet in de lach. 'Mam is zo vitaal als een tennisbal. Als ze een klap krijgt, stuitert ze zo de goeie kant weer op. En ik moet haar dankbaar zijn. Zonder mijn ouders had ik niet kunnen leren en was ik blijven steken op mijn zestiende of zeventiende jaar!'

MaiLy is van mening dat zelfstandig wonen voor Ange de eerste stap is.

'En als we naar Amsterdam gaan, nemen we ook wat peuterspullen mee. Exclusieve winterjasjes, bijpassende spullen zoals maillots. Het moeten boetiekspullen blijven.'

Ange bekijkt vanaf nu de bovenverdieping met andere ogen. Straks heeft ze een eigen woning. De vloerbedekking en gordijnen mogen blijven liggen en hangen, heeft MaiLy royaal aangeboden.

Stef is heel gelukkig met het feit dat Ange thuis weggaat.

'We moeten elkaar volledig leren kennen. Straks zit ik weer voor een paar maanden in Boston. En dan wil ik niet in de rats zitten omdat het gevaar bestaat dat ik jou kwijtraak!'

Ange lacht hem uit. Die kans is minimaal.

Rita en Jan Althuisius kijken vreemd op als Ange komt vertellen dat ze het ouderlijk huis definitief gaat verlaten.

'Je zit ons toch niet in de weg? Wat is de ware reden, Ange? Is het om Rianneke? Is je verhuizing een manier om duidelijk te maken dat je niet toe bent aan het moederschap?'

Rita kijkt na deze vraag gesteld te hebben haar dochter verwachtingsvol aan.

Het is Ange alsof een koude hand zich om haar hart wringt.

'Mam! Ken je me dan zo slecht? Rianneke... mijn kindje... Janos...'

Jan komt tussenbeide.

'Je moeder dacht vast niet na voor ze deze vraag stelde. Ik vind het een goede zaak dat je zelfstandig wilt wonen. Het is in de buurt. Je zou in de weekeinden Rianneke bij je kunnen nemen en zo mama's taak geleidelijk aan overnemen!'

Moeder en dochter staan zwijgend tegenover elkaar. Met Rianneke onzichtbaar tussen hen in.

'Als je thuis bleef wonen, zou alles vanzelf gaan. Nu krijg je een georganiseer! En als het kind niet wil...'

Alsof Rita een eigen kind moet verdedigen. Ange kan er even geen begrip voor opbrengen.

Stug zegt ze: 'Pa heeft gelijk. Ik schaf wat spulletjes voor Rianneke aan.

Ik heb ruimte genoeg, ik richt een kinderkamertje in. Ze moet toch weten dat ik haar lijfelijke moeder ben!'

Rita slikt haar angst in. Ze knikt. 'Natuurlijk. En gelukkig is het niet ver weg. De afstand is te befietsen. Wel, veel geluk dan maar in je nieuwe woning. Het zal wel stil zijn zonder jou en de aanloop van Stef...'

Ange schudt met man en macht andermans meningen van zich af en stort zich, zodra MaiLy haar boeltje pakt, op de inrichting.

MaiLy heeft een lief huis gevonden aan de rand van de stad. Een huis zoals ze wilde, vrijstaand. Door druk bezig te zijn duwt ze de vrees voor haar gezondheid van zich af. Positief denken, het helpt, zo weet ze.

Ondertussen gaat het werk in de boetiek gewoon door. Er wordt gekocht, de najaarsmode vliegt de deur uit.

'Geen nieuwtje!' glimlacht MaiLy fijntjes. 'Ik heb maar één talent: een fijne neus voor wat ik moet inkopen.'

Een van de vaste klanten is Mireille, die zelden zonder een aankoop vertrekt. Diezelfde Mireille kan ook veeleisend zijn en anderen feilloos naar haar hand zetten.

Dat ervaart Ange als ze op een middag tot haar verbazing MaiLy de trap ziet afkomen.

'Ik dacht dat jij nog een paar uurtjes zou rusten! Hele dagen zijn nog te veel voor je!' moppert Ange goedmoedig. 'En het is vandaag niet druk. Die vervelende regen ook!'

MaiLy zwaait met haar autosleuteltjes.

'Werk voor je aan de winkel. Mireille heeft gebeld, volledig in paniek. Ze heeft voor de uitzending van vanavond nieuwe kleding nodig.'

Ange protesteert. 'Speciaal voor die uitzending heeft ze zich arm gekocht! Zeker weten!'

MaiLy legt uit dat Mireille niet gerekend heeft op het feit dat er nog een opname wordt gemaakt die op de band komt. 'Nu heeft ze niets voor vanavond en ze smeekte me of jij wat wilt brengen. Ze zei dat jij wel wist wat ze bedoelt met 'een fluwelen broekpak'. Klopt dat?'

Ange knikt. 'Ik moet dus ik weet niet hoe lang rijden, misschien wel in een file terechtkomen, omdat zij... Net of iemand zal zien dat ze twee keer hetzelfde draagt. Ze is de koningin niet!'

'Maar wel klant,' lacht MaiLy lief. 'Ik zou het zelf wel willen doen, maar...'
Ange heeft het broekpak al uit het rek gehaald. 'Dit is het. En jij blijft
hier. Ik zal dat model duidelijk te kennen geven dat dit eens maar nooit
meer is.'

De regen valt gestaag, doet de laatste zomerkleuren verbleken.

Ange rijdt stug door. Ze kent de weg naar de studio's van de keer dat ze
naar opnamen is geweest. Het liefst zou ze geen voet meer op die locatie
plaatsen. Ze is in ieder geval niet van plan op zoek te gaan naar Mireille.
Ze zal het zo regelen dat degene die achter de balie zit, het pakje aanneemt of Mireille bericht geeft.

Het vinden van een parkeerplaatsje is dit keer geen probleem en met haar
plastic kledingzak over een arm haast Ange zich het gebouw in.

Bij de balie moet ze wachten, het geeft haar even de tijd om op adem te
komen.

Als ze haar zegje mag doen, knikt de jongeman achter de balie voor ze is
uitgesproken.

'Ik weet ervan. Tjonge, vrouwen en kleding! Wees zo vriendelijk en breng
het even naar gebouw D. De pijlen geven aan welke kant je op moet!'

'Ja maar... ik laat het liever hier achter!' sputtert Ange tegen.

'Eh... alsjeblieft dan?' vraagt de jongeman. Hij heft zijn handen op. 'Ik kan
hier niet weg, er wordt bovendien op dat eh... rokje of zo gewacht!'

Ange neemt de zak van de ene hand in de andere. Er zit niets anders op.
Het een en ander is niet bevorderlijk voor haar humeur.

Afdeling D. Ze vindt het gemakkelijk. Ook hier ontdekt ze een balie. Ze
zal zich niet weer laten sturen. Tot hier en niet verder!

'Alsjeblieft! Dit is voor Mireille. Zorgt u ervoor dat het verder komt!'

Achter de balie is een man bezig. Hij staat met de rug naar haar toe en
roept over zijn schouder: 'Deze balie is even onbemand. Loop maar door,
mevrouw!'

Ange blijft aan de grond genageld staan. Alex Burggraaf. De man die
indertijd het programma 'Vermist, wat nu?' deed. Waarin zij als 'ver-
miste' uitgebreid ter sprake kwam. En later, na haar thuiskomst, heeft
ze zelf meegewerkt aan een rechtstreekse uitzending waarin ze tekst en
uitleg van het gebeurde gaf. En wel om van het gesmoes en gefanta-
seer af te zijn. Het hielp. Want al snel was de zaak Ange Althuisius

overwoekerd door andere gebeurtenissen.

'Wat nu?' vraagt Ange zich af. Een moment is ze in paniek. Dan zegt ze zo kalm mogelijk: 'Ik heb geen tijd. Dit pakje is voor Mireille van de...' Hoe heet het programma ook alweer? Anges hersens werken op volle toeren. 'Mireille Haaken van de actualiteitenrubriek. Dat van eh...' ze weet het weer, 'de andere kant... Eh... goeiemiddag!'

Alex Burggraaf heeft gevonden wat hij zocht, gooit een stapel mappen op de balie en richt zijn aandacht op Ange, die half wegschuilt achter de kledingzak.

'Jaja, het zit wel goed. Eh... daar hebben we Mireille.' En zijn stem verheffend: 'Je komt op tijd om je boodschappenmeisje van haar vracht te verlossen!'

Ange gooit de zak in Mireilles armen. 'Ik heb geen tijd. Haast... haast.'

Mireille grijpt Ange echter bij een arm, vol walging kijkt Ange naar perfect gevormde nagels die in een modetint zijn gelakt.

'Niet zo haastig! Lex, volgens de overlevering moet je deze dame kennen uit een vorig programma. Eens even testen of mijn Mark de waarheid heeft gesproken!'

Alex Burggraaf verschuift een leesbril die zo klein is dat deze nauwelijks de naam 'bril' mag dragen.

Kalm zegt hij: 'Maar natuurlijk. Het meiske Ange dat zo dapper in een rechtstreekse uitzending haar woordje wist te doen!' En hij citeert: 'Ik ben dankbaar hier te mogen zitten... alles uitleggen zodat niemand meer wat te vragen heeft... En o ja: pap, mam, zus, vrienden, ik houd van jullie.' Een vinger die dreigend op Ange afkomt. 'En ik heb wat geleerd! Toen ik in diepe nood was, begreep ik dat God een Vader was!'

Ange verbleekt. Weer het verleden.

'Zoiets was het toch?' grijnst de tv-man. 'Kind, wat heeft dat programma gescoord. Wat een reacties. Hoe gaat het nu met je? Kom, dat wil ik echt graag weten.'

Ange sputtert tegen.

'Heus, ik heb geen tijd...'

Alex ruikt echter een nieuw onderwerp. Ange kan geen kant op, wordt letterlijk meegesleurd naar een kantine waar het intens naar nieuwe verf ruikt.

'Het gaat goed met me... Ik heb een baan.'

'Wat voor baan...? In een winkel?'

Alex drijft door. 'Dus geen studie. Kon, wilde of mocht je niet leren?'

Ange, die voor haar ouders wil opkomen, laat zich gaan. Ze zou een moment later het liefst haar woorden ongedaan maken, helaas is zoiets onmogelijk.

'Natuurlijk mocht ik van mijn ouders leren... ze zorgen voor mijn dochter en ik heb zelfs de jaartrofee van de school behaald!'

'Een trofee voor Ange. Daar moet ik meer van weten!'

Mireille komt behulpzaam: 'Het heeft bij ons in de plaatselijke kranten gestaan.'

Ange monkelt: 'Komkommernieuws.'

Terwijl een meisje ongevraagd koffie voor haar neerzet en Alex Burggraaf dwingend een arm van Ange vasthoudt, staat Mireille op om de kleding te passen en te showen.

'Doe je best, Lex!' kirt ze.

'Jij bent toch je geheugen kwijt geweest als gevolg van een val in de piste. Dat weet ik nog heel goed. Hoe verging het je verder? Nog lang last gehad van eh... uitval van een hersenfunctie?'

Ange wordt nerveus.

'Het gaat me goed, dat zei ik toch? De hersenfuncties kwamen terug... Ik heb nog lang last van black-outs gehad. En vaak, wanneer ik nerveus was vanwege bijvoorbeeld een tentamen, was het of ik niet meer kon denken. Maar nu gaat het goed. Ik ben ook al heel lang niet meer onder controle. Ik... ik wil het vergeten, Alex!'

Een monotone stem roept Alex Burggraaf op om naar studio 3 te komen. Alex negeert de oproep, wenkt het meisje achter de bar nogmaals koffie te brengen.

Hij haalt diep adem, de druk van zijn ene hand wordt bijna pijnlijk.

'Ik ben bezig met een onderwerp: 'geheugenverlies ten gevolge van een ongeluk.' Hoe gaat men ermee om? Wat doet de omgeving? Heb je nog kansen in de harde maatschappij, word je voor vol aangezien, is er vertrouwen in je? Ik heb een stel mensen met wie het beduidend slechter is gegaan dan met jou, Ange Althuisius. Jij functioneert, je kind is gezond, neem ik aan. Je hebt je school afgemaakt. Je werkt. Kortom, jij doet weer mee. Tjonge, wat zou ik je graag inschakelen. Wat moet ik doen om jou zover te krijgen?'

Ange verbleekt.

'Ik wil niet weer in de schijnwerpers, Alex. Niet om mezelf, maar om mijn kind. Stel dat een of ander familielid van haar de uitzending ziet, mij herkent. En... Rianneke van me wil afnemen! Omdat ze ook het kind van eh... van Janos is, begrijp je!'

Ange is gaan fluisteren, haar tanden klapperen tegen het kopje van wit hotelporselein.

Alex legt vertrouwelijk een arm rond Anges schouders. 'Maar meisje dan toch... wat een rijke fantasie.'

Weer de metalen stem: 'Wil Alex Burggraaf nú naar studio één komen?'

Alex roept tegen het meisje achter de bar: 'Janette, bel even dat ze nog vijf minuten wachten!'

Ange voelt zich een gevangen vogeltje. Ze is geschrokken van haar eigen, felle angstgevoelens.

'We kunnen heel discreet te werk gaan. Je naam veranderen, een bril, een pruik. Zelfs je bloedeigen moeder zou je niet herkennen.'

Ange opent haar mond, wil zeggen dat haar 'bloedeigen' moeder haar toch al niet zou herkennen.

'Denk er dan over na. Kom, neem nog een slok koffie. Zeg, heb ik je bang gemaakt?'

Ange trekt zich wat terug. Zo intiem als die tv-lui met elkaar omgaan. Meteen jij en jou. Een zoen, een arm om je heen.

Dan speelt Alex zijn allerlaatste troef uit. 'Ik was het destijds die je familie behulpzaam was bij het zoeken naar jou. Vergeet dat niet! Nu heb je de kans wat terug te doen!'

Opeens staat hij op, is al bij de deur. Weer die wijzende vinger.

'Ik bel je deze week nog!'

Ange protesteert zwakjes: 'Maar dat is chantage...'

Alex is buiten haar gezichtsveld.

'Wil Alex Burggraaf zich nú melden!'

Ange staat op, stoot onhandig tegen het tafeltje. Haar lichaamsdelen voelen aan als stopverf. Chantage, ze mag toch nee zeggen?

'Ange...' Mireille duikt achter haar op. Ze is gekleed in het door Ange gebrachte broekpak. 'Ik ben je heus dankbaar. Ik had graag even met je gepraat, maar...'

Weer de stem.

'Wil Mireille Haaken direct naar studio één komen?'

Ange weet later niet meer hoe ze de weg naar de uitgang heeft gevonden. Eén ding weet ze zeker, ze belt niet zelf. Als Alex Burggraaf haar werkelijk in een programma wenst, zal dit alleen kunnen op haar voorwaarden!

'Je kunt niet om die man heen,' vinden haar ouders, als Ange tracht bij hen steun voor haar standpunt te vinden.

'En als je toch vermomd wordt!' meent Rita. 'Er is niets waar jij je voor moet schamen. Een geheim is het allemaal toch niet. Gedane zaken nemen geen keer. En je angst Rianneke te verliezen is absurd. We hebben veel aan Alex te danken. Via hem zijn we in contact gekomen met Amanda Meesters. Mijn beste vriendin! Een psychologe uit duizenden. Zonder haar zou ik werkelijk krankzinnig zijn geworden.'

Ange meesmuilt. Er loopt inderdaad in heel het land geen tweede Amanda rond. Grof, slordig. 'Vogelnestjeshaar'. Scheefgetrapte hakken en rimpelende kousen. Maar een mens met een hart van goud. Een die dwars door een ander heen kijkt en problemen zo weet neer te zetten dat men ze van een andere kant durft te bekijken.

'Zijn dat genoeg redenen om op Alex' verzoek in te gaan?'

Jan wil weten waar het exact om gaat.

'Mensen met geheugenuitval. Hoe leven die ermee, wat doet de omgeving. Bij mij is alles eigenlijk weggesleten. Heel, heel af en toe, als ik erg onder druk sta, dan...'

Een ouderpaar dat opvliegt, voor 'hun kind' gaat staan. Wat dan Ange, wat gebeurt er dan?

'Heb je heus nog weleens hinder...' Rita stikt bijna in haar woorden.

'Ik zeg toch: ik geloof het niet... Ik let er niet zo op... Iedereen vergeet wel eens wat en als je om iets in paniek bent, reageer je nu eenmaal niet zoals het moet!'

Jan en Rita zijn er niet gerust op. Jan knikt zijn vrouw toe. 'Nu is de vraag: wat doet Ange? Denk er maar eens rustig over na. Van ons hoef je niet, maar anderzijds zou ik het prettig vinden wat terug te kunnen doen voor die Burggraaf. Fijne vent.'

Ange gaat teleurgesteld naar huis. Haar zus hoeft ze ook niet om advies te vragen. Die is het vast met pa en ma eens. Zo zie je maar weer, tobt Ange, dat een mens zelf beslissingen moet nemen. Hopelijk vergeet Alex Burggraaf zijn verzoek!

Ange gooit zich op haar werk. Samen met MaiLy stelt ze de wintercollectie samen. 'Vooruit denken. Ik heb de komende zomer al in mijn achterhoofd!'
MaiLy, die bij iedere controle telkens doodsangsten uitstaat en telkens als de uitslag goed is, in staat is een feest te geven. Hun vriendschap verdiept zich, nu ze 'compagnons' zijn. Met een half woord begrijpen ze elkaar.
Wat betreft het tv-verzoek is MaiLy gemakkelijk: 'Doen wat je hart je ingeeft. Het gaat allemaal voorbij, alles is zo weer verleden tijd. Je vooral niet opwinden, dan zie je alles niet meer in de juiste proporties.'
Na een week heeft Alex nog niet gebeld, wat Anges vrees doet afnemen. Helaas: het verzoek te komen bereikt haar toch.
Het is Mark Karsemijer die als woordvoerder van Alex wordt gebruikt. Na een knus praatje in de winkel komt al snel de aap uit de mouw.
'Ange, dat tv-programma over geheugenverlies. Wat verlies jij eigenlijk door ja te zeggen?'
Ange hoeft tegen Mark maar een paar steekwoorden te gebruiken. Hij kent als geen ander haar verleden.
'Rianneke, de familie van Janos. Het zijn felle mensen, mensen met onvervalst zigeunerbloed. Die vinden dat familie bij elkaar moet blijven. De stam, weet je wel? Alles doen ze voor elkaar. Ook al woont men een halve aardbol van de ander af... Ik ben bang...'
Mark pleit en pleit.
'Het gaat niet om het kind, om het gebeurde. Maar om een willekeurig ongeluk. De oude feiten hoeven niet uitgesteld!'
Mark kijkt haar zó smekend aan dat Ange begint te twijfelen. En als Mark zijn allerlaatste troef uit handen geeft, bezwijkt Ange.
'Weet je, mijn positie bij die omroep is nog zwak. Ik moet het nog maken. Het zou goed voor mijn imago zijn als juist ik je kon overhalen! Lex Burggraaf heeft namelijk heel wat in de melk te brokkelen daar!'
Ange slaat haar ogen voor die van Mark neer. Als een broer is hij voor

haar. Niet zomaar een broer, maar een die tijd voor je heeft, naar je luistert en informeert hoe jij over de dingen denkt.

'Goed, maar dan doe ik het alleen om jouw toekomstige positie te versterken!' Twee klapzoenen zijn haar beloning.

'Wat zal Lex opkijken dat het me gelukt is! Ik zal over je waken en ervoor zorgen dat je niets tegen je wil hoeft te zeggen.'

Zodra Mark is vertrokken, heeft Ange alweer spijt. Helaas, ze kan haar woord niet breken. MaiLy vindt Ange een kraan.

Ange reageert moe: 'Maar dan een die lek is, geen leertje heeft en niet kan hijsen. Kortom, rijp voor de schroothoop!'

Vanaf dat moment blijft MaiLy haar compagnon plagen. Dagelijks moet ze het horen: Ange komt in een programma. Op tv nog wel. Nooit van 'De Schroothoop' gehoord? Lachen als een boer die kiespijn heeft. En is degene die om zichzelf kan lachen niet op weg de problemen te overwinnen? Ange vindt uiteindelijk van wel. Al blijft het bij een boerinnetje-met-kiespijn-smile!

8

Jan Althuisius heeft een boedelbak gehuurd. Precies groot genoeg voor Anges bezittingen. Zelfs haar fiets kan mee.

Terwijl Jan sjouwt en stouwt, heeft Rita het hoogste woord. Niemand hoeft te merken dat ze zich gekwetst voelt omdat Ange het huis verlaat. Als ze nu werk ver uit de buurt had, dan was het wat anders. Ze had gemakkelijk thuis kunnen blijven. Haar natje en droogje werden zonder morren verzorgd. Buiten dat hadden ze aanspraak aan elkaar.

Hoe teleurgestelder Rita is, des te opgewondener gedraagt ze zich. Ze lacht veel en haalt herinneringen aan Anges kindertijd op. Gebeurtenissen, die volgens haar humoristisch waren, maar Ange terugvoeren naar moeilijke momenten.

'En weet je nog, Susanneke, toen Ange haar rekenboekje thuis was kwijtgeraakt...'

Susanneke kijkt toe hoe haar man samen met pa Anges bureau als laatste bezitting in de bak sjouwt. Hoort maar half wat haar moeder vertelt.

'En ze was zo bang voor die onderwijzer, dat...' Opeens valt Susannekes blik op het verdrietige gezichtje van haar zus.

Rita schatert om haar eigen verhaal. Ze kan en wil niet in de put raken. Eenmaal in een depressie, zo weet ze, is er geen houden meer aan. Vandaar dat de huisgenoten altijd rekening met haar houden, vervelende gebeurtenissen gedeeltelijk verzwijgen of ombouwen.

Susanneke heeft redelijk goed met deze kant van haar moeder kunnen omgaan, weten te relativeren.

Ange kan dat minder. Rita weet zeer subtiel op haar schuldgevoelens te appelleren. Dat roept verzet bij Ange op.

Kreten als: wees toch wat vrolijker... doe niet zo negatief... toon wat dankbaarheid... Ze brengen Ange volkomen in paniek en maken dat ze zich voelt falen. Hopelijk kan ze, nu ze afstand neemt, objectiever met haar pleegmoeder omgaan.

'Ange... kom eens.'

Susanneke trekt haar zus mee naar boven. Anges kamertje lijkt een leeggeroofd nest. Ange begint onbedaarlijk te snikken. Susanneke is blij met de tranenvloed. Huilen is een prima ventilatiemogelijkheid!

Ze omarmt haar zusje en zegt: 'Ik kom gauw met de kids bij jou op bezoek. Ik begrijp je toch wel... en mam ook. Ze wil zo graag een ideale situatie. Rozengeur en maneschijn. Niemand mag treuren, ze is als de dood om met de realiteit om te gaan. Hoor eens, vergeet niet dat je altijd bij Reinier en mij terecht kunt. Altijd en met alles. Dat weet je toch? Kom, droog je tranen zodat mam geen reden heeft nog opgewekter te gaan doen. Dat zou ik nou weer niet kunnen verdragen. Dat geforceerde gedoe! Kijk nog eens goed om je heen: neem afscheid. Hoor je me? Afscheid!'

'Hoezo...? Ik ga toch niet emigreren?' Ange snikt geluidloos nog wat na.

Susanneke zegt gedecideerd: 'Ik heb geleerd dat je sommige perioden bewust moet afsluiten. Dan alleen kun je de toekomst, morgen bijvoorbeeld, onder ogen zien. Zeg: dag kamertje, waar ik vanaf mijn prilste herinneringen heb gewoond! Dag pa en ma, jullie waren lieve ouders. Dag schoolmeisjestijd, Ange is volwassen!'

Ange kijkt met haar donkere en expressieve ogen Susanneke aan.

'Moet ik ook, dag Rianneke zeggen?'

Susanneke trekt Ange mee naar de kinderkamer.

'Hier is de kamer van je dochter. Jouw dochter! Sinds ik Jan-Jaap gebaard heb, weet ik wat het is om moeder te zijn. Dus ik praat niet voor de vaak. Diep in haar hart weet mamma heel goed dat ze Rianneke maar geleend heeft. Jij begint nu aan een eigen leven, waar je plaats gaat maken voor Rianneke. Als de tijd daar rijp voor is, neem je haar voorgoed bij je. Ook al is het erg gemakkelijk om mamma voor haar te laten zorgen. Maar, mam is oma, niet de moeder. Geweldig wat ze voor jullie heeft gedaan. Maar, ook mamma moet beseffen dat Rianneke bij jou hoort. Ik begrijp je, Ange. En ik ken mamma, beter dan jij dat doet. Met mij heeft ze altijd meer gepraat. Haar hart uitgestort. Over vroeger gebabbeld. Soms – en dan luisterde ik opzettelijk niet – kwam ze met haar ergernissen over pappa. Ik kon toch niet zeggen: houd op? Want tegen wie moest ze dan praten en klagen? Ik ken haar sterke en lieve kanten, ook de moeilijke. Liefhebben heeft niets met volmaakt zijn te maken. Ik houd van haar zoals ze is. Wat niet wegneemt dat ik het niet altijd met haar eens ben. En van dat ontzien word ook ik niet goed! Mam mag huilen. Verdrietig zijn omdat haar jongste uit huis gaat. Bah, dat opgeklopte gedoe kan ik slecht verdragen. Maar kom, genoeg gebabbeld. Ik heb gezegd wat ik kwijt wilde. Kom, zeg me na. Dag kamertje... dag uitzicht op de tuin... het huis van de buren... meisjestijd...'

Ange begint te lachen. Gehoorzaamt, ze kan niet anders.

Susanneke grijpt Anges ene hand. 'En nu gaan we naar beneden. We prijzen mam om haar volmaakte appeltaart en gaan niet in op de vervelende jeugdherinneringen die jou en ook soms mij, pijn doen. Wees jezelf, wees volwassen.'

In de woonkamer treffen ze twee stille mannen aan en een druk pratende Rita.

'Mam! Taart!' roept Susanneke en schudt de lege thermoskan op en neer. 'Leeg, dacht ik het niet... Ik zet koffie. Pa, je ziet er moe uit! Reinier...' een snelle kus, 'wat houd ik toch van je!'

Dan zweeft ze naar de keuken en als Ange ziet dat haar moeder haar mond opent, rent ze Susanneke achterna.

De keukendeur wordt aan de buitenkant opengetrokken en een jongensstem roept.

'Kunnen we nog helpen?'

Buurvrouw Rachel met haar zoon Sander, die Rianneke op zijn schouders heeft.

'Jullie zijn op tijd voor koffie, mamma's beroemde appeltaart en het moment van het officiële afscheid.'

Rachel schrikt quasi-echt. 'Grutjes, wat ernstig!'

De sfeer is gered, Anges laatste halfuurtje thuis is lang niet het slechtste. En als ze naast haar vader in diens wagen wegrijdt, fluistert ze haar zus in het oor: 'Dankjewel...'

Maar haar armzwaai en de kushandjes zijn voor Rita.

Anges flatje mag er zijn. De stoffering is weliswaar de smaak van MaiLy, maar daar kan Ange mee leven. Ze heeft met Stef een niet te dure woonwinkel bezocht en meubels gekocht die, volgens Stef, nooit weg zijn.

'Als we ooit besluiten definitief naar Boston te gaan, doe je de dingen van de hand. Er is altijd wel een liefhebber voor dat grenen spul.'

Een eigen huisje, Ange is er dolblij mee. Alleen: ze mist Rianneke. Ook al komt het kind in het vervolg iedere zondag, dat doet niets af aan het feit dat de dagelijkse contacten voorlopig van de baan zijn.

Werkte Ange voordien aan haar diploma, nu is ze bezig een toekomst te creëren. En ook dat kost offers. Tijd en energie, afzien van bepaalde dingen. Het is niet anders.

Eind november reist Stef naar Boston om verslag van zijn bevindingen te doen. Hij hoopt voor de kerst terug te zijn met nieuwe opdrachten in zijn portefeuille. Opdrachten, die hem aan Europa kluisteren, zodat hij en Ange elkaar heel vaak kunnen zien.

Na een stormachtige beginsituatie is hun relatie in kalmer vaarwater terechtgekomen. Ange, zo merkt Stef, is behoudend. Bang voor de toekomst. Angstig om de verkeerde beslissingen te nemen. En hij respecteert dat. Ze hebben tijd nodig, ook in verband met Riannekes toekomst!

Ange houdt, kort na het afscheid van Stef, een bescheiden instuif. Tot haar grote verrassing is daar ook Jollie, die zegt op winterreces te zijn. Jollie is in korte tijd een vrouw van de wereld geworden. Toch heeft Ange nog steeds een warm plekje voor haar schoolvriendin.

'Ange, je bent nog niets veranderd!'

Mark en Mireille zijn van de partij, Susanneke en haar man, de buren van thuis en natuurlijk Rita en Jan.

Eregast is MaiLy, die als verrassing voor Ange de innerlijke mens verzorgt. Dat wil zeggen: laat verzorgen. 'Gewoon een adres uit de Gouden Gids gebeld!' zegt ze op reclametoon, als de complimenten in alle toonaarden bezongen worden.

Wanneer de bezoekers vertrokken zijn, is er voor Ange pas echt een streep onder het verleden gezet. De toekomst wacht, ze moet die zelf invullen. Schouders eronder.

Geluk moet je vaak zelf maken, wees niet te afhankelijk van anderen. Dat is het advies van MaiLy, een vrouw met levenservaring. En Ange, Ange is van plan die woorden ter harte te nemen.

Op het moment dat ze er niet aan dacht, belt Alex Burggraaf.

'Mag ik langskomen, Ange? Ik moet in de buurt zijn. Het wordt wel laat, tegen tienen. Ja?'

Ange durft niet te weigeren. Beloofd is beloofd.

'Je komt maar. Parkeren kun je op de Markt, vlak om de hoek bij de zaak!'

Ange schakelt de naaimachine uit, houdt een peuterbroekje in wording omhoog. Met de hand moet er nog het nodige aan afgewerkt worden. Knoopjes en zomen die zo klein zijn dat ze het met de machine niet voor elkaar heeft gekregen. Toch nog eens aan MaiLy vragen hoe sommige functies in werking worden gesteld.

Met een naaidoosje en het broekje nestelt Ange zich in een stoel. De gordijnen heeft ze opengeschoven. Het is leuk om af en toe een blik op de wereld buiten te kunnen werpen. Hoog boven de daken uit prijkt een verlichte kerstboom op het dak van het warenhuis. MaiLy is zuinig met versierselen.

'Het is allemaal zo tijdgebonden. Eerst de sinterklaasspullen, nu weer dat van kerst. En je moet het maar weer opruimen ook.'

Ange is het met haar eens. Een paar fraaie kerststerren in grote potten zijn in de boetiek blikvangers. Etalagepoppen in zwart met rode kleding zorgen op zich al voor sfeer, vanwege de kleurenassociaties.

De hele dag wordt beschaafde muziek gedraaid die kerstachtig is getint. En dat is alles. Geen verlichte kerstbomen en aaneengeregen wattenpropjes. Ange is tevreden over haar creatie. Ze glimlacht stilletjes voor zich heen. Onlangs had ze een stel kleertjes mee naar beneden genomen om ze aan MaiLy te tonen.

'Ik heb in de kelder nog een paar kinderpoppen staan. Wel ouderwets, maar dat doet er niet toe!'

Inderdaad, de kapsels en de opgeverfde gezichtjes deden denken aan de jaren veertig.

'Des te leuker voor dit doel!' genoot Ange. Samen kleedden ze de kinderen aan. Nauwelijks was hun werk gereed of een paar, hun onbekende dames stapten, zwaar in bont gehuld, de boetiek binnen. Duidelijk moeder en dochter.

Grootmamma bezweek voor de kinderpakjes, haalde de dochter over en toen ze vertrokken lieten ze twee naakte poppen achter.

Sindsdien is zowel MaiLy als Ange enthousiast geworden voor kinderkleding. Af en toe schaffen ze zich exclusieve dingetjes aan om uit te proberen of kinderkleding echt zou kunnen lopen.

Het schijnt te lukken. Ange is nu bezig haar werk te perfectioneren. Een scheef naadje hier of daar kan niet. Ze hebben etiketten laten vervaardigen met een leuke naam erop. Ieder vrij moment is Ange in de weer met een zeer beperkte collectie kinderkleding voor in de lente.

Maar nu is het wachten op Alex Burggraaf.

Ze ziet hem in de schemerig verlichte straat aankomen. Een man die krap in zijn tijd zit. Zoals vakantiegangers en zelfs asielzoekers zich kenmerken door hun trage gang, zo is aan Alex te zien dat daar een man nadert die opgeslokt wordt door wat hem te doen staat. Een man met een doel.

Ange wacht met naar beneden gaan tot ze de winkelbel hoort. Ze vouwt haar werkje op en legt het in een hoekje van de bank.

Haar voeten reppen over de brede trap die naar de winkel leidt.

MaiLy zegt wel eens: die trap is ons statussymbool. Het is er een met allure! Suggereert ik weet niet wat op de volgende verdieping! Vandaar dat er tijdens winkelopening een dik goudkleurig koord met tressen voor hangt.

Ange opent de goedverzegelde deur. 'Lieve help, worden hier kroonjuwelen bewaard of zo?' informeert Alex Burggraaf, Ange de hand drukkend.

Ange zegt, voor haar manier van doen vlot: 'Als je mij zo wilt betitelen, ga je gang! Eh... kom boven.'

Alex loopt naast Ange de trap op, onderwijl pratend en om zich heen kijkend.

'Wat een ambiance!' merkt hij op.

Ange wijst op de overloop naar een kapstok. 'Mag ik je jas... En hoed?'

Alex Burggraaf legt zelf zijn slappe vilthoed op een tafeltje en hangt zijn jas op.

'Die is te zwaar voor jouw tengere handjes!' plaagt hij.

Ange hapt. 'Die tengere handjes moeten anders de hele dag flink wapperen!'

Alex weigert koffie, maar wil graag een biertje. Ange schenkt voor zichzelf een glas cola in en gaat tegenover Alex op de bank zitten.

'Doe je dat altijd... iedere gast thuis bezoeken? Kun je dat niet delegeren naar je ondergeschikten?'

Alex zegt geen ondergeschikten te hebben, maar medewerkers.

'En als ze niet functioneren, niet in de groep kunnen of willen werken, vliegen ze eruit. Fouten kan ik door de vingers zien. Iemand die geen gevoel voor teamwerk heeft, past niet bij ons. Maar nu ter zake. Ja, als het kan, zoek ik zelf contact met mijn gasten. Wat niet altijd lukt. Maar in jouw geval...'

Ange bloost.

'Jullie hebben me gechanteerd. Ik wil het draaiboek exact lezen, zodat ik niet voor vervelende situaties kom te staan!'

Dat is snel beloofd.

'Eén ding moet ik als eerste vertellen: dit wordt een rechtstreekse uitzending. En waarom? Simpel. Het wordt gewaardeerd door de kritische kijkers. Zelf stel je je anders op, de gasten zijn meer alert. Helaas doen we dit slechts op hoogtijdagen. Het is de bedoeling dat we de uitzending waar jij in komt, op kerstavond brengen. Bezwaar?'

Ange schudt langzaam haar hoofd.

'Heb ik keus? Is er publiek bij?'

Alex wordt enthousiast. 'Dat is het leuke met zo'n rechtstreekse uitzending. Het publiek. Dat reageert ook anders dan wanneer het op de band komt.'

Ange trekt minachtend haar mondhoeken omlaag.

'En die man dan, die met een bord loopt waarop 'klappen' staat? Die coacht het zaakje toch? O o, wat is het publiek spontaan!'

Alex probeert Anges kritische houding te beïnvloeden door positieve punten op te sommen.

Na een kwartier is Ange volledig op de hoogte. Andere gasten zijn mensen die, net als zij, een geheugenstoornis hebben gehad na een ongeval.

Wanneer Alex is uitgepraat, reageert Ange niet. Ze is onder de indruk van hetgeen hij vertelde. Een vrouw die ten gevolge van een hersenbeschadiging, afasiepatiënte is geworden: een complete taalstoornis. Niet kunnen begrijpen wat een ander zegt, zelf geen of nauwelijks een uitingsmogelijkheid hebben. Ook een jongeman die zegt dat het 'fantastisch' met hem gaat. Telkens komt er een brokje herinnering terug. Wel moet hij een dagboek bijhouden waarin namen van mensen, een korte beschrijving van hun uiterlijk.

'En dan kom jij, Ange, om te laten zien dat niet altijd het ergste moet worden gevreesd.'

Ange huivert nog na.

'Misschien heb ik geluk gehad... ik heb ook heel lang een zwarte vlek in mijn geheugen gehad. En misschien was dat maar goed ook. Want sommige herinneringen zijn zo pijnlijk dat vergeten een zegen kan zijn...'

Alex schrijft die kreet op. 'Dat antwoord wil ik tijdens de uitzending graag van je horen. En nu stap ik op. Ik laat een exemplaar van het draaiboek bij je achter. Je krijgt van mijn secretaresse schriftelijke bevestigingen.'

Terwijl Alex zijn camelkleurige jas aanschiet en Ange met zijn hoed in de hand achter hem staat, keert Alex zich opeens om.

'Weet je aan wie ik morgenochtend een bezoek hoop te brengen? Aan een vrouw die tijdens een coma is bevallen! En ook met haar gaat het redelijk. Jij, je bent een gelukskevertje!'

Alex kust Ange op beide wangen en roffelt de trap af, traag gevolgd door Ange. 'Bedankt en tot kijk. Slaap lekker!'

Ange legt nog een laatste hand aan het broekje, haar aandacht is er niet bij. Afasie. Je niet kunnen uiten. Niet als gevolg van de ouderdom, maar door een ongeluk. En een kind krijgen terwijl je zelf in een andere wereld vertoeft!

Het draaiboek kijkt ze nog maar niet in. Kan later nog. Al die opeengehoopte ellende... Zouden ze heus geen andere dingen weten om kerstavond mee te vullen?

Huiverend zoekt Ange haar bed op. Een troost is dat zij, Ange, het minst erge geval is. En waarschijnlijk krijgt ze dientengevolge ook de minste aandacht, en dat is meer dan prima.

De kerstverkoop verloopt naar tevredenheid. Half december moet MaiLy naar het ziekenhuis voor een uitgebreide controle.

Zijzelf noch Ange heeft de dagen ervoor ook maar een moment van rust. Het liefst zou Ange zijn meegegaan, helaas kan de winkel niet zonder haar.

Des te groter is de vreugde als 'alles goed' lijkt te zijn.

'Ik moet natuurlijk onder controle blijven. Maar dat is het ergste niet! En pas over een paar jaar kan men met zekerheid zeggen of het sein op groen staat. Gunst, Ange, ik ben de enige niet...'

'Ik vind je flink, MaiLy.'

Ange denkt aan haar moeder, die de kunst verstaat om van muggen olifanten te maken.

MaiLy trakteert in het kantoor op champagne.

'Ach, Ange, niemand is hetzelfde. En Rita, je moeder, die heeft weer andere kwaliteiten.'

Zo nadert met rasse schreden de kerst.

Ange neemt zich voor alles wat op haar afkomt, van de positieve kant te bekijken. Meteen na een moeilijke gedachte iets prettigs verzinnen.

Kerstavonduitzending? Ja, maar Stef zal er bij zijn!

Stil verdriet omdat Rianneke het zondags niet prettig bij haar vindt? Dat gaat absoluut over als ze ouder wordt. Een kind wil immers een moeder en geen oma?

MaiLy verrast Ange met een mooi kledingstuk, speciaal voor haar ingekocht.

'Je bent een reclame-object voor ons! Vergeet dat niet. En we hebben zo goed gedraaid, Ange, een extraatje kan er best af!'

Zo bereidt Ange zich voor op de uitzending. Al haar gedachten draaien om die uitzending.

De dag ervoor komt Stef thuis. Hij stapt doodgemoedereerd de boetiek binnen, een enorm boeket bloemen in zijn ene hand, een fraai ingepakt cadeau in de andere. Ange is even verlegen met de situatie, gezien de klanten.

MaiLy neemt snel Anges taak over, en wijst naar het kantoor. Daar kan Stef Dubois zijn geliefde zonder publiek in de armen sluiten.

'Ik heb jou zo gemist, lieve Ange. Boston zonder jou is als zout zonder pap. Eh... pap zonder zout! Kom hier, dan laat ik het voelen!'

Innig is zijn omhelzing. Zo vurig kust hij haar dat Ange hem schuw van zich afduwt.

'Toe nou... Als er iemand binnenkomt... Ik heb jou ook gemist.'

Stef streelt Anges haar en fluistert liefkozingen in haar oren. Stapelgek is hij op dit kleine ding. In Boston heeft hij definitief een punt gezet achter een paar relaties die ooit wat hadden kunnen worden, ware het niet dat hij met Ange in contact is gekomen. Het is onnodig, vindt hij, om Ange lastig te vallen met zijn voorbije liefdesleven. Heeft ook Ange niet het nodige meegemaakt? Ze is zelfs moeder van een kind. Ze was er vroeger bij dan hij, destijds.

Ange opent met bevende vingers het pakje. Allerhande snuisterijen die typisch Amerikaans zijn.

'Om je lekker te maken!'

Ange zet de bos bloemen in een emmertje.

'Je verwent me, Stef.'

Ze voelt met de toppen van haar vingers aan het kettinkje, zijn eerste geschenk.

Stef geniet.

'Heb je vanavond vrij?'

Ange schudt haar hoofd. 'Koopavond. Pas heel laat ben ik klaar. En morgen is de uitzending, je weet wel. Je gaat toch mee? Ik ben zo dankbaar dat je er bent...'

Stef trekt Ange op zijn knie.

'Niet zo tegenstribbelen. Is je cheffin zo'n tang? Heeft die wel ooit een man...'

Ange legt een hand over zijn mooi gevormde lippen. 'Ze is mijn beste vriendin. Sst! En over vrienden gesproken: een stel dat ik ken, je weet wel, Mark Karsemijer en Mireille, die gaan zich verloven. Dat waren ze in september al van plan, maar toen had Mireille een zieke in de familie. Ze verloven zich tweede kerstdag en ik ben uitgenodigd. Ga jij mee?'

Natuurlijk gaat Stef mee. Hij had er al tegen opgezien de kerstdagen in de armen van de familie te moeten doorbrengen. Kerkgang, kerststol, spelletjes, wandelen en een zelf in elkaar geknutseld diner dat die naam niet mag dragen.

Ange maakt zich los uit de begerige armen.

'Dank je voor het cadeautje, voor de bloemen. Je mag best boven gaan zitten en relaxen. Er liggen kranten en ik heb een film op de video. Er is ook lekkers...'

'Dat woordje relaxen doet het 'm. Ik ben eigenlijk doodmoe,' zegt Stef eerlijk.

Ange loopt even mee naar boven, installeert Stef uitgebreid en loopt dan op lichte voeten de trap af.

'Je straalt als een bruid!' stelt MaiLy vast.

Ange glimlacht, haar geluk kan niet stuk.

'Help me even die troep op te bergen. Oef!' zucht MaiLy en overhandigt Ange een berg gepaste kleding. Bij zichzelf denkt ze: als Ange ooit trouwt, dan maak ik persoonlijk de mooiste trouwjapon aller tijden.

Pas veel later ontrafelt ze haar gevoel van onbehagen dat na die gedachte is ontstaan.

Die eventuele trouwjurk is het probleem niet. Dat ene woordje, 'ooit', waarom heeft ze dat ertussen gevoegd?

Gedachten zijn vogelvrij, daar hoef je geen verantwoording voor af te leggen. Daar is MaiLy dankbaar voor.

9

DE DAG VOOR KERST IS VOLGENS MAILY EEN VAN DE DRUKSTE.

'Alsof men niet de tijd heeft gehad alles in huis te halen wat nodig was,' zegt ze verontwaardigd, als er niet eens tijd is voor een lunchpauze.

'Voor ons wel goed, zo raken we heerlijk door de voorraad heen. En we hebben nog niet eens afgeprijsd!'

Sinds MaiLy gunstige berichten over haar lichamelijke toestand heeft, lijkt ze meer zin in het werk te hebben. Ook het feit dat ze na sluitingstijd de deur achter zich kan dichttrekken, doet haar goed. Ange heeft er geen hinder van om letterlijk boven haar werk te wonen. Af en toe dwaalt ze 's avonds voor het slapen gaan door de boetiek, snuffelt aan nieuwe kleren, gaat overbodig met een stofdoek hier en daar langs. Ze weet dat de uiteindelijke verantwoordelijkheid niet bij haar ligt.

'Ik ben wel blij met de drukte, MaiLy. Hoef ik niet aan vanavond te denken!' griezelt Ange.

Tijd voor een gesprek is er niet, af en toe kunnen ze een mening uitwisselen. Twee vrije dagen, kort daarop het weekeinde. Ange verheugt zich erop. Heerlijk de tijd voor Stef hebben. Echt veel plannen hebben ze buiten het verlovingsfeestje van Mireille en Mark om niet gemaakt.

Ange werkt door tot het sluitingstijd is, ook al maant MaiLy haar te stoppen.

'Doe een schoonheidsslaapje, een lekker maskertje op je gezicht... een lauwe douche.'

Ange vindt dat haar huid strak genoeg is en nog geen maskertje nodig heeft. En dan slapen. Ze zou niet kunnen! Werk is de beste remedie tegen een opgekropte spanning.

'Pfff...' zucht MaiLy als ze glimlachend de laatste klant tot de deur heeft begeleid. 'Op slot dat ding! Het was me wel een omzet, vandaag!'

Ze zegt zelf de kassa te willen sluiten.

'Naar boven jij. Dan eten we straks samen iets gemakkelijks en als Stef jou komt halen, ga ik naar huis. Niet eerder, Ange.'

Terwijl MaiLy in de keuken een lichte maaltijd klaarmaakt, neemt Ange de tijd om toilet te maken. Ze wast en droogt het haar en geniet ondanks alles van haar nieuwe kledingstuk. Ze steekt het halflange haar losjes op zoals een kapper het haar heeft voorgedaan. Over make-up hoeft ze zich niet te bekommeren, straks zal ze uitgebreid opgemaakt worden.

'Je ziet er zelfverzekerd uit,' beweert MaiLy en Stef, die komt dineren, zegt dat Ange om op te eten is.

Ruim op tijd vertrekken ze naar de studio.

'Het kan glad worden, dus opgepast!' zegt Stef opgewekt. Ange laat zich met een gerust hart door hem rijden. Haar gedachten snellen vooruit. Naar Alex Burggraaf, Mireille en de andere gasten van het programma. Haar zus heeft voorspeld dat het een snik-en-jammer-uitzending belooft te worden.

'Speciaal met kerst. Het moet immers gevoelig zijn en dat soort onderwerpen scoort!'

Zodra ze een voet in het gebouwencomplex zet, voelt Ange de spanning wegglijden. Ze staat ervoor, doorbijten dus.

Stef houdt haar lichtjes bij de elleboog en voert haar naar de studio waar de opnamen gemaakt zullen worden.

Mireille ontvangt hen stralend. Ze ziet er zelf ook zo uit: stralend. Ange heeft er maar één woord voor: perfect.

'Kom mee, dan stel ik jullie voor aan de andere gasten. Iedereen is fijn ruim op tijd. Willen jullie nog wat eten of drinken?'

De afasiepatiënte is zo op het oog een kerngezonde vrouw. Ze vertrouwt Ange toe dat ze aanvankelijk na haar ongeluk niets meer kon. 'Niet lopen, niet spreken. Niet begrijpen, niet schrijven of lezen. Niets meer te kunnen ruiken, je zag geen hoogte of diepte. Dankzij uitstekende begeleiding van deskundigen en een groep vrienden ben ik wie ik nu ben. Vooral mijn man heeft me gesteund...'

Mireille komt even bij hen zitten. Ze vertelt dat Alex expres mensen heeft bijeengebracht die zich in verschillende fasen van herstel bevinden. In de studio zit een groepje mensen dat als publiek wordt aangeduid. Ange vangt een gesprekje tussen twee vrouwen op als ze zich op het toilet bevindt.

'Wat moet je als alleenstaande met dagen als deze? Een tv-uitzending bijwonen vond ik wel wat. En u?'

Ange bedenkt dat ze Alex kan voorstellen volgend jaar zo mogelijk een uitzending over 'eenzaamheid tijdens de kerst' te maken. Toch ook actueel.

In de make-upruimte wordt er aan Anges uiterlijk gesleuteld. De kleuren moeten fel zijn, begrijpt ze, vanwege het schelle lamplicht.

Overal in het gebouw staat of hangt kerstversiering. Ook rondom de plaats waar het gesprek zal plaatsvinden. Een fraai opgetuigde kerstboom zorgt voor het 'echte' effect. Op tafel een schitterend stukje dat volgens Ange net 'nep' is.

Ange voelt zich, zittend naast Alex, bevoorrecht. Er straalt rust van hem uit, hij is ervaren en zal ervoor waken dat er geen 'foute' vragen worden gesteld door de andere gasten aan tafel.

De uitzending wordt begonnen met zang door een groepje mannen dat a capella kerstliederen ten gehore brengt.

Dan neemt Mireille het woord. Ze leidt het programma in, vertelt iets over de gasten en besluit met: 'De eerste gast is al aangeschoven naast de gespreksleider, Alex Burggraaf!'

Applaus.

Alex knikt in de camera waarop een lichtje brandt ten teken dat hij die kant op moet kijken.

'Zeer hartelijk welkom, kijkers, op deze kerstavond. We hopen dat deze rechtstreekse uitzending bij u in de huiskamers overkomt, zoals wij, de makers, het bedoelen. Kerstmis, feest van licht, vrede. Voor een groep mensen net iets meer. Naast mij zit Ange Althuisius. Ange, voor we tot de kern van onze uitzending overgaan eerst een vraagje: wat betekent kerst voor jou?'

Ange slikt even, verward. Dit vraagje hadden ze niet afgesproken.

'Kerstmis is voor mij het vieren van de geboorte van Jezus Christus. Mij is als kind geleerd: Hij die is, die was en die komen zal. Wel, dat geloof heb ik behouden!'

Alex knikt haar warm toe. 'Dan zul je in de tijden van moeite en verdriet daar ongetwijfeld ook steun aan hebben gehad.'

Hij richt zich tot het publiek. 'Er zijn veel soorten zorgen en verdriet. Dat hoef ik voor u niet in te vullen. Wij van 'de achtergronden van de actualiteit' stellen u vandaag mensen voor die door een ongeluk in de problemen zijn geraakt. Problemen die dikwijls niet door de buitenwacht herkend en begrepen worden! Ange... met jou mag ik beginnen!'

Na een paar minuten begrijpt Ange dat Alex zich trouw aan het draaiboek houdt. Het maakt haar rustig, ze reageert kalm en volwassen.

'Dank je, Ange. Ja... u mag best voor haar klappen!'

Anges ogen worden als spleetjes en het is maar goed dat ze niet merkt dat ze op dit moment 'groot' in beeld komt.

De afasiepatiënte ontroert met haar verhaal de aanwezigen zo dat de ogen niet droog blijven.

Ondanks de redelijke ontspanning zit Ange op hete kolen als de uitzending driekwart voorbij is. Ze weet dat Alex haar als laatste aan het woord wil laten komen, omdat haar omstandigheden zich positief hebben ontwikkeld en om het geheel niet te dramatisch te laten overkomen. Een smartlappenprogramma mag het immers niet worden!

De mannenzanggroep brengt nog een aantal gospels ten gehore en houdt het publiek in de ban.

Daarna treedt Mireille weer voor het voetlicht. Ze kondigt losjes aan dat er zoveel gebeld wordt, zoveel vragen komen op hen af, dat ze besloten hebben op enkele telefoontjes in te gaan. 'Maar, zo hebben we besloten, pas na het laatste gesprekje. Alex, het woord is weer aan jou!'

Ange merkt duidelijk dat de vragen ingekort worden en degene die aan het woord is, wordt door Alex handig de pas afgesneden.

'En hier heb ik dan de lijst met de meest gestelde vragen. De eerste is voor José, die tijdens een coma is bevallen. José, de vraag is...'

Er volgen nog enkele vragen gericht aan de gasten.

Anges oren zoemen. Alsof er een helikopter boven hen landt. Zie je wel, daar heb je het! Mireille wendt zich tot haar.

'Ange, een beller deelt mee zich jou te herinneren uit een andere uitzending waarin je vertelde wat je is overkomen. Hij meende begrepen te hebben dat je destijds zwanger was. Wil je antwoorden?'

Ange ziet dat Alex zijn pen bijna fijnknijpt. Dit had hij niet kunnen voorzien. Of toch wel? Ange kijkt hem een onderdeel van een seconde aan. Waarom is dat ingelaste programma-onderdeel verzwegen?

'Het gaat me heel goed. Ik heb werk, een leuke vriend...' En Mireille vult aan: 'En een schat van een dochter. Dat is toch geen geheim?'

Alex grijpt in.

'Ange Althuisius is een typisch voorbeeld van een geval met goede afloop. Ze is hersteld, naar lichaam en geest. Een opmerking van Ange tijdens het voorgesprek is bij mij blijven hangen en misschien een troost voor mensen die nog op weg naar herstel zijn. Ange, wil je die bewuste woorden met ons delen?'

Ange recht haar schouders, kijkt even rond en haalt diep adem. 'Ik heb gezegd: ook al heb ik geluk gehad, toch tobde ik nog lang met een zwarte vlek in mijn geheugen. En... achteraf was dat goed. Want sommige herinneringen kunnen zo pijnlijk en benauwend zijn dat vergeten zegenrijk is. Eh... een cadeautje van God, misschien.'

Alex sluit de uitzending af met een bijbels citaat. Een bemoediging voor de niet-gelovigen, een herkenning voor hen die Gods woord wel gebruiken.

Applaus.

De lichten doven.

'Ange!' Alex Burggraaf legt zijn handen zwaar op Anges schouders. 'Die vragen... zie het als een communicatiestoornis. Op het laatste moment heeft de programmaleiding die ingevoegd om het rechtstreekse van de uitzending te onderstrepen... Ik wilde je niet verontrusten. Dit had ik niet kunnen vermoeden!'

Ange zegt kil: 'Jullie hadden op z'n minst de vraag van een andere beller kunnen doorlaten...'

Mireille voegt zich bij hen. 'Het was er niet één; er waren verscheidene vragen voor jou, die bijna allemaal op hetzelfde neerkwamen. Men is jouw geval niet vergeten en het was volgens de regiekamer te eh... boeiend om ze te negeren. Er is toch niets mis mee?'

Stef kan Anges stille woede ook al niet begrijpen.

Er lijkt er maar één te zijn die dat wel doet. Mark Karsemijer probeert Ange te troosten.

'Heus, je wordt zo weer weggeduwd door andere eh... tv-helden. Probeer te relativeren... Ik ben het met je eens dat er een fout is gemaakt, maar helaas kan er niet geknipt worden. Kom op, zet het van je af!'

Op de terugweg spant Stef zich in om Ange te begrijpen.

'Meisje, wat is er nou toch mis? Het was een mooi verhaal. Er zullen nog wel meer reacties komen. Je bent tv-geniek. En dat je een kindje hebt, kon je moeilijk ontkennen. Waar ben je nou zo bang voor?'

Ange snikt geluidloos.

'Als maar niemand Rianneke van me wil afpakken!'

Stef heeft zijn mond al open om te zeggen: Ze is je al afgepakt. Nog net op tijd zwijgt hij. De auto slipt. Stef neemt gas terug.

'Thuis praten we verder!'

Thuis wacht een groep mensen op hen. MaiLy, haar ouders, Susanneke en Reinier, Rachel en Daan, zelfs de kleine Sander is paraat.

'Alsof ik olympisch goud heb behaald,' snuft ze, als haar moeder haar omarmt en zoent.

'Rianneke ligt boven in het bedje, we kunnen zo lang blijven als we willen. Susanneke en Reinier gaan naar de nachtdienst, jij hebt zeker geen zin?'

Ange was liever alleen geweest. Alleen met Stef om te kunnen napraten, evalueren. Daar is nu geen sprake van. En niemand schijnt haar te kunnen begrijpen, behalve Susanneke.

Ze praat niet dwars tegen Anges angst in, maar tracht wel te relativeren.

'Meid, Stef heeft gelijk, men is je zo vergeten. Televisie is vluchtig! En echt, je kwam goed over, zo positief! We zijn allemaal trots op je!'

Stef gaat als laatste en met tegenzin weg.

'Laat me dan bij je op de bank slapen! Hè, je bent wel erg puriteins!'

Ange heeft hartzeer omdat Stef haar niet begrijpt. Ze heeft zo veel meegemaakt op jonge leeftijd, ze zou een lichamelijke relatie nog niet aankunnen. En niet meer willen ook. Ze is geen maagd meer, maar dat houdt niet in dat ze zich zonder meer wil geven.

Binnen een huwelijk durft ze het aan: samenzijn. Alles samen delen. Je geven.

Ange laat zich door Stef zoenen en zegt, huiverend in de nachtkilte: 'Je zult eens zien hoe heerlijk het is als we getrouwd zijn. Dan ben ik voorgoed van jou. Alles van mij is dan voor jou en jou alleen!'

Rianneke is verrast in het bedje bij Mamange te ontwaken.

'Waar is Ommerie?' schrikt ze.

Ange belooft haar dat ze strakjes, na de kerk, naar Ommerie en opa gaan.

'En morgen mag je met mamma mee naar een feest. Dat wil je toch wel?'

Die grote-mensenfeesten kunnen haar gestolen worden. Rianneke kijkt sip. Als Ange met een nieuwe maillot en een beeldig jurkje tevoorschijn komt, is de kleine dame even intens verheugd.

'Mag ik dat altijd aan? Morgen ook?'

Ange knikt. Wat heeft ze een mooi kind. Heel veel van zichzelf vindt ze in het kleintje terug. Maar iemand die Janos had gekend, zou zien dat ze veel van hem weg heeft. Haar snuitje is breder dan dat van Ange en ook de haarval verschilt.

Samen in alle rust ontbijten met Rianneke. Zo zou het alle dagen moeten zijn, peinst Ange. Het kind zou best hele dagen naar een crèche kunnen. Af en toe naar mam. Maar hoe moet ze dat ooit realiseren?

'Jij kijkt zo boos. Ommerie zingt altijd als ik de boterham niet lekker vind. Dan... dan maakt ze brokjes van mijn broodje en laat ze zwemmen in de melk. Alle eendjes zwemmen op het bordje... hap dan Rianneke... happe hap Rianneke...'

Ange glimlacht. Mam is een perfecte moeder. Een schat van een oma. Alleen...

'Ange zal ook eendjes van de boterham maken!'

De sfeer is redelijk, tot Stef zich aandient. Rianneke verdwijnt meteen achter de bank waar ze muisstil blijft zitten tot Ange haar jas tevoorschijn haalt en roept: 'Kom op, Rian, we gaan naar het kerstfeest in de kerk. Daar staat een boom die zo hoog is als het dak. Ik weet het zeker!'

Stef negeert de kleine meid en eenmaal in de kerk schuift Rianneke stijf tegen oma aan en klopt op de bank. 'Opa, hier zitten!'

Na de dienst nodigt Rachel hen uit koffie te komen drinken. 'We zien je zo weinig, Ange! Terwijl je toch familie wordt!'

Daan zet de video aan. Hij denkt Ange een plezier te doen en nogmaals wordt de uitzending bekeken en besproken.

Tegen één uur komt Rianneke hen halen.

'Ommerie heeft het eten al klaar!' roept ze door de brievenbus.

Als Ange naar buiten gaat, ziet ze nog net het rode jasje van haar dochter met inhoud door het gat in de heg verdwijnen.

Stijf gearmd loopt ze met Stef van de ene tuin naar de andere. Het vriest, de lucht is helder en de takjes van bomen en struiken zijn berijpt.

'Volgend jaar Boston?' vraagt Stef.

Ange knikt heftig. 'Zeker weten. Jij en ik!'

Tweede kerstdag.

Mark en Mireille houden hun feest in het kleinste zaaltje van een hotel. Voor het eerst in een lange tijd drukt Ange de handen van Marks ouders.

'Wat leuk jullie weer eens te zien.'

Natuurlijk begint Marks moeder over de tv-uitzending.

'Je was zo goed, Ange!'

Ange kijkt benauwd. Dan glimlacht Kees Karsemijer Ange toe. 'En laat me raden: nu zit jij in de rats dat je 'verleden' opgerakeld zal worden. Mark zei zoiets. Meid, die kans is heel klein. Je bent geen actueel nieuws meer, zoals toen!'

Ange piept: 'Maar zijn familie... ik weet niet of die nog in leven is. De groep is uiteengevallen. Ze zijn gevlucht voor justitie. Hoef ik echt niet bang te zijn...'

Ze kijkt hem bijna smekend aan, als had Kees Karsemijer het levensdraaiboek persoonlijk in handen. Een lachje om de strakke mond, een hand die bezwerend wordt opgeheven.

'Als er wat mocht zijn, wanneer je ergens erg bang voor bent, kom je maar bij mij. Ome Kees kent veel verborgen wegen!'

Stef trekt Ange mee naar het verloofde paar. Mireille is het stralende middelpunt. Mark staat verguld naast haar, kan bijna geen oog van zijn aanstaande vrouw afhouden. Ange drukt hun handen, voor een felicitatie is nauwelijks tijd! Mireille zoent in de lucht, Mark trekt Ange een ogenblik tegen zich aan. 'Dag Ange, wat fijn dat je kon komen.'

Ange kust hem terug.

'Ik drink zo een glas op je geluk. Jullie geluk!'

Met Stef zoekt ze een leeg tafeltje, houdt een paar plaatsjes vrij voor haar ouders en Rianneke.

'Daar, Susanneke is er ook. Met Reinier. Het kan toch raar gaan in het leven... Ooit had ze wat met Mark en nu zijn ze allebei gelukkig met een ander!' zucht Ange, terwijl ze zich tegoed doet aan heerlijke zoutjes, na er eerst de nootjes afgeknabbeld te hebben.

Stef grijnst. 'Kom op, open voor mij het boek van je liefdesleven eens, Ange!'

Ange steekt haar tong uit. 'Jij eerst!'

Stef grinnikt, stopt vijf zoute stengels gelijktijdig in zijn mond. 'Dat wil je niet eens weten. Kuikentje van me!'

Ange krijgt een onbehaaglijk gevoel. Nog beter wil ze Stef leren kennen! Ooit zal hij haar alles over zichzelf vertellen. Natuurlijk heeft zo'n charmante man wel eens een vriendin gehad. Maar nooit een met wie hij de toekomst wilde delen.

Anges ouders komen op hen af in gezelschap van de Karsemijers.

De beide vrouwen lopen naast elkaar, smoezen wat. Marks moeder kijkt niet erg gelukkig en Ange vreest te weten wat de reden is. Mireille, die zo op het oog niet bij Mark past. Moeders... zou ze zelf ook zo kritisch zijn als Rianneke de liefde ontdekt? Nu echter ontdekt Rianneke andere kinderen; die van Susanneke en Reinier en een paar onbekenden.

'Wat zijn kinderen toch vlot in het maken van vrienden!' zucht Ange. Ze heeft in haar leven meer dan eens vriendschappen gesloten die van zeer korte duur waren.

Opeens staat Stef naast zijn stoel.

'Daar, Alex Burggraaf met zijn vrouw. Of vriendin. Wat een schoonheid!' Hij kijkt bijna verlekkerd, zoals een kat die op vogeltjes loert.

Ange krijgt een onaangenaam gevoel. Zou dit gedrag aan haarzelf te wijten zijn, omdat ze Stef steeds afwijst? Alex krijgt hen in het oog en voor hij gaat feliciteren, komt hij naar hen toe.

'Oude bekenden! De ouders van Ange, leuk u nogmaals te ontmoeten. En wat vond u gisteravond van uw dochter?'

Ange zit stilletjes op haar stoel. Ze drinkt schielijk van haar wijn, wil nog een hand zoutjes pakken maar grijpt mis. 'Kom erbij zitten, man,' nodigt Karsemijer. 'Ik heb u altijd al een paar vraagjes willen stellen!'

Terwijl Stef stoelen aansleept, gaan de Burggraafs eerst het paar feliciteren.

Ange laat de gesprekken over zich heen gaan. Ze is het feest beu en staat op, zonder door iemand gemist te worden.

De kinderen amuseren zich op een door een gordijn verborgen toneel. Ze rollen over de grond en gieren van het lachen. Ange voegt zich bij hen.

'Mag ik meedoen?' vraagt ze met een kinderlijk stemmetje. Het mag, wordt genadig toegestemd.

Af en toe gluren ze door een scheur in de fluwelen gordijnen naar de kwebbelende, drinkende en snoepende gasten.

'Dat gordijn stinkt naar rook,' vindt een van de kinderen. 'Zo ruikt mijn opa ook!'

Rianneke giert van pret, laat met zich sollen en is het middelpunt. Ange zou haar in een kooi willen zetten om haar te beschermen. Tegen reëel gevaar is iets te doen. Maar tegen een vage angst, die door iedereen als hersenspinsel wordt gezien, is niet te vechten.

'Ik haal chips voor jullie, maar wees dan wel wat rustiger!' maant ze het groepje. 'Straks komt de ober en zet jullie op straat.'

Chips is snel geregeld, evenals een blad vol glazen limonade.

Wanneer Ange zich weer bij het gezelschap wil voegen, is haar stoel bezet. Alex Burggraaf wordt als het middelpunt bestookt met vragen. Even voelt Ange zich een buitenstaander. Verward kijkt ze om zich heen en als haar blik die van Mark kruist, voelt ze zich vanbinnen warm worden. Ze mag niet klagen. Niet bang zijn. Ze heeft vrienden, zoals Mark, MaiLy, Jollie. Schatten van ouders en een zus bij wie ze met al haar problemen terecht kan.

En Stef.

Ze denkt terug aan de kerstpreek van gisteren. Vertrouwen, zei de predikant, dat moet men leren. Niet in het wilde weg vertrouwen op jezelf, je kunnen, de maatschappij of de verzekering. Maar Godsvertrouwen beoefenen.

Ange zucht. Dat is niet gemakkelijk. Neem nou haar moeder. Een sterke vrouw. Gelovig. Twijfelt nooit. Maar als er wat aan de hand is, zoals destijds haar 'verdwijning', dan is mam nergens meer. Dat heeft Ange gelezen in het logboek dat haar zus destijds heeft bijgehouden. Dan is mam labiel. De angst wint het van het vertrouwen.

Ange huivert om dat voorbeeld van wantrouwen. Een levenshouding uitdragen is prachtig, maar deze in praktijk brengen dat komt pas echt over. Een arm om haar middel.

'Hé, staanplaatsen zijn niet goedkoper!' Stef trekt Ange op zijn schoot. 'Mooi, zo'n verloving! Ik geloof dat er binnenkort nog maar een uitgeschreven moet worden!'

Ange stopt haar hoofd in zijn warme hals. 'Het is geen wedstrijd!' fluistert ze.

Ze ziet dat Marks moeder haar toeknikt.

'Verloven komt er weer in. Het geeft wat vastigheid, zeg ik altijd maar...'
Ange voelt hoe Stefs lijf zich spant, hij wil niet hardop lachen.
Ange blijft ernstig. Ze spreidt haar ringloze vingers.
'U hebt gelijk. Als je de ring van je geliefde draagt, heb je de eerste stap
gezet naar een voorgoed samenzijn!'
Stef kust haar en plein public.
'Dit is bijna een huwelijksaanzoek. In dat geval: ik zeg graag ja!'
De kerstdagen zijn veel te snel verleden tijd. Oudejaar staat voor de deur.
Opruiming, nieuwe voorjaarskleding, peuterpakjes.
'Zo is er altijd wat!' zegt MaiLy tegen haar compagnon. Ange beaamt dit.
Was er maar eens even niets om te beven! Want dat doet ze sinds de tv-
uitzending. Beven van angst om Riannekes veiligheid.
God vertrouwen? Ja, maar ze zou zo heel graag een blik in Zijn draaiboek
willen werpen!

10

HALF JANUARI KOMT STEF MET EEN VERRASSING OP DE PROPPEN.
'Ik moet voor de zaak een week naar Parijs. Als jij eens met me meeging,
Ange! Zo'n kans krijgen we niet snel weer!'
Ange aarzelt. Maar MaiLy zegt: 'Doen! Ik voel me goed. Kan best hele
dagen werken. De run op de opruiming is voorbij en de voorjaarskleding
lokt de aanstaande kopers nog niet. Doen!'
Als Ange met de mededeling thuiskomt dat ze er een weekje tussenuit
gaat, reageren haar ouders verschillend.
Ook Jan zegt: 'Doen, Ange. De boog kan niet altijd gespannen zijn!'
Rita kijkt bedenkelijk. 'Kun je dat wel aan? Een week zo eh... intiem met
Stef? Je kent jezelf... Je hebt al eens een ervaring gehad.'
Ange, die altijd haar best doet de mensen om haar heen vriendelijk te
benaderen, voelt zich verraden.
'Mam is bang, pa, dat ze binnenkort voor nog een kind moet zorgen.'
Rita staat het huilen nader dan het lachen.
'Zo bedoel ik het toch niet! Maar samen met Stef uitgaan is de kat op het
spek binden!'

Ange beheerst zich. 'Mam, ik ben volwassen en weet wat ik doe. Ik draag zelf alle verantwoordelijkheid. Maar wees gerust: je dochter heeft destijds zo'n knauw gehad, dat die niet zomaar bij iemand in bed kruipt. Zelfs niet als ze hem liefheeft en het wordt afwachten hoe zich dat in een huwelijk zal ontwikkelen!'

Rita schrikt van deze openhartige taal. Ze is ervan uitgegaan dat Ange al het gebeurde heeft verwerkt. Waarom praat ze dan ook niet?

Jan redt de situatie. 'Jij gaat maar fijn genieten. Die zomervakantie van je stelde ook niet veel voor. Trouwens, wij hebben ook nog een nieuwtje!'

Rita kijkt haar man niet-begrijpend aan, haar gedachten zijn nog bij Ange.

'We hebben bericht gekregen dat Rianneke naar de peuterspeelzaal kan. Er is plaats. Een paar ochtenden in de week en een keer een middag extra. Hoe vind je dat? Je was er toch zo voor?'

Ange knikt haastig. 'Is het er wel vertrouwd? Is het dezelfde als waar Sander destijds is geweest... Kennen jullie de leiding?'

Ange behoeft zich nergens zorgen om te maken, verzekeren haar ouders. 'Ik zal haar missen, maar Rachel heeft me uitgelegd waarom het voor Rianneke beter is dat ze onder de kinderen komt. Tja, nu heb ik opeens zeeën van tijd!'

Ange zegt plagend: 'Daar geloof ik niets van, mam. Jij vindt wel weer wat anders. Lukt dat niet, dan kun je MaiLy en mij helpen met de zomer-pakjes voor peuters. De collectie groeit en groeit! MaiLy wil misschien de zaak uitbreiden omdat ik zo dol ben op de kinderspulletjes. Wie weet...'

Zo neemt Ange toch op een positieve manier afscheid van haar ouders en reist in Stefs gezelschap af naar Parijs.

Ze heeft MaiLy toevertrouwd: 'Het is heel goed dat we eens samenzijn zonder aanhang. Ik heb nog altijd het gevoel dat Stef af en toe een rol speelt. En ik, ik wil hem duidelijk maken dat ik zielsveel van hem houd, ook al krijgt hij mij nog niet waar hij mij hebben wil.'

MaiLy's reactie was: 'Een man dient dat te respecteren. Blijf jezelf!'

Dat is Ange van plan.

Rianneke Althuisius geniet van het 'naar school gaan'. 's Morgens wordt ze gebracht door opa, en Ommerie haalt haar op. De leidsters houden zich strikt aan de strenge regels. Een kind dat ziek is, hoort thuis, vanwege het besmettingsgevaar. Pottenkijkers worden geweerd. De ouders of verzorgers zijn welkom op vaste tijden. Bij het halen en brengen mogen ze gerust even mee naar binnen om een praatje te maken. Zo wordt de overgang school-thuis voor de kleintjes soepeler. Heel af en toe is er een open dag; dat wordt een feestelijk gebeuren. Rianneke mag fruit of een koek meenemen. Ze heeft een eigen kastje waarin de spulletjes een plekje krijgen, naast de beker, de slofjes en eventuele verschoning. Want tijdens het spel vergeet een kleintje nog wel eens te melden dat er een bezoekje aan het toilet moet worden gebracht.

Rianneke, die bijna vier is, behoort tot de oudsten. Ze hoeft ook nooit een slaapje op een stretchertje te doen, zoals de ukkepukken.

Ze is snel gewend en verrast de grootouders met de leukste verhalen en versjes. Rita verzoent zich langzaam met het feit dat Rianneke niet constant meer om haar heen is. Uiteindelijk wil ook zij het beste voor het kind!

Het beste voor Rianneke. Dat is een plek waar ze zich thuisvoelt, waar ze hoort. Rita heeft niemand verteld dat ze Stef Dubois in vertrouwen heeft genomen omtrent een 'wild plan'.

Het ziet er niet naar uit dat het meisje zich wil schikken naar Stef, hem ooit als haar vader wil zien. Wat ook de reden moge zijn. Rita heeft hem op de man af gevraagd. 'Zit je daar niet mee, jongen? Ik wel. Want als jullie trouwen zal Ange het als een vanzelfsprekendheid beschouwen dat Rianneke bij haar komt wonen. Zij is de biologische moeder. Hoe zie je dat?'

Stef is altijd recht door zee en zo eerlijk mogelijk geweest, zolang dat mogelijk was. En dit moment was er een.

'Ik zie er ontzettend tegen op. Het kind is een handenbindertje met lang geen gemakkelijk karaktertje, volgens mij. Ik wil best kinderen, maar dan van mijn vrouw en mijzelf. Ange zal dat niet gemakkelijk vinden en daarom zit er niets anders op dan Rianneke toch te aanvaarden. Al vrees ik soms het ergste!'

Rita was blij met die openheid.

'Zie, dat heb ik al gedacht. Er is een uitweg. Rianneke is vanaf de geboorte door mij verzorgd. Ange ging al snel weer naar school, moest zich inspannen om de draad weer op te pakken. Rianneke en ik hebben een prima verstandhouding. Als het zwaard van Damocles hangt een scheiding me boven het hoofd. Stef! Als wij tweeën nu eens de handen ineensloegen en een plan smeedden. Ik wil het kind wel adopteren. Jan? Die haal ik wel over. Dan hebben we beiden onze zin. Jij hebt Ange volledig voor jezelf, en ik, ik heb de kleine meid voorgoed. Heus, het zal voor Rianneke het allerbeste zijn. En als het wettelijk moeilijk te regelen valt, schikken we onder elkaar iets wat we als bindend beschouwen!'

Stef was zeer verrast. Hij had een preek van zijn aanstaande schoonmamma verwacht omtrent Anges schuwheid voor lichamelijk contact. Dit, dit doet hem naar adem happen. De vlotte Ange voor hem alleen, zonder de aanhang. Het kind van een ander, het kind van per slot van rekening een zigeuner.

'Wat een beschaafde oplossing,' was zijn verraste reactie.

Rita was door het dolle heen. 'We moeten tactisch te werk gaan. Jij laat in Parijs duidelijk merken dat je Ange zo liefhebt dat je haar zonder kindje wilt! Als haar liefde groot genoeg is, zal ze dat uiteindelijk accepteren. Ik ken een psychologe, genaamd Amanda Meesters. Misschien heeft Ange wel eens over haar verteld. De vriendschap stamt uit die vreselijke periode dat Ange vermist werd. Zij zegt me vaak: reken erop dat Ange ooit tekenen vertoont die ik wil betitelen als: een inhaalproces. Stef, weet je wat dat inhoudt? Ze is te vroeg in aanraking met liefde, seks en een zwangerschap gekomen. Ze heeft veel moeten missen, want ze gaf alles aan haar studie. Toen aan die baan, daarna kwam jij. De jeugd is er nog niet uit bij haar. Ze heeft de periode om lekker te dollen en onbezorgd haar gang te kunnen gaan, nog niet gehad! Die kun jij haar geven! Dat is de invalshoek, Anges zwakke plek. Die kunnen we gebruiken!'

Zodra Stef was vertrokken, voelde Rita zich niet geheel lekker. Ergens heeft ze Ange verraden. Haar laten vallen, omdat ze het kind niet kan en wil missen. Ze heeft gekozen. Ditmaal niet voor het kleine, hulpeloze kindje, Yanga, Ange. Maar voor haar kind, dat zo precies in haar leven lijkt te passen!

Eind januari begint het onverwachts te sneeuwen. En hoe! Niet onverwachts voor de tv-weerprofeten, wel voor de niet goed luisterende kijker. Per slee wordt Rianneke naar de peuterzaal gebracht. Opa Jan voortsjokkend op laarzen. En genietend. Het heugt hem nog hoe hij Susanneke en de kleine Ange zo voorttrok!

Rianneke geniet, commandeert: 'Harder, opa! Je bent toch paard! Straks trek ik jou!'

Bij de peuterspeelzaal staan sleetjes op een rij te wachten tot het pauze is. Dan wordt het feest, heeft een van de jufs beloofd. Een van de moeders zal warme chocolade komen brengen. Weer een andere mamma heeft gevraagd of ze tegen elven met een videocamera mag komen om het feest vast te leggen. Het mag allemaal, vandaag is men soepel.

Rianneke geniet. Ze staat met haar neusje tegen het raam gedrukt, probeert het vallen van de snelle vlokjes te volgen, wat niet lukt. Als ze gesommeerd wordt op haar stoeltje te gaan zitten, trekt ze een lelijk gezicht. Hier wordt niet geluisterd naar smeekbeden. Er is geen Ommerie die weer toegeeft.

'Straks, over een uurtje is het misschien minder koud en dan gaan we samen spelen!'

Als het eindelijk zover is, heeft Rianneke als eerste haar jasje aan. Het helpen van andere kindertjes vindt ze dit keer een opgaaf.

Eenmaal buiten is het genieten, een klassiek tafereeltje. De filmende moeder is druk in de weer, lokt kinderen naar zich toe en vangt de leukste tafereeltjes. Ook de leiding heeft de handen vol. Af en toe struikelt een hummeltje in de sneeuw, die opeens wel erg koud en nat is. Een ander verliest de handschoentjes, weer een ander wil niet duwen, maar wil getrokken worden.

Rianneke kijkt verbaasd om als iemand haar naam noemt. Ze staat vlak bij het hoge spijlenhek, dat ter beveiliging is aangebracht.

'Rianneke, hoe vind je deze slee?'

Rianneke klemt haar handjes om de spijlen, gluurt en nieuwsgierig zegt ze bewonderend: 'Mooi.' Ze kijkt naar de slee die de vorm heeft van een stoel. Twee hooggeplaatste zitjes tegenover elkaar. In het ene stoeltje zit een levensgrote beer, dik aangekleed. Rianneke moet erom lachen. 'Gekke beer!' roept ze.

Dan is het of de beer begint te huilen.

'Rianneke... ik ben zo alleen. Wil jij even met mij komen spelen? Toe dan, heel eventjes...'

Rianneke schudt gedecideerd haar hoofd: 'Kan toch niet!'

De beer zegt goed op haar te zullen passen. 'Dan brengen wij je naar huis, naar oma!'

Rianneke aarzelt. Op die prachtige slee naar Ommerie. Die zal opkijken!

'Het hek is dicht, gekke beer!' zegt ze, op dezelfde geheimzinnige toon die de beer bezigt.

'Dan helpen wij je om eroverheen te komen! Kom maar!'

Opeens zakt de beer weer slap terug in zijn stoeltje, er klimt razendsnel een slanke persoon over de omheining. Handen die Rianneke optillen, andere pakken haar aan.

'Niet me jasje uit,' klaagt ze, als tamelijk ruw haar jasje wordt uitgetrokken en verwisseld voor een ander.

Razendsnel gaat het allemaal. Voor Rianneke het beseft, wordt ze de straat uitgereden. Alsof er ditmaal echt een paard voor de slee loopt!

Ze schatert. 'Gaan we nu naar Ommerie,' roept ze blij.

'Straks!' roept een stem, die op die van de beer lijkt.

Geen moment twijfelt Rianneke aan de goede bedoelingen. Hoe zou ze ook kunnen, klein en goedgelovig als ze nog is.

Te laat wordt Rianneke vermist.

'Ze was echt nog net hier,' roept een van leidsters, als Rianneke op het appèl ontbreekt. Nogmaals wordt de tuin doorzocht en als alleen haar jasje wordt gevonden, bengelend over het hoge hek, slaat de paniek toe.

'Ze is weggelopen, zonder jas, dat is toch niet mogelijk?'

De filmende moeder heeft aanvankelijk beelden opgenomen waar Rianneke uitgebreid op te zien is. Bij een kringspel, midden in de sneeuw, ontbreekt ze echter.

De tijd verstrijkt en als het kind tegen twaalf uur nog niet terecht is, wordt alarm geslagen.

Waar Ange voor vreesde, is gebeurd.

Rianneke is ontvoerd.

Tevreden leunt Ange achterover in de autostoel, dicht naast Stef. Wat hebben ze genoten! Ange stond erop alle bekende gebouwen en monumenten te bezoeken. Dat heeft Stef doen verzuchten: 'Ik wist niet dat ik met zo'n cultureel schepsel bevriend was!'

Ange is aan 'het inhalen', Rita en haar psychologe krijgen gelijk!

Als het stevig begint te sneeuwen, kijkt Stef bedenkelijk.

'We stoppen ermee, Ange. We halen het niet voor donker. We zoeken een hotelletje, hier of daar. Dan maar een dagje later.'

Stef herinnert zich een gelegenheid waar hij in zijn zeer jonge jaren ooit heeft gelogeerd. Ergens in Brabant. 'Pak de kaart eens, Ange!'

De kaart op schoot, het acculampje erboven. Eenmaal van de grote wegen af begint Stef te dwalen.

'Hier ergens moet het zijn, ik weet het zeker. Kijk eens op de kaart of je ergens een kasteel ziet. Eh... ik weet niet meer hoe het heet.'

Stef is nijdig op zichzelf. Die beroerde sneeuwval!

'Zet de radio eens aan... horen wat ze van het weer en de wegen zeggen.'

Zware sneeuwval, moeilijkheden op secundaire wegen. Ange zucht.

'Straks moeten we nog in de wagen overnachten en daar heb ik geen zin in. Waarom zoeken we niet gewoon een motel?'

Stef slaakt een kreet. 'Daar, we moeten langs dat kanaal, hier of daar moet een brug zijn die naar het kasteel voert en daar vlakbij is een gelegenheid...'

De wagen slipt en Ange gilt van schrik. Stef houdt nog net een verwensing in.

'Een brug...' zegt Ange kleintjes.

'Let op de borden. Zo komen er nog vier. Of vijf!'

Ange kijkt angstig naar het donkere water dat zo heel dichtbij lijkt.

Ze zien het tegelijkertijd. Een half ondergesneeuwde verwijzing naar het kasteel. Het is glad op de brug. Stef rijdt bijna stapvoets.

'Nu moet er een dorp komen. Zie je wel?' roept hij triomfantelijk als ze inderdaad op de goede weg zijn.

Ange vouwt de kaart op. Doodmoe is ze van spanning, haar tenen staan krom in de schoenen en haar schenen voelen aan alsof ze aan een schaatswedstrijd heeft meegedaan.

De weg door het dorp voert hen de binnenlanden in. De koplampen zijn als boze ogen die zich door het donker boren. De ruitenwissers zwoegen, onder hen knerpt de verse sneeuw onder de banden.

'Straks is die tent van jou gesloten. Winterreces of zo...' zegt Ange somber.

Stef tuurt strak voor zich uit. Doodmoe wordt hij van dit gedoe.

'Daar, het kasteel. Het is bewoond, kijkt toch eens wat mooi. De ophaalbrug is verlicht... Net een sprookje, Ange.'

Ange rekt haar nek uit, ze kan door de zijruiten niets zien.

'We gaan toch niet naar dat kasteel, Stef? Trouwens, wel romantisch!'

Een triomfantelijke kreet van Stef. 'Daar! Die boerderij! We zijn er!'

De naam boerderij is bijna een belediging voor de schitterende locatie. Een laag dak, bedekt door sneeuw. Lantarens verlichten het gebouw en de ruime parkeerplaats.

Ange snikt van opluchting. 'Ik was zo bang!' bekent ze.

Stef zet de wagen achter het gebouw. 'Jij, bang? Met mij naast je? Kom hier, dan krijg je een zoen!'

Ange is verkleumd, ondanks de verwarming.

Stef stapt uit en biedt Ange de helpende hand.

'Kom op, ze hebben hier wat te eten en vast ook wel een slaapplaats.'

Hand aan hand glibberen ze naar de ingang. Binnen komt een klassieke knusheid hen tegemoet. Niets is nagelaten om het gebouw, heel de ambiance, een bepaalde uitstraling te geven.

De eigenaar komt op hen toe.

'Toch nog gasten vanavond!'

Ange is verrukt. Midden in de ruimte is een ronde open haard opgetrokken. Vlammen spelen hun overwinnaarsspel met de blokken. Beide zijn, mijmert Ange, ten dode gedoemd. Straks is het vuur gedoofd, het hout verast. Net een triest aflopende liefdesrelatie.

'Eten en een bed!' zucht Stef. 'Geef toe dat dit beter is dan een saai motel! Een waardige afsluiting van onze vakantie!'

Ange knikt, laat zich inwendig verwarmen door rode wijn, van buiten zorgen de vlammen voor de juiste temperatuur.

Het diner is overheerlijk.

'En zo rustig als het hier is...'

De serveerster glimlacht om die woorden. 'Dan moet u hartje zomer eens hier komen! Gigantisch druk kan het zijn!'

Als het meisje buiten gehoorafstand is, zegt Ange: 'Ik vind die tongval zo charmant. Dat gigantisch...'

Stef grinnikt. 'En aan mijn Amerikaanse R stoorde je je!'

Bij het serveren van het dessert deelt de dienster ongevraagd mee dat het zo hard sneeuwt dat de buitendeur bijna niet meer open kan.

Ange knapt zich in de toiletruimte wat op en neemt zich voor zo snel mogelijk naar huis te bellen. Mam zal al wel in de rats zitten, maar misschien sneeuwt het bij hen minder.

Ange haakt haar tas over een schouder en gaat op zoek naar Stef.

'Ik wil bellen, Stef. MaiLy moet weten dat we opgehouden zijn en mijn ouders wil ik ook niet nodeloos in angst laten zitten!'

Stef knikt begrijpend. 'Ik heb alleen een eh... vervelende boodschap voor je. Men beschikt hier alleen over tweepersoonskamers. En om er nu twee te nemen, is overdreven. Je bent genoodzaakt de nacht naast mij door te brengen!'

Stefs ogen glanzen in de hare en even, heel even verdenkt Ange hem ervan deze locatie met opzet geregeld te hebben. Ze duwt die gedachte weg. En de sneeuw dan? Heeft Stef daar wat over te zeggen!

Ze laat zich niet kennen en zegt quasi nuchter: 'Ik wil eerst bellen. O, daar is een cabine. Heb jij een kaart?'

Ze mag van de eigenaar gratis bellen. 'Service, mevrouw. Als u maar niet met Afrika of iets dergelijks belt!'

Ange trekt een stoel naar zich toe en neemt het draagbare toestel op schoot.

Lang behoeft ze niet op aansluiting te wachten.

'Althuisius!'

Ange haalt diep adem. Het is goed de vertrouwde stem te horen.

'Pap, met mij... met Ange. We zijn in Brabant gestrand, pap. Maak je geen zorgen. Morgen proberen we opnieuw erdoor te komen. Het was echt niet verantwoord.'

'Eh... ja. Jaja, morgen. Was het eh... naar je zin. Jaja. Kind, ik heb het druk...'

Ange klemt de hoorn tegen haar ene oor. Wat doet pa raar! En wat hoort ze toch op de achtergrond? Is dat Rianneke, die gierend huilt?

'Pa!' Ange zet grote ogen op. Dat is geen kinderstem, dat is niemand anders dan mam die huilt. Had ze maar eerder gebeld! Egoïste die ze is! Ze weet toch hoe snel haar moeder in angst zit.

'Pap! Geef me mam eens... Ik wil me verontschuldigen. Maar ik was zo moe van de rit... echt, ik dacht alleen maar aan eten en warmte. Stel haar anders maar snel gerust!'

'Ange!' De stem van haar vader klinkt merkwaardig, bijna dreigend. En dan weet Ange dat er iets heel erg mis is.

'Wat is er met Rianneke, pa...? Is ze ziek? Gaat ze... Vertel het!'

Jan Althuisius staat voor de zware opgaaf zijn Ange te vertellen dat Rianneke op klaarlichte dag is ontvoerd en dat zoals het in vaktermen heet ieder spoor ontbreekt.

'Ze is niet ziek!' doet hij ferm. 'Ange, sterk zijn. Rianneke is door onbekenden van school gehaald. We kunnen helaas niets meer zeggen dan: we weten niet door wie en waarom! Ange!'

Ange voelt zich in een heerlijk duister wegzakken. Dit heeft ze eerder meegemaakt. Dat verrukkelijke donkere niemandsland waar geen angst is. Niets hoeft.

Stef grijpt de telefoon vanonder haar verslapte handen vandaan.

'Wat is er gaande, Jan?'

Ontredderd kijkt Stef van Ange naar de telefoon. Het personeel en de paar gasten die net als zij gestrand zijn, komen naderbij.

Hier is iets zeer ernstigs gaande. Zodra Stef de telefoon in de handen van een behulpzame hoteleigenaar heeft gelegd, vertelt hij, terwijl hij een bewusteloze Ange in zijn armen houdt, wat hij heeft gehoord.

'Is er een arts... is er toevallig een arts aanwezig?'

Die is er niet, maar de dorpsdokter zal geen moment aarzelen en zich door de sneeuw een weg weten te banen.

Zo brengen ze toch samen de nacht in één kamer door. Ange, diep in slaap na het toedienen van een sterk slaapmiddel. Stef, wanhopig wakend naast haar. Nu heeft hij zijn zin. Rianneke is uit beeld. Als dit zijn toekomst moet worden, is hun relatie geen lang leven beschoren, vreest hij. Ange is niet te scheiden van haar kind. Heel diep in zijn hart hoopt hij dat op de een of andere manier Rita Althuisius een spel speelt. Maar na nog een telefoontje begrijpt hij dat hiertoe de grootmoeder niet in staat is.

Tegen de ochtend ontwaakt Ange. Meteen is er de scherpte van de feiten aanwezig. Stefs telefoontje met het thuisfront is ontmoedigend.

'In ieder geval gaan we naar huis!' stelt Stef.

Ange laat zich helpen. De hotelhouder verscheurt de rekeningen, zegt dat dit zijn bescheiden manier is om zijn medeleven te laten blijken.

De rit naar huis duurt lang. De wegen zijn niet overal goed berijdbaar. Ange, die vol zelfverwijt zit, vecht met de meest uiteenlopende beschuldigingen aan het eigen adres.

'Ik haat ze... ik wil niet naar huis, Stef. Ik... het is ook hun schuld! Waarom hebben ze niet beter op het kind gepast! Ze zijn te oud... als Rianneke terugkomt, houd ik haar verre van hen!'

Stef zwijgt. Hij weet zich geen raad met deze wanhopige moeder.

Toch rijdt hij rechtstreeks naar de Boslaan nummer zeventien. Buiten de familie om zijn daar de buren, Susanneke en haar man. Zelfs MaiLy is aanwezig. De zaak is gesloten: wegens omstandigheden! En dat wil wat zeggen.

Mark en zijn vader, Kees Karsemijer, zijn de steun en toeverlaat van de familie. Een paar politiemannen willen direct Ange ondervragen, maar daar steekt Kees Karsemijer een stokje voor.

'Respect mensen, respect voor de moeder!'

Ange duikt weg in Rita's armen, van enig verwijt is duidelijk geen sprake meer.

'Kind... het is ons overkomen. Ze komt terug, het moet.'

Ange is versuft.

Een gebeurtenis die slechts in je gedachten leeft, vrezen, is een ding, maar omgaan met het realiseren daarvan behoort tot de onmogelijkheden.

Ange sluit zich boven op, in Riannekes kamertje. Ze laat het aan anderen over om een persbericht samen te stellen, om belangstellenden te woord te staan. Niemand heeft toegang tot haar hart. In heel haar leven is Ange Althuisius nog nooit zo alleen geweest.

11

HET KAN NIET ANDERS: ZODRA DE PERS LUCHT VAN DE ZAAK 'RIANNEKE' heeft gekregen, bijten de journalisten zich in de zaak vast.

Geen interviews.

Jan reageert grimmig. 'Dit spelletje kennen we. Geen fotografen binnenlaten. We moeten onszelf afschermen.'

Rita zakt, net als tijdens Anges verdwijning, terug in de bodemloze put waarvan ze gehoopt had dat deze was gedempt. Dit keer kan ze niet op de onverdeelde steun van Susanneke rekenen. Deze heeft aan haar gezin de handen vol.

Vanzelfsprekend worden er vergelijkingen getrokken met de weerzinwekkende gevallen van kindermisdrijven. Waarom zou dat wel ginds, ergens ver van je huis, gebeuren en niet in de eigen stad? Het spreekt vanzelf dat ook Ange niet meer in staat is te werken.

MaiLy heeft af en toe een uitzendkracht om Ange te vervangen.

De leiding van de peuterzaal komt in een kwaad daglicht te staan. Dit is niet verdiend, want daar is nooit iets mis! Niets valt er te klagen. Alleen toch dit ene, dit ernstige voorval.

De politie heeft de opgenomen videoband uitentreuren bekeken. Helaas is niets verdachts ontdekt. De zware sneeuwval heeft de sporen uitgewist en het lijkt of Rianneke van de aardbodem is verdwenen.

De relatie tussen Rita en haar dochter verslechtert. Ange kan met haar wanhoop geen kant op en geeft Rita de schuld van het gebeurde. Rita wendt zich tot haar vriendin, Amanda, de vrouw met het vogelnestjeskapsel die hen tijdens Anges verdwijning zo goed heeft geholpen. Ange echter laat zich niet helpen. Niet door de familie, niet door Stef noch door Amanda. Ze is ervan overtuigd dat de familie van Janos erachter zit. Een verstrooid en geplaagd geslacht. Op de vlucht voor de overheid.

Terwijl Ange de uren van de dag en de nacht telt, deze als het ware doorploegt, gaat het leven van anderen normaal door. Stef moet terug naar Boston en hij belooft zo snel mogelijk terug te komen. En dagelijks zal hij bellen.

MaiLy hangt de voorjaarskleding in de rekken. Ze kan zich niet groot houden als de dozen met de door Ange zorgvuldig uitgezochte peuterkleding arriveren.

Het kan niet anders of Alex Burggraaf wil contact. Het is Mark Karsemijer die hem weerhoudt.

'Heus, je doet op dit moment meer schade dan dat je ze helpt. Vergeet niet dat Ange jullie uitzending onder meer de schuld geeft van het gebeurde! Mireille geeft wel een seintje wanneer je welkom bent en ik denk dat, als de zaak lang genoeg speelt, de familie zelf komt met een verzoek!'

Alex houdt nog even vol dat het de mens in hem is die contact zoekt, niet de journalist, maar Mark lacht hem uit.

Zelf maakt Mark zich reisvaardig voor zijn eerste opdracht. Hij kan en wil niet vertrekken zonder Ange gedag te hebben gezegd. Ange, die dan weer hier en dan weer daar woont, is moeilijk te vinden! Uiteindelijk treft hij haar aan bij zijn eigen ouders.

'Kleine Ange, wat doe jij hier!'

Ange valt hem in de armen.

'Grote broer, ik zie het niet meer zitten! Daarom heeft je vader me onder zijn hoede genomen en hierheen gebracht. Neutraal terrein. Geen familie... geen onderlinge verwijten. Je moeder is een schat!'

Nu ondergaat Ange, zo bedenkt Mark, hetzelfde wat zij allen indertijd hebben doorgemaakt. Hij voelt zich nog net zo machteloos als destijds. En uiteindelijk was het Reinier Bakkeveen die samen met Susanneke de weg naar Ange vond. Dit keer is het nog moeilijk om een motivatie die tot de ontvoering leidt te vinden. Anges angst lijkt niet onredelijk.

'Ik kom afscheid nemen. Moed houden, kleine Ange. Mensen en ook kinderen kunnen niet zonder meer verdwijnen. Blijf hopen en vooral geloven! Ik heb met je moeder te doen. Val haar niet te zwaar, ze kan hier niets aan doen! Als je je woede niet kwijt kunt, bewerk je met je vuisten mijn vaders borstkas maar!'

Kees Karsemijer bedankt zijn zoon vriendelijk, geeft hem een kameraadschappelijke stomp tegen diens schouder.

'Als je de jouwe eens aanbood?' stelt hij voor. Maar Mark beweert dat vrouwen die liever gebruiken om uit te huilen en demonstratief trekt hij Ange tegen zich aan. 'Houd je haaks, kleine Ange. Als ik jou was, zou ik maar een poosje bij mijn ouders blijven logeren. Pa beschermt je wel tegen de pers en met niemand anders valt zo goed te praten als met moeders!'

Marks vertrek valt op een slecht moment, vinden de achterblijvers. Turkije gaat nog. Maar straks vliegt hij naar China en wie weet waar nog meer heen!

De dagen worden weken. De sneeuw smelt, heel voorzichtig dienen de eerste lenteboden zich aan. Sneeuwklokjes laten hun tere kopjes meedeinen door de gure wind en naaktbloeiers steken fier hun prille schoonheid omhoog.

Twee weken na Marks vertrek komt er beweging in 'de zaak Rianneke', zoals de pers deze is gaan noemen.

Er komt een brief, samengesteld uit krantenknipsels. Een brief om losgeld!

Karsemijer meent dat het uitgesloten is dat het epistel afkomstig is van familie.

'Je gaat ervan uit dat die mensen het kind zouden willen. Geen geld!'

Niet alle details zijn aan de familie Althuisius meegedeeld. Bijvoorbeeld de details over het zoeken in het buitenland. Het is inderdaad heel moeilijk gebleken om iemand van de familie Biedermann op te sporen. De circusartiesten lijken opgegaan te zijn in andere groepen en men is loyaal ten opzichte van elkaar. Vandaar dat de politie en ook huisvriend Karsemijer dankbaar zijn voor dit teken van leven.

Ange huilt uren achtereen van opluchting. Een teken van leven. Losgeld. Een bedrag wordt nog niet genoemd, maar dat is waarschijnlijk een kwestie van tijd.

Ange voelt zich in deze moeilijke tijd heel eenzaam. Het vertrouwen naar de ouders toe is geschonden. Het zal tijd kosten om de wonden te helen.

Eén ding staat centraal: Rianneke moet gevonden worden!

Er wordt nagegaan wie de bellers tijdens de gewraakte kerstuitzending waren. Degene die Ange een vraag stelde, wilde anoniem blijven. Dat is heel misschien een aanknopingspunt: iemand heeft toen waarschijnlijk al plannen die tot de ontvoering leidden, gesmeed.

Een tweede brief blijft uit. Ange brengt de dagen door zittend voor het raam van de huiskamer van de Karsemijers. De eerste brief kwam weliswaar bij haar thuis, maar inmiddels is het geen geheim meer dat ze bij Kees en zijn vrouw Bonnie is ingetrokken.

'Je zit ons niet in de weg, het tegenovergestelde is waar. Maar, Ange, als je nu eens probeerde terug te gaan naar je eigen flatje boven de winkel. Misschien dat de ontvoerders je daar durven te benaderen.'

Het is een impulsieve gedachte van Bonnie Karsemijer, die door haar man wordt bekritiseerd.

'Blijf jij maar veilig bij ons, meid!'

Maar Bonnies woorden brengen wat bij Ange teweeg. Ze heeft zich trachten in te leven in het doen en laten van de ontvoerders. Waarschijnlijk willen ze snel geld en... van het kind af! Want een levendig kind als Rianneke is moeilijk te verbergen.

'U hebt gelijk, tante Bonnie. Ik ga terug naar MaiLy. Dat passieve nietsdoen maakt me krankzinnig!'

Natuurlijk wordt Ange door meer dan één radio- en tv-programmaleider benaderd. Ze weigert consequent iedere medewerking.

'Ik kan dat niet aan!' is haar vaste antwoord.

MaiLy is verrast Ange onverwachts in de winkel te zien.

'Wat kom jij mij vertellen?'

Ange schudt haar hoofd. 'Ik denk niet dat ik kan werken...'

MaiLy valt haar in de rede. 'Niet doen, niet doen... Ik heb al vaker dan eens lui van de pers moeten wegsturen. En als men er lucht van krijgt dat jij terug bent, ben je niet veilig.'

Samen zitten ze in het kleine keukentje. Ange ademt de vertrouwde geuren op, verlangt terug naar betere tijden.

'Ik ga hier weer wonen. Misschien dat de ontvoerders hier wel contact met me durven opnemen, MaiLy. Ik zal me niet in de zaak laten zien. Maar ik wil wel wat omhanden hebben... Ik zou kunnen gaan werken aan zomerpakjes...'

MaiLy heeft met de innig bedroefde Ange te doen. Ze vertelt niet dat de omzet van de zaak bijna verdubbeld is sinds het drama. Er zijn altijd mensen die zich persoonlijk op de hoogte willen stellen en verzot zijn op sensatie.

Ange dwingt zichzelf aan het werk te gaan. MaiLy levert de stoffen en nieuwe patroontjes. Ze laat een extra grote werktafel bezorgen zodat Ange gemakkelijker kan werken. 's Avonds praten ze tot het tijd is voor MaiLy om thuis haar bed op te zoeken.

Ange leeft op de telefoontjes met Stef. 'Ik kom zo snel het mogelijk is!' belooft hij telkens. Wat hij verzwijgt is dat het tegenovergestelde waar is. Hij kan niet overweg met een wanhopige Ange, die niets anders voor zich ziet dan haar kind.

MaiLy doet haar best Anges verhouding tot haar ouders te neutraliseren.

'Zij konden er niets aan doen. Ange, je probeert via beschuldigingen zelf staande de blijven!'

Ange moppert. 'Je lijkt mama's vriendin wel! Die loopt me na als een hondje. Een koffer vol adviezen heeft ze. Gedragscodes. Ja, ik ben daar helemaal van Lotje getikt, maar mijn ouders... Het gaat niet om Riannekes verdwijning alleen. Mijn moeder lijdt net zoveel als ik. Weet ik toch... Alleen, Rianneke is al maanden een ruzie-object. Mam kan haar niet missen!'

Op straat waagt Ange zich niet, bang als ze is om aangeklampt te worden. Dus grijpt ze naar de telefoon en voert een 'normaal' gesprek met haar moeder. 'Mam...' besluit ze, 'jij kon er niets aan doen. Ik riep dat zo luid omdat ik iemand de schuld wilde geven.'

Rita is allang blij met de verzoenende houding van haar dochter. 'Als iemand het zwaar heeft, moet je aan de leiding van de peuterspeelzaal denken. Heel wat mensen hebben hun kind eraf genomen. En dat is ook niet terecht. Want als men ontvoeringsplannen heeft, kunnen die praktisch gesproken altijd worden verwezenlijkt!'

Ange is trots op zichzelf. Vanaf nu zal ze haar leed alleen proberen te dragen!

Wanneer men om welke reden dan ook aan huis is gekluisterd, is het bezit van een telefoon een uitkomst. Tussen het naaien en knippen door belt Ange heel wat af.

'Tante Bonnie, ik heb al twee dagen niets van jullie gehoord. Hoe is het?'

Stilte aan de andere kant van de lijn.

'Tante Bonnie?'

Gesnik, een geluid dat Ange in paniek brengt.

'Weet u iets over Rianneke dat ik nog niet heb gehoord?'

Dan de stem van Kees Karsemijer.

'Kind, we hebben slechte berichten, maar niet voor jou. Het gaat om Mark!'

Ange slikt en slikt. Wat kan er met Mark zijn?

In de hem eigen, korte manier van spreken vertelt Karsemijer wat er ginds in Turkije, gaande is. 'Een afgesplitst groepje Koerden die op wraak uit waren, hebben enkele toeristen plus journalisten gegijzeld.

Waaronder onze Mark. Ze zinnen op wraak, Ange. Hij is zijn leven niet zeker, je weet nooit hoe het zich daar kan ontwikkelen. Het laatst zijn ze gezien in een bergachtige streek die voor mensen bijna onbegaanbaar is. Ik vrees dat je het zonder onze hulp zult moeten doen!'

Een gedachte spookt door Anges hoofd: de Karsemijers en ik zitten in hetzelfde schuitje. Rianneke is ontvoerd, Mark gegijzeld. Wat is het verschil?

Een gijzeling is nieuws dat groot in de pers komt, Rianneke en haar ontvoering zijn onbelangrijk geworden.

Maar niet voor de ontvoerders zelf. Want op een moment dat Ange het niet verwacht, komt er een telefoontje. Een onduidelijke stem commandeert dat ze, als ze haar kind terug wil, tienduizend gulden moet opbrengen.

Tienduizend gulden voor Rianneke! Al was het een miljoen! had Ange willen roepen.

Het gaat als altijd: geen politie, geen pers, volkomen geheimhouding.

Ange overdenkt lang wat haar te doen staat. Tienduizend gulden, dat is op zich geen kapitaal. Ongetwijfeld weten de ontvoerders dat Ange noch haar ouders kapitaalkrachtig zijn.

Met veel moeite en de bijbehorende leugens weet Ange het geld bijeen te krijgen. Jokken tegen MaiLy als ze vermomd het huis wil verlaten. Een hoofddoek om, een jas van MaiLy.

Dan is het wachten op een volgend bericht. Ze is niet van de telefoon weg te branden, laat de naaiwerkjes voor wat ze zijn.

Niet per telefoon, maar via een bloemist wordt haar een brief bezorgd.

Een gesloten enveloppe gehecht aan het takje dat in een bloemstuk is gestoken. Kort maar krachtig is de tekst.

Diezelfde avond kan ze haar kind terugkrijgen, mits ze het genoemde bedrag in een gesloten enveloppe naar een graf op het oude kerkhof brengt. Het zou niet moeilijk te vinden zijn: een graf waarop een beeld dat een engel voorstelt. De engel heeft een boekrol in de hand. In de gleuf van dat boek is een spleet. 'Daarin stop je de enveloppe. Als je doet wat is gezegd, krijg je zo gauw je thuis bent het kind terug.'

Ange siddert van spanning. Alleen, zo heel alleen zal ze deze opdracht moeten uitvoeren.

Vier weken na de ontvoering. Ange racet op haar fiets door de donkere straten. Een miezerig regentje maakt het geheel nog onaangenamer. Rianneke! Ze krijgt haar kind terug! Wie de ontvoerders ook mogen zijn: het laat haar koud.

De weg naar het kerkhof is schaars verlicht en het ijzeren hek is maar moeilijk te openen.

Nog nooit is Ange op deze plaats geweest. Het oude kerkhof is een soort monument, er wordt zelden nog iemand te ruste gelegd.

Ze heeft vergeten een zaklantaarn mee te nemen en struikelt meer dan eens over oneffenheden. Zo luguber! Ze huivert en blijft af en toe even stilstaan om te luisteren. De bewuste engel is gemakkelijk te vinden. De sierlijke vormen worden schaars verlicht door een straatlantaarn. Ange klautert op de grafsteen, tast met haar handen langs de koude engel-figuur.

Jawel, een boek. Ze futselt de enveloppe tevoorschijn en schuift deze op de bedoelde plek. Een diepe zucht ontsnapt aan haar borst. Een detecti-vefilm zal ze nooit meer zoals voorheen kunnen bekijken!

Zo snel ze kan haast ze zich weg van de graven. Stel dat ze iemand tegen-komt. Overdag zou ze nog een reden weten, maar nu, in de avond lukt dat niet.

Ange rijdt zo snel als ze nog nooit heeft gedaan. Ze zet haar fiets gewoon-tegetrouw in de berging. Naast de boetiek is een onopvallende deur die naar een piepklein achtertuintje plus schuur leidt. Deuren op slot, snel naar binnen waar het veilig is.

Geheel overstuur en bevend van spanning bereikt ze eindelijk haar veili-ge huis. De kraan drinkt ze voor haar gevoel nagenoeg leeg. Dorst, zou Mark ook dorst hebben? Arme Mark, die in wie weet wat voor ellendige omstandigheden verkeert. Ange gooit haar jack op een stoel, vat post ach-ter een gordijn om zo de straat in de gaten te kunnen houden.

Niets, zelfs een uur later niets.

Wanhoop bekruipt haar. Toch de politie bellen? Karsemijer heeft wel wat anders aan zijn hoofd. Maar misschien Susanneke?

Dan rinkelt de telefoon. 'Ja!'

Een vuil lachje. 'Wat ben jij voor moeder... je kind zit al een halfuur op je te wachten. Kijk maar eens in je achtertuin!'

Ange racet naar beneden. De achtertuin. De berging. Ze is er toch nog net geweest? Er was niets te zien en bovendien kon niemand door de zijdeur zonder dat ze het gemerkt heeft!

Met bevende vingers opent ze de boetiekdeur. Al die sloten en knippen! Automatisch draait ze ondanks de spanning de deur secuur op slot.

De zijdeur is niet open geweest. Dan herinnert Ange zich dat er voor een lenig persoon nog een mogelijkheid is. Namelijk via de schutting die de tuin van de achtergelegen straat scheidt.

'Rianneke...'

Uit de berging waarvan het slot wel is geforceerd, klinkt een gedempt gehuil.

Rianneke, een doek voor de mond. Slaperig, alsof haar een middel is toegediend.

Ange springt op haar kind af, verwijdert de vieze lap en tilt Rianneke in haar armen.

'Mijn kindje, mijn eigen, eigen kindje!'

'Mamange...'

Dan zakt het kind weer in slaap.

Rianneke is zwaar, het kost Ange moeite haar boven te krijgen en om, zonder haar te wekken, de deuren achter zich te sluiten.

Even staat ze daar als verdoofd. Rianneke is terug. Behoedzaam legt ze het kind op de bank. Rianneke is duidelijk verdoofd. Wat staat haar te doen? De politie bellen, nu de sporen nog vers zijn? De dokter?

Ange legt een deken over het verfomfaaide kind. Zou ze geleden hebben? Psychisch? Onherstelbare schade. Ze moet er niet aan denken. Natuurlijk moet er wat gebeuren. Rianneke zal naar het ziekenhuis moeten.

Ange grijpt de telefoon en draait automatisch het thuisnummer.

'Pap... wil je komen? Ik heb Rianneke hier. Ze is... terug... Ik... o, kom gauw!'

Niet lang hoeft Ange te wachten. Vader en moeder, zus en zwager. Ze komen gelijk aan.

Ange is volkomen van de kaart. Met veel moeite komt ze uit haar woorden.

'Ik ben in een soort shocktoestand, geloof ik!'

Jan Althuisius zet het onderzoek in gang. De politie moet komen, hij zal een arts waarschuwen.

Ange kan niet anders doen dan het overgeven. Alles laten gebeuren.

Liefdevolle handen brengen Rianneke over naar het ziekenhuis, want noch de politie, noch de arts vertrouwt het zaakje. Het kind kan misbruikt zijn. Per slot van rekening is er ook een verdovend middel toegediend.

Ange mag in het ziekenhuis overnachten. Ze is niet bij Rianneke weg te branden en ze denkt er niet over om te gaan slapen! Dat mislukt deerlijk, omdat een arts haar zonder pardon een injectie geeft.

Het ontwaken is even worstelen met herinneringen. Susanneke en een verpleger staan naast haar bed.

'Zo, ben je daar eindelijk!' lacht Susanneke en heel haar vriendelijk gezicht straalt.

'Je dochter heeft minstens zo goed geslapen als jij.'

Een arts komt binnen, ook al duidelijk gelukkig goed bericht te kunnen geven.

'U hoeft niet bang te zijn dat uw kindje is mishandeld of wat dan ook van dien aard. Ze heeft slechts een verdovend middel toegediend gekregen. Waarschijnlijk eenmalig. In elk geval was het tamelijk onschuldig. Begrijpelijk vanuit het gezichtspunt van de ontvoerder! In onze ogen onvergeeflijk. Gefeliciteerd, mevrouw!'

Ange drukt handen, terwijl ze nog half achterover ligt.

Susanneke trekt haar echter op. 'Hé, je bent niet ziek. Hier is thee voor madam!'

Ange stamelt, terwijl de verpleger haar bloeddruk meet.

'Ik kan het niet geloven. Zeg... ik ben niet ziek! Ik wil eruit!'

Dat mag. Maar eerst een ontbijt.

Susanneke zegt ook de hele nacht in het ziekenhuis te zijn geweest.

'Had je Reinier moeten horen: in wat voor wilde familie ben ik toch getrouwd! Gelukkig is hij heel handig met de kinderen. Ange! Het is afgelopen! Je mag zo dadelijk naar Rianneke toe. Ik ben er even geweest. Ze heeft praatjes voor tien en een speciaal daarvoor opgeleide politieagente zal haar verhoren. Op speelse wijze. Daar zijn ze knap in, geloof me maar. Rianneke mag vandaag nog niet naar huis, ze willen haar nog even

ter observatie hier houden. En ja, dan word jij verhoord, rakker. In je eentje eropaf gaan!'

De zusjes omhelzen elkaar.

'Ik heb schone kleren voor je gehaald. Je zag er gisteren niet uit. Wat heb
je toch uitgevoerd?'

Ange denkt aan het lugubere kerkhof, de koude engel en diens boekrol.
Ze huivert. 'Dat komt later wel. O... nu Mark nog!'

Susanneke kijkt toe hoe haar zus toilet maakt en zegt somber: 'Daar
komen nare berichten vandaan. Een vrouw is vermoord gevonden. Een
collega van Mark. Ik ben bang, Ange. Maar kom, nu zetten we alles uit
ons hoofd, behalve Rianneke!'

Samen met Susanneke naar het kamertje waar Rianneke de nacht heeft
doorgebracht. De roes heeft uitgeslapen.

Zodra Rianneke haar moeder ziet, roept ze: 'Mamange, ikke wil niet weer
zonder jou op vakantie! Het was niet leuk hoor! En de fijne slee ging
kapot en toen vielde ik...'

Ange moet vechten om niet te huilen. Haar kleine meiske. Ontvoerd.
Niet door de familie, dat is duidelijk. Maar door wie wel en waarom?

'Jij blijft vanaf nu voor altijd bij mamma. Wij samen. Wij gaan het
maken!'

Het wordt een feestdag voor de betrokkenen. Ange, die de verhoren
ondanks de goede afloop afschuwelijk vindt, doet haar best zo nauwkeurig mogelijk te zijn. Voor slechts één ding is ze bang. Herhaling. Zodra de
reden is achterhaald, krijgt ze misschien rust, hoopt ze.

Het spreekt voor Ange vanzelf dat Rianneke na ontslag uit het ziekenhuis
met haar mee naar huis gaat.

'Maar ik wil naar me eigen kamertje bij Ommerie!' protesteert het kind.
Ange staat in dubio. Het kind nu aan haar ouders meegeven is als een
handtekening onder een verdrag. Bindend.

'Jij gaat met mij mee! Punt uit! En morgen gaan we koffie drinken bij
Ommerie en dan mag je een paar daagjes bij oma en opa logeren. Wil je
wel terug naar de kindertjes van de peuterschool?'

Heftig knikken. 'We regelen alles later wel. Kom op, mensen, naar Anges flatje! Het is, voor ons althans, een gedenkwaardige feestdag!'

Is er voor een jonge moeder die haar kind heeft moeten missen en in de grootst mogelijke angst heeft geleefd iets heerlijkers dan datzelfde kindje in bed stoppen?

Rianneke laat zich vertroetelen. Een nieuw pyjamaatje. Schone hoezen om het dekbed. En een nieuwe knuffel.

'Mamma ook bidden. Net als die tante. Toe dan...'

Ange begint te zingen. 'Ik ga slapen...'

Een boos handje slaat op haar gevouwen vingers.

'Nee, dat andere!'

Ange denkt na. Andere. 'Handjes gevouwen... 'k sluit d' oogjes nu... liehieve Heiland...'

Opnieuw een berisping van Rianneke.

'Ik zal zelf doen.' Ze haalt diep adem, vouwt stijf de handjes en perst de ogen dicht.

'Aisieze moen... en de moen siez mie, God bless ze moen en God bless mie. Eeeeemen!'

Ange is verbijsterd. Verbasterd Engels. Ze zou willen vragen: Zing het nog eens? Maar ze durft het niet. Forceren is uit den boze.

De ontvoerders hebben met het kind gebeden. Een Engels gebedje.

Ange schudt haar hoofd. Het kind heeft gebeden, terwijl zij aan Gods trouw twijfelde. Want de afloop wantrouwde ze. Is God te verbidden? Is onze manier van denken niet vaak zo anders dan de Zijne?

Ange is geschrokken van haar eigen wantrouwen. Of moet ze het ongeloof noemen? Kon ze maar bidden als een kind. Zoals vroeger.

Dan schiet haar een preek te binnen, ooit gehoord en gezien op tv. Een jonge predikant die durfde te zeggen: bidden zonder vertrouwen is geen bidden. Durf te vertrouwen en... je zet Gods machten aan het werk!

Een heel klein vreugdelichtje begint in Ange te gloeien. Zelf kon ze niet bidden tijdens deze moeilijke weken en van vertrouwen was geen sprake. Dat hebben anderen voor haar gedaan!

'En nu, Ange Althuisius,' zegt ze tegen zichzelf als ze het bed instapt. 'Nu is het jouw beurt om voor anderen vertrouwend te bidden!'

Even zwijgt ze, dan komt het, zomaar hardop.

'Vader, neemt U op dit moment de verdrietige ouders van Mark in Uw armen en geef hun van Uw kracht. En Mark... Beschermt U hem en laat hem als het U belieft gezond terugkomen!'

Voor het eerst in dagen en nachten slaapt Ange Althuisius vast en diep. Zoals een kind dat zich veilig weet.

12

TOUWTREKKEN OM EEN KIND.

Dat wordt het. Ange heeft moeite met het afstaan van Rianneke aan haar moeder. Rita daarentegen wil bewijzen dat het niet aan haar heeft gelegen dat er iets grandioos is misgegaan.

En dan is er ook nog de peuterspeelzaal. Het spreekt vanzelf dat de leiding het een blijk van vertrouwen zou vinden als Rianneke weer bij hen mag terugkomen.

Ange heeft het er maar moeilijk mee. Kool en geit sparen is niet haar sterkste kant.

'Wat moet ik nou toch, MaiLy?' klaagt ze op een ochtend. Rianneke is zojuist gehaald door 'de lieve tante'. Paulien Ebbe, gespecialiseerd in kinderpsychologie en werkzaam bij de politie. Rianneke mag tekenen en schilderen, terwijl tante Paulien met haar babbelt.

Paulien heeft al heel wat gegevens verzameld. Zo is aan de hand van foto's het soort slee waarmee Rianneke is ontvoerd, een antiek model, vastgesteld.

Paulien heeft in de boekwinkels en bibliotheek net zo lang gezocht tot ze een werkje vond waarin verzamelde Engelse kindergebedjes stonden. Rianneke bleek verrukt dat tante Paulien haar liedje zomaar kon voorzingen!

I see the moon,
And the moon sees me;
God bless the moon,
And God bless me.

Rianneke blijkt niet onder stress te hebben gestaan; soms vertelt ze voorvalletjes die duiden op een kindvriendelijke houding van de ontvoerders. 'Wat jij moet, is rustig zijn, Ange. Je bent nog lang niet de oude. Gun jezelf en je moeder tijd. Weet je, als je werkelijk trouwplannen hebt met Stef, is er toch geen vuiltje meer aan de lucht? Dan echt hij het kind en wordt pappa. Weet jij waar je dankbaar voor moet zijn? Dat de politie niemand heeft kunnen vinden die familie is van Janos Biedermann. Je kunt de vrees om door hen belaagd te worden nu definitief uit je hoofd zetten. Rianneke is door mensen ontvoerd die één ding wilden: geld!' MaiLy tracht, al stof afnemend, Ange te overtuigen.

'Voor geld doen de mensen soms rare dingen. Als de politie de daders te pakken heeft, zul je zien dat de raadsels opgelost worden en als puzzelstukken in elkaar passen.'

Ange heeft er zo haar eigen mening over. Zou MaiLy wel beseffen wat het voor een moeder betekent als haar kind wordt geroofd?

MaiLy heeft meer levenservaring dan Ange beseft. Niet voor niets zet ze haar compagnon voortdurend aan het werk!

Onder de brede trap is een niet gebruikte ruimte. Soms staat er een decoratiestuk. En een bak waarin paraplu's een onderkomen vinden. Op die plek wil MaiLy een paar rekken kinderkleding hebben.

'Als we nu een jeanswinkel hadden, zou je kunnen volstaan met een stapel sinaasappelkisten. Dat kan heel decoratief zijn. Maar niet hier. Ik zal een stellage bestellen, precies op maat, waarin we truitjes en blouses kunnen bergen. We hangen een enkel stuk op of kleden er een pop mee aan. En ja, we moeten nu maar eens werk maken van de verbouwing. Ik voel me goed...'

Ange doet haar werk automatisch. Helpt klanten, geeft beknopte antwoorden als er naar haar dochter wordt geïnformeerd.

Vaak krijgt ze de vraag: 'Is het al bekend wie uw kindje heeft gekidnapt?' Helaas, neen.

Rianneke pendelt van Ommerie naar Mamange. Op een dag vraagt ze zelf om weer naar de kindjes te mogen. Ange aarzelt. Overleggen met haar moeder? Ze hakt de knoop door. Zelf beslissingen nemen is de eerste stap naar onafhankelijkheid.

In MaiLy's wagen rijdt ze op een ochtend, samen met Rianneke, naar de peuterspeelzaal.

Ze is aan de vroege kant en wel met opzet. Ze parkeert de auto naast het terrein. Ze kijkt huiverend om zich heen. Rianneke is hier al meermalen met tante Paulien geweest, om de route die ze gegaan is, te achterhalen. Helaas was Rianneke zo vol van de sneeuw en de 'rare' slee, dat ze niet heeft opgelet.

'De jufs zullen best blij zijn om je weer te zien. Maar denk erom, Rianneke, je mag nooit en nooit weer met mensen meegaan die je niet kent. Beloof je dat? Mamma komt je halen en niemand anders!'

Rianneke rimpelt haar neusje. 'En als Ommerie dan komt?'

Ange legt haar hand op de deurknop, kijkt neer in het naar haar opgeheven snuitje.

Hard zegt ze: 'Ook niet met oma. Mamma komt je halen en al vliegen de beren door de lucht en gaan de poppen dansen... Jij blijft op mamma wachten!'

Rianneke heeft als ieder kind zoveel fantasie dat ze het uitschatert bij het idee dat de beren en poppen zullen gaan vliegen en dansen.

'Gekkerd! Maar... op de slee zat een beer. Een heeeel grote, mam!'

Ange duwt de deur open. Verrast blijft een der leidsters staan. Spontaan barst de jonge vrouw in huilen uit. Ze brengt Ange daardoor een moment in verlegenheid.

'Je komt haar brengen... want daarom ben je toch hier?'

Er duiken nog meer leidsters op, ze staan in een kring om moeder en kind heen. Rianneke ritst haar jasje los, kijkt blij rond.

Een der leidsters tilt haar van de grond en knuffelt het weerstrevende kind.

Ange voelt zich kalm worden. Als was ze de meerdere. 'Ik heb besloten Rianneke terug te brengen naar jullie. Er is geen enkele reden om dat niet te doen. Ik heb het volste vertrouwen in deze peuterspeelzaalleiding en Rianneke is hier erg gelukkig geweest.'

Even zwijgt Ange, zegt dan met verstikte stem: 'Neem me niet kwalijk als ik in de toekomst af en toe wat paniekerig reageer, of te pas en te onpas informeer hoe het met Rianneke gaat... Ik moet leren met het gebeurde om te gaan en ik denk dat het met jullie ook zo is gesteld.'

De hoofdleidster drukt Ange de hand.

'Namens ons allemaal hartelijk dank. We hebben sinds het voorval extra personeel. Moeders, die zich spontaan aanboden als hulpkracht. Straks werken we nog een op een! En hulpvaardige vaders hebben het hekwerk nog hoger gemaakt. Eerlijk gezegd lijkt het nu meer op een concentratiekamp dan op een speeltuin. Maar ook daar doen we wat aan. Binnenkort beschilderen we panelen met vrolijke clowns en bevestigen die op het rasterwerk!'

Ange glimlacht en loopt met Rianneke mee naar de speelzaal. Het kind duikt meteen naar haar lievelingsspeelgoed, een soort trekkertje waarachter een aanhanger. Ze ziet haar moeder al niet meer staan. Ange maakt aanstalten te vertrekken.

'Rianneke woont nu bij mij en ik heb liever niet dat jullie haar aan mijn moeder meegeven. Dat schept voor Rianneke te veel verwarring. Ik hoop dat mijn moeder dat ook wil begrijpen!'

Ange voelt de ogen van het personeel in haar rug prikken als ze wegloopt. Een belangrijke stap is gezet! Een blik op haar horloge vertelt haar dat het nog geen negen uur is. De boetiek opent haar deuren pas om halftien.

Een halfuur om mam te overtuigen dat zij het beste voor haar kind wil en vanaf nu zelf de beslissingen wil nemen.

Rita is verrast Ange te zien.

'Er is toch niets aan de hand?'

Ange kijkt verstoord.

'Waarom moet er altijd iets aan de hand zijn als het eens anders loopt dan jij denkt, mam? Ik wil even met je praten over Rianneke!'

Ange bedankt voor koffie.

'Dank je, ook geen thee. Ik kom immers met een doel en moet zo weer weg. Mam... Ik heb Rianneke zojuist naar de speelzaal gebracht!'

Rita verschiet van kleur.

'Ben jij nou een moeder! Is er politiebewaking?'

Ange barst in lachen uit. 'Mam! Klop de zaak niet zo op! Politiebewaking! Arme Rianneke, ze zou een leven als een koningskind krijgen. Nee nee, ik heb duidelijke afspraken gemaakt. Ik haal haar om elf uur op, het is voor de eerste keer lang genoeg. Enneh... ze mag van mij met niemand anders mee. Ook niet met jou, mam! Ik weet dat ik je nu pijn doe, maar ik moet van Paulien strakke regels maken. Geen rij van verzorgers. Jij, pa of ik. Later kunnen we wel soepeler worden.'

Ange ziet de reactie op haar moeders gezicht. Ontzetting, verbazing en verdriet. Het is moeilijk om nu voet bij stuk te houden.

Ze gaat over tot verdediging.

'Rianneke is mijn kind, mam... Ik draag de verantwoordelijkheid!'

Rita snikt: 'Zo praatte je ook niet toen je weer naar school wilde. Alle tijd kreeg om je diploma's te halen. Is dat je dank? Heb ik dat verdiend?'

Ange heeft moeite niet mee te gaan huilen. Sterk moet ze zijn. Vechten voor haar en het kind.

'Het gaat niet om jou, niet om mij. Niet om wat jij wilt en voelt, of ik. Het gaat om Rianneke!'

Ze haalt diep adem en probeert rustiger te worden.

'Je bent niet eerlijk, mam. Je deed het allemaal maar wat graag. En als ik niet naar school had gekund, was ik er ook wel gekomen. Je krijgt als ongehuwde moeder toch ook een uitkering? Er zijn tehuizen waar je terechtkunt. Rianneke en ik zouden het moeilijker gehad hebben, maar gered had ik het!'

Rita snikt: 'Maar nu zet je me buitenspel en dat is ook niet eerlijk... Ik ben toch nog altijd de oma... Ze houdt van mij. Misschien wel meer dan van...'

Rita is zo verstandig deze zin niet te voltooien. Helaas begrijpt Ange het zo ook wel. Dit is de druppel die de emmer doet overlopen.

'Als dat zo is, wordt het de hoogste tijd dat Rianneke voorgoed bij mij blijft. En bij Stef!'

Rita droogt haar ogen met de punt van een theedoek. Ze dwingt zichzelf tot kalmte.

'Dus jij denkt dat Stef erop is gebrand vader te worden van andermans kind. Laat ik jou even uit die droom helpen!'

Ange kijkt langs haar moeder heen en werpt een blik op de keukenklok. Ze krijgt haast.

'Ik meen Stef zelf wel te kennen!' zegt ze stug. Als mam het hard wil spelen, moet ze maar meedoen. Een normaal gesprek lijkt niet mogelijk.

Rita gooit haar troef op tafel.

'Ik heb met Stef overlegd, voor jullie naar Parijs gingen. Hij en ik vinden het 't beste als jullie huwelijk zonder kind begint. Je vader en ik zijn bereid Rianneke te adopteren. Stef was heel opgelucht toen dit plan ter sprake kwam!'

Ange voelt een vreemde duizeling opkomen. Niet flauwvallen nu. Sinds het ongeluk, nu bijna vijf jaar terug, komt dat af en toe voor. Bij sterke emoties lijkt ze een uitweg te zoeken en vindt die in flauwvallen.

Ze haalt diep adem alvorens te antwoorden.

'Zeg dat nog eens?' verzoekt ze met vreemd lage stem.

Rita voldoet aan die wens en wacht gespannen de reactie af.

'Stef had het je willen voorstellen tijdens de vakantie, maar toen kwam dat met Rianneke ertussen. Nu hoor je het van mij.'

Ange kijkt met iets dat op walging lijkt haar moeder aan. 'Op die manier heb je mij ook in je leven 'genomen', je wilde zo graag een baby erbij... een kind. Aan Susanneke had je niet genoeg en zelfs aan mij daarnaast niet. Nu wil je Rianneke... je krijgt haar niet, hoor je! Adopteren! En moet ik geloven dat pa dat zou willen? Die is zo aan de VUT toe, die wil ook weleens wat voor zichzelf! Bah! Wat een egoïsme!'

Rita doet dreigend een stap in Anges richting.

'Wat wil jij dan, wil je Stef kwijt? Wie wil nu trouwen met een vrouw die al een kind heeft?'

Ange schreeuwt: 'Je bloedeigen dochter! Susanneke is ook met iemand getrouwd die een kind heeft!'

Rita schudt haar hoofd. 'Ben je vergeten dat Reinier weduwnaar was en dolblij voor Elien een moeder te hebben gevonden... Een weduwnaar met kind is heel wat anders dan iemand die een buitenechtelijk kind heeft...'

Rita Althuisius schrikt van zichzelf. Is zij dat die zulke lelijke dingen tegen Ange durft te zeggen? Ze is altijd bang geweest het wat Ange betreft niet goed genoeg gedaan te hebben. Het kind mocht nooit verschil merken tussen haar en de biologische dochter. En nu, nu komt het er allemaal uit. Opgekropte irritaties. Rita vecht voor haar eigen geluk, waarvan ze meent dat dit afhangt van het mogen verzorgen van Anges kindje.

Ange is bang voor wat mam nog meer zal zeggen, bang voor haar eigen reacties.

Ze dwingt zichzelf tot beheersing en zegt gemaakt kalm: 'Mam, we praten nog wel eens verder als je wat minder geëmotioneerd bent. Je bent zelf moeder, en juist een goeie moeder als jij wil een andere moeder haar kind afhandig maken? En dan Stef in het spel gooien. Dat is onvergeeflijk... Dag mam!'

Rita rent mee met Ange, die opeens haast lijkt te hebben, naar het tuinhekje.

'Je gelooft het niet... Het is Stefs mening. Bel hem maar... vraag het zelf! Wat wil je...'

Ange smijt het houten hekje met een smak toe.

Rita roept haar na: 'Je hebt de keus: Stef... of jij alleen met Rianneke...'

Verblind door tranen rijdt Ange de Boslaan uit. Dit is meer dan ze kan verwerken. Het vreet aan haar, doet haar leven schudden. Even overweegt ze haar vader te bellen. Mam is tot rare dingen in staat als ze zo van streek is. Ange voelt zich, net als Susanneke, verantwoordelijk voor mams geluk. Mam, die zo kwetsbaar is, en toch ook vaak onredelijk hard kan zijn als ze denkt gelijk te hebben.

Ange werpt een blik in het achteruitkijkspiegeltje en is net op tijd om te zien dat buurvrouw Rachel, Stefs zus, komt aanfietsen en zich tot haar moeder wendt.

Ange geeft gas en het mag een wonder heten dat ze zonder brokken te maken heelhuids bij de boetiek arriveert!

Terug in de boetiek kan Ange zich niet eens een huilbui veroorloven, laat staan haar hart uitstorten bij MaiLy. Er zijn klanten en er wandelt een vertegenwoordigster rond, die zo te zien niet veel tijd heeft. MaiLy fluistert Ange toe: 'Neem jij de klant alsjeblieft over, dan neem ik die dame mee naar kantoor!'

Ange heeft allang ontdekt dat de meeste klanten zo met hun aankoop bezig zijn dat ze zelden of nooit de verkoopster als mens zien. Ange knikt en praat, lacht en geeft advies. En pas uren later, als ze zich op haar flat heeft teruggetrokken, komen de tranen.

De verleiding is groot om Stef te bellen, ongeacht het tijdsverschil.

Nee, Ange wacht af tot Stef zelf belt. Luistert naar zijn opgewekte relaas, geeft antwoorden en informatie.

Dan zegt ze kalm: 'Ik sprak mam. Tjonge, jullie beiden zijn knap in het bedenken van constructies! Dus: als ik het goed begrepen heb, ga jij akkoord met adoptie? Ik heb het toch goed begrepen?'

Anges stem is vlak, er valt niets uit op te maken. Even is Stef verbouwereerd.

Hij stelt een vraag die Ange niet lijkt te horen.

'En wat vind je dan van vakanties? Per slot van rekening worden mijn ouders al wat ouder... dan zou ze toch bij ons kunnen zijn, met de eventuele andere kinderen eh... van jou en mij... kunnen spelen!'

Stef lacht hartelijk. 'Meervoud nog wel! Ik ben niet zo'n kindertjesman. Als ze groter zijn, zoals mijn neefje Sander, dan wordt het interessant. Dus... je staat positief tegenover het plan? Wat ben ik daar blij om, lieveling!'

Ange bewerkt haar onderlip tot bloedens toe. Waardig en kalm blijven. Niet zo hysterisch als mam doen.

'Dat is dan jammer. Je hebt me verkeerd begrepen. En ik jou goed. Wat ben ik dankbaar dat ik op tijd achter jouw mening ben gekomen... Ik mag mam wel bedanken namens Rianneke en mezelf. Dag Stef, het is voorbij. Mijn liefde of wat het ook was voor jou, is in één klap vernietigd.'

Ze neemt niet de moeite gedag te zeggen, verbreekt de verbinding en trekt de telefoonstekker uit het stopcontact. Ze wil voorlopig niet bereikbaar zijn!

Het worden zware dagen voor Ange. Ze weigert gesprekken met haar ouders en als Susanneke wil bemiddelen, krijgt ook deze een resolute afwijzing.

'Laat me met rust!'

Op een ochtend, tegen halftwaalf, als Ange Rianneke bij de peuterspeelzaal wil halen, ziet ze tot haar schrik haar moeder staan. Ange weet even niet wat te doen.

Dan neemt ze een besluit. Loopt gedecideerd langs Rita heen en groet.

'Dag mam!'

Eenmaal binnen trekt ze Rianneke haar jasje aan en maakt een babbeltje met een leidster.

'Dit wilde ik je laten zien. Rianneke heeft zoiets aparts getekend!'

Ange kijkt samen met de leidster naar het werkstuk. Een papier, helemaal volgekleurd. Een kamer, waarin meubels. Voor het raam staan bloempotten met veel groen gewas. De peuterleidster maakt Ange attent op een merkwaardige krabbel.

'Weet je wat ze zei: dit zijn paddenstoelen, maar ik mocht er niet aankomen. Hu... ik lust toch ook geen sjampjons!'

Ange begrijpt. 'De ecologische drug. Wel, dat zal onze Paulien interessant vinden! Ik neem de tekening mee. Bedankt dat jullie zo oplettend zijn!'

De leidster knikt. 'We observeren haar ook als ze bijvoorbeeld met het poppenhuis speelt. Dat heeft Paulien ons namelijk gevraagd. Wij proberen zo iets goed te maken.'

Ange werpt een blik door het raam en ziet haar moeder heen en weer lopen. Haar hart hunkert naar de moeder, maar er is zo veel gebeurd dat niet zonder meer te verwerken is. Mam, die haar samen met Stef heeft bedrogen. En hoe!

'Is er hier een andere uitgang? Ik heb eh... problemen met mijn moeder en die wacht daar, bij het hek. Ik heb de auto om de hoek staan.'

De leidster zegt: 'Wij vonden het al zo vreemd dat uw moeder zo mamma-achtig tegen Rianneke deed. Wat akelig allemaal. We worden liever niet in familievetes betrokken. Gebeurt vaker, hoor, bijvoorbeeld bij echtscheiding. Dit is net zoiets. Weet je wat? Je kunt via de achtertuindeur in een steegje komen. Moet je wel een eindje lopen. Zal ik eens met je moeder praten?'

Ange krijgt tranen in haar ogen.

'Het is zo akelig allemaal... Maar goed... Ik ga...'

Vluchten voor de mensen die je hebben grootgebracht. Je doof houden omdat je je bedreigd voelt. Het is duidelijk dat er iets moet gebeuren. Ange sluit zich voor iedereen af. MaiLy is de wanhoop nabij. Ange durft niet meer in de zaak te staan omdat ze vreest geconfronteerd te worden met haar familie. De straat is een onveilige plek: stel dat 'de ontvoerders' het spelletje herhalen? Want nog steeds tast de politie in het duister. De ontvoerders zijn waarschijnlijk hennepkwekers. De tekeningen van Rianneke hebben geleid tot een bepaalde vorm van onderzoek. Rianneke mocht spelletjes doen met plantenbladeren. Het is aan de bekwaamheid van Paulien Ebbe te danken dat er bepaalde conclusies zijn getrokken. En dan de uitlating 'paddenstoeltjes', die spreekt voor zich.

Ook al weet de politie nu in welk circuit gezocht moet worden: voorlopig is het nog speuren en afwachten geblazen.

'Je wordt fobisch!' zegt MaiLy op een dag streng. 'Ik moet me behelpen met ongeroutineerde invalkrachten, zelf te veel hooi op de vork nemen. En jij, jij zit boven voor het raam je ellende te koesteren. Kom op, er moet wat gebeuren!'

Ange schrikt van MaiLy's kalm uitgesproken terechtwijzing. Ja ja, ongelijk heeft ze niet.

'Je... je voelt je toch wel goed?'

MaiLy zendt een schietgebedje omhoog. Vergeef me dit leugentje... Ik wil slechts helpen!

'Nou, om je de waarheid te zeggen...' Ze slaat haar mooie amandelvormige ogen neer. En Ange trapt in de opgezette val.

'MaiLy... sorry! Ik had je niet in de steek mogen laten. Ik begin gelijk weer en stuur die griet op haar slangenleren schoenen maar weg!'

Onverwachts komt hij over uit Boston. Hopend nog wat te kunnen redden van de situatie. Want Stef Dubois is werkelijk erg op Ange gesteld, bereid zijn leven enigszins bij te stellen. Hij is zelfs bereid het te proberen met het kind. Hij hoopt Ange zover te krijgen dat ze op zijn voorstellen ingaat.

'Ik wil je niet meer zien,' briest Ange als Stef zich na de koopavond aandient. Ze wilde net de deur vergrendelen. Ze schrok toen ze een man zag naderen die net Stef was. De schrik lijkt handen en voeten te hebben gekregen toen ze ontdekte dat Stef, die ze in Boston dacht te weten, in levenden lijve voor haar staat.

Charmant als altijd. Uitgestoken handen. Voor ze het weet ligt ze in zijn armen. 'Ik haat je...' snikt Ange.

'Niet waar. Je haat de situatie. Maar daar gaan we wat aan doen!'

Naast haar loopt Stef naar boven.

'Is het kind bij jou?' vraagt hij, wijzend op een jasje en rondslingerende laarsjes.

'Inderdaad. Rianneke is daar waar ze hoort, bij haar moeder!'

Tegenover elkaar staan ze in de kamer. Ange blijft sterk. Ze wil niet toegeven.

'Je hebt heel wat uit te leggen!' zegt ze kort en denkt er niet over Stef een verfrissing aan te bieden.

Stef haalt zijn schouders op.

'Je weet het allemaal. Wat je moeder en ik voor het beste hielden is je op een vervelende manier verteld. Als ik het je...'

Ange valt hem in de rede. 'Dat maakt niets uit, Stef. Kom *to the point!* Wat heb je nog meer in de aanbieding.'

Stef haalt zijn schouders op. 'Tja, als je zo begint. Je lijkt niet te willen! Helaas heb ook ik mijn grenzen. Mijn voorstel ligt binnen mijn mogelijkheden. Ik stel je voor: ga met me mee naar Boston. Met Rianneke. Dan zien we of en wanneer het schip strandt. Lukt het niet, dan kan het kind nog altijd terug naar je mam. Gaan wij samen door. Lukt het wel, dan zal ik haar echten. Dat is beloofd. Tot die tijd hebben wij een eh... soort...'

Ange is verbaasd over haar eigen kalmte.

'Een soort proefhuwelijk. Een voorwaardelijke verbintenis, zo wil je het toch? Nou, ik niet. Ik heb ooit liefgehad en had eerder moeten begrijpen dat wat ik voor jou dacht te voelen, nep is. Lichamelijke aantrekkingskracht of zo...'

Dat laat Stef zich niet gezeggen. Hij is in zijn eer aangetast.

'Hoor... hoor...! Wie zegt dat? Een frigide schepsel! Ja, dat ben je! Het is me een raadsel hoe dat kind is ontstaan, ik...'

Ange richt zich op, voelt zich boven hem uittorenen. Ze strekt haar arm, ze lijkt op een onheilsgodin uit de oudheid. De wijsvinger is naar de deur gericht.

'Eruit, je weet de weg!'

Stef schiet in de lach, denkt nog even dat het een grap is. Die Ange toch. Maar de uitgestrekte vinger lijkt nog spitser te worden en Stef voelt hier met zijn meerdere van doen te hebben. Hij kijkt weg van Ange, met twee stappen is hij bij de deur. Voetstappen op de trap. Een harde klap, die een glazen stellage doet rinkelen.

Ange kijkt verdwaasd om zich heen, haar ene arm lijkt versteend.

Langzaam laat ze haar hand zakken. Hoe lang ze in dezelfde houding staat, zou ze later niet meer kunnen zeggen.

Pijn?

Eerlijk zijn, Ange?

Nee, geen pijn. Ze is gekwetst. Haar eergevoel is aangetast.

Een verliezer? Ook niet. Ze heeft gewonnen. Gekozen voor Rianneke.

Niet nogmaals het kind afstaan! Ze is allergisch voor het woord afstaan.

'Mamange... wie is op bezoe-hoek!' roept Rianneke.

Ange komt tot zichzelf en loopt naar de kinderkamer. Grote ogen, donker van angst kijken boven het dekbedrandje uit.

'Toch niet Stef?'

Ange schudt haar hoofd.

'Stef is voorgoed naar Amerika en komt nooit weer terug. Hé, mijn poppedijntje! Lach eens tegen Mamange! Zal ik voor je zingen? Over de maan?'

Rianneke ontspant zich. 'Ikke ken nog een versje. Van de oom, je weet wel. Zal ik het zingen?'

Ange knikt.

Het is geen zingen, meer een muzikaal spreken. Een soort kleuterdeun.

Peace be to this house
And to all who dwell in it
Peace be to them that enter
And to them that depart.

Ange sluit haar kind in beide armen.

'Van jou kan mamma nog heel veel leren!'

Voor het eerst sinds het behalen van haar diploma heeft Ange het gevoel op de goede weg te zijn.

13

De familie Althuisius is geschokt als Ange meedeelt dat zij haar relatie met Stef heeft verbroken.

'Hoe kon je dat nou doen!' schrikt Rita. 'Zo'n keurige vent met toekomstmogelijkheden vind jij niet zo snel weer!'

De nadruk op het woordje jij.

'Je bent wel erg duidelijk, mam!' Ange reageert koel. 'Eerst heb je getracht mij mijn kind af te nemen. En wel voorgoed! Ik zou zeggen: neem een paar katten of een hond en leef daar je overtollige moederliefde op uit!'

Ange is bedroefd. Is ze destijds alleen geadopteerd omdat Rita meer dan één kind wilde? Was Susanneke haar niet genoeg?

Ange is niet te bepraten, hoe vaak haar vader het ook probeert.

Ze heeft het niet gemakkelijk, Ange Althuisius. De zorg voor Rianneke valt haar zwaar. Ze weet nauwelijks wat het is om fulltime moeder te zijn! Halen en brengen naar de peuterspeelzaal. Met het kind naar de tandarts, de dokter. En sinds Rianneke op de speelzaal is, komen er vaker en vaker uitnodigingen voor verjaardagen.

Toch denkt Ange er niet over haar bron van inkomsten op te geven. Ze vindt het werken in de boetiek prettig, kan goed met mensen omgaan en sinds MaiLy een bouwvergunning heeft gekregen, zijn daar ook nog de plannetjes voor een peuterafdeling.

In haar achterhoofd speelt nog steeds de angst dat Rianneke voor de tweede maal gekidnapt zal worden. Het is immers een gemakkelijke manier om aan geld te komen? Ze bewaakt haar kind als een cerberus. Het is of haar latente moedergevoelens plotseling zijn ontwaakt.

De politie blijft boven op de zaak zitten. Mede dankzij de inzet van Paulien Ebbe, die zich in de kwestie heeft vastgebeten.

Rianneke geeft mondjesmaat feiten prijs. Meestal door toeval komen er dingen aan het licht. De Engels gesproken en gezongen liedjes zijn een klein aanknopingspunt. De ecodrugs, in de vorm van paddenstoelen en de grote hoeveelheid groene planten die ze op haar tekeningen vaak verwerkt. De politie heeft hier en daar een inval gedaan, zonder succes.

Kees Karsemijer, die niet beroepshalve bij de zaak betrokken was maar meer uit solidariteit met de familie meedacht, heeft andere problemen aan zijn hoofd. Mark is nog steeds gegijzeld en er komt bitter weinig berichtgeving.

Zijn vrouw Bonnie is begrijpelijkerwijs volkomen uit haar doen.

'We hebben al een kind moeten missen, en nu dit.'

Op een ochtend dwarrelt Mireille de boetiek binnen, neust in de rekken, als altijd op zoek naar wat nieuws. Ange duikt op haar af.

'En,' komt ze na de begroeting. 'Nog nieuws van Mark? Je hoort of leest er niets meer van!'

Mireille houdt een hemelsblauw jurkje onder haar kin, kijkt kritisch naar haar spiegelbeeld en dan naar Ange.

'Het is een nare zaak. Er zijn bemiddelaars op afgestuurd, maar dat blijft buiten de pers. Die lui, de gijzelaars willen toch al zo veel aandacht. Het is wat je noemt een splintergroepering die bekendstaat om hun grove manieren. Ze hebben een reeks eisen gesteld en lijken het in de bergen nog wel even te kunnen volhouden. Gisteren is een vermoorde vrouw gevonden. In een ravijn. Op haar lichaam een brief met nieuwe eisen...'

Even zwijgt Mireille. 'Wat dacht je, staat deze kleur me? Combineert het met mijn kleurspoeling? Hm... Ik heb al zo veel blauw. Maar de snit is perfect! Je mag me wel dankbaar zijn, Ange. Ik heb een stel meiden die voor een andere show werken jullie adres gegeven. Wie weet zit er een reuzenbestelling in! Komt de naam 'MaiLy' op de aftiteling. Vraag eens aan je baas of er niets te regelen valt wat betreft huren of lenen van kleding? In ruil zetten wij dan de naam op de rol.'

Ange staat perplex.

'Vertel nou verder... over Mark! Hoe kun je werken en gewoon je gang gaan terwijl Mark misschien wel doodgemarteld wordt!'

Mireille loopt naar een kleedkamer, de jurk over een arm.

'Het is walgelijk wat daar gebeurt en niemand heeft er grip op. Walgelijk! Tja...' Ze trekt het gordijn achter zich toe en vervolgt: 'Ik beschik over een talent dat de eigen problemen kan uitschakelen tijdens werk. En daar maak ik nu gebruik van. Als ik mijn werk niet kan doen, nemen ze gelijk een ander. Zo gaat dat bij ons. En geloof maar niet dat ik zonder meer terug ben! Ja, terug bij af! Eh... het jurkje is leuk. Wil je er een sjaal bij zoeken, Ange?'

Terug bij af.

Ange schudt haar hoofd, grabbelt een paar sjaals uit een rieten mand en haast zich weer naar Mireille.

'De sjaals!' Een hand vanachter het gordijn.

Een paar verrukte kreetjes doen Ange walgen. Zelf is ze verre van volmaakt, kent haar fouten en schaamt zich vaak genoeg dat ze er niet aan werkt deze te verbeteren. Maar Mireilles houding slaat voor haar gevoel alles. Mark verdient beter!

Mireille komt tevoorschijn, een plaatje in blauwe tinten.

'Mooi!' zegt Ange weinig toeschietelijk.

Mireille bekijkt haar eens wat beter. 'Jij zit er echt mee, is het niet? Wel, als we slecht bericht krijgen, weet ik ook niet hoe ik zal reageren. Feit is: tot op heden kan ik ermee omgaan. En stel dat Mark niet terugkomt... of erger, verminkt... dan wordt het pas moeilijk. We hebben namelijk een afspraak. We gaan elk onze eigen gang, kijken uit naar een huwelijk met elkaar, maar ook: een naast elkaar! We kunnen geen van tweeën buiten onze vrijheid. En nee: in dat plaatje past geen invalide man. Ik wil in de eerste plaats aan mijn carrière denken. Dat kost tijd. Mark, die enkele studies heeft afgebroken, zit in een proces van zelfontwikkeling. Ik vraag me eerlijk af of dat tv-werk iets voor hem is. Hij is veel te huiselijk om zo lang tijden achtereen in het buitenland te moeten zijn.' Mireille lacht, alsof ze een grap vertelde.

'Mark, die heeft het in zich een pantoffelheld te worden. Krantje, kopje koffie, tv aan.'

Ange gruwt.

'Hij zal zich ellendig voelen. Aan jou denken en verwachten dat je in gedachten bij hem bent!'

Mireille zet grote ogen op, terwijl ze haar pinpas door de gleuf van het daarvoor bestemde apparaat haalt.

'Doe niet zo sentimenteel, Ange! Zo kom je niet ver. Wees niet ongerust. Als Mark terug is, zal ik hem met open armen ontvangen. En loopt het mis, wel, dan vind ik mijn weg ook wel alleen!'

Ange schuift de betaalbon over de toonbank.

'Laat het even weten als er nieuws is. Ik durf de Karsemijers nu niet lastig te vallen. Ik weet uit ervaring hoe ellendig te veel aandacht kan zijn!'

Ange ruimt hier en daar wat op, zodra Mireille de zaak is uitgebeend.

Arme Mark, arme Kees en Bonnie Karsemijer. Gijzelen is verwant aan ontvoeren. Een gijzelaar staat als het ware met zijn lichaam borg. Een ontvoering is zoals in Riannekes geval een onttrekking aan de ouderlijke macht. In beide gevallen wordt of losgeld gevraagd of de inwilliging van vaak onmogelijke eisen. Zoals het vrijlaten van misdadigers.

Ange besluit, ondanks haar schuwheid, toch een bezoek aan huize Karsemijer te brengen.

'Groot gelijk!' vindt MaiLy. 'Ik dacht al: wanneer komt het ervan? Die mensen zijn er voor jullie altijd geweest. In rustige tijden is het gemakkelijk naast elkaar in het leven te staan. Het komt eropaan dat, wanneer er zorgen zijn, men er voor elkaar is. Troosten is een kunst die je moet leren, Ange! Praat niet in de zin van: het komt vast wel goed... zul je zien! Er zijn nog wonderen... Of fantaseren hoe het allemaal verder zou kunnen gaan! Dat kon ik zelf niet verdragen in ongelukstijden. Ik weet ook wel dat God mij ziet als ik in de put zit. Enneh... zulk soort troostwoorden komen vaak van mensen die zelf onderhuids snel panisch zijn. Met de mond belijden, maar niets uitstralen!'

Ange neemt glimlachend de lessen ter harte. 'Ik ben gewoon mezelf, MaiLy. Toen met Rianneke wilde ik ook niet getroost worden. Maar een arm om je heen, een blik van verstandhouding, dat deed me wel wat. Toch bedankt!'

Nadat Rianneke naar de peuterzaal is gebracht, rijdt Ange de volgende morgen richting Karsemijers. MaiLy heeft haar laten beloven geen haast te maken.

'Ik red me best en vroeg in de ochtend is het toch nog niet druk!'

Ange probeert haar leven per ogenblik in te vullen. Al rijdend filosofeert ze ook niet over wat ze zou kunnen aantreffen. Alles loopt toch anders dan men meent te weten. Wel cirkelen haar gedachten rond Mark. Tranen in haar ogen beletten haar af en toe het zicht. Dat Mireille zo hard en egoïstisch kan spreken! Het doet haar bijna lichamelijk zeer. Mark Karsemijer, haar 'grote' broer. Ze vergelijkt hem met Stef. Ai, dat doet pijn!

Ze is zo vervuld geweest van Stef. Hij kwam op het juiste moment in haar leven. Met haar verstand begrijpt ze dat het tussen hen absoluut een keer fout moest gaan. Misschien is er ooit dankbaarheid dat hun relatie zo kort was.

Achteraf is ze ook blij dat ze zich niet door hem heeft laten verleiden. Dat zou alles nog moeilijker gemaakt hebben.

Ange parkeert MaiLy's wagen vlak voor de deur van huize Karsemijer. Haar voeten lijken loden zolen te hebben, zo traag loopt ze.

De voordeur gaat als automatisch open.

'Ik zag je aankomen!' Een verfomfaaide Bonnie Karsemijer. Een vrouw, klein van stuk, maar erg dapper. Ze trekt Ange naar binnen. 'Wat lief dat je de moed hebt gevonden! Kom gauw verder, dan zet ik koffie. Pa! Kijk eens wie ik heb meegebracht!'

Kees Karsemijer lijkt in korte tijd tien jaar ouder geworden. Zijn rug is gebogen en op zijn anders zo resoluut gelaat is een waas van onzekerheid te bespeuren. Ange zoent hen beiden.

'Ik weet niet wat ik moet zeggen... Maar toch dacht ik: ik ga een kijkje nemen.'

Kees Karsemijer legt een hand over de trillende vingers van Ange, die nerveus in elkaar zijn gestrengeld.

'Dat waarderen we zeer. En je komt als geroepen. We hebben namelijk nieuws en een dringende behoefte om dat met iemand te delen!'

Bonnie tovert in sneltreinvaart koffie te voorschijn.

'Je kunt toch wel even blijven? Gisteren waren je ouders hier. En eergisteren Susanneke. Vrienden in de nood, niet?'

Ange drinkt van haar koffie, knikt maar eens. Bonnie drukt een paar aspirines uit een strip, verontschuldigt zich. 'Ik heb chronisch hoofdpijn. Maar dat gaat wel weer over als Mark thuis is. Vertel jij het, pa?'

Karsemijer knikt. 'Het is goed bericht, maar ook zeer dubieus. De splintergroep is namelijk opgerold door een andere organisatie en beide hebben verschillende eisen. Er is via de ambassade contact geweest. We hopen dat vrijlating het gevolg zal zijn. Volgens de ambtenaren van de ambassade zijn de overgeblevenen nog in leven. Maar ja, er hoeft slechts één gek tussen te zitten...'

Ange drinkt van haar koffie en voelt een scheut van vreugde door haar ziel gaan. Mark, misschien komt hij er ongeschonden vandaan.

'Mag ik wat vragen? Hoe komen jullie klaar met het geloof in een trouwe God en Vader? Kom me niet aan met begrippen als: Zijn ondoorgrondelijke wijsheid... en... Daar kan ik niks mee! Eh... zijn jullie nu boos? Wantrouwend? Argwanend... Ik noem maar wat. Het is zo gemakkelijk te vertrouwen als je op een zachte stoel zit. Maar als deze onder je wordt weggeschopt, wat dan?'

Bonnie glimlacht. 'Lief kind, jou begrijp ik best. Maar God is meer dan wij met ons beperkte verstand kunnen begrijpen. Je weet het, hè: Hij heeft ons geen gemakkelijke reis beloofd, maar wel een behouden aankomst. Dat moet ons doel zijn. En reken maar dat Hij met ons gaat, hoe moeilijk wij het ook kunnen geloven. God is van een andere dimensie. Hij is Geest. En als wij proberen geestelijk te denken, te leven, komen we dicht bij hem. Maar gaan we op de verstandskoers, of nog erger: glijden we voort op een wagen met wielen die 'gevoel' heet, dan ontsporen we. Dan missen we de innige band die Hij ons als Vader wil geven!'

Bonnie blijft glimlachen. 'Dat heb ik allemaal door schade en schande geleerd. Toen wij ons kleine meisje verloren, was ook ik opstandig. Kwaad!'

Ange luistert met grote ogen. Zo kan het dus ook. Geen vroom gefemel. Holle woorden die je het gevoel geven dat de spreker ervan, het allemaal zo goed weet.

'Ik houd van jullie,' zucht ze. 'Ik hoop zo dat Mark behouden thuis zal komen!'

En die wens wordt vervuld.

Totaal onverwachts is daar de vrijlating, zonder dat de eisen zijn ingewilligd. Eisen, meningsverschillen en gedragscodes die niet of nauwelijks door een buitenstaander worden begrepen. Drie mensen hebben de gijzeling niet overleefd en zijn op brute wijze vermoord. Even nieuws. Even. Maar Mark komt thuis!

'Dat zal me een feest geven.'

Ange is voor het eerst sinds haar breuk met Stef weer een beetje opgewekt.

'Stel je voor, MaiLy, Susanneke belde net en zei dat Mark morgen terugvliegt. Van de opdracht is natuurlijk niets terechtgekomen. Ik vraag me af of dat reisje naar China nog wel doorgaat!'

MaiLy vouwt de bouwtekening die ze zojuist heeft bestudeerd, keurig op in de bestaande rillijnen.

'Dat is geweldig nieuws. En wat die Chinese opdracht betreft: ik vraag me af of Mark dat nog wel wil!'

Ange meent: 'Ik denk toch van wel. Hij kan niet blijven falen! Iets moet hij afmaken. Ik dacht dat hij zijn draai wel gevonden had.'

'We wachten het af. Maar kom, wij hebben wat anders te doen. Opruimen! Hoe klinkt dat: verbouwingsopruiming! En het is nog waar ook. Niet alleen nieuwe vloerbedekking of stellingen! Wij verbouwen echt. Even doorbijten. Voor Pasen zijn we weer volop aanwezig!'

Ange kampt met heel wat problemen en probleempjes, sinds ze met haar ouders zo goed als geen contact meer heeft. Bijvoorbeeld de verwelkoming van Mark. Natuurlijk wil ook zij van de partij zijn. Maar om haar ouders daar tegen het lijf te lopen, lokt haar niet bepaald. En binnen afzienbare tijd wordt Rianneke vier jaar. Ze mag dan naar de basisschool. Een datum met een vlaggetje. Ze kan toch de grootouders geen toegang weigeren?

'Zeg het eens!' beveelt MaiLy, wanneer ze samen aan het afprijzen zijn. Plakkertjes op de kaartjes, de nieuwe prijs over de oude. Vijfentwintig tot vijftig procent korting.

'Niet van dat gezeur, telkens opnieuw afprijzen in de hoop dat je nog meer binnenhaalt. Hup, weg is weg. Ruimte!'

Dat is MaiLy's devies. En ze herhaalt: 'Zeg het eens, Ange. Of moet ik raden? Rianneke, de geringe vorderingen van de politie. Eh... de zaak Stef. En dan Mark Karsemijer. O, ik begrijp het al! Je wilt je familie ontlopen!'

Ange doet een nieuwe rol in het prijsapparaat.

'In de roos. Nou en... het is toch logisch dat ik daarmee zit? Moet ik dan altijd toegeven? Als ik dat nu doe, ben ik Rianneke zo weer kwijt.'

Terwijl Ange doorgaat met afprijzen, plakt MaiLy feloranje stickers op de ramen. 'VERBOUWINGSOPRUIMING!'

'Ordinair!' zegt MaiLy tevreden en Ange, die de mond al opent om zich te verdedigen, begrijpt dat MaiLy duidt op de reclamerepen. Dan knikt ze met haar hoofd richting winkelstraat. 'Die komt als geroepen. Ons model. Ze zal blij zijn met de thuiskomst van de geliefde. Wedden dat ze voor de gelegenheid weer wat nieuws moet?'

Ange gniffelt. MaiLy die zich ergert, die over een klant roddelt. Dat gebeurt niet vaak.

'Ik wip alleen even binnen om te vertellen dat Mark thuiskomt!'

Mireille kijkt belangstellend om zich heen.

'Opruiming?' En ze is meteen niet meer aanspreekbaar. Ange houdt haar tegen.

'Vertel op, hoe is het met hem?' Mireille laat de aanlokkelijke kleding voor wat ze is en gaat op een wit gietijzeren stoeltje zitten.

'Niet best. Eigenlijk heel slecht, volgens de berichten. Hij is er lichamelijk goed afgekomen, maar schijnt een dusdanige psychische knauw te hebben gehad dat hij nauwelijks aanspreekbaar is! En dat, terwijl Alex zich zo verheugd had hem achter glas te krijgen. Of van jullie kant uit gezien: op de buis. Nou, dat kan hij vergeten!'

Mireilles mooie kopje wordt ontsierd door strakke rimpels rond mond en ogen. Ange dringt aan: 'Vertel op... hoe erg is die psychische knauw en... is dat niet logisch?'

Mireille zucht diep tragisch. 'Mark is lichamelijk een beer. Maar hij is volgens mij veel te gevoelig. Hij was bijvoorbeeld nooit een goede politieman geworden. Zoals zijn pa, die promotie op promotie maakte. Ik weet nie...'

Bij het zien van een rek vol afgeprijsde lange rokken veert Mireille op. 'Dat kan ik gebruiken. Pure investering!'

Ange probeert nog: 'En denk je dat hij bezoek kan ontvangen? Komt er een feestje... een feestelijke ontvangst?'

Mireille schudt haar hoofd. 'Vast niet. Ma zorgt er heus wel voor dat de deur gesloten blijft omwille van haar lieveling. Nou ja, wie weet wat een psychiater kan doen. Hoe heette dat mens ook weer dat jullie toen zo goed heeft geholpen?'

Ange schudt haar hoofd.

'Niks voor Mark. Enfin, Mireille, één vraag nog. Als we wat willen weten, kunnen we jou dan bellen?'

Mireille streelt de zachte stof van een rok. 'Natuurlijk... vanzelf... Eh... als deze rok past, koop ik er drie. Is de opruiming al begonnen? Kan ik mijn keus maken?'

MaiLy zegt geveinsd vriendelijk: 'Een goeie klant als jij altijd!'

Ange probeert meer dan eens een afspraak te maken met de familie Karsemijer. Want ook zij wil Mark laten weten dat ze dankbaar is voor zijn terugkeer. Helaas krijgt ze telkens hetzelfde te horen: Mark is niet in staat bezoek te ontvangen. Zelfs de tv-opdrachtgevers worden geweerd. 'Hoe erg is het dan?' vist Ange. Ze krijgt van Kees Karsemijer het eerlijke antwoord: 'Niet erg best, meidje. Onze Mark is zichzelf niet meer. Hij zit maar in de stoel, voor zich uit starend. Hij heeft medicijnen, maar of die aanslaan weet ik nog niet. Als het zo doorgaat, zal hij opgenomen moeten worden. Hij moet praten, Ange! We weten nog steeds niet wat hij allemaal heeft doorgemaakt. Weet je wat? Jij belt nog maar eens!'

Daar moeten de vrienden van Mark Karsemijer het mee doen.

Ange stort zich bijna letterlijk op alles wat met de verbouwing te maken heeft. In het achterhuis worden muren geslecht en puin geruimd. De aannemer komt via de achteringang het huis binnen. Dit heeft MaiLy bedongen.

'Ik moet er toch niet aan denken dat al die kerels tussen mijn klanten doorsjokken! En ik wil ze ook niet via de poort voor in huis hebben. Die ruimte is voor de kijkende klanten.'

Het valt niet te vermijden dat er ondanks de voorzorgsmaatregelen toch stof in de boetiek terechtkomt.

'Wat hebben we aangehaald!' klagen beide vrouwen meer dan eens. Maar de opruiming loopt als een trein. Adverteren is niet eens nodig gebleken. De mondreclame functioneert als zodanig. Ange moet er letterlijk uitbreken als het tijd is om Rianneke te halen. Na schooltijd – ze mag nu hele dagen naar de peuterzaal – dart ze rond in de winkel en dat is lang geen ideale oplossing. Maar MaiLy gedoogt het voorlopig. Eens zal het allemaal anders worden.

Ze ziet Ange met de week zelfstandiger en rijper worden. Het schoolmeisje is allang verleden tijd.

Onverwachts duikt Anges vriendin Jollie op. Zomaar, op een lentedag staat ze in de winkel. De huid gebruind, fraai en schitterend opgemaakt en schitterend gekleed. Anges mond valt open.

'Jij... O, Jollie dan toch!'

De vrouwen vallen elkaar ten overstaan van enkele klanten in de armen.

'Je ziet er zo goed uit... waarom schreef je me toch steeds niet terug,' verwijt Ange. 'En dat terwijl er zo veel is gebeurd!'

Jollie straalt. 'Meid, ik ga trouwen met de knapste, rijkste en liefste man van de wereld. En schrik niet: hij is twintig jaar ouder dan ik en heeft al drie scheidingen achter de rug!'

Ange verschiet van kleur. 'En jij denkt zo'n man te kunnen houden?'

Jollie straalt. 'Zeker. Omdat ik hem geef wat die anderen niet wilden of... konden. Wij worden ouders, meer verklap ik je nog niet. Ik ben een paar dagen bij oma en wilde jou zien. Kijken hoe je reageert! Laten wij elkaar nooit uit het oog verliezen, dat is zo gemakkelijk! Enneh... jij moet op mijn bruiloft komen. Je maakt het maar goed met die knappe Stef Dubois. Jullie zijn een mooi paar... Ik wil pronken met mijn beste vrienden!'

Ange slikt en slikt. 'Zeg niet zulke bizarre dingen... uit is uit, Jollie. Zand erover. Ik heb eigenlijk geen tijd. Kijk eens om je heen! Kun je niet tot vanavond blijven?'

Jollie schudt haar hoofd.

'Helaas. Oma heeft een feest voor me georganiseerd waar jij in principe ook welkom bent!'

'Hoe kun je het vragen! Toch lief van je. O, Jollie, ik wilde wel dat ik op je bruiloft kon komen! Ik wens je in ieder geval veel geluk! Een thuis voor jezelf. Dat wilde je toch zo graag?'

Jollie blijft stralen. 'En denk maar niet dat ik het gedrag van mijn ouders herhaal. Geen kostscholen voor mijn kinderen. Geen lange scheidingen. Ik zal een ideale moeder worden en hij... de ideale vader!'

Voor Jollie vertrekt dringt ze er bij Ange op aan nog eens gebruik van oma's villa te maken.

'Oma gaat straks weer voor een halfjaar naar het buitenland en vindt het prettig als het huis af en toe bewoond wordt door mensen die ze vertrouwt. Daar ben jij er een van! Je hoeft maar te bellen en het is voor elkaar. Weet je wat? Ik schrijf het nummer van oma's hulp voor je op. In geval van afwezigheid kun je haar bellen en vragen of het schikt!'

Ange kijkt Jollie met weemoed in het hart na. 'Dag Jollie, schoolvriendinnetje door dik en dun... het ga je goed!'

Heel de dag is Anges hoofd bij de korte ontmoeting, wat ten koste gaat van de aandacht die de klanten behoren te krijgen.

Tegen de avond, na sluitingstijd, haalt ze Rianneke op die bij een vriendje mocht spelen. Ze is te moe om voor een warme maaltijd te zorgen. Iets uit de muur; dat moet kunnen in bepaalde omstandigheden. Wat Rianneke doet mopperen. 'Ikke wil terug naar Ommerie. Die maakt zelf papatjes en die waren veeeel lekkerderder. En ze maakt van appels appelmoes die ik lustte.'

Ange, moe als ze is, zet het kind op haar nummer. Wat het kind doet schrikken en overstuur snikt ze: 'Ik wil terug naar huis... naar Ommerie!

Stoute mamma... jij bent niet lief!'

Ange, op haar beurt, huilt een potje mee. Het is haar allemaal even te veel.

Rianneke houdt op met jammeren als ze haar moeder ziet huilen. Even is er strijd op het gezichtje. Alsof ze wil zeggen: net goed, huil jij ook maar! Dan meent ze het probleem te begrijpen en legt twee klamme handjes op haar moeders knieën.

'Mamma... jij wilt ook terug naar huis... Jij wilt zeker ook terug naar Ommerie? Kom maar, dan geef ik jou een kusje, hoor! Ommerie?'

Vol vertrouwen is het kinderstemmetje als ze vervolgt: 'Ommerie, die komt ons wel een keertje halen!'

De vogels zijn verrukt van het diner: patat friet met kroket. En uit de keuken van de bovenverdieping waar moeder en kind wonen, drijven heerlijke geuren – die van pannenkoek met spek.

14

DE VERBOUWING VERLOOPT GEHEEL NAAR WENS. ANGE VINDT DE ROMME-lige toestanden wel gezellig, MaiLy gruwt ervan.

De allerlaatste week, als de werklui zijn vertrokken, is de beurt aan de interieurbouwers. Het spreekt vanzelf dat tijdens die eindfase de winkel gesloten moet blijven.

Maar de opruiming was fantastisch. De boetiek kan met een geheel nieu-we collectie starten.

MaiLy gebruikt een van die dagen om zich aan een groot onderzoek te onderwerpen. 'Dat moet toch gebeuren. Dus waarom nu niet?'

Ook Ange maakt af en toe van de gelegenheid gebruik om ertussenuit te gaan. De boog kan niet altijd gespannen zijn en er wachten hun waarschijnlijk drukke weken.

Op een dag, wanneer de lente heel pril is, dwaalt Ange doelloos door de stad. Etalages bekijken, zien wat de concurrentie doet.

Her en der staan paasattributen tussen nepgroen. Hazen met staarogen en een mandje aan hun poten. Ange schudt haar hoofd. Wat men tegenwoordig al niet onder sfeermakers verstaat.

Al dolend belandt ze bij Michel, het cafétje waar ze vroeger met Jollie vaak menig uurtje zoekbracht.

Er is zo op het oog niets veranderd bij Michel en dat doet Ange deugd. Er verandert tegenwoordig al veel te veel in haar leven.

Een blik van herkenning, de eigenaar knipoogt en heft een leeg kopje koffie omhoog. Ange knikt. Een kort babbeltje, dan is Ange aan haar gedachten overgelaten.

En dat zijn niet zulke prettige vrienden, die gedachten. Als vanzelf glijden ze naar de brief die ze gisteren van Stef heeft gekregen. Of ze zich nog niet heeft bedacht? Hij hoopt omstreeks Pasen een paar dagen bij zijn zus door te brengen.

Ange zucht, roert in haar koffie en peutert de verpakking van een bijgeleverd koekje los.

Af en toe klinkt de deurbel, een korte groet van een komende of vertrekkende gast.

Een gebogen figuur sloft naar binnen. Een loshangende regenjas, slordig haar, een rode sjaal onverschillig om de hals.

Het koekje blijft halverwege Anges keel steken. Dat is Mark. Ja, het is Mark, of een geestverschijning.

De kroegbaas brengt een biertje, ziet Ange. Hij wisselt een paar woorden met de gebogen verschijning.

Ange kan geen oog van de man afhouden. Is het Mark wel of toch niet? De regenjas wordt hem te veel, nonchalant mikt hij deze over een stoel en hij buigt zich over een krant.

Ange aarzelt. Mark wil geen contact. Met niemand, voorzover ze weet. Stel dat ze naar hem toe loopt en zegt: 'Hoi Mark, wat fijn je te zien!' Ze acht Mark in staat haar nijdig weg te sturen. Ange zint op een list.

Een list, waarom niet? Onnodig zoekt ze de toiletruimte op, bekijkt zichzelf in de spiegel. Het is je plicht, Ange Althuisius, om iets voor die stakker te doen! Vooruit, je kunt het.

Ze raapt al haar moed bijeen en keert terug naar de caféruimte. Zonder een blik op Mark te slaan, loopt ze in de richting van haar tafeltje. Maar plotseling struikelt ze. Een gevouwen hoek van de kokosmat? Een scheve stap? Concentratieverlies?

In ieder geval belandt ze niet te hard op de grond. Een lichte kreet van schrik, beduusd kijkt ze om zich heen.

'Gaat het, meisie!' roept de barman. Mark ontwaakt uit zijn lethargie. Hij doet een paar stappen en biedt beide handen aan die Ange zonder hem aan te zien grijpt.

'Nee maar... als dat kleine Ange niet is!'

Ange verschiet van kleur. 'Jij hier... ik dacht... Wat toevallig! O, dank je wel.' Mark vraagt bezorgd of ze zich pijn heeft gedaan. Ange glimlacht.

'Misschien is mijn heup vanavond blauw, maar dat stoort me niet. Mag ik... mag ik bij je komen zitten?'

Mark aarzelt een onderdeel van een seconde.

'Jij wel, natuurlijk, jij wel.'

Ange haalt haar bezittingen en wenkt naar de kroegbaas dat ze nog wel een koffie wil. Altijd gemakkelijk om je achter te verschuilen, een kopje koffie. Zittend tegenover elkaar, weet geen van beiden wat te zeggen. Ange legt een hand over die van Mark, kijkt hem bemoedigend aan.

'Ik ben echt blij je te zien. Ik had je maar wat graag bezocht, maar je moeder is consequent, zeg! Niemand mag Mark lastigvallen en ik schijn bij die niemand te horen!'

Mark kijkt beschaamd. Hij wrijft zich over het voorhoofd, vertrekt zijn mond als tracht hij te glimlachen.

'Ik wil er niet over praten. Het was te erg. Veel te erg, Ange! Mensen voor je ogen vermoord. Lui, met wie je sinds de gijzeling lief en leed deelde... Ik moest telkens aan Rianneke denken. Aan de angst die we hadden om haar. Vooral jij. Weet je dat een ontvoering of gijzeling tegenwoordig niet zo bijzonder meer is? Men gebruikt dat machtsmiddel vaak om een doel te bereiken. Sommigen komen niet verder dan tv-beelden. Maar wij, in onze kring, lijken aantrekkingskracht uit te oefenen op dat soort lui.'

Ange glimlacht, een machtig wapen. Want als Ange glimlacht, ondergaat haar gezicht een verandering. Haar ogen worden spleetjes, het is of er achter haar huid een lichtje gaat branden.

'Laten we onze ervaringen bundelen, Mark, en er iets mee doen. Een handleiding voor de achterblijvers... of een voor de slachtoffers!'

Nu glimlacht ook Mark. Hij kijkt naar hun beider handen en heeft niet de lust de zijne onder die van Ange uit te trekken. Sterker, hij legt zijn andere hand over die beide heen.

'Toch doet het me goed iemand te spreken. Misschien is het wel geen toeval dat juist jij hier binnenkwam. Ik zit in de knoei, Ange. Ik weet niet meer welke kant ik uit moet...'

Ange vraagt voorzichtig: 'Je bedoelt je toekomst? De tv-plannen?'

Mark kijkt weg van haar, staart door de halve gordijntjes die van een grof weefsel zijn vervaardigd, naar buiten.

'Dat is van de baan. Ik wil dat niet meer. Ik houd het voor gezien.' Dan hult Mark zich in een bijna tastbaar zwijgen.

Plotseling gaat hij verder. 'Er was ginds een vent, die mij en een paar journalisten naar een geheime plek in de bergen wilde brengen, waar een groep christenen bij elkaar kwam. In het geheim. De een of andere sekte die grote dingen van plan was. Achteraf denk ik: het was stom om op zo'n infantiel verhaaltje in te gaan. Maar anderen trapten er ook in. Zoals ik zei, een paar journalisten en enkele vakantiegangers die zich verveelden. Weleens wat anders wilden zien dan gebouwen en kamelen. Tja, de details heb je in de krant kunnen lezen...'

Ange durft haar hand niet weg te trekken, ze voelt die van Mark klam worden.

'En dan die brute moorden... ik kom er van mijn leven niet meer mee klaar. En toch was er iets goeds. Ik heb een man leren kennen met wie ik bevriend ben geraakt.'

Ange drukt zijn vingers, om hem aan te moedigen door te gaan. Zeggen durft ze niets.

'Een grote baas... heeft bedrijven opgezet die programma's verkopen. Computerprogramma's. Maar daar begrijp jij natuurlijk niets van.'

Ange verdedigt zich. 'Ik heb een cursus gevolgd, onze administratie gaat in de computer, de boekhouding is een makkie, om maar wat te noemen. En ook de inkoop gaat voor een deel per wonderdoos.'

'Goed, dan begrijp je tenminste waar ik het over heb. Arend Lindeman... aan hem heb ik te danken dat ik nog besta. Die man heeft een geest-kracht! Onvoorstelbaar. Hij maakte nota bene plannen voor bedrijfsuit-breiding terwijl we met de dood bedreigd werden. Ik ga een filiaal oprichten, Mark. Nieuwe programma's maken voor de gewone man! En jij, jij wordt mijn kersverse directeur. Jou vertrouw ik. We hebben gela-

chen en ik zei: 'Test je al je ondergeschikten op deze manier?' Ach...
Ange...'

Ange dringt aan, ze is bang dat Mark weer dichtklapt. 'Wat zeiden je
ouders van die plannetjes?'

Mark lacht zuur. 'Hun heb ik niets verteld. Niemand trouwens. Waarom
vertel ik het jou eigenlijk?'

Hij dreigt af te haken, merkt Ange en haastig reageert ze: 'Omdat wij
maatjes zijn. Vrienden in de nood. Daarom. Heeft die Arend Eikeman...
eh... Lindeman, al contact met je opgenomen?'

Mark knikt. 'Maar ik reageer niet... Ik doe niet meer mee... Ik ben totaal
ongeschikt geworden voor de maatschappij. Van Mark Karsemijer kan
niemand meer iets verwachten!' Hij zwijgt even en zegt dan bot: 'Ook
Mireille niet. Nee, dat is de afspraak. Haar zit ik alleen maar in de weg.
Een belemmering voor haar talent. Haar toekomst. Ja, ik moet het even
uitmaken.'

Ange voelt zich verstijven. 'Hoor je wat je zegt? Even uitmaken! Wat doe
jij iemand die van je houdt aan, man! Mireille houdt van jou. Ze heeft je
nodig en jij haar. Heb je haar wel ontvangen?'

Mark schudt zijn hoofd. 'Daar heb ik geen behoefte aan. Ze is trouwens
toch te druk met haar toverdoos. Ze heeft me door de telefoon uitgekaf-
ferd dat ik Alex Burggraaf in de steek laat... Ik moet me laten zien in zijn
programma: actualiteiten achter het nieuws. Ze kunnen me wat!'

Ange begrijpt. 'Dat was erg tactloos, toegegeven. Maar je moet haar ontvangen, Mark. Er moet wat gebeuren. En die Arend mag je ook niet
afstoten, ook al zie je niets in werken met hem!'

Opeens beginnen Marks ogen te glinsteren. 'Die eerste dagen, toen zag ik
er wel wat in. Arend wilde in de polder een gebouw zetten. Plenty ruimte en grond, zei hij nog. En... ik zet er ervaren mannetjes is. Maar die ervaren mannetjes en vrouwtjes hebben een persoon nodig die boven ze staat.
Een coördinator. Een vent, die dat kan en ook nog eens perfect zijn talen
spreekt. Zoals je weet zit dat laatste wel goed en van computers weet ik
ook het nodige af. Tijdens mijn studie wiskunde heb ik me ook in die
materie verdiept. Het is de toekomst. Tja... toen was het een strohalmpje
om te overleven. Maar nu... ik ben kapot!'

Ange voelt twee hete tranen over haar wangen glijden. Ze buigt haar hoofd. Kijkt neer op hun handen. Stomme Mireille! nijdigt ze.

'Ange, kijk me eens aan...'

Ange heft haar hoofd op.

'Je huilt toch niet om mij?' verbaast Mark zich.

Ange knikt en voelt hoe Mark heel voorzichtig met de rug van een hand langs haar wangen streelt. Op dat moment is het of er iets knapt in Anges gemoed. Een harde noot, waarvan de bast breekt.

Mark, ze zit tegenover een man die ze al lange tijd heel sympathiek heeft gevonden. Toen ze hem pas kende, was hij de grote broer. Na de hernieuwde kennismaking, die dankzij Mireille is ontstaan, behoort hij tot haar beste vrienden.

Mark betekent meer voor haar. Opeens beziet ze hem met andere en verwonderde ogen. Een diepe warmte trekt door haar heen, ze voelt haar gezicht rood worden. Het lijkt op de sensatie die ze als tiener ervoer na de kennismaking met Riannekes vader.

Van lichamelijke aantrekkingskracht kan geen sprake zijn, registreert ze razendsnel. Mark straalt momenteel absoluut niets 'manlijks' in die bepaalde zin, uit. Haar hart is geraakt. Snaren vibreren, beginnen zacht te trillen. Ze zou hem in haar armen willen nemen, hem troosten. Zoenen, ja ze zou hem willen kussen tot er een vonk oversprong.

Mark schraapt zijn keel en als van verre komt zijn stem: 'Niemand moet om mij huilen. Dat ben ik niet meer waard. Maar kom, ik stap maar weer eens op. Mijn bezorgde moedertje zal niet weten waar ik blijf!'

Ange wenkt de dienster, die hen passeert. Ze rekent voor hen beiden af. 'Ben je met de auto?' aarzelt ze. Mark schudt zijn hoofd.

'Ik heb medicijnen die de rijvaardigheid beïnvloeden. Nee, ik ben met de stadsbus.'

Ange trekt haar jas aan. Ze ziet verdrietig toe hoeveel moeite Mark heeft zijn regenjas aan te krijgen.

'Een stijve rugspier, heeft tijd nodig. Kijk niet zo bangelijk!'

Samen lopen ze de frisse lucht in. Ange snuift hoorbaar. 'Je ruikt toch de lente al! Toe, doe mij een plezier en loop even mee naar de boetiek. Er zijn een paar werklui bezig met winkelbetimmering. Overmorgen kunnen we aan het werk! Dozen uitpakken, etalage inrichten, noem maar op. Ik heb me in deze winter toegelegd op peuterkleertjes en ook wat van dat spul ingekocht. Daarvoor hebben we een nieuwe afdeling geopend. 'Moeder en kind'-hoekje. Toe, ik ben er zo trots op, het is immers gedeeltelijk mijn plan. Ga even mee...'

Mark aarzelt, tikt dan speels op een wang van Ange. 'Vooruit dan maar. Kinderen moeten af en toe hun zin hebben, anders worden ze vervelend!'

Ange steekt na enige aarzeling een arm door die van Mark, regelt haar passen naar de zijne.

Mark grijnst. 'Wat dacht je? Die kan wel een steuntje gebruiken?'

'Zoiets,' zegt Ange berustend. Ze moet zich vooral niet toestaan rare dingen in het hoofd te halen. Want Mark is van Mireille. Hij draagt niet voor niets haar ring!

Mark bewondert plichtmatig de winkeluitbreiding.

'Tjongejonge, jullie durven. Meegaan met de tijd, zo heet dat toch? Het belooft fraai te worden!'

Mark zoekt steun aan een verrijdbaar rek waaraan kleding moet komen en als Ange niet op tijd met een voet de wielen geschoord had, zou Mark een lelijke val hebben gemaakt.

Ange maakt van de gelegenheid gebruik en loodst hem mee naar boven. 'Ga lekker zitten, dan maak ik een kopje soep voor ons. Zo gepiept. Bel ondertussen even naar huis en zeg dat je hier zit, hoeven ze zich niet ongerust te maken,' adviseert ze en lopend naar het keukentje probeert ze zich te ontspannen.

Even later hoort ze Mark praten. 'Ja, goed. Over een uurtje, niet later!'

Ange zet een kom voor hem, plus een brok brood.

'Lekker soppen!' adviseert ze en gaat tegenover hem zitten. Benen gekruist onder zich, haar lievelingshouding.

'Ik heb naar moeders gebeld. Pa komt me over een uurtje halen. Hoef ik niet met de bus.' Zwijgend gebruiken ze hun maaltje, geen van beiden heeft behoefte aan een vervolg van het gesprek.

Uiteindelijk komt Mark, als hij de soep plus brood heeft verorberd met: 'Het is goed zo met jou te zitten, kleine Ange. Bij jou heb ik niet dat gevoel te moeten presteren. Dat heb ik van kindsbeen af aan al. Sinds mijn zusje is overleden heb ik mij ingezet om te doen wat mijn ouders plezierde. Op zijn minst: hen niet ongelukkig maken. En wat is het schrikbarende gevolg? Het tegenovergestelde gebeurt. Falen in opleidin-

gen, telkens een andere koers varen... en nu dit weer... Ik dacht vroeger vaak: Moniekje had moeten blijven leven en ik, was ik maar gestorven!'
Ange springt op. 'Mark! Stop. Zulke dingen mag je niet zeggen! We zijn allemaal blij dat je leeft. Iedereen, hoor je! Je ouders, Mireille, je vrienden en ik, ik ook!'
Mark fronst zijn wenkbrauwen. 'Je lijkt het te menen! Dus ik kan bij jou terecht als ik eh... behoefte heb aan een praatje? Tja, nu je het zegt, eigenlijk heb ik tijdens deze ontmoeting niet één keer het gevoel gehad weg te willen of te moeten lopen. Misschien ben je wel geschikt voor therapeut, Ange.'
Ange zegt ernstig: 'Je kunt dag en nacht bij mij terecht, ik zal er altijd voor jou zijn. Bij mij hoef je niet te presteren, immers... Ik ben Ange maar. Maar wel een vrouw met twee oren.'
Mark lacht voor het eerst in tijden voluit. 'Kleine Ange! Reken maar dat ik gebruik van dat aanbod ga maken. Tjonge, pa zal dadelijk niet weten wat hij ziet! Ik leek warempel heel even de ouwe Mark...'

Kees Karsemijer is een man die zelden of nooit zijn gevoelens toont. Hij begroet Ange, loopt belangstellend om zich heen kijkend door de rommelige boetiek en stapt bedaard naast Ange de trap op zonder vervelende vragen te stellen.
'Ik zet een kopje thee, u hebt toch wel even de tijd?'
De ogen van Kees Karsemijer rusten even in die van Ange. Hij lijkt iets te willen zeggen, maar komt niet verder dan: 'Een kopje thee zou lekker zijn, Ange!'

Na de ontmoeting met Mark is Ange zichzelf niet meer. De pas ontdekte gevoelens brengen haar in verwarring. Medelijden: is het dat niet wat ze voor hem voelt?
Met niemand kan en wil ze erover spreken. MaiLy, die doorgaans onmiddellijk merkt als er iets met Ange is, ontgaat de verandering. Ze is bezig met zichzelf – de uitslag van het onderzoek dat alweer positief was. En natuurlijk eist de boetiek al haar aandacht op. Het wordt, die laatste dagen voor de opening, nog hard werken. En natuurlijk komen enkele zendingen pas op het laatste nippertje binnen.

Berustend zegt MaiLy: 'Dat schijnt erbij te horen! Wat je ook organiseert: altijd zijn de laatste ogenblikken de zwaarste!'

Maar het resultaat mag er zijn. De nieuwe afdeling is niet groot, maar zeer doelmatig. Het spijt Ange dat ze niet meer tijd heeft om zich aan het vervaardigen van kleertjes te wijden. Maar het is niet anders. Volgens MaiLy is uitstel geen afstel. Wie weet wordt het op den duur ontwerpen en een uitbesteden van naaiwerk.

'We zien wel welke kant het allemaal op gaat. Eerst de opening!'

Beide vrouwen hebben zich eender gekleed, om herkenbaar voor de klanten te zijn. Een bescheiden japonnetje waar een bonte sjaal een des te opvallender accent is.

De opening vindt op een avond plaats, zodat collega's en genodigden ruim de tijd hebben en ze zich niet tussen winkelend publiek behoeven te begeven.

Er is veel belangstelling, ook de pers laat zich zien.

'Dat is normaal, verbeeld je niets!' dreigt MaiLy als Ange wil wegduiken zodra ze een man met een fototoestel in zijn hand ziet binnenkomen.

Champagne en hapjes, beschaafde muziek. Langzaamaan ontspant Ange. Eigenlijk is het allemaal even leuk!

De dag na de opening is het een komen en gaan van klanten. Kopers en kijkers. De kopers krijgen bij het afrekenen een cd aangeboden.

'Kosten gaan voor de baat uit!' meent MaiLy.

Ange krijgt het benauwd als ze haar moeder, gearmd met Susanneke, ziet binnenkomen. Alsof er niets tussen hen staat!

MaiLy ziet Anges gezicht vertrekken.

'Gedraag je volwassen, Ange. *Alles sal rech kom...* Dit is een poging tot...'

Ange begroet beiden afstandelijk. Neemt complimentjes vakkundig in ontvangst.

'Malle!' plaagt haar zus. 'Laat ons eens zien of er wat betaalbaars tussen hangt. Ik moet binnenkort naar een feest bij Reinier op school en heb dringend wat leuks nodig!'

En Rita, Rita doet ook haar best. 'In mijn maat hebben jullie zeker niets? Maat veertig is het eh... einde?'

Het is zo echt 'mam-achtig' dat Ange spontaan begint te lachen.

'Zeker wel. We hebben ons geconcentreerd op de middenmaten, maar er is wel degelijk voor elk wat wils!'

Rita past een donker pakje dat afkleedt. Ze is enthousiast. Ook Ange ontdooit.

'Daar hoort een blouse bij, mam. Lichtblauwe bloemetjes. Even zien of jouw maat er nog tussenhangt. Het loopt storm vandaag!'

De blouse is er nog en past. Susanneke is niet karig met haar lof.

'Wat hebben jullie fantastisch ingekocht! Het is allemaal niet goedkoop, maar de kleding is er dan ook naar!'

Vanzelfsprekend laat ook Mireille zich zien. Gehinderd kijkt ze om zich heen, niet gewend aan zo veel publiek in de boetiek.

Ze zoekt meteen Ange op.

'Wat een drukte! Hadden jullie voor de vaste clientèle geen aparte opening kunnen versieren?'

Ange schudt als antwoord slechts haar hoofd. Ze kijkt naar de rode mond van Mireille die het recht heeft Mark te zoenen.

'Hoe gaat het allemaal, met Mark, bedoel ik?'

Mireille wendt haar hoofd af.

'Daar kan ik nu moeilijk over praten. Maar als je het echt wilt weten: niet goed. Hij heeft het uitgemaakt. Niet ik. Wel, wat mij betreft kan hij die stap nog ongedaan maken... Hij is zichzelf niet. Je kunt geen gesprek met hem hebben. Wil nergens mee naartoe. Zit voor zich uit te staren, en onlangs had hij het lef zijn moeder te laten zeggen dat hij mij niet wilde ontvangen. Mij...'

Ange kijkt meelevend. 'Het is erg. Heel erg. Waarom nemen jullie geen deskundige hulp?'

Mireille zegt bits dat zij niets te willen heeft.

'Ik heb nog liever knalharde ruzie met hem dan dit! Enfin, voorlopig is het uit tussen ons. Weet je nu wat je weten wilt? Is je nieuwsgierigheid bevredigd?' Ze heft haar ringloze hand op.

Gekwetst wendt Ange zich tot andere klanten en neemt met een knikje afscheid van moeder en zus die beiden met een grote tas plus inhoud en cd de winkel verlaten.

Mireille kan niets van haar gading vinden en met een ontevreden trek op haar fraaie gezicht verlaat ze de winkel.

Tien over zes is de laatste klant vertrokken en laat Ange zich klagend op een stoeltje vallen.

'Dat was... slopend! S-L-O-P...'

Waarop MaiLy invalt met: 'En aan alles komt een eind. Zo, nu mag je even. Tevreden dat ik ben! Als ik een poes was, zou ik snorren van genoegen. We hebben het geklaard, maatje!'

Pasen nadert. In de boetiek is de rust weergekeerd, maar het aantal vaste klanten blijft stijgen. Ange heeft helaas voor Rianneke niet veel tijd, want te pas en te onpas vrij nemen is onmogelijk geworden. Driftig gaat ze op zoek naar adressen waar het kind af en toe kan spelen.

'Ik weet iets beters, Ange. We zoeken een hulpje voor de bijkomende zaken... Iemand die bijvoorbeeld kan naaien – kleine veranderingen aanbrengen. Verder lichte, huishoudelijke werkzaamheden zoals het schoonhouden van keuken, winkel en kantoor. Als jij Rianneke van school haalt, kan zij van vier tot zes op het kind passen. Lijkt je dat wat?'

Ange is dankbaar. Of het haar lijkt?

'Je bent een schat, MaiLy. Je weet dat ik maar een vinger hoef uit te steken of mam komt helpen. Maar ik wil het zelf doen, bewijzen dat ik het kan. Zorgen voor mijn eigen kind!'

Via een uitzendbureau vindt MaiLy een meisje dat hen beiden aanstaat. Mies Kooger, een jonge vrouw zoals er uiterlijk vele anderen te vinden zijn. Maar Mies onderscheidt zich in veel opzichten. Ze is inventief, kan goed met kinderen omgaan en ze is handig met naald en draad.

'Kortom, een aanwinst!' vinden de twee.

Na de komst van Mies voelt Ange zich met de dag rustiger worden. Het gaat goed. Haar leven is overzichtelijker.

Rianneke lijkt ook geaccepteerd te hebben dat ze bij Mamange woont, en al praat ze nog vaak over Ommerie en opa, ze eist niet meer dat ze daar mag wonen. Dit zet Ange aan het denken, ooit moet het toch weer goed worden tussen hen. Volgens MaiLy moet er gepraat worden.

Ange vindt zich laf, want ze schuift dat eventuele gesprek voor zich uit. Zoals een sjofel een massa sneeuw!

Op Goede Vrijdag is Ange naar de kerk geweest. Thuis past Mies op het kind, ze kon met een gerust hart de deur uit. De preek, die uiteraard het lijden van Christus en de betekenis daarvan als thema had, laat Ange niet los en vol van allerlei gedachten verlaat ze tussen medekerkgangers het gebouw. Ze ervaart het als prettig ergens bij te horen. Mensen die denken zoals zij, die een eenheid vormen. Ook al kent ze weinigen in deze wijk.

Een hand op haar rug.

'Ange!' Mark Karsemijer. Ze heeft hem niet in de dienst gezien. Verrast blijft ze staan.

'Ach jij, Mark!'

Om hen heen is het een gaan van mensen, zij beiden vormen een obstakel.

Mark vraagt: 'Mag ik met je mee naar huis? Ik woon sinds kort weer op mezelf en ik weet me af en toe geen raad van ellende. Met jou kon ik laatst praten. Jij bent eh... echt!'

Ange trekt hem aan een mouw met zich mee.

'Natuurlijk!' zegt ze rustig. 'Was je ook in de kerk? Ik heb je niet gezien!'

Mark zegt dat hij zich voor het eerst sinds 'toen' onder de massa heeft begeven. 'Het ging best. Maar toen ik jou zag, dacht ik: ik wil eens met een echt mens praten!'

Een echt mens. Daar moet Ange het mee doen. En, ze is er nog gelukkig mee ook!

Ingehouden blij klinkt haar stem: 'Kom op, Mark Karsemijer, we maken er een goede avond van!'

15

HET RAADSEL ROND RIANNEKES ONTVOERING LIJKT OP EEN DOOD SPOOR. Paulien Ebbe deelt mee dat de zaak waarschijnlijk geseponeerd wordt. Onaanvaardbaar, vindt Ange. Niet om het geld dat verloren is gegaan. Dat is ze sowieso kwijt. Helaas. Het is zuinig bijeengegaard en gespaard geld.

Maar dat is het minste! Ange had graag de daders opgepakt en gestraft gezien. Dan pas zou ze rust hebben gehad. Nu spookt de affaire nog dagelijks door haar hoofd, ze leidt een eigen leven.

'Ik zal Mies Kooger op de hoogte stellen!' deelt Ange MaiLy op een ochtend mee, als ze haar dochtertje naar een vriendinnetje heeft gebracht. 'Ik maak haar deelgenoot, zodat ze bewuster op Rianneke kan passen.'

MaiLy veronderstelt dat Mies zonder dat ook al wel het een en ander weet.

Ange haalt haar schouders op. 'Best mogelijk. Het is per slot van rekening even nieuws geweest. Zeg, wat vind jij eigenlijk van Mies? Rianneke beweert dat ze een pruik draagt!'

MaiLy schudt haar hoofd. 'Dat kind van jou heeft me een fantasie. Een pruik nog wel. Maar wacht eens, misschien heeft ze medicijnen gebruikt. Ga je het vragen?'

Ange knoopt slordig teruggehangen kinderjasjes dicht en haalt haar schouders op. 'Daar heb ik niets mee te maken. Mies lijkt me verder oké. Ze is vlijtig, niets is haar te veel. Ze werkt hard, doet meer dan we vragen. Toch lijkt het me dat ze iets achterhoudt! Ze kan zo achterbaks doen. Of verbeeld ik me dat?'

De binnenkomst van een klant belet, zoals dikwijls het geval is, een verder gesprek.

Ange neemt een paar rokken die ingenomen moeten worden van een rek. Handig, een coupeuse in huis! Al gaan de moeilijkere zaken naar een atelier, het kleine werk kan sinds de komst van Mies thuis gebeuren en is dientengevolge eerder gereed.

'Mies! Werk aan de winkel. Laat die kastjes maar, dat kan later nog. Eh... heb je al koffie?'

Mies haast zich naar de keuken. Bijna slaafs is haar gedrag, vindt Ange opeens.

'Drink je dan niet beneden bij MaiLy?' informeert ze met haar zachte stem.

'Ik wil even met je praten,' zegt Ange bedaard en gaat aan de ronde keukentafel zitten.

Terwijl Mies nerveus met kopjes en schoteltjes in de weer gaat, bestudeert Ange Mies' pruik. Een nogal overdadige bos haar en tja, nu de zon erop schijnt, constateert ze een kunstmatige glans en het zou best kunnen dat het nep is. Maar waarom? Het meisje maakt een gezonde indruk, ook al kan ze soms erg nerveus doen. Opeens twijfelt Ange aan de door Mies verstrekte persoonsgegevens. Twintig jaar? Hooguit zestien lijkt ze. Daar ze dankzij een uitzendbureau deze baan heeft gekregen, zo redeneert Ange in stilte, moet het onmogelijk zijn dat het meisje gesjoemeld heeft. Ze zet haar wilde gedachten opzij en richt zich op Rianneke en het probleem rond het kind.

Na een paar zinnen over Rianneke lijkt Mies te kalmeren. Ze knikt en knikt. 'Ik weet toch het meeste al... je hebt het uitzendbureau op de hoogte gesteld en ik heb die gegevens gekregen. Maar ik vind het wel prettig om de details te horen, zodat ik me nog beter voor Rianneke kan inzetten.'

'En?' vraagt MaiLy als Ange de trap afdaalt.

Ange haalt haar schouders op. 'We hebben een goed gesprekje gehad. Ze is dol op Rianneke, ik kan me geen betere oppas voorstellen. Toch houd ik twijfels. Zou ze echt twintig zijn? Enfin, ze lijkt me voor de rest betrouwbaar en ik geloof dat we maar op ons gevoel moeten afgaan, wat jij?'

MaiLy duwt Ange een folder onder de neus. 'Niet alles en iedereen is te vertrouwen, meid. We hebben ons bij de verbouwing niet voor niets een tv-circuit aangeschaft! Bekijk die folder eens: een verdekt opgestelde videocamera die eventuele dieven voor ons filmt. En dat ding ga ik nu bestellen! Je hoort meer en meer over inbraak. Op klaarlichte dag. Wij laten ons niet pakken en gaan preventief aan het werk!'

Ange kijkt zuinig. 'Heb je de prijslijst achterin bestudeerd?' informeert ze.

MaiLy knikt en haalt haar smalle schouders op.

'Ook ik wil rustig kunnen werken!'

Een paar dagen later dienen monteurs zich aan en brengen in korte tijd met vaardige handen de installatie aan.

'Een verstandig besluit, dames!' vindt de een. 'Wij worden doorgaans ingeschakeld als er is ingebroken. Je kunt maar beter op tijd zijn. En dan nog... de boeven worden tegenwoordig hoe langer hoe slimmer. Ik weet van een paar juweliers die stoppen met de zaak vanwege de enorme verliezen door inbraak!'

Ange doet haar best de aangebrachte installatie te vergeten, zodat ze niet constant herinnerd wordt aan het akelige onderwerp winkeldiefstal.

Al lang voor Pasen is de zaak bevoorraad met lentekleding.

Vooral de peuterafdeling vindt aftrek bij het 'betere publiek'. Mensen die pas in de laatste plaats naar de prijs kijken.

Zaterdag voor Pasen loopt het storm en weer vragen beide boetiekrunners zich af: waarom koopt men toch vaak op het laatste moment?

MaiLy heeft plannen voor de feestdagen: ze heeft nieuwe vrienden die haar uitgenodigd hebben voor een boottocht, kriskras door het land.

'Als het weer nou maar zo blijft!' is de kreet die Ange om het uur moet horen.

Tegen vijven wordt het eindelijk rustiger in de winkel.

'Ga jij nou maar vast... Ik sluit af. Nog een halfuur, dan kan de boel op slot!'

MaiLy aarzelt even. De rollen lijken omgekeerd.

'Goed dan. Ik verheug me er ook zo waanzinnig op! Ange, ik wens je ook fijne dagen, besteed ze goed!'

Ange knikt.

Het is opeens stil in de zaak, buiten het achtergrondmuziekje om. Mies is met Rianneke naar het park gegaan. Af en toe werpt Ange een verlangende blik naar buiten door de ramen. Eigenlijk heeft ze nooit rust als Rianneke buiten haar blikveld is!

'Mamma... madeliefjes! Kijk es... Mies kan kransen vlechten en ze zegt dat het heel eh... ouderwets is!'

Ange kijkt vertederd. Beiden hebben een krans om hun hoofd, ze lijken inderdaad zo weggestapt uit een illustratie van een ouderwets kinderboek.

'Mies, ik sluit zo af. Als je wilt, mag je ook wel eerder gaan,' zegt Ange.

Mies aarzelt. 'Mag ik nog even met Rianneke spelen? Ik heb haar beloofd domino te spelen. Dat kende ze nog niet en we hebben zojuist een spel gekocht!'

Het is Ange om het even.

Tevreden gaat ze haar gang. Controleren of de kleding wel netjes hangt, stofzuigen, planten water geven en het keukentje opruimen. Tijd om de deur af te sluiten en de kassa op te maken en het losse geld in de kluis te bergen. Gemakkelijk dat bijna al hun klanten tegenwoordig pinnen.

Op het moment dat ze zich uitstrekt om de bovenste knip toe te schuiven, doemt er een persoon voor haar op. Anges eerste reactie is: help, toch een winkeldief! Het is Stef, niemand meer, niemand minder.

Ange voelt het bloed uit haar gezicht wegtrekken.

Ze herstelt zich, ziet toe hoe de deur wordt geopend. Daar staat hij. Stef Dubois. Zijn nogal lange haar is zeer kort geknipt, hij draagt een bril en maakt een gespannen indruk.

'Dag Ange!'

Hij steekt in een hulpeloos gebaar zijn handen uit.

Ange likt langs haar droge lippen. Als een gebiologeerd diertje kijkt ze hem aan.

'Dag Stef.'

Stef grinnikt.

'Dat klinkt niet erg enthousiast!' vindt hij. 'Hoe gaat het met je?'

Ange doet een stap achteruit.

'Prima. Ja, prima. En met Rianneke ook. Wat kom je doen?'

Stef leunt tegen de deur, kiest voor een gemakkelijke houding.

'Ik houd ervan de dingen af te ronden. Ik moest je nog één keer zien en de vraag stellen: Geef je nog om me? Wil je mee naar Boston?'

Ange schampert: 'Op jouw voorwaarden. Ongehuwd, een proefhuwelijk en Rianneke mag mee. Ook op proef. Dat is voor mij geen liefde, Stef. Het is te vrijblijvend. Je hebt het echt verbruid. Ik mag je heel, heel graag. Nog steeds. En ik heb het moeilijk met de beslissing gehad. Maar vertrouwen kan ik je niet en dat is voor mij het fundament voor een goede relatie. Jij bent eerlijk en zegt Rianneke niet echt te willen. Wel, dan is voor mij de zaak afgedaan. Want Rianneke is een stuk van mezelf. Het is beter dat je gaat, Stef!'

Nog een poging doet Stef. Hij wil Ange in zijn armen trekken, hij hoopt het pleit op die manier toch nog te winnen. Maar Ange, sterk opeens, weert hem af.

'Je doet ons beiden pijn... Ik – ik zal nooit met je kunnen trouwen, Stef. Vergeet ons!'

Stef keert zich om. 'Ik... tot volgende week woensdag ben ik bij Rachel en Daan. Tot zolang kun je je bedenken!'

Even een rinkel van de deurbel.

Dan is Stef Dubois verdwenen en als het aan Ange ligt, voorgoed. Toch is ze ontdaan en vindt geen kracht om haar werk zonder meer te hervatten. Ze leunt, zoals Stef net, tegen de deur, zich afvragend of ze er echt goed aan gedaan heeft met haar besluit. Dan verrijst voor haar geestesoog het van leed doorgroefde gezicht van Mark. Ze glimlacht. Ook al zal Mark binnenkort toch voor Mireille kiezen, hij blijft haar zeer dierbaar.

Ange is blij wanneer ze de lichten kan doven, buiten die van de etalage om. Ze is van het gesprekje met Stef doodmoe geworden. Alsof ze hard heeft gewerkt.

'Mamma... dat was toch niet Stef!' Rianneke zit op de grond, om haar heen dominostenen, keurig aaneengelegd. De ogen staan bangelijk.

Ange knielt bij het kind neer.

'Dacht je dat? En waarom vond je dat dan vervelend?'

Rianneke schokschoudert. 'Hij is niet lief... ik ben bang voor hem.'

Ange legt met een paar woorden aan Mies uit wie Stef is. Dan vraagt ze: 'Begrijp jij nou waarom ze zo bang voor hem is? Hij heeft haar nooit kwaad gedaan.'

Mies' ogen worden opeens donker.

'Dat is kinderlijke intuïtie. Dat ken ik maar al te goed... Ik heb het soms ook... Ik...'

Alsof een schuif omlaag wordt gelaten. De rest van de zin blijft in Mies' keel steken. Ze richt zich weer tot Rianneke.

'Jij hebt dubbel zes, die had je eerder moeten aanleggen!'

Ange gaat naar de keuken, schilt aardappels, snijdt groenten en bakt drie schnitzels lekker bruin. Wat komkommer en schijfjes tomaat op een bordje, gezond en lekker, vindt ze. Malle Mies, die liever overwerkt dan naar huis gaat.

Pas tegen achten loopt ze met het meisje naar beneden om haar uit te laten. 'Prettige dagen, Mies! Geniet van je vrijheid!'

Mies kijkt schichtig om zich heen, knikt, groet en haast zich weg.

Ange schudt haar hoofd. Wie, zo vraagt ze zich af, heeft geen problemen?

Ange heeft zich veel van de paasdagen voorgesteld. Heel diep vanbinnen was ze van plan haar ouders met een bezoek te vereren. Helaas durft ze dit nu niet in verband met Stefs aanwezigheid.

Samen met Rianneke naar de wijkkerk. Rianneke, gekleed als een plaatje, is een wandelende advertentie voor de zaak.

Als het kind naar de kinderopvang is, richt ze zich volledig op de preek en het zingen.

Pas aan het eind van de dienst ontdekt ze Mark. Zonder zijn ouders. Hij ziet er beter uit, vindt ze. Niet meer zo slonzig gekleed.

Anges rust is voorbij. Misschien spreekt hij haar straks aan. Of zal ze zelf op hem toelopen?

Onverwachts kijkt Mark om, tijdens de slotzang. Hij knipoogt naar Ange, als groet.

En bij het naar buiten lopen, is hij opeens naast haar.

'Mag ik met je mee naar huis?'

Ange plaagt: 'Moet je dat nog vragen?'

Mark legt zijn rechterhand op haar linkerschouder en loopt zo naast haar voort.

'Je zou allerlei plannen kunnen hebben. Een meisje als jij...'

Ange schampert: 'Een vrouw met kind zonder vader... Waar moet ik heen? Met mijn ouders lig ik nogal overhoop. Mijn beste vriendin zwerft met een rijke ouwe man door Europa en mijn oude vriendenkring is in het niets opgelost!'

Mark kijkt neer op de glanzende kruin van Anges haar.

'Vrienden... je hebt er maar een paar nodig en die zijn dan ook onmisbaar, Ange. In tijden van nood leer je je echte vrienden kennen.'

Ange is het met hem eens. Zo losjes mogelijk vraagt ze: 'Moet jij deze dag niet doorbrengen met Mireille? Jullie hebben het toch wel weer bijgelegd?'

Mark neemt het toegestoken handje van Rianneke in zijn grote knuist en zegt: 'Ja, we hebben gepraat. En nee, het is niets meer geworden. Mireille kan het niet opbrengen samen te zijn met een vent die het moeilijk heeft. En wiens leven gaat voortdurend over rozen? Geluk, voorspoed, gezondheid, niemand geeft je die garantie.' Hij zwijgt even, kijkt mee met Ange als ze een straat willen oversteken. Links, rechts, nog eens links.

'En...' vervolgt hij, als ze op de stoep voor de boetiek zijn beland, 'ik heb er niet eens spijt van. Mireille hoorde bij een bepaalde periode. Een tijd waarin ik dacht de moderne vent te kunnen spelen. Een kerel van deze tijd. Het is of die gijzeling me jaren ouder heeft gemaakt. En wijzer... Ik schop nu tegen de glitter van dat tv-gedoe aan. Tja, minachting voor Mireilles werk is niet best. Want Mireille is televisie...'

Ange steekt de sleutel in het deurslot. Haar ogen ontmoeten die van Mark.

'Ik ben blij dat je er niet kapot van bent. Kom op, dan gaan we naar boven! Ik heb taart, mokkataart, Mark!'

Het wordt een wonderlijke eerste paasdag.

Uitgebreid domino spelen met Rianneke, die niet tegen haar verlies kan. Hoedje wip, kleurentorentje en memory.

Geen van beiden heeft er behoefte aan de neus buiten de deur te steken, ondanks het fraaie lenteweer.

Wanneer het Riannekes bedtijd is, zit Mark nog genoeglijk uitgestrekt op de bank, ontspannen zappend met de afstandsbediening. Zodra Rianneke is ondergestopt, loopt Ange door naar de keuken om koffie te zetten. Heerlijk is het om Mark over de vloer te hebben!

Ze glimlacht zweverig voor zich heen. Hij mag niet merken dat ze van hem houdt.

Ze fluistert voor zich heen: 'Malle Mark Karsemijer, ik houd van je... maar het is mijn geheim!'

Mark hapt even later gretig in een stuk mokkataart alsof hij die dag nog niets te eten heeft gehad.

'Ik heb nieuws, Ange. Mijn vriend, Arend Lindeman, heeft tot mijn vesting weten door te dringen. We hebben gepraat en gepraat. Uren. Over Turkije ook. En de toekomst... Ik waag het, Ange... Ik ga voor hem werken... Ik krijg een grote verantwoordelijkheid!'

Ange laat heel onelegant haar mond openhangen.

'En dat zeg je nu pas, je zit hier heel de dag al.'

Mark verontschuldigt zich.

'Met Rianneke erbij praat niet zo gemakkelijk. Ik wilde je graag even voor me alleen hebben. Mag ik nog wat koffie?'

Ange grijnst. 'En taart. Waar laat je het?'

Na die portie verwerkt te hebben, krijgt Ange de details te horen.

'Arend,' zo besluit hij, 'heeft me verder geholpen dan de dokter met zijn medicijnen en een eventuele psychiater hadden kunnen doen. Ik sta weer op de rails, Ange. Alleen...' Hij wijst met een hoofdknik naar een voorbijflitsend televisiebeeld. Mensen die geluidloos ruzie maken, dan in elkaars armen vallen en zich al uitkledend door een huis verplaatsen. 'Daar word ik niet warm of koud van.'

Ange zegt ontstemd: 'Zet dat ding dan ook af. Het is waarschijnlijk een snertfilm. Duizend in een dozijn. Goedkope seks. Wat heb je daaraan?'

Mark knikt instemmend. 'Met je eens, liefje. Maar ik bedoel met warm of koud: dat stukje vent in mij is lam. Hoe moet ik je dat nou toch uitleggen?'

Ange haalt haar schouders op. 'Niet dus... Iedereen hoeft niet alles van iedereen te begrijpen. Het is niet aan de orde.' Ze aarzelt even. Zegt dan toch: 'Was dat ook een van de redenen waarom je het met Mireille hebt uitgemaakt?'

Mark schudt zijn hoofd. 'Dat zou er wel bijgekomen zijn. Maar dat was nu niet aan de orde. Ik moet eerlijk zijn tegenover mezelf, meid... Ik heb een shock gehad. En waarom dat nou juist mij tot een vrouw-ongeïnteresseerde man heeft gemaakt, weet ik niet.' Marks ogen versomberen. 'Wat ik niemand heb durven vertellen... jij moet het weten, Ange. Dat ene meisje, ze was Engelse, is door die barbaren verkracht. Voor onze ogen. En met zo goed als geen kleding het ravijn ingegooid... Ik heb een vrouw gezien op een manier zoals niet één vrouw eruit zou willen zien... Het was weerzinwekkend... Ik geloof dat die beelden me door het hoofd spoken als ik eh... vrijende stelletjes op tv zie. Of in de bioscoop. Mireille in haar chique japonnetjes die uiterst sexy zijn... ik... Ik schaam me voor die schoften!'

Ange heeft met Mark te doen.

'Misschien gaat het vanzelf over. Heus, je moet het om die redenen niet uitmaken met Mireille!'

Waarom komt ze op voor Mireille, die ze van het begin af aan al niet graag mag?

Mark verzet nijdig beide voeten, plant zijn ellebogen op zijn knieën en zegt: 'Ik wil geen woord meer horen over Mireille. Punt uit. Laten we het over ons hebben!'

Ange zegt zwakjes. 'Ons?'

Mark knikt.

'Ik heb een voorstel, kleine Ange. Jij hebt zo veel narigheid achter de rug, de zorg voor je kindje die steeds meer gaat eisen. Je wilt blijven werken, zodat je niet afhankelijk van je ouders behoeft te zijn. Eh... met Stefan Dubois is het niets geworden. Kortom, we zitten in hetzelfde schuitje en kunnen elkaar goed gebruiken!'

Ange mompelt: 'Gebruiken.'

Mark knikt.

'Liefde zal ik je nooit kunnen geven, ook geen seks. Die gevoelens zijn uitgebannen. Maar wat over is, functioneert goed... Ik kan je een prachtig en nieuw huis aanbieden. Een vader voor Rianneke zijn. Vriendschap en onvoorwaardelijke trouw schenken... In ruil daarvoor krijg ik van jou hetzelfde. Onvoorwaardelijke vriendschap. Gezelligheid. Een thuis. En mocht je ooit iemand ontmoeten die je kunt liefhebben, zoals destijds dat met Janos Biedermann het geval was, dan laat ik je vrij. Want ons huwelijk zal een verstandshuwelijk zijn. Wat uiteraard niemand behoeft te weten!'

Ange sluit haar ogen, leunt achterover in haar stoel. Het duizelt haar. Een verstandshuwelijk met uitgerekend Mark. Mark, die beweert nooit meer te kunnen liefhebben, zoals een man dat kan en wil en die haar als het ware van de straat wil halen. Rianneke een vader wil geven. Een andere achternaam, die een gevoel van veiligheid geeft. Werken in de boetiek omdat ze het leuk vindt. Niet uit noodzaak.

'Ik weet niet wat ik moet zeggen, Mark. Het klinkt zo... zo zakelijk. Alsof je mij een contract aanbiedt!'

Mark knikt. 'Ik begrijp dat het zo op je overkomt. Maar ik denk toch dat de voorwaarden vice versa in evenwicht zijn.'

Ange knippert met haar ogen, duwt haar verdriet en spijt diep weg.

'Moet ik je nu om de nek vallen, of past dat niet in het plaatje?'

Mark springt op, de oude veerkracht lijkt terug.

'Ik bied je een nieuw bestaan aan. Laten we het proberen en zien waar het schip strandt! Verwacht geen hartstochtelijke omarmingen van me... Ik voel diepe genegenheid voor jou, zoals nog niet eerder voor een ander... Ik heb helaas niet meer te bieden.' Bijna smekend staat hij voor haar.

Ange schudt haar hoofd. 'Ik kan toch niet... Ik kan me geen voorstelling maken van zo'n soort leven. Broer en zus. Zo ongeveer?'

Mark trekt Ange uit haar stoel, tegen zijn borst aan. Ange voelt zijn hart kloppen, ze zou hem willen zoenen, hem tegen zich aan houden. Maar daarmee jaagt ze Mark van haar weg.

Dan neemt ze een wild besluit.

Beter een half ei dan een lege dop...

Ze kijkt op, recht in Marks vriendelijke gezicht. 'Oké. Een verstands-huwelijk dat wordt ontbonden zodra het schip strandt. Geef me je hand!'

Mark zoent Ange licht op het gladde voorhoofd, zoals hij Rianneke zou kussen.

'Je krijgt een prachtig huis van me. Een goed inkomen... Ik ben geen suk-keltje meer dat van de ene studie in de andere rolt. Je krijgt een man. Weliswaar een beschadigde. Een half ei... gelukkig geen lege dop!'

Ange maakt een grimas. Mark spreekt uit wat zij zojuist dacht. Ze duwt hem zacht van zich af.

'En wat nu? Je verloving met Mireille is pas uit. Een beetje vreemd om meteen opnieuw van start te gaan!'

Ook daarover heeft Mark gedacht.

'Een verloving hoeft niet. We trouwen zodra het huis klaar is. Ik heb dins-dag een gesprek met Arend. Hij wil je zo graag leren kennen. Ik begin over een week of twee en word vanaf het begin bij het nieuwe project betrok-ken. Tja, jij zult willen blijven werken en dat moet kunnen. We kopen een wagentje voor je waarmee je Rianneke naar school kunt brengen.'

Even valt Mark stil, zegt dan gesmoord: 'Ik zal je nooit nog een kind kun-nen schenken, Ange... desnoods adopteren we er een. Jij bent zo'n lief moedertje, Ange... Ik gun je een groot gezin...'

Ange huilt nu geluidloos, verbergt haar ontsteltenis tegen Marks trui. Ze zou willen roepen: Ik hou van je! Van jou en jou alleen! Het kan niet. Het mag niet. Mark zou haar zo niet willen.

'Ik heb aan Rianneke genoeg, Mark. Aan het werk... de boetiek, en...' heel verlegen komt het er achteraan, 'aan jou.'

Mark zegt ontroerd: 'Maatje, we gaan de strijd aan. We wagen het erop... Ik durf! Jij ook?'

Ange haalt diep adem. Geen: ja, ik wil. Ze herhaalt zijn woorden. 'Ja! Ik durf!'

16

NA EEN NACHT ZONDER SLAAP ZIET ANGE DE GEBEURTENISSEN VAN DE DAG ervoor onzuiver. Heeft ze er goed aan gedaan haar jawoord aan Mark te geven?

Wat zou het toch simpel zijn als ze niets anders dan vriendschap voor hem voelde. Nu is het van haar kant bedrog. Mark, die zegt impotent te zijn. Ook niet de behoefte te hebben een vrouw als vrouw aan zijn zijde te weten...

'Jij Ange, jij bent mijn maatje. Ik wil je in je vrouwzijn niet kwetsen, begrijp me goed,' zei hij bij het afscheid. 'Iemands maatje zijn is heel, heel waardevol. Ik, Mark Karsemijer, ben vlees noch vis. Ooit man, vol verlangen. Nu, een wrak. Ja, ik kom terug in de race, alleen met een mankement!'

Ange wentelt de zaak om en om, komt er niet uit. Of Mark de behoefte heeft goed te doen? Zichzelf ergens nuttig wil weten? Rianneke wekt haar moeder op de normale tijd en dat is niet bepaald laat in de ochtend! Zoals afgesproken komt Mark ontbijten.

'Geen spijt? Ik heb vannacht liggen woelen en tobben. Ben ik eerlijk genoeg tegen je geweest? Je koestert toch niet in een verborgen hoekje van je hart een sprankje hoop?'

Ange glimlacht raadselachtig. 'Ik heb onze overeenkomst heel goed begrepen. Moet ik het soms zwart op wit zetten?'

Mark is de opgewektheid zelf. Hij speelt met Rianneke, terwijl Ange toilet maakt. In de spiegel van de badkamer kijkt ze zichzelf aan.

Toch een voorlopige verbintenis. Geen proefhuwelijk zoals Stef voorstelde. Maar wel zoiets. Welke dwaas, buiten Ange Althuisius om, zou daar intrappen?

Mark heeft plannen gesmeed voor de tweede paasdag.

'We gaan naar de polder om de locatie te bekijken, Ange. Waar ons huis komt, is het terrein al afgebakend. Weet je dat ik nooit verwacht had nog eens zo tevreden te zijn?'

Geen woord over Anges uiterlijk. Ze heeft er nog wel werk van gemaakt. Een leuk broekpak, praktisch en modern. Het haar achterover gekamd, een witte band net boven het voorhoofd.

Mark ziet alleen haar ogen. 'Je kijkt bang, dat hoeft echt niet, kleintje! We gaan er wat van maken. Wij drieën. Kom op, dan gaan we ervandoor!'

Het fraaie lenteweer lokt veel mensen naar buiten, maar eenmaal in de polder hebben ze de ruimte. 'Dat verandert ook nog wel!' voorspelt Mark. 'Er komen industrieën, woonwijken en weet ik wat nog meer. Ginds zijn plannen voor een bungalowpark. In ieder geval is de afstand voor jou gemakkelijk te doen. We kopen een leuk wagentje voor je, Ange!'

Ange zit stilletjes naast hem, de handen ineengeklemd op haar schoot. Wat zullen ze thuis zeggen? Mark die Mireille inruilt voor haar. En zij, Ange, heeft Stef de bons gegeven.

Opeens is daar een warme hand over de hare.

'Niet tobben, kleine Ange... Ik zal goed voor jullie zorgen!'

Ange pinkt een traan weg. Zou zo'n warme, intieme handaanraking het enige lichamelijke contact tussen hen blijven? Ze wil hem hebben. Ze wil geven.

'Het is goed, Mark. Kijk toch eens... zwanen. Zie je ze, Rianneke? Wat vliegen ze mooi!'

Mark heeft niets te veel beloofd. Het industriegebied in ontwikkeling biedt ruimte aan heel wat bedrijven. Sommige zijn al voor een deel gereed en hebben zelfs een soort aanleunwoning.

'Dat wil ik niet. Arend heeft het me wel aangeboden, maar ik woon liever in een wijk. Ook beter voor Rianneke, bedenk ik nu. En in het huisje dat op het terrein wordt geplaatst, zet Arend een mannetje dat bij afwezigheid een oogje in het zeil moet houden. Hier is niet meer te zien dan wat muren, het zegt je waarschijnlijk ook nog niet veel.'

Mark rijdt langzaam langs de bouwmaterialen die veilig achter hoog hekwerk zijn geborgen. Grote witte blokken, stapels stenen en leidingen. 'Je zult verrast zijn hoe snel de boel hier op poten staat!'

Mark is werkelijk enthousiast, het maakt Ange blij.

'Nu op naar ons toekomstige huis!' Mark keert de wagen en rijdt in een wat sneller tempo het terrein af. 'Bouwverkeer, inrijden op eigen risico', staat er op een bord te lezen.

Dwars door een wijk in aanbouw gaat het. Hier en daar is een woning gereed, er is duidelijk gewerkt aan de inrichting ervan. Niet één tuintje is aangelegd, het geheel maakt een chaotische indruk.

'Ginds!' Mark wijst naar een kaal veld, waar slechts de straten een aan-
duiding geven dat er ooit huizen komen. 'Zie je wel wat een grote tuinen
deze huizen krijgen? Heerlijk voor kinderen!'

Ange slikt moeilijk. Meervoud. Kinderen. Die komen niet uit de lucht
vallen.

'Het lijkt me goed!' zegt ze onhandig.

'Sfeertje proeven? Kom, dan stoppen we hier!'

Modderplassen daar waar vrachtwagens de wegen vernield hebben.
Rianneke is er bijna niet weg te krijgen.

'Lekker blubsie maken!' juicht ze, een stok ter hand nemend.

'Niks geen blubsie!' vindt haar moeder kort maar krachtig. En dan: 'Wil
jij hier wel wonen, Rianneke?'

Rianneke kijkt benauwd om zich heen en schudt haar hoofd. 'Nare huizen... die heeft geen ramen.'

Ze wijst naar een nissenhut. De gebogen golfplaten doen onvriendelijk
aan. 'En dat huis... dat staat op wieltjes en het is geen caravan zoals van
tante Susan!'

'Dat is een bouwkeet!' legt Mark behulpzaam uit. 'Daar kunnen de mannen die ons huis gaan bouwen koffiedrinken en eten. Ik denk dat er zelfs
een wc in is en misschien wel een waterkraan. En als het regent, kunnen
ze er schuilen.'

Riannekes voorstellingsvermogen is nog niet zo groot dat ze zich tussen
de stokjes in de grond een huis kan voorstellen.

Ange lacht voluit. 'Dreumes, je zult eens zien wat wij een mooi huis krijgen en we blijven altijd bij elkaar. Mark, jij en ik!'

Rianneke kijkt schuin omhoog naar beide volwassenen.

'En als Stef dan komt?'

Ange schudt haar hoofd. 'Die blijft wel in Amerika. Niks meer mee te
maken!'

Even is er een ongeruste blik in Marks ogen. Alsof hij wat wil vragen
maar het niet durft.

'Eh... hier komt de voordeur. En dan natuurlijk de hal, de trap naar boven.
De woonkamer wordt L-vormig. Een schuifpui, Ange. Hoe vind je dat?
Bij mooi weer kun je zo vanuit de kamer naar buiten. En dan de keuken...

hier moet je je de keuken voorstellen. Binnenkort zullen we die samen gaan uitzoeken.'

Ange, die wel voorstellingsvermogen heeft, voelt zich warm worden. Een huis, een eigen huis! Niemand die haar dat kan afpakken. Ze leunt tegen Marks ene arm aan.

'Mark? Je wilt Rianneke toch wel echten? Rianneke Karsemijer. Dat klinkt goed, vind ik!'

Mark legt beschermend een arm rond Anges heupen. 'Dat klinkt zeker goed en het spreekt vanzelf. Die kleine puk hoort bij jou, bij ons!'

Na de bezichtiging rijdt Mark nog een eindje om, hoe dichter ze de stad naderen hoe meer het verkeer toeneemt.

Mark mindert vaart. 'Ik zal overal voor zorgen. Bijvoorbeeld bij de notaris regelen dat Rianneke mijn dochter wordt, dat al het mijne jou toekomt in geval van overlijden. En ik ga levensverzekeringen afsluiten.'

Ange huivert. Ze zijn nog niet eens samen begonnen en nu spreekt Mark al van: in geval van overlijden.

'Mijn ouders zullen blij met je zijn!' zegt ze eenvoudig.

Waarop Mark reageert: 'En die van mij zullen in vreugde de jouwe overtreffen. Wat let ons: we gaan ze het nieuws vertellen!'

Ange aarzelt. 'Enneh... alles? Toch niet onze afspraken?'

Mark stelt haar gerust. 'Wees niet bang, kleine Ange. Niemand weet van mijn diepe wonden. Daar kon ik moeilijk over spreken. Dus geen mens kan bevroeden dat jij met een soort ledenpop trouwt! En dat we in gezelschap niet aanhalig zijn, zal de oudere generatie zien als blijk van beschaving!'

Ange schiet in de lach. 'Daar heb ik nog niet aan gedacht!' geeft ze toe.

Toen Susanneke nog verkering had met Reinier, herinnert ze zich, ergerde haar moeder zich weleens aan het openbare geknuffel. Pa keek gewoon een andere kant op, net als zijzelf. Want ieder lief woordje dat haar aanstaande zwager tegen Susan zei, herinnerde haar aan haar eigen eerste grote liefde.

'Meteen de knoop doorhakken, voor je je bedenkt?'

Ange knikt stilletjes.

'Goed. Ja, laten we dat maar doen. Dan kunnen we ook niet meer terug!'

Versteld staan ze, Kees en Bonnie Karsemijer. Ange en hun eigen Mark.

'Stiekemerds. Sinds wanneer...'

Mark geeft niets van hun geheim prijs. 'Ach, het was met Mireille niets meer. Eigenlijk was die relatie van meet af aan gedoemd fout te gaan. We zijn te verschillend. Tja, dan wordt een gezamenlijke toekomst moeilijk. En kleine Ange, die het ook niet leuk heeft gehad in een relatie, heeft me weten op te vangen en zo hebben we elkaar ontdekt!'

Bonnie zegt niet wat ze denkt: nu krijg ik toch een Althuisius als schoondochter. En als zodanig is Ange meer dan welkom.

Na de warme maaltijd die een feestelijk tintje heeft gekregen, stelt Mark voor naar Anges ouders te gaan. Ange aarzelt. Ze weet dat Stef bij de buren vertoeft. Wat, als hij hen ziet? Mark tracht haar denken te volgen. 'Het is bijna donker, liefje. We zijn binnen voor iemand ons ziet. En is het geen prachtige reden om het weer een beetje goed te maken met je ouders? Je moeder begrijpt nu heus wel dat Rianneke voor haar niet meer en niet minder dan een kleindochtertje kan zijn!'

Ange begrijpt dat Mark gelijk heeft. 'Ik heb er buikpijn van!' zegt ze benauwd.

Bonnie Karsemijer wil zich niet met de familievete bemoeien, maar kan niet nalaten op te merken: 'Je ouders zullen net zo blij zijn als wij. Vergeven en vergeten is gemakkelijk als je gelukkig bent.'

Ange geeft toe.

'Mag Rianneke dan even hier blijven?'

Bonnie schudt plagend haar hoofd.

'Je neemt het kind mee, je zult zien dat het een binnenkomertje is!'

Eenmaal in de Boslaan kijkt Ange speurend om zich heen. Mark plaagt: 'Zullen we aan die dikke bomen een huwelijksaankondiging plakken? Je had ons destijds moeten zien sjouwen met posters waarop jij groot stond afgebeeld... Op onder andere deze bomen spijkerden we ze.'

Ange huivert.

'Niet over praten nu!' verzoekt ze.

Mark zet de auto tussen twee bomen in.

'Er is geen bezoek. Geen Susan en ook geen ander. Kom vrouw, mevrouw Karsemijer in spe, op naar mijn schoonouders.'

'Bezoek, we krijgen bezoek. Wie kan dat zijn?'

Rita legt haar boek terzijde.

'Bezoekers, ik hoor verscheidene schoenen op het grind kraken. Een kinderstem. Het zal toch niet...'

Jan Althuisius staat al. Hij loopt naar de voordeur en Rita, Rita luistert, het hoofd schuin opgeheven.

'Ommerie... ik ben er zelf!' roept een geliefd stemmetje. Een kind dat de oma terugvindt.

Rita opent haar armen en drukt de kleine meid aan haar hart. 'Jij, o jij, kleine jij.'

Dan ziet ze de twee staan in de deuropening. Een hand van Mark op Anges ene schouder.

'Dag mam, zijn we welkom? Pa...'

Jan kust Ange op beide wangen. 'Welkom, zeer welkom thuis, meisje.'

Rita aarzelt geen moment en volgt Jans voorbeeld. 'Is dit een poging tot vrede?' aarzelt ze.

Ange glimlacht.

'Het ís vrede, omdat de redenen daartoe er zijn. Zeg ik het zo goed, Mark?'

Dan pas dringt het tot de ouders door dat er meer aan de hand is dan een verzoening.

'Je meent het!' Rita, die de afgelopen middag nog een gesprek met Stef heeft gevoerd, staat verteld. 'Je meent het echt?'

Mark kijkt neer op het gebogen hoofd van Ange en voor het eerst is er een schreeuw in hem: O God, kon ik maar van haar houden zoals u het in de schepping hebt bedoeld. Ange verdient het.

'Mark en ik hebben elkaar gevonden. Een verrassing, niet? Ook voor onszelf. Maar het is goed zo. En zodra ons huis is afgebouwd, trouwen we!'

Trouwen.

'Niet verloven?'

Mark grijnst. 'Wij hebben geen verloving nodig. We trouwen in alle rust en stilte zonder bombarie. Niet, Ange?'

Ange knikt en Rita, Rita zou Rita niet zijn als ze zegt: 'En nu is het probleem Rianneke vanzelf opgelost... Ik hoop toch van harte dat deze grootouders het kind wel af en toe te logeren mogen hebben?'

MaiLy is vol van de afgelopen dagen. 'Alsof ik een week ben weggeweest. Het was best koud op het water, maar de zon maakte veel goed. Ik heb fantastische nieuwe vrienden, Ange! Weet je, ik dacht dat ik geen mensen nodig had. Maar jawel, er gaat een wereld voor me open!'

Pas aan het eind van de ochtend informeert ze naar Anges paasdagen.

'Naar de kerk geweest, en wat verder?'

Ange vouwt een stapel sjaaltjes keurig op en etaleert deze in een opengeslagen koffertje.

'Trouwplannen gemaakt, de plek waar het te bouwen huis komt bezichtigd. Wat rondgereden en naar de familie geweest. En natuurlijk de schoonfamilie bezocht.'

MaiLy laat een stel klerenhangers vallen. 'Wat daas je nou? Heeft die Hollandse Amerikaan je toch zover gekregen? Je meent het niet!'

Ange grinnikt. 'Ik word mevrouw Karsemijer. En mijn aanstaande heeft een fantastische baan aangeboden gekregen. Ik krijg een autootje en blijf werken.'

MaiLy weet even niet hoe ze moet reageren.

'Stiekemerd... waarom wist ik er niets van? Hoe kan dat zo opeens?'

Ange zakt als een mislukte pudding ineen en begint te huilen.

'Ben je niet gelukkig dan?'

Ange knikt. 'Dat wel... maar het is zo veel tegelijk! En natuurlijk een brokje onzekerheid.'

MaiLy zegt gedecideerd: 'Jij zult hem gelukkig maken. Wat een zegen dat het model hem niet krijgt!'

Nog eenmaal laat Mireille zich in de zaak zien.

'Tjonge, wat een verrassing. Jij en mijn ex. Wel, sterkte, lieve kind. Enneh... denk er nog maar eens goed over na!'

'Jammer van de klandizie,' meent Ange als Mireille zonder wat te kopen de deur achter zich heeft toegedaan.

'Die kan ik missen. Als kiespijn. Als migraine. Als... nog meer alternatieven nodig?'

Mark laat zich enkele malen per week zien. Dan weer met bouwtekeningen, dan met folders. Sanitair moet uitgezocht worden, een keuken.

'En nu de inrichting. Vloeren. Wat wil je? Hout? Plavuizen? Zeg het maar!'

Ange verdwaalt in de gebeurtenissen. Het lijkt haar allemaal nog zo onwerkelijk.

Op een zondag neemt Mark Ange mee naar Arend Lindeman. Rianneke is voor een dag naar opa en oma Althuisius.

Ange voelt zich bij Arend en zijn vrouw meteen op haar gemak. Hardwerkende mensen, die alles wat ze bezitten zelf verdiend hebben. Dat Arend zijn personeel, collega's en ondergeschikten niet zonder meer aanneemt, begrijpt Ange in de loop van het gesprek. Mark, haar Mark, wordt gezien als een geschenk uit de hemel. Arend heeft grote plannen met hem en Ange is er trots op. Stilletjes denkt ze: Had Mark maar iets van de power die Arend bezit. Zou ze Mark echt anders willen? Nee, alleen dat ene.

Het is onvoorstelbaar hoe snel het huis omhoogschiet. Iedere week gaan ze als uitstapje kijken.

'We moeten trouwplannen maken, kleine Ange. Hoe zullen we het doen? Sober, zoals we van plan waren of toch gewoon, als iedereen?'

Met z'n drieën zitten ze aan de waterkant en kijken over een rustig IJsselmeer.

Ange haalt haar schouders op.

'Ik weet niet... het is anders dan van anderen. Misschien heel stil, met alleen de naaste familie? MaiLy... Arend en zijn vrouw...'

Mark tuurt in de verte, volgt de rustige zeilen van een bootje.

'Een beetje bruiloft is toch wel aardig. Een huwelijksreis hoeft van mij niet, laten we het geld maar in de inrichting van het huis steken. Niet?'

Ange haalt haar smalle schouders op. 'En wel in de kerk? Moet dat? Tot de dood ons scheidt... weet je wel wat je allemaal belooft, Mark? Daar, voor het altaar? Voor Gods aangezicht?'

Mark knikt.

'Ange, je wilt toch nog wel?'

'Ja, natuurlijk. Daar gaat het niet om... Ik zeg het alleen maar...'

Mark schraapt zijn keel. 'We bouwen voor onszelf een paar regels erbij in. Je hebt van mij alle vrijheid als je ooit wilt...' Hij kan het woord scheiden bijna niet over zijn lippen krijgen. 'En ik geloof dat God best aanvaardt dat wij een uitzondering op de regels willen zijn.'

Ange lacht nu voluit.

'O, Mark... Goed. We trouwen in de kerk. En we houden een receptie. Onze wederzijdse ouders hebben kennissen. Om van familie maar niet te spreken. Jouw aanstaande collega's! Je ouwe vrienden. Bij elkaar toch een heel koor.'

Ange denkt aan de bruiloft van haar zus. Susanneke was een mooie bruid. Vol verlangen uitziend naar een toekomst met Reinier. Misschien mag ze haar jurk lenen.

'Zal ik in het wit gaan? Of, omdat het toch anders is dan normaal, in het weet ik veel...?'

Mark kijkt haar in de ogen. 'Wat wil je? Ieder meisje wil toch in het wit, heb ik me laten vertellen?'

'Ach...'

Zo kabbelt hun gesprek voort, terwijl Rianneke bloemetjes plukt en tevergeefs tracht er een krans van te vlechten.

Riannekes vierde verjaardag is een geweldig feest. Naar school in een versierde auto, op de achterbank een doos minibeertjes als traktatie voor ieder kind.

Pas na de grote vakantie gaat Rianneke naar de basisschool, naar groep een. Het is nog maar een paar weken voor het zover is en er worden vlak voor die periode geen nieuwe leerlingen aangenomen. Om drie uur haalt Ange de jarige weer op, samen met een paar favoriete vriendjes. Thuis is het al een drukte van belang. De oma's, tantes en ex-buurjongetje Sander met zijn moeder Rachel. Gelukkig is die relatie niet aangetast door de verbroken verkering met Stef en daar is Ange dankbaar voor.

Mies Kooger slooft zich tot en met uit, zit geen moment op haar stoel en dankzij haar kan Ange volop genieten van de verjaardag. Als laatste vertrekt Rita. 'Ange, ik vond het een heerlijk feest. Lieverd, kijk me aan. Eh... zijn we weer zoals vanouds met elkaar?'

Ange knikt. Ze is wijzer geworden. Toch heeft ze geen spijt Rianneke thuis weggehaald te hebben. Ook al ziet ze hoeveel moeite haar moeder heeft met het lege nest.

Op de trap fluistert Rita Ange in het oor: 'Wat is er toch aan de hand met dat meisje, die Mies! Het ene moment is ze de hartelijkheid zelf, dan weer kijkt ze je aan alsof ze haar hartsgeheimen kent. Ze... ze zal toch niets met die ontvoering destijds te maken hebben?'

Ange schrikt. 'Mam... dat meen je niet. Hoe... Nou ja, ik vind haar ook soms merkwaardig. Maar ze is onmisbaar. Een duizendpoot. En bovendien, Rianneke zou haar toch herkend hebben als ze iets met die zaak van doen zou hebben gehad?'

Rita kijkt zuinig. 'Wees jij toch maar op je hoede.'

Sinds die opmerking betrapt Ange zich er steeds vaker op Mies te bespieden. Dat ze een pruik draagt, weet ze inmiddels zeker. Maar de moed om een diepgaand gesprek aan te gaan, mist ze absoluut!

Nog een familiefeest. Jan en Rita herdenken hun dertigjarige huwelijksdag. Eigenlijk had Ange wel op die datum willen trouwen, maar helaas zijn de huizenbouwers geen tovenaars.

Pas tegen oktober worden de woningen opgeleverd. Ange en Mark hebben ruimschoots de tijd om hun inrichting te kiezen. Ze zijn zo bezet door dit soort bezigheden dat er weinig tijd over is voor gesprekken. En daar is Ange voorlopig tevreden mee.

Bezig zijn, niet hoeven te denken. Straks heet Rianneke Karsemijer, een nieuwe identiteit zal haar beschermen.

Zelf zal ze eraan werken een goede gastvrouw voor Marks vrienden en zakenrelaties te zijn. Hun relatie lijkt in evenwicht. Maar in werkelijkheid is niets minder waar dan dat.

'Jouw trouwjurk is mijn probleem!'

MaiLy is met haar nieuwe vrienden op vakantie geweest en ze is nog geen halfuur in de zaak of ze confronteert Ange met een blad vol tekeningen. 'Welk model kies jij?'

Ange staat het huilen nader dan het lachen. Even is daar de verleiding om haar hart aan MaiLy uit te storten.

'Het gaat om ons huis! Jij bent een reclame-object. Als je het zo ziet, kun je het dan van me aannemen?'

Ange knikt stom. Een japon met ronde hals, niet te diep uitgesneden. 'Ik ben te plat voor een decolleté,' klaagt Ange.

'Deze is ook mooier, een bruid moet er niet te naakt uitzien. Een strik op de rug, pofmouwjes. Jij hebt van die dunne armen!'

Ange houdt de hare naast die van MaiLy. 'Hoor wie het zegt!'
'Satijn, met kant. Een plaatje. Morgen bestel ik de coupeuse en gaan we
aan de slag. En o ja, Rianneke moet ook iets heel moois aan! Wil je geen
bruidsmeisje? Kan ze niet in dezelfde stof als jij gekleed gaan? Dan
maken we voor Mark een stropdas en pochet erbij. Schitterend!'
Ange laat het gebeuren. Zoals met alles het geval is, zal ook deze grote
dag voorbijgaan.

De nieuwe woning wordt volgens de bezoekers een plaatje. Ook zus en
zwager zijn verrukt. Reinier plaagt: 'Susan, heb je nu geen spijt dat je
destijds Mark hebt laten schieten voor mij?'
Een vuile blik van Susanneke is het antwoord.
'Of moet ik met daden komen? Wil je een forse dreun? Bedelaar, ik weet
het al: je wilt een extra knuffel. Krijg je mooi niet.'
Ange luistert bezeerd. Moeilijk om Mark naast Susanneke – van vijf jaar
terug weliswaar – te denken. Ze waren meer dan goeie vrienden en ongetwijfeld hebben ze gezoend. Wist Susanneke iets in Mark los te maken
dat zij als zijn vrouw nooit zal kennen?
Maar ze heeft gekozen. Voor een leven met een maatje.

17

EEN PAAR WEKEN VOOR DE TROUWDATUM HANGT ANGES BRUIDSJAPON IN
haar voormalige kamertje in de Boslaan. Want Ange wil uit huis trouwen. Ze weet dat ze daar haar ouders erg veel plezier mee doet. Zelf zou
ze veel en veel liever stilletjes met Mark in het huwelijk zijn getreden.
Zonder feestkleding. Zonder gasten. Helaas is dit onmogelijk! Alleen al
de vele vragen en de waaroms maken dit onmogelijk.
Mark heeft de laatste weken weinig tijd voor Ange. Zijn baan begint
vastere vormen aan te nemen. Er komt lijn in de toekomst.
Hij laat de zorg voor het huis aan Ange over. Ange, die inmiddels over
een kleine auto beschikt, rent en vliegt van hot naar her. De ene keer
moet ze in het nieuwe huis zijn voor aansluitingen, een andere keer
wordt ze gedwongen aanwezig te zijn omdat er werklui komen. Maar aan

alles komt een eind, zo ook aan die drukte.

Opeens is alles klaar, verbaast Ange zich. De woning is gestoffeerd en de meubels hebben een plekje gekregen. Stilletjes denkt Ange: Ik zou bijna gelukkig kunnen zijn!

Een zomervakantie zit er dit jaar niet in. Ange behoort tot de uitzwaaiers. MaiLy trekt er met haar 'nieuwe vriendenclan' op uit. Susanneke en Reinier huren een huisje aan zee en, wonder boven wonder, Jan en Rita gaan voor het eerst samen een vliegreis maken naar Griekenland.

Ange vindt het niet erg te moeten werken, terwijl anderen vakantie vieren. Vakantie betekent vrije tijd en vrije tijd houdt in: denken. Denken is tegenwoordig vaak tobben. Dus, redeneert Ange, vakantie is tobben.

Tobben, dat lijkt Mies Kooger ook wel te doen. Ange treft haar op een keer huilend aan, zittend aan de keukentafel. Wat eraan scheelt?

'Niets, eigenlijk niets. Maar eh... toch wel. Een tante van me is overleden en ik ben niet gevraagd voor de begrafenis... Ik heb ook geen mens...'

Ange vindt Mies niet alleen raadselachtig, maar ook zielig.

'Hoor eens hier, beste Mies, je hebt ons. Rianneke is gek op je. En wij, MaiLy en ik, wij mogen je ook graag. Je hebt je onmisbaar gemaakt. Doet je dat dan niets?'

Mies haast zich te zeggen dat ze daar erg blij mee is. Aarzelend komt ze met een verzoek dat eigenlijk ook logisch is.

'Als jullie in de polder wonen, zou ik dan deze bovenverdieping kunnen huren? MaiLy wil er toch geen vreemden in hebben. Ik kan van Riannekes kamertje een atelier maken, zodat ik gemakkelijker werk. Alleen weet ik niet hoe hoog de huur is...'

Ange belooft er met MaiLy over te praten. Zelf vindt ze het een goed idee, maar laat dit niet merken. Want stel dat MaiLy andere plannen met de verdieping heeft, dan is de klap voor Mies des te groter.

Lang hoeft MaiLy niet over het voorstel na te denken. 'Ik had gedacht er voorraadruimte van te maken, en inderdaad een atelier. Maar als Mies er graag wil wonen, lijkt me dat een nog beter voorstel!'

Ange schenkt Mies het grootste gedeelte van haar huisraad. Het is aandoenlijk hoe dankbaar Mies ervoor is. Ange voelt zich bijna beschaamd en neemt zich voor de zoveelste maal voor toch eens een dieper gesprek met Mies te houden.

De dag voor haar huwelijk heeft Ange vrijgenomen. Een dag die gevuld is met bruidsaangelegenheden. Een bezoek aan de kapper, die niet veel meer behoeft te doen dan de coupe in model brengen.

Ook de schoonheidsspecialiste is zo klaar. Anges huid is fraai van constructie en mooi van tint. Beiden zijn het erover eens dat Ange een stralende bruid zal zijn, waarop Ange nonchalant reageert met: 'Alle bruiden zijn toch mooi!'

De avond voor de grote dag komen Ange en haar ouders voor het eerst weer echt bij elkaar. Dingen die lange tijd omzeild werden, worden uitgepraat. Rita heeft afstand genomen van de oorzaken van de kloof, ze denkt nu meer met Ange mee.

'Ik moet heel eerlijk zijn, Ange. Ik lijd zoals veel vrouwen van mijn leeftijd aan het legenestsyndroom. Met jullie in huis was ik dolgelukkig... en jij, jij was ons meer dan welkom. Yanga... Ange. Toen Rianneke werd geboren, dacht ik dat het verleden heden werd en dat was kortzichtig van me. Vanaf nu doe ik mijn best me meer op je vader te richten... ik probeer nog iets van mijn eigen leven te maken. Los van jullie.'

Ange is dankbaar voor de openheid die haar moeder geeft. Het is een geschenk. De avond vliegt om, Anges toekomst blijft gelukkig onbesproken. Een toekomst, die de dag erna begint.

Susanneke is al vroeg present om haar zus te kleden, terwijl de ouders druk zijn met het in ontvangst nemen van bloemen en geschenken.

Reinier arriveert later met de twee kinderen. Elien is al zo groot dat ze een hulpje voor oma kan zijn, maar de kleine Jan-Jaap bezorgt de volwassenen handen vol werk.

Rianneke en Ange maken samen toilet.

'We trouwen allebei, hè mam?' zegt het kind vol overtuiging.

'Jullie zien er allebei schitterend uit!' vindt tante Susan. 'Rianneke, je bent bijna mooier dan je mamma!'

Ange staart lang naar haar spiegelbeeld.

'Echt, je bent schitterend,' zegt Susan, die achter haar staat. Ze verschikt een toefje gypsophilia dat verwerkt is in de rand van de sluier. 'Reken maar dat mam op de piano aan het schuiven gaat met onze portretten. Jullie trouwfoto krijgt vast de ereplaats!' En dan, heel serieus opeens: 'Ik ben zo blij dat Mark jou krijgt en niet die vervelende meid. Jij, Ange, zult hem gelukkig maken! Meid, wat ben ik blij dat je jeugd zo mooi afgesloten wordt!'

Ange sluit een moment haar ogen. Niet huilen nu, dat zou een aanslag zijn op de make-up.

Even komt ze in de verleiding haar verdriet aan Susan op te biechten. Wat zou het echter uithalen?

Susanneke helpt haar zus de trap af. 'Jij ook voorzichtig, Rian... als je naar beneden valt, heb je vast een bult op je voorhoofd en dat ontsiert je!'

Rita en Jan staan hand in hand onder aan de trap. Zwijgend, ontroerd.

Ange kijkt van de een naar de ander, ook haar ontbreken de woorden voor dit moment.

Dan gilt Elien vanuit de kamer: 'Ik zie oom Mark aankomen... en de anderen ook!'

Ange aarzelt, pas als Susan haar een duwtje in de rug geeft, schrijdt ze naar de voordeur.

Even staat Mark sprakeloos. Ange, zijn bruid! Op dit moment beseft hij meer dan tevoren zijn tekorten. Ook nu geen woorden, maar twee uitgestoken handen in een hulpeloos gebaar.

Ange knikt hem toe. Heel lief is haar lachje als ze zegt: 'Het is allemaal goed zo. Kom binnen, maatje.'

Geen van de bruiloftsgasten merkt iets van de onderhuidse spanningen waaraan het jonge paar ten prooi is. Vooral het moment dat het jawoord wordt verwacht, is bijna ondraaglijk.

Ange is dankbaar voor haar sluier die de emotie ietwat verbergt. Wat heeft ze opgezien tegen het standaardverzoek: nu mag u de bruid kussen... Een lege kus. Zonder een veelbelovend verlangen.

Tijdens de receptie is er geen tijd voor gepieker! Familie, vrienden, zakenrelaties en buren. Allen maken hun opwachting en Ange drukt menige boetiekklant de hand.

Zo verglijdt de dag, die een hoogtepunt voor twee jonge mensen had moeten worden.

Tijdens de rit naar huis valt Rianneke in slaap. Mark noch Ange heeft behoefte aan een gesprek.

'Moe?' vraagt Mark als hij de wagen de garage inrijdt.

Ange glimlacht. 'Dat is te zacht uitgedrukt, meneer Karsemijer. En jij zult je wel net zo voelen.'

Niet de bruid, maar de stiefdochter wordt over de drempel gedragen. Het dringt niet tot Ange door.

Mark brengt Rianneke naar boven, gevolgd door Ange. Ze houdt de zomen van haar japon in beide handen, neemt de treden voorzichtig. De jurk zal ze morgen of later naar de stomerij brengen. Zeker weten dat ze er een liefhebster voor vindt!

Helaas moet ze Mark vragen de knoopsluiting voor haar te openen. Schamper en verlegen merkt Mark op: 'Net het begin van de een of andere film... een liefdesscène!' Een verontschuldiging.

Een manier om zichzelf te kwetsen. Ange zegt vriendelijk: 'Of het begin van een *story* over twee maatjes. Dank je wel, Mark! Eindelijk verlost van al die stof. Geef mij maar een spijkerbroek!'

Ange duikt haar eigen kamer in. Een nieuw eenpersoonsbed staat er. Mark stond erop dat ze de allerleukste meubels uitzocht. Op geld werd heel even niet gelet. Ange kijkt om zich heen. Dit is dus vanaf nu haar slaapkamer. Ze hangt de japon keurig op, strijkt de denkbeeldige plooien en vouwen glad. Gehuld in een ochtendjas haast ze zich naar Rianneke, die diep in slaap scheef over haar bedje ligt.

Met zorg trekt Ange het jurkje uit, zonder haar te wekken. Een pyjama aan, de lintjes en strikjes uit het haar. Ze schuift de lakschoentjes onder het bed. 'Slaap lekker, Rianneke Karsemijer!'

De klok in de hal, een cadeau en erfstuk van Marks ouders, slaat twaalf uur.

Bijna symbolisch: Anges nieuwe leven is begonnen.

Ze hebben beiden een weekje vrijaf genomen. Om te wennen en niet de indruk te wekken dat ze gewoon doorgaan.

Het is voor Ange een sensatie om samen met Mark aan tafel te zitten, zijn was te doen, hem in de buurt te weten. Af en toe vraagt Mark: 'Geen spijt?'

Waarop Ange hem plagend antwoordt: 'Daar is het nu te laat voor!'

Ze laten het elkaar niet merken, maar beiden zijn blij als het gewone leven weer een aanvang neemt.

Ange moet vroeger dan ze gewend was uit bed. Rianneke wordt als eerste met het toilet geholpen. Onder de douche, schone kleertjes aan en een boterham voor de trommel smeren.

Mark is meteen vanaf het opstaan de kantoorman. Gedisciplineerd zoals zijn vader gaat hij te werk.

'Nou, tot vanavond dan maar...' aarzelt Ange, als ze met haar tas in de hand naar de voordeur loopt.

Mark, vlak achter haar, lijkt wat te willen zeggen, maar kan de juiste woorden niet vinden.

'Voorzichtig aan, hè? Tot vanavond, haast je niet... Ik haal wel chinees of een pizza, zodra je terug bent!'

Ange is blij achter het stuur van haar wagentje te kunnen gaan zitten.

Ze wuiven naar Mark, die tot aan het hekje is meegelopen. Op de hoek zegt Ange: 'Kom op, Rianneke! Zingen! 'Klein rood autootje waar breng je ons naartoe...' '

En Rianneke valt met haar heldere stemmetje in. 'Al naar de lieve kindertjes en naar de koetjes Boe!'

Ange herademt. Het leven lijkt weer gewoon geworden.

De nieuwe herfst- en wintercollectie is volgens MaiLy een pure gok. Veel hooggeprijsde leren jasjes, dito rokken en broeken.

'Ze zijn absoluut niet ordinair. Het is een bepaalde trend voor bepaalde types. Ik ben benieuwd hoeveel we hiervan kwijtraken! Ik zal maar een advertentie opstellen!'

Ange is erg blij weer gewoon terug te zijn in het leven van alledag. Ook al moet ze van kennissen en klanten nog veel reacties aanhoren.

Af en toe kijkt MaiLy haar bezorgd aan. Maar vragen doet ze niets.

Geleidelijk aan herkrijgen de dagen hun normale ritme. Rianneke heeft het op de basisschool naar haar zin, wordt tussen de middag vaak door de oma's opgehaald bij wie ze mag overblijven. Ange heeft er geen moeite meer mee. Niemand kan haar kind nu nog van haar vervreemden.

Het heen en weer rijden van huis naar de zaak went snel. Ange vindt het eigenlijk wel prettig om niet meer boven de boetiek te wonen. En onderweg heeft ze de tijd om na te denken. Als Rianneke haar dat toestaat. Want mamma zal en moet de nieuwe liedjes horen en dat niet alleen: zingen zal ze ook!

Wanneer Ange op een avond Rianneke in bed stopt en ze samen met het kindje bidt, probeert het kind de knuffelmomenten te rekken.

'De Engelse versjes, mamma...'

Ange begint gehoorzaam:

'*I see the moon... And the moon sees me...*'

Rianneke schudt van nee, legt een hand over Anges lippen.

'Die andere. Het versje dat Mies kent!

God bless this house from thatch to floor
The twelve apostles guard the door...'

De rest is het kind vergeten.

'Waarom praten ze in Engelsland anders, Mamange?'

Ange verbetert automatisch: 'Engeland, liefje.'

Mark is die avond zoals de meeste avonden naar kantoor. Om over te werken. Ange begrijpt dat dit een drogreden is. Mark weet zich geen raad met hun verhouding, zijn schuldgevoel is buitensporig groot. Wanneer hij tegen halfelf de sleutel in het slot steekt, ziet Ange de noodzaak er niet meer van in om Mark te vertellen van dat Engelse versje. De vraag of er een lijn loopt naar de ontvoerders van Rianneke naar Mies blijft onuitgesproken.

Mies heeft er een half maandloon voor over om een leren jasje uit de collectie te kunnen aanschaffen. Het kledingstuk staat haar goed, moeten MaiLy en Ange toegeven. Toch is bij Mies het effect een tikje ordinair, vindt Ange in stilte. MaiLy kijkt ook al kritisch, een rimpel in het voorhoofd. Wat maakt het geheel zo gewoon? En ze probeert: 'Mies, als jij nu eens je haar kort liet knippen, dat staat vast beter. En... je rokje is erg kort. Probeer eens iets uit de collectie.'

Mies wordt rood als een pioen. 'Dat is me te duur. Deze jas is al prijzig...'

MaiLy schiet te hulp. 'Kind, dan doen we er toch wat af. Wat zou haar staan, Ange?'

Mies lijkt zich geen raad te weten. Een opgejaagd konijntje, dat recht in de loop van de jager kijkt.

Ange zegt vriendelijk: 'Kijk eens naar die wollen rokken. Zo uit

Engeland. En dan moet je die lange laarzen van je ook met de vuilnisman meegeven. MaiLy, we hebben nog enkellaarsjes van vorig jaar. Dat is vast wel wat voor onze Mies.'

Mies blijft zich opgelaten voelen. De rok staat prachtig, valt schitterend om haar heupen. En Ange denkt: Dit is niet het lichaam van een volwassen vrouw. Ze is een meisje. Een meisje met een geheim.

Mies kan uit enkele paren laarsjes kiezen en lijkt er blij mee.

'Vooruit, nu nog een leuk truitje erbij en onze Mies is mevrouw. Trek nu je nieuwe jas eens aan!'

Mies moet het toegeven: het resultaat is boven verwachting.

MaiLy kan het niet over haar hart verkrijgen Mies te laten betalen. Maar Mies staat erop. 'Het is toch te gek... ik woon hier al goedkoop, en nou ja...'

MaiLy krijgt medelijden. 'Weet je wat, je krijgt nu die jas en met Kerstmis geen pakket! Afgesproken!'

Ange gniffelt. Tegen de kerst is MaiLy die woorden allang weer kwijt.

Als Mies naar boven loopt om nog wat veranderwerk te doen, roept Ange haar na: 'Waar ken je dat leuke Engelse liedje van? Rianneke was helaas de helft vergeten. Eh... *God, bless this house from thatch to floor...*'

Mies blijft staan, kijkt onzeker om.

'Gewoon, van vroeger, we hadden een Engelse juf.

The twelve apostles guard the door;
Four angels to my bed;
Gabriel stands at the head
John and Peter at the feet
All to watch me while I sleep!

MaiLy meent: 'Schattig' en gaat over tot de orde van de dag. Ange blijft piekeren. Durfde ze maar een gesprek met Mies aan te gaan!

De herfst is vroeg. Zonder enige overgang zijn de seizoenen gewisseld. 's Ochtends rijdt Ange in het donker weg en als ze thuiskomt is het net zo. Het leven valt haar best zwaar. Want thuis moet er van alles en nog wat gebeuren. Mark heeft niet veel oog voor wat er zoal moet gebeuren en is bovendien erg bezet met zijn nieuwe baan. Geld voor een hulp wil Ange er niet voor uittrekken. Op haar vrije dag boldert ze door het huis en het resultaat mag er dan ook zijn.

De zwaarste dagen zijn die van de koopavonden.

'Het wordt vast niet druk!' voorspelt MaiLy. 'Het regent, het waait, het is guur! En we hebben pas oktober!'

Ange ziet de hunkering in MaiLy's ogen. 'Je wilt wat anders, niet? Zeg op!'

MaiLy kleurt. 'Jij kent me zo goed! Nou ja... er is een verjaardag waar ik wel heen had gewild. Maar dat kan om halftien ook nog...'

Ange schudt haar hoofd.

'Dag MaiLy, prettige avond en tot morgen!'

Niet lang daarna, als Ange denkt de zaak op slot te kunnen doen, krijgt ze onverwachts clientèle. Ze was net van plan even naar boven te wippen, een praatje met Mies te maken en een blik op Rianneke te werpen. Rianneke logeert van donderdag op vrijdag bij Mies, hoeft dus niet laat in de avond naar huis te rijden.

Een stel meisjes die ze nog niet eerder in de winkel heeft gezien, dartelt van rek naar rek. Ange krijgt er spijt van MaiLy naar huis te hebben laten gaan. Ze heeft een vreemd gevoel dat dit geen normale klanten zijn.

Ze gordt zich aan en zegt op flinke toon: 'Dames, kan ik jullie van dienst zijn? Zo niet...'

Ze maakt een handbeweging, heel subtiel, naar de deur.

Opeens staan de meisjes in een kring om haar heen. Ange wil protesteren maar herinnert zich op tijd het alarmsysteem en de videocamera. Veel kan er haar niet gebeuren.

Dan wordt de deur ruw opengegooid. Gevallen blad wervelt naar binnen, dwarrelen voor twee gemaskerde mannen uit.

'Korte metten, tante. We willen geld, leeg de kassa. En zo niet, dan ben je je kind voor de tweede keer kwijt!'

Dan gebeurt er zoveel tegelijk dat Ange het later absoluut niet in chronologische volgorde kan navertellen.

Er wordt aan de kassa gemorreld. Ze wil roepen. Wie heeft er nu nog contanten in huis... Maar er komt geen geluid.

Een paar meisjes rukken de leren kleding van de rekken, proppen deze in plastic zakken en een man met een muts op richt iets dat op een revolver lijkt op Ange.

De man bij de kassa vloekt.

'Dan maar het kind!'

Van boven komt een luide kreet.

Razendsnelle voetstappen op de trap. Ange hoort zichzelf gillen: 'Nee! Mies, nee!'

Rianneke huilt.

Mies lijkt gevleugeld.

Met Rianneke in haar armen duikt ze op de deur af, springt naar buiten en is in mum van tijd door het duister opgeslokt.

'Erachteraan!' roept een rauwe stem en een paar meisje gehoorzamen ogenblikkelijk.

De inhoud van de kassa plus de lederen kleding zijn buitgemaakt. Geld en goed. Maar ook Rianneke is letterlijk weggeplukt en dat is meer dan Ange kan verdragen. Een zucht, dan glijdt ze weg in een diep en bekend duister. Ze merkt niet dat ze gekneveld wordt, vastgebonden aan een van de trappilaren.

De overvallers laten een onbeschrijflijke wanorde achter. Bij hun vertrek blijft de deur openstaan, blad en straatvuil hebben vrij spel, de noordwestenwind kan zijn onstuimige gang gaan.

Te midden van de chaos ligt zij daar, Ange Karsemijer. Als een mens uit wie het leven weggeroofd is.

En zo, zo vindt Mark zijn vrouw.

18

BONNIE KARSEMIJER HOUDT HAAR BREIWERK OMHOOG. 'KIJK TOCH EENS. Kees... voor Rianneke. Dat wij nu toch opeens grootouders zijn... Het is toch wat. Weet je, ik ben soms zo gelukkig. Het is of er iets van ons eigen meiske is teruggekeerd. En wie weet komt er nog eens een wiegje ginds te staan.'

Kees Karsemijer glimlacht. Bonnie en kinderen. Hij knikt.

'Rianneke is een eigenwijze je weet wel. Maar ze heeft een fijn stel ouders.' Hij onderbreekt zichzelf.

'Stil eens... Wat hoor ik toch?'

Kees zet met de afstandsbediening het televisiegeluid af, heft zijn hoofd op.

'De storm!' meent Bonnie en buigt zich over het patroon. Kon ze het voorpandje nu maar even tegen Riannekes borst houden voor de juiste maat. Een kind groeit zo snel, voor je het weet past het niet meer en dat is jammer van het werk. Ze kijkt vluchtig om.

'De wind, Kees.'

Maar Kees laat het er niet bij zitten. Een vallende dakpan, een raam dat stukslaat of een brekende tak.

Hij haast zich naar de voordeur, vanwaar hij het geluid meende te horen. De regen wordt door de harde wind recht in zijn gezicht gezwiept en geïrriteerd doet Kees een stap naar buiten. De storm rukt aan de panden van zijn colbert, het overhemd is in een paar tellen doorweekt.

Net als hij zich wil terugtrekken, hoort hij het weer. Een gejammer alsof er een dier in nood is. Hij bedenkt zich geen moment, rukt zijn jas van de kapstok en begeeft zich naar buiten.

'Opa...' De noodkreet van een kind. Van Rianneke. En dan een andere stem die roept: 'Hier is ze in veiligheid... en mij hebt u niet gezien...'

Kees Karsemijer, die als politieman toch heel wat gewend is, staat even beduusd te kijken naar het doornatte meisje in zijn armen.

'Rianneke, waar is mamma... wel alle... Hier blijven jij!' roept hij de weg-rennende figuur na.

Inmiddels is Bonnie op het tumult afgekomen, ze schrikt als ze Rianneke ziet. Een ontredderd kind, zo uit haar slaap gerukt, gekleed in slechts een pyjama.

Ze ontfermt zich over het kleintje, zonder vragen te stellen.

Kees gromt.

'Ik ben zo terug, doe voor niemand open en pas op dat kind!'

De wagen is snel gestart. Koplampen doorboren het duister, maar helaas kunnen de ruitenwissers de stroom hemelwater nauwelijks aan.

Kees Karsemijer die uit zijn evenwicht is. Dat wil heel wat zeggen!

Uit zijn doen, nee erger, dat is Mark Karsemijer. Hij heeft de hele avond rust noch duur gehad. Ange moet door dat ellendige weer! Stel dat ze in de sloot belandt, of erger. Zijn maatje toch. Zou er toch iets van liefde in hem groeien? Alsof hij langzaam ontwaakt. Een dier dat uit de winter-slaap komt.

Ange kennende, neemt hij niet de moeite zijn komst aan te kondigen. 'Ik kan het zelf wel.'

Hij haalt haar op, brengt haar morgenochtend zelf naar de boetiek. Punt uit.

Om de hoek van de zaak parkeert hij de wagen en haast zich naar de win-kel. Koopavonden, moppert hij. Moet dat nu heus?

De winkeldeur staat open, zwaait wild heen en weer. Hij duikt naar binnen. Chaos? Erger. Mark slaakt een rauwe kreet. Ange! Ange!

Bloed, hij ziet bloed langs haar gezicht sijpelen. Voor zijn geestesoog ver-schijnt het moorddrama uit Turkije.

'Ange! Niet doodgaan... Leven moet je! Voor mij!'

Een overval. Er is waarschijnlijk gestolen, maar wat kan hem dat schelen? Mark laat zich op zijn knieën vallen, maakt met bevende vingers Ange los. Een lichte kreun.

'God, laat haar leven...'

Een hoofd dat zwak naar voren zakt. Mark tilt met een hand Anges gezichtje op. Zo klein en teer als ze lijkt!

Heel dicht legt hij zijn hoofd tegen haar bloesje om te luisteren. Een hand om haar linkerborst. Licht voelt hij haar hart kloppen, maar gerust is hij er niet op. Er moet hulp komen. Maar haar zo laten liggen... wat moet hij doen?

Ange kreunt. Opent haar ogen. 'Mark, hé maatje, wat doe jij hier...'

Dan knapt er iets in Marks hoofd. Alsof hij een pistoolschot hoort. Hij buigt zich voorover, neemt al zittend Ange in zijn armen.

'Ademen... je moet blijven ademen...' Zijn mond zo dicht bij de hare. Zijn lippen proeven voorzichtig.

Hij voelt de lichte zucht langs zijn wang strijken. Ze leeft, Goddank, hij was op tijd.

'Mark?'

Een vraag.

Mark legt, heel teder, een hand onder Anges hoofd en vlijt zijn mond over de hare. Een korte aarzeling, zo kort, dat deze die naam niet ver-dient.

De eerste kus. Heel teder... maar zo liefdevol als de eerste lentebries in de schepping.

Ange richt zich op. 'Maatje... wat doe je nou toch? Wat... waar...'

Mark heeft het gevoel opeens geestelijk te groeien. Hij lacht ingehouden. Een lach die hem bevrijdt van opgekropte spanning.

'Mijn vrouw... Je bent er weer...'

Na de schrik de tederheid. Nu de reactie. Vreugde, ongetemde blijdschap om een ontdekking. Alsof hij wat in te halen heeft. Ange legt haar verslapte armen om zijn hals... trekt zich aan hem op.

Het woord beheersing lijkt even niet in Marks vocabulaire voor te komen. Zijn kus is navenant! Zijn handen glijden langs haar rug, woelen door het donkere haar dat als zijde aanvoelt. 'Kus me dan... Kus me dan terug! Ange!'

Ange, nog maar nauwelijks bij bewustzijn, reageert. Ze biedt hem vol haar mond aan. 'Nu mag u de bruid kussen' is niet langer een dode kreet. Even zijn de twee volkomen van de wereld, gaan op in elkaar.

Zo moeten de eerste mensen zich gevoeld hebben, is wat Ange denkt.

Ze merken niet dat een klant, gehuld in regenjas en met paraplu in de hand, bevreemd de winkel binnenstapt.

Alsof ze in een toneelstuk is terechtgekomen!

En dan die twee daar op de grond... Omgevallen kledingrekken, touwen, een plastic zak en overal op de mooie vloerbedekking blad en straatvuil.

Net als de klant verontwaardigd rechtsomkeert wil maken, valt haar oog op het bebloede gezicht van die vriendelijke verkoopster.

'Wat is hier aan de hand!' roept ze krachtdadig. En die woorden zijn genoeg om beiden tot de werkelijkheid terug te roepen. Mark wil uitleg geven, maar Ange verliest haar beheersing.

'Rianneke! Ze hebben mijn kind weer gestolen!' En met die kreet is ze geheel terug in het hier en nu.

Een politiesirene krijst door het duister, hulp daagt.

Nog een echtpaar zit ontspannen samen in de kamer. Het is er muisstil, zoals dat na een woordenwisseling vaak het geval is.

Rita zegt: 'Dat jij zelfs niet probeert een spel rummikub met me te doen. Je weet niet eens of je het leuk vindt. Je kunt toch proberen het leuk te vinden! Ik luister toch ook naar je als je iets uit de krant voorleest!'

Er zijn maar weinig mannen die zo geduldig zijn als Jan Althuisius. Alles heeft hij voor zijn vrouw over. Maar een spelletje doen... Hij haalt diep adem om zich te overwinnen, voor zichzelf op te komen.

Rita met haar legenestsyndroom! De wanhoop is hij nabij.

Lang en nadrukkelijk snerpt de voordeurbel en haastig staat hij op.

Rita roept hem schamper na: 'Gered door de bel!'

Ze ruimt het spel op, diep bedroefd. O, die lege avonden.

In de gang hoort ze praten, huilen ook, lijkt het. Als er maar niets is gebeurd met Ange, met Susanneke. O...

Dan gaat de deur open. Jan, onzeker kijkend. Achter hem Kees Karsemijer met een schijnbaar bewusteloos meisje in zijn armen. Een vleug van herkenning, dan schudt Rita haar hoofd.

Kees, die opgeruimd zegt: 'Lieve Rita, ruim een plaatsje in huis en hart in voor dit mensenkind dat dringend zoiets als een moeder en een thuis van node heeft!'

Rita komt naderbij.

'Maar dat is Mies... uit de boetiek...'

Kees laat iets uit zijn handen vallen. Een pruik, warrig en vuil. Hij schopt het ding aan de kant.

'Een bed, kan ik haar naar boven dragen? En Jan, bel een dokter, zeg maar dat er haast bij is!'

Rita rent de trap op, ze ziet toe hoe Kees het meisje op Anges voormalige bed legt.

Kees zegt schor: 'Ik heb haar bijna doodgereden. Het schaap! Ze heeft een dubbelleven geleid. Ik kan helaas niet op twee plaatsen tegelijk zijn. Ik heb vanuit de wagen het bureau gebeld om een kijkje in de boetiek te nemen. Dit meisje heeft de overvallers weggelokt, maar ik denk dat Ange en MaiLy behoorlijk geschrokken zijn. Maar, zoals ik al zei, ik heb hulp naar ze toegestuurd. Proces-verbaal... ze laten weten dat Mies en Rianneke veilig zijn.'

Mies Kooger, of hoe haar werkelijke naam moge wezen, beweegt zich flauwtjes en Kees dempt zijn stem.

'Opgegroeid in een kindertehuis. Misbruikt door twee kerels van de leiding.'

Rita vraagt: 'Hoe weet je dat allemaal zo gauw?' En dan... 'Is het heus goed in de boetiek... Wist Mies dat zeker?'

Kees knikt en vertelt dat hij na de aanrijding niet wist waar hij haar heen moest brengen. Het bureau van politie leek hem niet geschikt, hij had geen zin zelf betrokken te raken bij het geval.

'Ze was aanspreekbaar, gooide alles eruit. Ze is gevlucht uit het kindertehuis, naar een tante. Het goeie mens werd ziek en daar zat ze... terug naar 'vrienden'. Drugsverslaafden. Op dat adres vond het kind gestolen papieren. Mies Kooger... Ze werd Mies Kooger. Vanuit dat drugscircuit kwamen nieuwe contacten voort...'

Gestommel op de trap. De huisdokter bleek vlak in de buurt te zijn en als Rita hem met het halfbewusteloze meisje alleen laat, zegt ze: 'Mocht ze bijkomen, stel haar dan gerust. Ze kan voorlopig hier blijven!'

Beneden gekomen vertelt Kees in ijltempo wat hij nog verder weet.

'Ze werd door die vrienden in contact gebracht met degene die Rianneke heeft ontvoerd. En houd je vast... Ooit is een fiets van Ange gestolen geweest. Een krantenjongen bleek de dader, heeft het vervoermiddel later in een gracht gedumpt. Hij is bestraft en zijn woede nooit kwijtgeraakt. Hij zon op wraak. Toen kwam Ange met kerst op tv. En die knul, ook een drugsgebruiker, kreeg een idee. Samen met zijn vriendin, ook een meisje dat uit het tehuis kwam, regelde hij de ontvoering, inde het geld en was nog niet tevreden. Ze schakelden 'Mies' in en bedreigden haar. Mies moet heel bang zijn geweest.'

De dokter komt beneden. 'Ze is nauwelijks bij bewustzijn geweest. Lichamelijk is er niet veel, maar ze is in shock... Ik heb haar wat gegeven en ze slaapt wel door tot morgenochtend!'

Jan biedt de dokter iets te drinken aan, terwijl Kees Karsemeijer het verdrietige verhaal nogmaals herhaalt.

'Fantastisch dat we nu weten wie de ontvoerders waren,' eindigt Kees Karsemijer verheugd.

'Met de hulp van Mies moeten ze te vinden zijn.'

Even zwijgen de drie mensen, verdiept in hun eigen gedachten.

'Arm kind...' zucht Rita. 'Wat moet er nu gebeuren? Terug naar het tehuis? Naar die verkrachters?'

De arts schudt zijn hoofd.

'Die Mies van ons is geen kind meer, volgens de wet kan ze op eigen benen staan.'

Kees knikt. 'Ze zei achttien jaar te zijn. En na die mededeling leek het of ze de geest gaf... ze rolde tegen me aan en ik kon haar niet meer bij bewustzijn krijgen. En toen...' hij glimlacht fijntjes, 'toen dacht ik: dat meisje heeft nog een poosje een moeder nodig. En wie anders dan onze kloek, Rita, komt daarvoor in aanmerking?'

Jan komt nog even op de zaak terug.

'Ze had dus niets met die ontvoerders van doen? Want in dat geval wil ik haar niet in huis hebben.'

Kees schudt zijn hoofd.

'Vrienden van vrienden. Ze werd ook in de tang genomen. Wat wil je: valse papieren... ze was gemakkelijk te chanteren.'

Rita en Jan kijken elkaar aan, hun gedachten maken dezelfde sprong.

'Ja maar...'

'Ze heeft Rianneke gered uit de handen van overvallers. Ze heeft ze achter zich aangekregen, is naar ons gevlucht en daar is Rianneke nu. Bij Bonnie. Mensen, de hoogste tijd dat we ons tot de andere kant van de zaak richten. Ik vermoed dat de agenten nu wel klaar zijn met hun proces-verbaal.'

Rita zucht.

'Inderdaad, een mens zou af en toe op twee plaatsen tegelijk moeten kunnen zijn. Als er nou maar niets met Ange is... Bel eens, Jan.'

De telefoon wordt onmiddellijk opgenomen, een neutrale stem die toeschietelijker wordt als Jan zegt wie hij is.

'U spreekt met agent Bozema. Het is hier inderdaad een eh... puinhoop. We hebben het bericht doorgegeven dat het kind in orde is. Wilt u...'

Gemompel. Dan de stem van Ange.

'Pappa... het was zo erg! En die ellendige Mies is de schuld van alles... Er is zo veel gebeurd... we komen eraan...'

Jan legt de hoorn terug op de haak.

'Er valt nog heel wat uit te leggen. Kees, ga alsjeblieft nog niet weg, ik kan jouw verhaal onmogelijk navertellen!'

De huisarts stapt wel op. 'Morgenvroeg voor het spreekuur ben ik present!'

Rita herhaalt: 'Ze had dus niets van doen met de ontvoering. Ze is geen drugsgebruikster. Wel mishandeld en weet ik wat nog meer in haar jeugd. Wel, in dat geval, Jan, geloof ik...'

Jan knikt.

'Misschien is ze een ster in rummikub,' mompelt hij.

Twee mensen in een wilde nacht. Anges hand ligt op een knie van Mark.

'Ik ben nog duizelig...'

Mark lacht. 'Ik ook... Ik ook, Ange. Waar wil je heen? Naar Rianneke?'

Ange legt haar hoofd tegen Marks schouder. 'Die is in goeie handen bij mamma... Ik wil naar mijn ouders... en dan naar ons huis, Mark!'

Het wordt een gedenkwaardige avond. Mark en Ange zitten stijf naast elkaar op de bank. Rita vraagt zich af wat er toch anders is aan de jongelui.

Ange, die maar niet kan geloven dat 'Mies' niets met de ontvoering van doen heeft.

'Je zult wel moeten, de feiten liegen niet. Het was Mies die Rianneke uit de handen van dat stel heeft gelokt! Hen oppakken is een kwestie van uren. Er wordt aan gewerkt. Ze zijn al bezig! Maar kom, ik ga naar mijn Bonnie.'

Twee mensen die, zeer laat in de nacht, de weg naar huis vinden.

'Morgen is het gewoon weer dag. We zullen eerst de winkel moeten opruimen. Mark, alles staat natuurlijk op de video...'

Marks ene hand knijpt die van Ange bijna fijn.

In hun straat zijn de lichten in de huizen reeds gedoofd, hier en daar brandt nog een lantaarn.

'Morgen duurt nog zo lang!' lacht Mark. Hij vraagt zich niet af, hoe het kon dat hij ineens van zijn complexen is verlost. Bevrijd. Een wonder? En gelijk daarmee het besef kreeg Ange lief te hebben. Oneindig lief.

'Daar, ons huis!' Mark laat de auto buiten staan. Het openen van de garagedeur zou de buren kunnen wekken. En buiten dat, hij heeft haast.

De armen om elkaar heen, zo vechten ze zich door de regen over hun eigen paadje. Mark opent de deur, maar als Ange over de drempel wil stappen, houdt hij haar tegen.

In een zwaai is ze opgetild, hoog in zijn armen. Kletsnat worden hun gezichten als ze elkaar kussen, zomaar in de regen.

Eenmaal over de drempel, wordt de omhelzing vervolgd.

Mark trekt Ange stijf tegen zich aan. Hij fluistert in haar oor: 'We zouden deze maand zuinig zijn... onverwachte kosten. Weet jij wat een tweepersoonsbed kost?'

Ange lacht gelukkig.

'Best wel. Maar weet je wat wij doen? We behelpen ons gewoon met wat we hebben!'

Daar is Mark het mee eens.

'Laten we daar dan maar meteen mee beginnen!'

Eenmaal op de overloop, houdt Ange Mark staande.

Ontroerd legt ze haar handen rond zijn trouwe hoofd. 'Ik hou van je.'

Mark slikt. Want mannen horen sterk te zijn.

'Ik? Ik hou zo veel van jou, kleine Ange, dat ik leven tekortkom om het te verwoorden.'

Ange knikt en zegt plechtig: 'Dan mag je nu de bruid kussen.'

Waar je ook kijkt in huize Karsemijer, nergens staat een bord met daarop: inhaalverbod!

Een hart moet beslissen

1

FELIEN HOUTEN HEEFT GEEN GEMAKKELIJKE EN PRETTIGE JEUGD GEKEND. Van haar ouders herinnert ze zich zo goed als niets. Ruziënde mensen, dat is het enige beeld dat ze heeft meegekregen. En dat is misschien maar goed ook; als ze in haar jongste levensjaren meer had opgepikt, dan was het terugblikken nog schrijnender.

Ze weet dan ook zo goed als niets van haar komaf, het interesseert haar tot op heden ook bitter weinig.

Door omstandigheden, zoals fusies en opheffingen, is ze van het ene kindertehuis naar het andere gebracht. Zodoende heeft ze zich nooit kunnen hechten. En ook al gaat het nu behoorlijk goed met haar, ergens blijft de achterdocht een rol spelen.

Waarom zijn die mensen vriendelijk? Willen ze iets van haar? Felien heeft al jong begrepen dat ze een bepaalde uitstraling heeft die haar voor mannen aantrekkelijk maakt. Ze is goed geproportioneerd en haar lachen lijkt een lokken. Niets is minder waar. Innerlijk is Felien schuw voor mensen. Ze heeft in de loop der jaren geleerd zich een houding te geven. 'Wie maakt me wat? Ik ben ik!!!'

Angst heeft haar jonge leven vernield. Angst voor de vrijmoedige handen van een der kinderhuisleiders. Met dreigementen werd ze klein gehouden. Ze voelde zich anders dan de anderen. Besmeurd, vies. En wanneer een van de grotere meisjes romannetjes wist binnen te smokkelen en eruit voorlas, meende Felien dat het sprookjes waren. Mannen, die tederheid vertoonden, niet meteen toetastten en grove taal uitsloegen.

Met tederheid en liefde kan ze nog niet goed omgaan.

Het was een geluk dat ze aardig kon leren en op de mavo was de sfeer prettiger dan tijdens de basisschoolperiode. Daar hoorde ze bij 'de tehuiskinderen'. Destijds had 'Het Haventje' een slechte naam. De oudste groep bestond uit tieners met een criminele achtergrond. Heel wat keertjes kwam de politie een bezoek brengen aan het huis en telkens weer dacht Felien: als ik het nu eens vertelde...

Maar de zelfverachting was te sterk, ze vreesde zelf beschuldigd te worden. En werd ze niet gedreigd met overplaatsing naar een soort stichting waar het er streng aan toeging?

Op de mavo was Felien voor het eerst een beetje gelukkig. Ze leerde goed, kreeg mooie cijfers en had zelfs een paar vriendinnen. Tot deze meisjes een vriendje kregen. Vanaf dat moment trok Felien zich terug. De meisjes hadden immers verhalen waar ze geen kant mee op kon. Ze spraken over zoenen alsof het gewoon was. Giechelden om ditjes en datjes.

Buitengesloten door de anderen bekroop haar opnieuw de eenzaamheid. Alleen de studieboeken waren haar vrienden. Ze slaagde dan ook met een mooie lijst en kreeg het advies door te leren. Maar Felien wilde vrij zijn, weg van het huis, eindelijk zelfstandig zijn!

Toen kwam ze in aanraking met een vrijgevochten groepje jongelui van wie ze enkelen nog kende uit een vorig tehuis. Meteen werd ze geaccepteerd als een van hen.

Nog begrijpt ze niet dat ze niet is meegegaan met het druggebruik, het roken van stickies en wat dies meer zij.

Nadat ze de deur van 'Het Haventje' voorgoed achter zich had dichtgetrokken, sloot ze zich aan bij de groep. En werken deed ze ook. Schoonmaakster, toiletjuffrouw en uiteindelijk een baantje achter de kassa van een warenhuis.

Toen ze merkte dat men ervan uitging dat haar loon gebruikt werd om heroïne van te kopen, besloot ze te kappen met 'de vrienden' en een nieuw leven te beginnen.

Helaas lukte dat niet! Tot ze beslag wist te leggen op de identiteitspapieren van een medebewoonster. Een pruik hielp haar om het uiterlijk aan te passen. Ze liet zich bij een uitzendbureau inschrijven en kreeg vrij snel een baan als kinderverzorgster. Ze was niet langer Felien Houten, maar Mies Kooger. Dol was ze op de kleine Rianneke, van wie de moeder in een boetiek werkte. Geleidelijk aan werd ze gelukkig, ook al was er altijd de angst voor ontdekking. Natuurlijk kon het niet goed blijven gaan.

De oude vrienden ontdekten waar ze zich schuilhield en zetten haar de voet dusdanig dwars dat ze geen uitweg meer zag.

Chantage maakte haar het leven moeilijk. En toen de boetiek door de druggebruikers werd overvallen, vluchtte ze.

Waar moet een mens die zo door het leven is beschadigd, naartoe?

Het was beslist geen toeval dat ze door Karsemijer, een hooggeplaatste politieman, van de straat werd opgeraapt. Hij wist onmiddellijk waar heen te gaan met het hoopje mens. Een huis gelegen aan de Boslaan. Een wijk met vooroorlogse villa's die in Feliens ogen de deftigste van de plaats waren. Huizen met ruime, goed onderhouden tuinen. Nergens was sprake van verwaarlozing, het houtwerk nergens verveloos en voor de ramen pronkten planten en sierlijke voorwerpen. De laan was aan beide zijden begroeid met zware bomen die in de zomermaanden voor koelte zorgden.

De bewoners van nummer zeventien, een echtpaar op middelbare leeftijd, ontving haar met liefde. Jan en Rita Althuisius waren geen onbekenden voor haar. Ze had hen eerder ontmoet omdat ze de grootouders van de kleine Rianneke waren.

Al snel bleek dat Rita maar wat graag nog eenmaal de zorg voor een 'kind' kreeg. Haar uitgevlogen dochters lieten een lege plek achter. Rita kampte met het zogeheten legenestsyndroom. Ze moederde over 'Mies' die algauw Felien voor haar werd.

'We vergeten die Mies-affaire en je begint bij ons gewoon opnieuw!'

Voor het eerst in haar leven ontdekte Felien wat ouderliefde en een thuis was.

Jan en Rita vonden dat Felien verder moest leren. 'Bijvoorbeeld de havo, daarna kun je altijd nog zien wat je wilt!' Na enige aarzeling van haar kant besloot Felien die raad op te volgen. Rita zorgde ervoor dat het meisje uiterlijk in niets van de anderen verschilde. Ze kreeg eigentijdse kleding, die ze zelf mocht uitzoeken. De zonnigste bovenkamer was voor haar en het was nooit een probleem wanneer ze mensen van school mee naar huis bracht.

Heel langzaamaan herstelde Felien van de vele schokken die ze in haar jonge leven had opgelopen. Van een schuw meisje werd ze een opgewekte jongvolwassene. Trouw vergezelde ze Jan en Rita op zondag naar de kerk, ook al begreep ze aanvankelijk weinig van wat er werd gezegd.

Voor de pleegouders sprak het vanzelf dat Felien zich bij hen aansloot op alle fronten, dus ook wat betreft het geloof.

Felien gedroeg zich voorbeeldig, bang om afgewezen te worden. Wanneer de getrouwde dochters thuiskwamen, was er onrust in haar hart, vergeleek ze zichzelf steeds met Susan en Ange. Maar ook Ange was een pleegkind dat was geadopteerd als baby. Aan die gedachte klampte ze zich vast.

Onder de zogenaamde zorgeloosheid van Felien huisde nog een broeinest van verdriet, verwaarlozing en mishandeling. Alles wat met seks te maken heeft, schuwde ze. Naar vriendjes heeft ze nooit gekeken. Niemand is ooit op de gedachte gekomen dat Felien een rol speelde. Uiterlijk is ze een nieuw leven begonnen, maar onder het oppervlak was het misbruikte meisje nog springlevend.

Nadat ze geslaagd was voor de havo, moest er een nieuwe beslissing genomen worden. Haar pleegouders waren bereid financiële offers te brengen. Felien wist wat ze wilde: naar de kappersschool. Een kinderdroom die bewaarheid werd.

Rita wist al snel een stageplaats voor haar pupil te vinden en beloofde grif: 'Je mag mijn hoofd als model gebruiken!'

Het behalen van het vakbekwaamheidsdiploma was een feest waard! Buiten dat om heeft Felien ook een manicurecursus gevolgd en het diploma schoonheidsspecialiste behaald.

Nooit hebben Rita en Jan spijt gehad van hun beslissing om Felien als een eigen dochter te behandelen.

Diep in haar hart had Felien nog een wens: ooit een eigen bedrijf hebben. Een kapperszaak annex schoonheidssalon. Het liefst zou ze na het behalen van de diploma's in een kuuroord of soortgelijke instelling zijn gaan werken. Maar Rita wist haar daarvan te weerhouden.

'Lieverd, je moet daar intern zijn. Het op eigen benen staan valt niet mee nu je het zo goed gewend bent. Je kunt zoiets altijd nog doen. Bovendien... ik heb met die nieuwe kapper in de stad gesproken. Ik ken zijn vrouw van het zangkoor. Hij heeft belangstelling voor je... Je kunt er vanmiddag terecht, ik heb meteen een afspraak geregeld. En als je die baan krijgt, kun je lekkertjes thuis blijven wonen. Nergens hoef je voor te zorgen. En je kunt nog sparen ook!'

Felien was zo goed niet of ze ging naar de kapsalon. Met de diploma's op zak naar 'Salon Henri'.

Henri, een verwijfd type, ontving haar vriendelijk en riep meteen zijn vrouw erbij. Sofie, tegenpool van haar man, zag wel wat in het bescheiden meisje.

Al snel begreep Felien dat Sofie in 'Salon Henri' de touwtjes in handen had. Een mooie, forse vrouw met een zware stem, die als een sergeant bevelen uitdeelde.

'Je kunt tweede kapster worden, Felien. Er is promotiekans en als je goed werkt, betalen we daar ook naar!'

Felien durfde niet anders dan de baan te accepteren. Hard werken, meedoen aan wedstrijden en andere evenementen, want Henri en Sofie weten wat aan de weg timmeren betekent.

Zo is er in Feliens leven een vast ritme ontstaan. Elke dag op dezelfde tijd opstaan, met de fiets naar de stad en bij slecht weer is er de bus. De dagen zijn lang, de eisen hoog. Het altijd vriendelijk zijn heeft haar een kramplachje bezorgd.

's Avonds om zeven uur heeft Rita de warme maaltijd op tafel, altijd goed verzorgd en smakelijk. Zij noch Jan merkt dat Felien hoe langer hoe stiller begint te worden. Nooit spreekt ze de gedachte die haar bezighoudt uit. 'Is dit nou alles?'

'Zo, dat is binnen! De eerste prijs. Henri, haal een hamer en een spijker, dan hangen we ons succes zichtbaar aan de wand!'

Sofie loopt trots met de ingelijste overwinning door de gesloten zaak.

Felien veegt zwijgend de vloer. Haren van verschillende kleuren en samenstelling verdwijnen in de afvalbak.

Henri mekkert nijdig dat hij nog bezig is. 'Ik krijg zo dadelijk de vertegenwoordiger van de nieuwe lijn. We gaan zijn producten uittesten. Malou en Ada zijn het gloeiend met me eens, niet, meiden?'

Malou, een geblondeerd superslank meisje, trippelt met een stapel handdoeken de salon binnen. Felien denkt: Dat ze niet moe is. Ik heb geen voeten meer om op te staan... Zie haar huppelen!

Henri wenkt Malou, die nogal dicht tegen Henri aan komt staan en samen met hem de proefmonsters bekijkt.

'Dan doe ik het zelf wel!' nijdigt Sofie en beent weg.

Felien zucht. Zaterdagavond – de zaak is om halfzes gesloten, wat echter niet betekent dat het personeel naar huis kan. Gewapend met een poetsdoek en spiritus, wat volgens Sofie goedkoper is dan een spray, bewerkt Felien de grote spiegels tot ze glanzen. Af en toe kijkt ze op en ziet een bedrukt gezichtje. Zelfs de zorgvuldig opgebrachte make-up kan niet verhullen dat ze bekaf is. Gelukkig bezit ze van nature mooi en dik haar, dat weinig verzorging eist. Een vlotte haarband uit eigen winkel geeft haar uiterlijk iets speels.

Malou heeft een hoog opgestoken kapsel en houdt het blonderen zo goed bij dat er nooit randjes van uitgroei zichtbaar zijn.

'Een reclame voor de zaak!' is Henri's mening.

Ada, de andere collega, is van Surinaamse afkomst en heeft kroeshaar dat ze in vlechtjes draagt. Met geen van beiden heeft Felien echt goed contact, terwijl ze al langer dan een halfjaar bij 'Henri' werkzaam is.

'We zouden ook nieuwe schorten krijgen, Henri!' merkt Ada op. 'Ik was laatst in een zaak waar het personeel zonder schort liep. Wat vinden jullie daarvan!'

Felien haalt haar schouders op. Op het moment vindt ze niets waar dan ook van.

'Toe maar!' bast Sofie en heft dreigend een hamer. 'Alweer! Die blauwe schorten zijn nog als nieuw!'

Ada haalt haar schouders op. 'Een nieuwe lente en een nieuw geluid. Het getuigt van welvaart als we wat anders dragen. Ik stel voor iets met een print aan te schaffen, dan zie je niet meteen de verfvlekken!'

De spiegels glimmen, evenals de reclamepotjes en -flesjes die op het plankier eronder staan.

'Doe je de stoelen ook, Felien? Dat mens van Van Manen zat onder de hondenharen om maar wat te noemen! En het is vandaag jouw beurt om de keuken te doen!'

Felien zou het liefst haar schoenen uitschoppen en blootsvoets haar werk afmaken.

'En zet gelijk koffie, ik heb wat met jullie te bepraten. Dat kan mooi, dacht ik zo, als de vertegenwoordiger is vertrokken!'

Henri loopt naar de deur om deze van het slot te draaien.

'Komt u binnen, meneer Brand!'

Meneer Brand begroet met een knik de aanwezigen en loopt achter de kapper aan naar diens kantoor.

'Dat wordt een latertje!' moppert Malou en maakt voor een van de grote spiegels haar lippen op.

'Felien! Twee koffie!' roept Henri vanuit het achterhuis.

Felien droogt haar handen aan haar schort af. 'Wie maakt de kammen en borstels dan schoon? Ik kan geen twee dingen tegelijk...'

Sofie werpt haar een vernietigende blik toe. 'Schiet maar op. Dat werk kan straks ook nog!'

In de kleine keuken is het een chaos. Er staan nog potjes haarverf en mengbakjes die opgeruimd moeten worden.

Felien vult de koffiekan en wenste dat Sofie haar goedkeuring aan de aanschaf van een koffiemachine had gegeven. Het is overdag rennen en vliegen om tussen de bedrijven door koffie en thee te zetten, zowel voor de klanten als voor henzelf.

Ze hoort Malou en Ada kibbelen over een computerfoutje. 'Jij hebt dat verkeerd ingevoerd, twee namen verward, zie je dat niet! Er zijn meer mensen die Jantje heten, suffie!'

Felien sluit onhoorbaar de keukendeur. Altijd dat gekibbel, ze kan het bijna niet meer verdragen. Spijt als haren op haar hoofd heeft ze deze baan geaccepteerd te hebben. Thuis durft ze er met geen woord over te reppen. Ze moet dankbaar zijn, heel, heel dankbaar. Dat laat Rita haar dagelijks voelen. Zonder woorden weliswaar. Maar toch voor de gevoelige Felien zeer duidelijk.

Jan, haar stiefvader, is anders. Begrijpend, warm. Een echte vader.

Dankbaarheid tonen is vermoeiend. Zoals Rita verwijtend kan kijken wanneer ze met een negatief verslag komt. Alles moet altijd vrolijk en positief zijn. 'De ellende ligt ver achter je, we moeten vooruitzien!' Ja ja, dat zijn woorden! Handig en snel ruimt Felien de keuken op, schikt kopjes op een blad en schudt een rol koekjes leeg op een bordje.

Een eigen zaak. Zelf de sfeer bepalen. Heel zorgvuldig je personeel kiezen. Een team dat één is. Of het ooit zover komt? Ze zal jaren en jaren moeten sparen om dat ideaal dichterbij te halen.

Tja, als ze het zo bekijkt, is thuis blijven wonen het voordeligst. Ook al klinkt het berekenend. Ze zou niet eens weg durven gaan! Rita kreeg, zeker weten, meteen een instorting.

Heel af en toe praten de dochters uit het gezin Althuisius over hun moeder. Zowel Susan als Ange zijn dol op haar.

'Alleen niet op die bemoeizucht,' zeggen ze dan lachend tegen elkaar. 'Mamma is een raskloek!'

'Koffie!' buldert Henri en Felien haast zich twee kopjes op een blaadje naar het kantoor te brengen.

De vertegenwoordiger glimlacht haar vriendelijk toe. 'Een latertje, nietwaar? Maar daar staat een vrije maandag tegenover!'

De man rommelt in zijn koffer en haalt er een set proefmonsters uit. 'Probeer ze maar eens, overtuig de baas!'

Henri schudt zijn hoofd. 'Man, ik heb nog twee meiden lopen, wil je scheve gezichten maken?'

De verkoper is zo goed niet of hij staat nog twee setjes af. Felien krijgt opdracht ze uit te delen. 'En laat niemand vertrekken. Ik heb nog een paar mededelingen te doen!'

Felien smakt de spullen op de balie. 'Alsjeblieft, voor jullie. Waar willen jullie de koffie?'

Sofie wijst naar het zitje dat uit leren bankjes bestaat, de wachtruimte voor klanten.

'Waar anders? Moeten we ons gezamenlijk op het aanrecht persen?'

Malou en Ada onderzoeken de proefmonsters, terwijl Felien de koffie in een thermoskan doet. Ze zal meteen maar een nieuwe pot zetten. Als er vergaderd moet worden, gaat er veel koffie door.

Wanneer ze eindelijk zit en de koffie naar zich toetrekt, voelt Felien de vermoeidheid pas goed. De vluchtige gesprekken gaan langs haar heen. Hè, ze voelt zich opknappen van het hete vocht!

'Ik vroeg je wat! Droomster!'

Verschrikt kijkt Felien in Sofies grove gezicht. 'Ik was inderdaad even weg met mijn gedachten!'

Malou plaagt goedig: 'Vast niet bij een vriendje!'

Sofie wijst naar de wand waar de trofee hangt. 'Goed zichtbaar, niet? Valt op, dacht ik zo!'

Felien haast zich te zeggen dat Sofie gelijk heeft. Henri heeft de prijs zeker verdiend. Hij heeft een talent om van ieder 'hoofd' wat te maken. Niet voor niets vragen de meeste klanten of ze door Henri zelf geholpen mogen worden.

Zeker weten, peinst Felien verder, dat het, mocht ze ooit elders solliciteren, een pre is voor Henri gewerkt te hebben.

Malou begint weer over nieuwe werkkleding. 'Daar hebben we toch recht op?'

Sofie bekijkt de haar toegestoken folders. 'Ze zien er beeldig uit. Laat eens kijken of ze mijn maat wel hebben, anders gaat het feest niet door!'

Ada zegt: 'Dan kopen we er twee voor u en maken er één van.'

Sofie negeert de opmerking en knort tevreden. 'Ik vind die met die Mexicaanse print wel aardig. Ik zal Henri zien over te halen. Hij is vanwege het succes nog steeds in een goeie bui.'

Felien kijkt naar buiten. De winkels zijn gesloten, de straten worden ontvolkt. Nog even en dan passeert het zakenpersoneel. Moe, haastig en duidelijk verlangend naar het weekeinde. Net zoals zijzelf.

Henri komt met de vertegenwoordiger door de zaak gelopen. Ze krijgen allen een handdruk. 'En vergeet niet aan de baas te vertellen hoe goed de producten zijn, dames.'

Felien krijgt een knipoog. Waar ze dat aan verdient, is haar een raadsel.

Henri schuift naast zijn vrouw op een bank. 'Koffie?'

Felien staat al, vanavond legt ze haar benen op een stoel en staat pas op als het bedtijd is.

Henri is al druk aan het praten, wanneer ze terugkomt met een volle kan. 'Ga zitten, anders mis je de helft!' moppert Sofie.

'Zoals ik al zei: we nemen extra personeel aan. En waarom? zullen jullie vragen! Waarom? Wel, mij is gevraagd voor een paar tehuizen te werken. En da's niet mis. Af en toe vraagt men mij in het ziekenhuis, maar dat levert niet veel op. Omdat het een uitzondering is. Bovendien hebben ze er zelf een kapsalon. Daar krijg ik dus nooit een contract. Binnenkort fuseren een paar tehuizen. Wat in dit geval wil zeggen dat er een bestuur komt voor diverse inrichtingen. Ik noem 'De Mijlpaal...' '

Ada steekt een hand op. 'Daar werkt mijn man immers... bij de verstandelijk gehandicapte jongens op 'De Mijlpaal'. Hij heeft me niets verteld over veranderingen!'

'Toch komen die er. We hebben dus 'De Mijlpaal', 'Avondvreugd', en 'Het Haventje'. En al die bewoners moeten op z'n minst af en toe geknipt worden. En dat neemt 'Salon Henri' op zich! Ik neem er een jongeman bij, anders kunnen we het niet aan. Mijn vrouw heeft geen zin om een beurt in een tehuis te draaien. Ik heb hier genoeg te doen, dus het komt op jullie neer. Bezwaar? Het betekent ook dat er binnenkort loonsverhoging aankomt. Nog wat: heeft iedereen een rijbewijs? Anders krijgt ze een probleem!'

Feliens hart bonkt tegen haar ribben. 'Het Haventje' – centrum van haar nachtmerries.

'Wat kijk jij beteuterd!' bromt Sofie. 'Staat het mevrouw niet aan? Voor jou zes anderen, *darling*!'

Felien schiet rechtop. 'Natuurlijk wel. Eh... ik ben benieuwd hoe...'

Malou en Ada overstemmen haar.

'Mogen we dan nu eindelijk aan ons weekeinde beginnen, *boss*? Het is welletjes!'

Henri knikt genadig.

Felien is even later als eerste uit de garderobe. 'Prettig weekeinde... tot dinsdag!'

Bijna halfzeven, een latertje.

Rita zal ongetwijfeld voor het raam op haar staan wachten. Het begint te schemeren en in de huizen die Felien passeert, is de verlichting ontstoken. Hier en daar flikkert een blauwachtig tv-beeld, elders zit men aan tafel en bij nog weer anderen zijn de overgordijnen toe.

Opeens is er een diepe blijdschap in Feliens hart: ze heeft een thuis. Ze hoeft zich niet schuldig te voelen, ze is werkelijk dankbaar.

Ze is thuis iemand die wordt gewaardeerd. Niet een nummer, zoals vroeger onder andere in 'Het Haventje'. Ze trapt nog wat harder, voelt haar maag knorren. In de Boslaan is het bijna donker, merels vliegen tjilpend laag boven de grond. Nog even en ze zullen in de hoge bomen gaan nestelen.

Felien springt van haar fiets, ze is thuis. Ze opent het hekje en wuift naar Rita die in de deuropening staat.

'Lieverd, wat ben je laat! Er is toch niets?'

Felien blijft staan, de fiets aan de hand. 'Ik kon er niets aan doen, Henri wilde dat we langer bleven vanwege een soort vergadering. Had niet veel om het lijf. Er komt iemand bij... Da's alles.'

Nergens voor nodig dat Rita aan de weet komt dat zij, Felien, ooit de beurt krijgt en naar het gehate kindertehuis moet om de kopjes te knip-pen.

'Kom maar gauw binnen, het eten staat in de oven. Daar is Jan al... Jan, zet jij haar fiets even weg, het kind is bekaf!'

Jan neemt gewillig de fiets van Felien over. 'Wacht even... mijn tas...'

De tafel is, zoals altijd, zorgvuldig gedekt. Een mooi handgeborduurd kleed, een gezellig servies en fonkelende glazen.

'Fris je eerst maar even op, je ziet er moe uit!'

Felien probeert grappig te zijn. 'Rita, als jij mijn voeten kon voelen... dan zou je erover denken ze te spalken!'

Het eten smaakt zoals het eruitziet. Toch kan Felien niet veel door haar keel krijgen, ze is te vermoeid. Na het eten leest Jan gewoontegetrouw een stukje voor uit de Bijbel. Felien kan hem nauwelijks volgen.

'Ga jij maar lekker zitten, dan ruimen wij tweetjes af. Kom op, je mag voor deze keer in de vaderstoel,' plaagt Jan en voert Felien naar zijn fau-teuil, die voor iedereen verboden gebied is.

'Ik zal het naar waarde schatten!' belooft Felien en legt haar gezwollen voeten op het bijbehorende bankje.

Ze krijgt een krant op schoot en voor haar neus staat de tv aan, waar over een paar minuten het journaal begint.

Jan en Rita Althuisius ruimen samen, geroutineerd als ze zijn, de etens-boel op. Er wordt koffie gezet en als beiden de kamer binnenkomen met koffie en huisgebakken appeltaart, vinden ze een slapende Felien.

2

HET LEVEN VAN JAN EN RITA ALTHUISIUS LIGT – VOORZOVER MOGELIJK – van uur tot uur vast. Dagelijks dezelfde rituelen, iedere dag heeft zo zijn eigen kleur.

Maandag wasdag! Dinsdag rommelt Rita hier en daar in huis en maakt zich niet te moe, want 's avonds wil ze fit naar haar zangkoor gaan. Zo rijgen de dagen zich aaneen.

Op zondag zal ze niet snel de kerkdienst overslaan, ongeacht wie er preekt. Ze verwacht van haar huisgenoten een aangepast gedrag. Jan is in de loop der tijden gewend geraakt aan Rita's ritme. Hij gaat zo mogelijk stilletjes zijn eigen gang. Toen de dochters nog thuis waren, was er geregeld lichte onenigheid, want het valt niet mee om met Rita in de pas te blijven lopen.

Vaak waarschuwt Jan zijn vrouw. 'Doe nu wat voorzichtiger met Felien. Ze is geen klein meisje meer – vandaag of morgen wil ze op zichzelf wonen. En als jij haar geen ruimte geeft, raak je haar kwijt!'

Rita is in alle staten als Jan haar liefdevol terechtwijst. Ze wil immers Felien nog lang niet kwijt, ook al is het meisje oud genoeg om op zichzelf te kunnen wonen.

'Wel oud genoeg, maar lang niet wijs genoeg!'

Wanneer Rita op zondagochtend bescheiden op Feliens kamerdeur klopt en roept: 'Het ontbijt is gereed, liefje. Ben je zover?' dan komt er niet veel meer geluid dan een gekreun. Rita kijkt voorzichtig om een hoekje, Jans raad ter harte nemend!

'Lieve help, lig je nog in bed? Weet je wel...' Ze klemt haar lippen op elkaar. Zoekt naarstig een andere toon. 'Je bent toch niet ziek?'

Met moeite opent Felien haar ogen.

Ziek? Is ze ziek? Ze beweegt haar tenen, trekt de benen op en strekt de armen.

'Ik geloof het niet. Nee, niet ziek. Maar ik ben moe...' Ze hijst zich rechtop.

Rita legt een koele hand op het voorhoofd van haar pleegdochter.

'Wat scheelt eraan, je weet dat je mij alles kunt vertellen!'

Felien zakt terug in de kussen. 'Ik weet het niet... Het waren zware dagen. Mijn voeten doen nog pijn en mijn handen jeuken. Raar toch!'

Een voet piept onder het dekbed uit. Felien bekijkt haar handen die roder dan normaal zijn.

'Ik zal dinsdagavond Sofie eens apart nemen. En vragen of ze een oogje op je houdt!'

Nu is Felien klaarwakker. 'Alsjeblieft, doe me dat niet aan. De sfeer is toch al zo gespannen. Ik heb te hard gewerkt, nauwelijks pauze gehad. Je weet hoe Sofie is, die zegt nooit 'nee' tegen een klant.'

Rita is een en al bezorgdheid. 'Ik zal je een kopje thee brengen en een beschuit. Je kruipt er maar weer lekker onder. Rust maar goed uit...'

Felien droomt weg. Wanneer Rita haar naam roept, schrikt ze weer wakker.

'Kom, dit zal je goeddoen. En... ik zal wat van mijn handcrème voor je halen. Die is speciaal voor de oudere en beschadigde huid.'

Lief mens, denkt Felien. Een eigen moeder kon niet bezorgder zijn!

Rita smeert zelf Feliens vingers een voor een in. 'Het lijkt wel allergie! Niet te hopen.'

'Dat kan toch niet in een keer...'

Rita draait zorgvuldig de deksel op de crèmedoos.

'Tob nergens over en slaap nog wat. Ik zal de zegen voor je meebrengen!'

Na de thee is Felien echter klaarwakker. Van slapen komt niets meer. Helder staat haar de dag van gisteren voor de geest. Kon ze maar naar een andere zaak solliciteren. Het zou echter een vreemde indruk maken als ze na een zo korte werkperiode vertrekt. Goede inlichtingen zijn nog steeds erg belangrijk. Om van ervaringen maar niet te spreken!

Wat als het haar beurt is om naar 'Het Haventje' te gaan? Stel dat ze 'hem' daar ontmoet?

Ze troost zichzelf met de gedachte: misschien is hij allang vertrokken, zit hij aan de andere kant van het land en komt ze hem nooit meer tegen!

Felien kan het in bed niet langer uithouden. Als ze naar de badkamer loopt, voelen haar voeten nog pijnlijk aan. Morgen koopt ze de beste schoenen die er te vinden zijn. Een uitgebreide douche frist haar op en de tobberijen lijken met het water in de afvoer te verdwijnen.

Langzaam kleedt ze zich aan. Heerlijk, zo veel tijd voor jezelf! Een blik uit het raam vertelt haar dat het een mooie dag belooft te worden. Felien trekt een katoenen trui aan die perfect staat op de vrij lange spijkerrok. Een vrolijke band om het haar, zoals ze gewend is. Schoenen doen pijn aan haar nog gezwollen voeten. Natuurlijk gympen. Daar laten de onderdanen zich gewillig in glijden.

Felien kan het binnen niet uithouden; de tuin lokt. Vogels jubelen in de hoge bomen en weer andere vliegen met takjes in hun bekjes.

Overal waar ze kijkt, pronken bolletjes met hun vrolijke bloemkleuren. Een eigen huis... ze heeft een thuis. Toch groeit het verlangen naar een eigen stek. Een plek voor haar alleen. Rita's liefde is soms verstikkend.

In de Boslaan heerst een zondagse stilte. Later op de dag zal het ongetwijfeld heel wat drukker zijn. Wandelaars kiezen dikwijls de Boslaan om van de ene wijk naar de andere te komen. Kinderen kunnen op de brede wandelpaden hun gang gaan zonder dat ze telkens tot de orde geroepen moeten worden. Vooral in het najaar duiken veel kinderen op: beukennootjes, eikels en kastanjes verdwijnen in de jaszakken.

Een eigen gezin; zou dat voor een vrouw met een verleden als dat van haar zijn weggelegd? Niet het feit dat ze in een tehuis is opgegroeid, heeft haar gemaakt tot wie ze is. De weerzinwekkende gebeurtenissen zijn er debet aan dat ze zich 'besmeurd' voelt. Welke man wil een relatie met een misbruikt meisje? Hij zal zich tijdens het intiem zijn toch afvragen wat 'die ander' deed. En zij? Zelf zal ze het nooit kunnen vergeten. Of er moet een wonder gebeuren...

Een korte wandeling, heel alleen. Felien geniet. Ze heeft katjes geplukt, haar handen pijn gedaan aan het taaie hout. Straks maar weer wat crème voor de 'oudere' huid nemen!

'Waar heb je die bloemen geplukt?'

Als uit het niets doemen er plotseling twee meisjes voor Felien op. Blonde, slordig gevlochten haren en jurkjes die er duur uitzien, maar verre van schoon zijn, hier en daar ontbreekt zelfs een knoop.

'Hallo jullie! Dit? Dit zijn geen bloemen. Katjes, ze heten katjes.'

Vier blauwe oogjes kijken verlangend naar Feliens takken. 'Als je ons zegt waar je ze kunt plukken, dan halen we ze ook.'

Felien kijkt naar de fijne kindervingers en schudt haar hoofd.

'Ik denk...' begint ze.

De oudste van de twee zegt: 'Onze paps is jarig en we hebben geen cadeautje. Zie... daarom...'

Felien knikt ernstig. 'Heeft jullie mamma vergeten dat pappa jarig is?'

De zusjes schuiven dichter tegen elkaar aan. Weer neemt de oudste het woord. 'Onze moeder is in de hemel. Ze is ziek geworden en gestorven. Maar later, zegt papa, zien we haar wel weer terug, als we zelf ook in de hemel komen.'

'Dat is erg!'

Felien bedenkt zich niet lang. 'Als jullie even wachten, haal ik binnen een mesje en dan snijd ik voor jullie paps ook wat takjes af.'

Na een paar minuten is ze terug en treft de meisje achter het tuinhekje aan, waar ze vol verwachting naar haar opkijken. 'We gaan die kant op. Ginds is een beekje en daar groeien de struiken waar de katjes aan zitten. Maar vertel eerst eens hoe jullie heten.'

'Zij heet Annelein en ik Berber. Ik ben tien en Annelein is acht. Maar we kunnen toch samen spelen, hoor. Als paps weg moet, passen we op elkaar. Dan doen we net alsof we heel groot zijn. Zestien of zo...'

Felien knikt ernstig. Zo jong en geen moeder meer, ze weet er alles van. Als er ook nog wat met de paps gebeurt, zijn ze, net als zij, weesjes.

'En waar wonen jullie dan wel? Vast hier in de buurt,' veronderstelt Felien, die zich inspant om het gesprek gaande te houden.

Het blijkt dat de familie pas is verhuisd. 'We wonen op de hoek...' Annelein maakt een armzwaai. 'En alles zit nog in dozen. We hebben niks om mee te spelen.'

Haar zus vult aan: 'En we eten alle dagen patat. Ik vind het niet lekker meer. Maar ja...' Dat laatste komt er zo zielig en gelaten uit dat Felien er akelig van wordt.

'Wat doet paps nu? Ik wed dat hij nog slaapt!'

'Hij is naar de kerk. Wij hoefden niet mee. Paps gaat eerst luisteren of hij het een goeie dominee vindt. Later mogen we mee, zegt hij.'

Felien denkt: hoe kan die man zulke kinderen alleen achterlaten? Zou er niemand zijn die hen af en toe bemoedert?

'Daar groeien de katjes. Wijs maar aan welke ik zal afsnijden!'

Pas als de meisje beide armen vol hebben, zijn ze tevreden.

Langzaam wandelen ze terug. Ondertussen kwebbelen die twee honderduit. Felien hoeft geen vragen meer te stellen, de informatie wordt grif verstrekt. Er is 'ergens' nog een oma, maar die is oud. Af en toe komt een tante helpen, maar niet vaak, want paps heeft vaak ruzie met haar.

'En wie maakt jullie vlechten?'

Feliens kappersoog heeft al een paar keer 'iets' met de prachtige pruikenbollen gedaan.

'We doen elkaars haar. Vroeger deed onze moeder het en die heeft het aan ons geleerd.'

Felien knikt. 'Ik ben kapster. Zal ik jullie haar eens heel mooi vlechten?' De meisjes beginnen te stralen.

'Met van die plooien opzij... Ik weet niet goed hoe je het moet zeggen. Eh... een vlecht bedoel ik.'

Felien denkt te begrijpen wat Annelein bedoelt.

'Kom, dan gaan we op het bankje bij ons in de voortuin zitten.'

'Heb je ook een vader?' vraagt Annelein, die als eerste gaat zitten.

'Ze bedoelt 'een man',' komt Berber.

Felien schudt haar hoofd. 'En ik heb ook geen vader en geen moeder meer. Ik woon hier bij een heel lieve meneer en mevrouw.'

Ernstig kijkt Berber op. 'Noem je ze ook paps en mams?'

Felien vist een kam uit haar tasje en schudt haar hoofd. 'Nee, ik was al zo groot toen ik hier kwam wonen. Ik noem ze bij hun voornaam. Rita en Jan. Gezellig, niet?'

Ze kamt voorzichtig het haar van Annelein, dat flink in de klitten zit. 'Ik haal een borstel, goed? Niet weglopen, hoor!'

Hopelijk is ze klaar voordat de kerkgangers terugkomen, denkt Felien als ze uit een lade van een halkastje een borstel haalt. In een mum van tijd hebben haar vaardige handen de haren opnieuw ingevlochten. De zon doet de blonde kopjes glanzen en Felien beweert: 'Ik wilde dat ik zulk mooi haar had als jullie! Misschien mogen jullie van paps wel eens met me mee naar een demonstratie. Weet je wat dat is?'

Ze loopt met de meisjes naar het hekje. Wat een verschil: ondanks de slordige jurkjes zien ze er nu uit als poppen.

'We vragen het en dan komen we het wel een keertje zeggen. Goed?'

Ze krijgt van elk plechtig een hand. 'En bedankt voor de katjes en het kammen.'

Berber geeft haar zusje een por, fluistert. 'Toe dan... zeg het dan!'

'Bedankt voor de kammen en het katje!' Alledrie schateren ze om de verwisseling van letters.

Felien ziet aan het begin van de laan Rita en Jan aankomen.

'Tot gauw, dag!' zegt ze en haast zich naar binnen, waar ze snel koffie zet.

Als Rita en Jan via de keukendeur binnenstappen, zegt Jan waarderend: 'Tjonge, dat is pas thuiskomen, niet, Rietje?'

Rita kijkt naar het gezicht van Felien. 'Je ziet er niet zo naar meer uit als vanochtend. Nog lekker geslapen?'

Felien haalt de 'zondagse' kopjes uit de kast. 'Daar kwam niets meer van.

Ik heb gewandeld en kijk... de eerste katjes!'

Rita steekt ze bij narcissen in een vaasje. 'Wat heerlijk toch: lente!'

Jan duikt al snel achter de zaterdagkrant en Rita, Rita vertelt de inhoud van de preek. Felien veinst een luisteren, wetend dat, ook al zou ze laten merken niet geïnteresseerd te zijn, Rita gewoon doorpraat.

'En er was een ons onbekende man, die een paar banken voor ons ging zitten. Later zag ik hem achter Jan en mij aan wandelen. Ik denk te weten wie het is...'

'Rita!' zegt Jan streng vanachter de beursberichten.

'Ik roddel niet!' verweert Rita zich. 'Je moet weten dat er hier op de hoek een gezin is komen wonen, waarvan de moeder onlangs is gestorven. De man is architect. Een bekende, zei de buurvrouw.'

Jan en Felien schieten gelijk in de lach. 'Toch roddel,' plaagt Felien.

Rita lijkt hen niet te horen. 'De villa van de hoek is uitgewoond. Je weet dat er tot voor kort pension in werd gehouden. Nou, ik ben blij dat die lui hier weg zijn. Maar goed, om op de architect terug te komen...'

'Koffie!' bestelt Jan.

Felien beduidt Rita te blijven zitten. 'Ik haal wel.'

In de keuken trekt ze een rol biscuit open en opeens is het of de huid van haar handen barst. Bezorgd bekijkt Felien haar vingers, die beslist abnormaal rood zijn.

Rita neemt, zodra ze Felien ziet binnenkomen, de draad van het gesprek weer op. 'Ze zeggen dat het een bende vanjewelste in die villa is. Een timmerman en een schilder zouden weken en weken werk hebben. Je vraagt je af...'

'Lekkere koffie!' vindt Jan. 'Een ander merk, Rita?'

Felien zegt: 'Ik heb tijdens een korte wandeling kennisgemaakt met de dochters van de architect. Berber en Annelein. Plaatjes van meiden... prachtig goudblond haar. Je zou er jaloers op worden. En ze hadden nota bene elkaars vlechten gemaakt. Zielig! Ik heb hun haar gekamd en gevlochten. Ze waren apetrots. Ze vroegen waar ik de katjes had geplukt. 'Paps is jarig en we hebben geen cadeautje.' '

Rita is begaan met de halfweesjes. 'De stakkers. Zo jong je moeder moeten missen... jij weet er alles van, niet, Felien?'

Felien blaast langs haar vingers.

'Nog pijn... wat zijn ze rood, kijk toch eens, Jan!' Rita is direct een en al bezorgdheid en Jan is niet zo goed of hij moet zijn mening geven.

'Dat lijkt wel eczeem, Felien. Werk je wel met handschoenen aan?'

Felien knikt. 'Met verven en zo... vanzelf. Maar ja, je komt toch wel eens in aanraking met de inhoud van de flesjes. Gisteren nog, toen ben ik wat slordig geweest tijdens het schoonmaken. En... we hebben een paar nieuwe merken gebruikt. Ik hoop maar dat die jeuk en dat roodachtige snel overgaat. Geen gezicht voor de klanten!'

'Morgen naar de huisarts,' beslist Rita.

'Ja, ma...' lacht Felien en grabbelt in de krantenbak naar een van de nieuwste damesbladen.

'Ik ga even de tuin in, misschien vind ik een windvrij plekje!'

Stil, heerlijk stil is het in de achtertuin. Geen gekwebbel van Rita, geen klanten – geen verhalen. Die zijn lang niet altijd de vrolijkste. Allerlei gebeurtenissen passeren de revue. Ziekten, sterfgevallen, krantenkoppen en burenruzies.

De zon tovert een kleurtje op Feliens wangen, ze sluit haar ogen en heft haar hoofd op. Het weekblad is vergeten.

Pas als ze een autoportier hoort slaan en de stemmen van een der getrouwde dochters en haar kinderen herkent, opent ze haar ogen en dwingt zichzelf opgewekt te kijken. Want de Feliens uit deze wereld zijn verplicht constant hun dankbaarheid te tonen.

De oude huisarts is met pensioen en de praktijk is door twee jonge artsen overgenomen. Felien is blij dat deze maandag de vrouwelijke dokter dienst heeft.

Meteen na de begroeting toont ze haar handen. 'Ik werk in een kapsalon en heb nooit allergieklachten gehad. Het jeukt zo erg dat het bijna pijnlijk is!'

De arts bekijkt de huid nauwkeurig. 'Handschoenen dragen! Tja, ik vrees dat er niet veel aan te doen is, buiten het voorkomen om. Ik geef natuurlijk wel een recept mee, we proberen wat uit. Maar mag ik vragen of u ook stress op het werk hebt? Of thuis problemen?'

Nee, wil Felien roepen. Thuis, ze mag niet klagen. Ook niet als ze soms tegen de muren opvliegt omdat ze het benauwd krijgt van Rita's bemoeienissen. En op de zaak: Sofie is niet mis. Maar redelijk. Wel hangt haar de ellende boven het hoofd om 'ooit' naar 'Het Haventje' te moeten. Ze zou geen uitvlucht weten te bedenken. Geen haar op haar hoofd denkt erover dit alles op te biechten!

'Nergens problemen!' zegt ze rustig.

'Kom dan volgende week maandag eens terug. Misschien doet de zalf wat. Daar beginnen we mee. Eventueel kunnen we naderhand een paar testen doen. Niet wanhopen!'

Niet wanhopen. Felien fietst terug naar huis. Wanhopen, dat heeft ze in haar leven al genoeg gedaan!

Rita wacht haar bij het hekje op. 'En vertel. Moet je in de ziektewet? We maken het elkaar dan gewoon gezellig en...'

Felien onderbreekt Rita. 'Wel ja, ik moet opgenomen... mijn handen gaan een poosje op sterk water en...'

'Spot er niet mee!' Rita voelt absoluut Feliens stemming niet aan.

'Ik heb de koffie klaar en er gezellig iets bij gehaald. We maken er een leuke dag van!'

Gezellig, leuk. Rita wil dat het leven een aaneenschakeling is van gezelligheden en leuke plannetjes. Felien zou willen roepen: En als ik vandaag eens iets voor mezelf wilde doen?

Rita staat erop 's middags met Felien mee naar de stad te gaan.

'Eerst naar de apotheek en dan gaan we op schoenenjacht. Je krijgt ze van mij.'

'Een van Rita en de andere van mij,' zegt Jan. 'En, Felien, hier zijn de autosleutels. Hoef je met die pijnlijke pootjes van je niet zover te lopen!'

Felien knikt Jan warm toe. Een schat is hij toch.

Eenmaal in de stad wordt het toch een flinke wandelpartij.

'Geen luxeschoentjes, die heb ik genoeg. En ook geen oubollige gezond-heidsstampers!'

Erg ijdel is Felien niet, maar ze wil er wel graag 'als de anderen' uitzien. Een verkoper geeft haar advies om naar een reformwinkel te gaan. 'Daar verkoopt men schoeisel dat door verpleegkundigen veel wordt gedragen. Dat weet ik van mijn dochter, die draagt ze al jaren!' Dankbaar voor dit advies stevenen de twee de winkel uit, richting 'Naturette'.

'Wat een naam...' bromt Felien. Pijnlijke handen en dito voeten – ze is letterlijk aan handen en voeten gebonden! De gezondheidssandalen zijn niet alleen functioneel, ze staan nog vlot ook.

'Neem meteen twee paar. Dan heb je afwisseling.'

Felien is te moe om tegen te sputteren.

Nadat Rita het eindbedrag heeft gepind en ze de winkel verlaten, klinkt het beslist: 'En nu gaan we gezellig ergens theedrinken. Met een gebakje!'

Later, in de beslotenheid van haar kamer, overdenkt Felien de dag. Morgen moet ze weer aan de slag. Echt uitgerust is ze helaas niet en de week lijkt haar dreigend aan te kijken.

Sofie en Henri zullen haar zelf de schuld geven van het eczeem. Het 'denk aan de klanten' hoort ze hen nu al roepen.

De dokter had gelijk. Waarschijnlijk is de oorzaak stress. Ze kan niet op tegen de sterke wil van Rita. Een eigen leven thuis lijkt onmogelijk. Ze durft niet voor zichzelf op te komen.

Niets is zo vermoeiend dan om altijd leuk en gezellig te moeten zijn. In gedachten is ze meermalen van huis weggelopen – om een eigen bestaan op te bouwen. Stel dat ze het deed: Rita zou de wanhoop nabij zijn en in een depressie zinken. En dat niet voor de eerste keer in haar leven, zo heeft Felien begrepen. Zoiets wil ze niet op haar geweten hebben.

O ja, ze is dankbaar. Ze wil Rita niet ongelukkig maken.

Feliens leven bestaat uit uitersten. Van weeskind tot 'beschermd object'.

3

DINSDAGOCHTEND IS ER NIETS MEER VAN DE LENTE TE MERKEN. REGEN VERmengd met hagel slaat dat wat bloeit neer.

'Ga maar met de bus, lieverd. Je komt anders drijfnat aan!' Rita Althuisius kijkt berispend naar buiten als verwacht ze daar een persoon te zien die verantwoordelijk is voor de weersomslag.

'Ach... ik heb toch een prima regenpak.'

'Je was al zo moe, dit weekeinde! Ik zal vanavond Sofie apart nemen en zeggen dat ze een oogje op je moet houden!'

Felien bedwingt een boze uitval. 'Doe dat nou niet, het werkt averechts, Rita. Echt, je kent Sofie niet in haar rol als werkgeefster. Dan is ze een volkomen andere vrouw dan als jouw vriendin.'

Rita protesteert tegen dat vriendin. 'We gebruiken vaak samen de koffie en babbelen dan wat. Een vriendin zou ik haar niet willen noemen.'

Tien minuten later begeeft Felien zich naar de bushalte, die op de hoek van de Boslaan is gesitueerd. Zoals altijd is de stadsbus vol scholieren die luidkeels met elkaar converseren en flauwe grappen vliegen over en weer. Gelukkig hoeft Felien slechts een kwartiertje mee te reizen. Dezelfde tijd heeft ze nodig als ze per fiets gaat en de kortste weg kan kiezen.

'Wat ben jij nat... veeg alsjeblieft goed je voeten!' is de begroeting van Sofie. 'Heb je geen paraplu? Onzin om je zo nat te laten regenen. Ieder weldenkend mens...'

De rest hoort Felien niet meer. Ze is na haar 'Goedemorgen' meteen doorgelopen naar de garderobe. Ze is, zo ziet ze aan de jassen, de eerste van het personeel.

Sofie heeft gelijk. Ze is net een verzopen kat, wanneer zou Rita eindelijk begrijpen dat ze door het lopen naar en van de bus minstens zo nat wordt als wanneer ze de fiets had gebruikt! Waarom, o waarom gehoorzaamt ze haar als was ze een kind?

Felien haalt een kam door het haar, trekt de kraag van haar bloesje recht en brengt make-up op. Ze is benieuwd hoe de schoenen bevallen.

Ada en Malou stappen gelijktijdig druk pratend binnen.

'Hoi, lui, ook zo'n heerlijk weekeinde gehad? Ik ben met vrienden naar het strand geweest, gaaf, hoor!'

Malou wijst op haar gezicht. 'Gebruind door de zon, niks geen zonnebankgedoe!'

Felien luistert naar hun verhalen, de een heeft in twee dagen nog meer meegemaakt dan de ander.

Het eerste telefoontje komt binnen en Felien haast zich naar de balie. Werken is beter dan het gekwek aanhoren. Zou ze diep vanbinnen jaloers zijn?

'U spreekt met salon Henri. Goedemorgen, met Felien.'

Een permanentafspraak. Of er vandaag nog tijd is?

Felien raadpleegt de agenda en informeert of mevrouw voorkeur heeft voor de persoon die haar zal helpen.

'Ja, ik wil graag dat jij het doet. Je weet precies wat ik bedoel. En zeg... je hebt toch ook je bevoegdheid voor schoonheidsspecialiste? Waarom richten jullie niet een paar cabines in? Zeker weten dat er genoeg klanten zouden komen!'

Felien voelt zich gestreeld. 'Wie weet. Ik zal het eens aankaarten!'

Henri duikt als laatste op. Zijn haar is nog vochtig van de douche en men zou hem blindelings kunnen volgen vanwege zijn zwaar 'mannenparfum'.

Hij sleept een grote doos achter zich aan. 'Goedendag, lady's. Kom eens kijken wat ik heb aangeschaft!'

Een vrouw met twee peuters stapt binnen. 'Knippen, graag!' zegt ze vrolijk op de toegeschoten Malou.

Felien moet Henri helpen met het openen van de doos. 'Kind... wat is er met jouw handen! Sofie, kom eens kijken!'

Sofie briest: 'Je hebt zeker je handschoenen niet gebruikt. Zo kun je je niet vertonen! Wat ben je toch voor uilskuiken. Je bent toch geen beginneling meer?'

Felien haalt doodongelukkig haar schouders op. 'Ik ben al naar de dokter geweest en die gaf me een smeersel. Hormoonzalf. Het zou ook van stress kunnen komen.'

Sofie snuift. 'Jij en stress. Je komt pas kijken. Wat maak jij nou mee? Je wordt door Rita en Jan in de watten gelegd.'

Henri kijkt berispend op. 'Zo kan het wel weer, liefste. Kom, trek eens aan die klep en voila! Ons stoplicht!'

Een stevige voet waarin een soort verkeerslicht is verankerd.

'Zo werkt het: bij groen licht kun je op het bord lezen: we hebben tijd om te knippen. Rood: komt u gerust binnen voor een afspraak, en oranje: binnen enkele minuten kunt u geholpen worden. Zaak is natuurlijk wel dat wij het binnen keurig bijhouden. Straks komt er een mannetje om de boel aan te sluiten.'

De ochtend verloopt zoals dat de meeste dinsdagen het geval is. Vanwege de markt is het behoorlijk druk.

Felien hoopt dat niemand een vervelende opmerking over haar handen zal maken. Wanneer ze verf moet mengen, is het eerste wat ze doet hand-schoenen aantrekken.

Tussen de middag heeft ze samen met Malou pauze. Achter de keuken is een piepklein kamertje dat op een ommuurd tuintje uitkijkt.

'Wat een chagrijnig weer!' moppert Malou. 'Wat heb jij dit weekeinde gedaan?'

Felien glimlacht. 'In vergelijking met jou niets. Veel geslapen, ik was bekaf... Mijn voeten leken wel twee maten groter, zo gezwollen waren ze.'

Malou werpt een blik op Feliens schoenen. 'Vandaar die gezondheidssan-dalen. Groot gelijk. Zeg... is het waar dat je thuis zo kort gehouden wordt? Ik begreep zoiets van onze geliefde bazin!' Malou hapt gretig in een krentenbol, houdt geen oog van Felien af. Vanwaar die belangstel-ling?

Felien aarzelt. Roddelen over Rita, dat staat gelijk aan verraad.

Malou vervolgt met volle mond. 'Hoe oud ben je helemaal? In ieder geval niet te jong om op jezelf te gaan wonen!'

Felien bekijkt het brood in haar trommeltje, zinnend op een antwoord. Malou moest eens weten dat ze jaren terug al 'op zichzelf' heeft gewoond. Weliswaar in een soort woongemeenschap, maar toch.

'Kijk!' zegt Malou belerend. 'Je kunt in de toekomst het volgende ver-wachten. Jij wordt superafhankelijk van die mensen, of zij gaan jou gebruiken. Het zal simpel beginnen: boodschappen doen... ergens heen-rijden... meegaan als een van de twee naar het ziekenhuis moet. Ik heb het in mijn familie zien gebeuren. Mijn ene nicht en haar ouders konden elkaar niet uitstaan – toch hadden ze elkaar nodig. Een soort symbiose!'

Felien staat al op de bres.

'Maar zo zit het bij ons niet in elkaar. Ik heb het fijn thuis. Rita en Jan zijn mijn beste vrienden. Wederzijds hebben we veel voor elkaar over. Van misbruik is van geen kant sprake!'

Malou grinnikt om het effect van haar woorden.

'Schat, ik wil je niet kwetsen. Maar ooit verlang je toch naar een eigen bedoening. Dat zit in ieder mens. Stel, je krijgt een vriend. Zie je het voor je? Hand in hand bij je pleegouders op de bank. Totaal geen vrijheid!'

Felien neemt met weerzin een hap van haar, door Rita met zorg klaarge-maakte, boterham.

'Ik kan anders aardig sparen... kostgeld betalen hoef ik niet!'

'Zie je wel,' troeft Malou. 'Jij misbruikt dus hun goedheid. Wie weet snakken ze ernaar eindelijk samen te zijn, zonder de zorg voor een 'kind'.'

Felien schudt haar hoofd.

'Ik wil je alleen maar helpen! Je gedraagt je zo anders dan alle meiden die ik ken. En... mocht je je bedenken en toch een flatje zoeken, tip me dan tijdig. Ik ga namelijk verhuizen. Mijn verdieping komt vrij en als je er vlug bij bent, kan ik wel wat met de huisbaas regelen. Heb ik je al verteld dat Koen en ik gaan samenwonen?'

Felien schudt haar hoofd. Samenwonen. Rita zou griezelen als ze dit zelf zou willen. 'Wat een besluit. En als je spijt krijgt? Zit er een huwelijk in?' Malou rekt zich uit als was ze een poes.

'Wie weet. Zoals het er nu voorstaat... Maar kom, onze pauze zit erop. Waarom kom je niet een keertje met me mee om de flat te bekijken? Zo'n kans krijg je voorlopig niet weer.'

'Ik zie wel!' Felien trekt zich terug in de toiletruimte. Niemand hoeft er getuige van te zijn dat ze haar handen insmeert. Gelukkig trekt de zalf er goed in. Stel dat het psychisch is, dan zal het niet veel baten.

Tijdens het werk dwalen Feliens gedachten telkens af naar Malous voorstel. Heerlijk zou ze het vinden om 's avonds in een eigen huis te komen. Niet te hoeven praten en luisteren. Stil bijkomen van de daagse beslommeringen.

Henri trekt haar, wanneer ze met een klant heeft afgerekend, even terzijde. 'Gaat het wel, meiske? Kom even mee naar het kantoor, ik wil die handen van je beter bekijken. Stel dat het aan de nieuwe haarverf ligt.'

Felien ziet een schittering in Henri's ogen die ze herkent. Haar ademhaling gaat gejaagd en de vingers beginnen te tintelen.

Henri neemt, zodra hij de deur van het kantoor heeft gesloten, Feliens handen in de zijne. 'Ik denk dat wat jij hebt een allergische reactie is. Een beginfase. Morgen fax ik naar de groothandel om meer productinformatie. En jij, jij moet voorlopig het knipwerk maar doen, voorzover mogelijk. Ik regel het wel met mijn vrouw!'

Het klamme zweet breekt Felien uit. Een harde stem... de deur wordt opengeworpen. Een ander woord is er niet voor.

'Ik zocht je! Probeer je een wit voetje bij de baas te halen!' snerpt Sofie. Henri geeft Felien een duwtje. 'Ik zal je laten weten wanneer de salarissen verhoogd worden.'

Salarissen! Een rilling huivert over haar rug. Als Henri zijn handen niet kan thuishouden, is ze snel vertrokken. Al gaat het ten koste van de broodnodige werkervaring.

Rita is, zoals gewoonlijk op dinsdag, in een prima stemming. Heel de dag neuriet ze gedeelten uit de ingestudeerde stukken. Ze verheugt zich oprecht 's avonds naar het koor te kunnen.

'Hoe was je dag?' roept ze vanuit de keuken als ze Felien hoort binnenkomen.

'Goed!' zegt Felien vermoeid.

Jan, die vlak na Felien thuiskomt, neemt haar jas aan en hangt deze aan de kapstok.

'Wat een bediening!' glimlacht Felien.

Vanuit de keuken komen heerlijke geuren. In de kamer staat een forse bos narcissen op tafel. Jan knipoogt. 'Onze Rita is heel de dag al in een 'do-mi-sol-do'-stemming!'

Jan schenkt voor Felien en hem een glaasje sherry in. 'Je ziet er afgetobd uit, Felien. Hoe is het met de handen? En... voldoen de nieuwe schoenen?'

Felien herinnert zich het gesprek met Malou. Zoals zij sprak over Jan en Rita... Vreemd dat het haar pijn deed, terwijl ze voor zichzelf weet dat ze graag het huis uit zou willen. Zeker weten dat ze toch momenten als deze zou missen. Samen met Jan in de voorkamer een glas drinken, de dingen van de dag bespreken.

Rita komt neuriënd binnen. 'Zo, wat gezellig! Blijf lekker zitten, Felien. Ik dek de tafel en dan kunnen we meteen aanschuiven.'

Zoals gewoonlijk is de maaltijd overheerlijk en de sfeer ontspannen. Rita vertelt dat ze kennis heeft gemaakt met de kleine meisjes op de hoek.

'Ze belden aan en vroegen naar jou. 'De kapster'. Leuk, niet? Plaatjes van kinderen. Berber en Annelien.'

'Annelein!' verbetert Felien. 'Heb je ze uitgehoord?'

Rita is een en al verontwaardiging. 'Ik zou niet durven. Maar ik heb ze wel toegezegd dat ze terug mogen komen als jij thuis bent. Is het waar dat je ze gevraagd hebt om model te zijn?'

Felien legt mes en vork neer, dept haar mond en knikt. 'Ze hebben zulk schitterend haar, die twee. Eigenlijk zou er een klein stukje af moeten, want met de lengte die ze nu hebben, kun je weinig beginnen. Ik wil graag oefenen voor de modeshow. Ons is gevraagd de mannequins te kappen. Maar... de 'paps' moet het goedvinden!'

Rita zegt tevreden dat ze de kinderen iets lekkers heeft toegestopt. 'En die namaakbarbies waar de kleinkinderen weleens mee spelen. Je had ze moeten zien kijken! 'Al ons speelgoed zit nog in dozen'...'

Samen met Jan ruimt Felien de tafel af waarna ze de afwas doet, terwijl Rita zich klaarmaakt voor haar avondje uit.

'Als ik Sofie zie...' zegt ze voor haar vertrek.

Felien grijpt Rita bij een arm. 'Alsjeblieft! Zeg niets over mij. Ze legt toch alles verkeerd uit en ach, ze is de kwaadste niet. Maar je moet haar niet prikkelen of de les lezen. Echt, Rita, je zou mijn positie schaden!'

Rita belooft zuinigjes niet over haar pleegdochter te beginnen. 'Maar als ze zelf over je spreekt...'

'Dan luister je zonder te antwoorden!' dreigt Felien.

'Goed, goed... jij je zin!'

Jan en Felien brengen de avond in een saamhorig zwijgen door en voor Rita thuiskomt, kruipt Felien in haar bed.

De nieuwe werkkleding is besteld. Malou en Ada zijn tevreden, Felien kan er niet warm of koud van worden.

'Morgen komt onze sollicitant om kennis te maken!' deelt Henri vlak voor sluitingstijd mee. 'Gilbert de Wit. Het is even aftasten of hij in ons team past en hij, van zijn kant, wil zich pas binden wanneer de sfeer hier hem aanspreekt.'

Malou knipoogt naar Felien. 'Misschien wat voor ons, Felientje!'

Zoals gewoonlijk moet er nog heel wat in de salon gebeuren voor het personeel naar huis kan.

Sofie is goedgemutst en zegt kort na zessen: 'Gaan jullie maar, ik doe de rest wel.'

Ada zegt te blijven helpen tot haar man komt voorrijden.

Malou grijpt het aanbod aan en zegt: 'Dan gaan wij ervandoor. Kom op,

Felien. We zijn lekker vroeg, kun je even met me mee om je toekomstige flat te bekijken!'

Felien stemt aarzelend toe. 'Maar niet te lang...'

Malou springt op haar mountainbike en roept: 'Anders wordt mammie ongerust!'

Felien perst haar lippen opeen en zwijgt.

'Wat woon je dicht bij de zaak... ik dacht dat je veel verder weg zat, in de bloemenwijk!'

'Wat een collega!' spot Malou. 'Zet je je fiets goed op slot. Na twee keer van mijn fiets beroofd te zijn, heb ik eindelijk mijn lesje geleerd. Even dacht ik erover zelf te gaan stelen, maar daarvoor ben ik toch te netjes opgevoed.'

Malou heeft een verdieping in een oud herenhuis zoals er meer in deze wijk staan. Keurig onderhouden en waar nodig gerenoveerd.

'En: volkomen vrij! Dikke muren, weinig burengerucht. Nou?'

Felien loopt naar het raam en neemt het uitzicht in zich op. Daken, tuintjes met lentegroen. Hier en daar een strook gras waarop kinderen spelen.

'Achter is een balkon. Op het zuiden!'

Felien maakt zich met moeite los van dat wat ze ziet. 'Je doet alsof je provisie krijgt wanneer je een huurder aanbrengt. Wel, ik weet zeker dat een etage als deze snel aan de man is. Ik... ik weet het niet, Malou. Hoe heb jij destijds je ouders verteld dat je het huis uit wilde?'

Malou schenkt twee glazen cola in en zegt lachend: 'Het ging vanzelf! Na mij komen nog twee meiden en een jongen. Iedereen was blij dat er meer ruimte kwam toen ik opkraste. Ik kreeg de oude pannen en potten, ma schafte nieuwe aan. Het is nooit een probleem geweest. En dat moet jij er ook niet van maken, suffie!'

Felien aarzelt, geeft dan toch iets prijs. 'Mijn pleegmoeder, Rita, is al eens erg overspannen geweest. De reden doet er niet toe. En ze kon er slecht tegen dat haar dochters de deur uitgingen.'

Malou knikt. 'Ik heb weleens over zulk gedrag gehoord. Het legenestsyndroom. Dus dat bestaat echt? Zit het wel goed tussen haar oren?'

Felien kleurt. 'Zeker wel...! Het is alleen... Ze is een moeder voor me geweest en dankzij haar ben ik wat ik nu ben. Het zou ondankbaar zijn als ik ze...'

Malou schudt haar hoofd. 'Meid, kijk in de spiegel! Je bent in de twintig! Je had al vrouw en moeder van een huis vol kinderen kunnen zijn. Als ik jou was, zou ik eens ernstig met die Rita gaan praten. En als het niet lukt, dan vraag je een sociaal werker. Of eh... jullie zijn toch van een kerk? Is er niet een dominee of zo...'

Samen lopen ze van de kamer naar haar piepkleine keuken. Van de badkamer is Felien weg. Heerlijk om hier te tutten.

'Ik zie wel. Echt, ik probeer erover te praten. Toch lief van je, Malou, om aan mij te denken.'

Malou geeft Felien een por. 'We – Ada en ik – houden heus wel rekening met je, kuiken! Enfin, jammer dat je weg moet. Als je een kwartier wacht, kun je Koen leren kennen.'

Tussen voetballende jongetjes en hondenuitlatende mensen door fietst Felien naar huis. Ze is niet eens veel later dan normaal. Of ze ooit de moed zal hebben om over de flat te beginnen? Toch moet ze het proberen. Al is het alleen maar om erachter te komen hoe Rita's reactie zal zijn.

De avonden worden beduidend langer en Jan Althuisius gebruikt de uurtjes na het warme eten om wat in de tuin te prutsen. Af en toe pauzeert hij, maakt een buurpraatje over de heg of kijkt genietend rond, leunend op de steel van een stuk gereedschap.

Ondertussen blijven zijn gedachten rondcirkelen om Felien. Er zit haar iets dwars, er broeit wat. Ze lijkt zo open, maar zich echt geven heeft ze nooit gedaan. Rita, weet hij, merkt zulke dingen niet op. Hij is een meer beschouwend type. Observeert de ander. Misschien bevalt Felien het werken niet meer. Zelden vertelt ze iets over haar dag. Afgetrokken en moe komt ze thuis, totaal in zichzelf gekeerd kan ze naar een film op tv kijken. Maar of ze werkelijk geboeid is, blijkt nergens uit.

Eigenlijk, zo vindt hij, heeft Felien te weinig vrienden. Zelden heeft ze contact met leeftijdgenoten. Ja, hij is oprecht bezorgd. Vandaag of morgen spreekt hij haar erop aan!

Al vanaf dat ze thuis is, loopt Felien achter Rita aan. Telkens als ze moed gevat heeft om over de flat van Malou te beginnen, wordt het plan getorpedeerd door Rita, die van alles en nog wat te vertellen heeft.

Pas als Rita zich in haar stoel heeft geïnstalleerd met een breiboek op schoot, krijgt Felien een kans.

'Ik wil een wintertrui opzetten voor het kleintje van Ange. Wat vind je van dit patroontje? Ach, als je onze Ange als baby'tje gezien had...' Rita verwijlt in het verleden.

'Ik ben bij een collega op de flat geweest. Ze gaat samenwonen en...'

Rita fronst haar wenkbrauwen. 'Waarom trouwen de jongelui tegenwoordig niet meer? Je hoort vaak na een paar jaar zeggen: de koek is op. Nou, ik vind...'

'Ze heeft mij die flat aangeboden. Het is vlak bij de zaak. Ik zou de afstand kunnen lopen...'

Rita laat haar breiboek uit de handen glijden. 'Jij... je hebt hier toch alles wat je hartje begeert! Je kunt sparen... je was wordt gedaan, het eten staat 's avonds klaar! Ik zou niet weten waarom jij op jezelf zou moeten!'

Ontzet kijkt Rita Felien aan. Er is angst in haar ogen. Felien slaat de hare neer. Waarom voelt ze zich nu zo schuldig?

'Je maakt een grapje!' probeert Rita.

Felien schudt haar hoofd. 'Ik ben toch oud en wijs genoeg, of niet? Susanneke en Ange hebben ook hun eigen bedoening. Dat wil toch uiteindelijk iedereen?'

Rita hapt naar adem. Het is of ze stikt. Ze wil van alles tegelijk zeggen. 'Ben je dan niet dankbaar?' en: 'Wat hebben we je misdaan?'

Felien stottert: 'Ik heb het hier altijd fijn gehad... maar nu is de tijd rijp om...' voor mezelf te kiezen, wil ze zeggen. Maar dat komt bij Rita niet over.

'Na alles wat we in jou hebben geïnvesteerd, draai jij ons je rug toe?'

Felien vecht tegen woede en onmacht. Dit is chantage. Zonder Rita en Jan zou ze zijn teruggevallen in een kwalijk milieu. Had ze Susan of Ange maar ingeschakeld, die weten precies hoe ze met hun moeder moeten omspringen.

'Toe, Rita... ik wil je toch niet kwetsen...'

Rita's gezicht is nat van tranen, die ze de vrije loop laat.

Felien hurkt bij haar neer. 'Toe... Rita, huil nou toch niet. Ik... het was maar een impuls. Eh... ik vond die flat niet eens zo aantrekkelijk, ik zou de tuin missen.'

Felien haat zichzelf om die leugens. Maar ze heeft geleerd om met leugens te leven. Het is een tweede natuur geworden.

Rita strekt haar armen uit. 'Ik kan jou nog niet missen, lieverd. We hebben het zo fantastisch en je krijgt van ons toch alle vrijheid? Ben je overspannen?'

Jan stapt binnen en begrijpt dat hij geen minuut later had moeten komen. 'Wie is hier overspannen? Ons Felientje?'

Rita roept dramatisch: 'Ze wil weg, Jan... op zichzelf wonen!'

Felien springt op. 'Rita zegt het te cru. Het is alleen... een collega bood me haar flat aan. Wilde een goed woordje voor me doen!'

Jan, die weet dat Felien allergisch is voor aanrakingen, moet zich bedwingen om haar niet in zijn vaderlijke armen te trekken.

'Tja, zoals alle vogeltjes zal ook Felien ooit uitvliegen. Ze verwent ons toch al door zo lang hier te willen wonen! Nota bene, twee ouwe mensen... haha!'

Felien kijkt Jan dankbaar aan. Jan, die in tweestrijd staat. Hij weet als geen ander dat Rita onmiddellijk zal instorten zodra Felien vertrokken is – anderzijds mogen zij deze jonge vrouw niet vasthouden. Het is hem duidelijk dat ze zich door Rita gemanipuleerd voelt. Hun eigen dochters hadden meer lef, kwamen uiteindelijk voor zichzelf op. Deze Felien echter heeft een 'verleden' dat hij noch Rita geheel kent. Ze weten zeker dat ze diep beschadigd is en waarschijnlijk tobt met de traumatische ervaringen. De gesprekken, destijds, met een therapeute, haalden weinig uit. Het werd niet met zoveel woorden gezegd, maar Feliens houding was duidelijk: tot hier en niet verder.

Rita kijkt wanhopig naar haar man, verwacht steun van hem. 'Kom, vrouwtje, je hebt mij nog!'

Rita springt op, rent naar de keuken.

Felien buigt haar hoofd. Jan legt voorzichtig een hand op haar bevende vingers, die zich in elkaar hebben gevlochten.

'Je moet je eigen leven leiden, meiske. Je eigen geluk bouwen. Rita zal wel bijtrekken. Ik ken haar toch... ze kan moeilijk loslaten. Maar dat is jouw probleem niet. Ze heeft fijne jaren met je gehad, je was voor haar de redding. We houden beiden van haar, maar zoals iedereen heeft ook zij een manco. Kom, droog je tranen. Ik praat wel met haar...'

Felien schudt haar hoofd.

'Ik loop een eindje om. En zeg haar maar dat ik het niet doe...'

Zonder haar jack te pakken haast Felien zich de deur uit. Lopen tot de voeten protesteren.

Pas als ze de Boslaan heeft verlaten, kalmeren de gedachten. Het verleden is koning, heerst over haar en haar wilsbesluiten, gelijk een tiran. Waarom, o waarom kan een mens niet overnieuw beginnen? Afrekenen met herinneringen. Ook met allerlei vormen van angst. Eigenlijk heeft Felien slechts één grote wens, vrij zijn, verlost van zichzelf. En ja, wat zou ze dolgraag simpelweg blij zijn! Een blij mens willen zijn. Is dat te veel gevraagd?

4

'HIJ DOET HET!' HENRI LOOPT HANDENWRIJVEND DOOR DE ZAAK. 'HET VER-keerslicht!' verduidelijkt hij. Zoals vaker het geval is, loopt de kapper over van ideeën. Terwijl hij een klant helpt, hoort Felien hem zeggen dat hij van plan is een 'orgaan' uit te brengen. Een maandelijks krantje waarin kappersadviezen en wat dies meer zij staan. De kosten worden door de adverteerders gedragen.

'Enig!' kirt de klant koket.

Halverwege de ochtend stapt Gilbert de Wit binnen, de sollicitant.

'Goedemorgen, allen!' zegt hij overduidelijk en voor iedereen verstaanbaar.

Henri laat na een kort excuus zijn klant in de steek en stevent op Gilbert af, gewapend met een borstel.

'Keurig op tijd, een punt voor jou. Kom, dan stel ik je aan het personeel voor.'

Een arm rond Feliens heupen. 'Dit is onze Felien, een vrouw met heel wat in haar mars.'

Felien draait zich een slag en weet zich zo van Henri's arm te bevrijden. Gilbert de Wit, een nog jonge man met een plezierige uitstraling. Halflang haar, dat fraai in model is geknipt. De huid is zonnebankbruin wat zijn ogen doet oplichten.

'Dag, Felien. Prettig kennis met je te maken!' Een stevige handdruk en een vriendelijk knikje.

Als Felien zich weer tot haar klant wendt, zegt deze: 'Een leuke jongen. Komt die hier werken?'

Felien zegt het niet met zekerheid te kunnen zeggen. Ze kamt het haar van de vrouw achterover en vraagt: 'Hoe wilt u het hebben? Nog steeds alles uit het gezicht of zullen we eens wat anders proberen?'

De ochtend verloopt in een goede sfeer. Sofie en Henri doen duidelijk hun best Gilbert de Wit te strikken.

Felien hoort hem vragen: 'Draaien jullie hier geen muziek? Viel me gelijk op: stilte!'

Henri zegt op heftige toon dat hij muziek in winkels haat. 'Je kunt het nooit iedereen naar de zin maken. De een wenst house en de ander Bach. Dan maar niets, vinden mijn vrouw en ik!'

Ada en Malou knipogen naar elkaar. Zij hebben de chef al vaak aangevallen over dit punt. Felien vindt het best zo. Ze is niet op de moderne muziek gesteld.

Tijdens de pauze is Gilbert nog steeds aanwezig. Hij knoopt een praatje aan met Malou en Felien. 'Zo, dus jullie bevalt het hier wel. Vertel eens wat over jezelf?'

Malou flapt eruit: 'Ik heb net Felien de huid zitten volschelden omdat ze mijn flatje niet wil overnemen. En juist haar gun ik het!'

Gilbert informeert naar de ligging van de woning. 'Misschien heb ik belangstelling. Mag ik eens komen kijken? En hoe komt het dat jij, als huurster, de huisbaas kunt beïnvloeden?'

Malou en Gilbert raken in gesprek en lijken Felien te vergeten. Ze glipt weg en heeft het plan even buiten een frisse neus te gaan halen. Weg uit de soms benauwde en geparfumeerde lucht van de salon.

Straks trekt Gilbert dus in het flatje. Felien bijt hard op haar onderlip. Wat had ze graag daar gewoond. Misschien komt er nooit weer zo'n kans.

In een kiosk koopt ze een kaart voor een van Susans kinderen. Meteen maar schrijven en gelijk posten. 'Graag een zegel erbij,' verzoekt ze.

De dichtstbijzijnde brievenbus is een paar minuten lopen en, kijkend op haar horloge, ziet ze dat haar pauze bijna voorbij is.

Naast de kapsalon is een bloemenboetiek en zoals gewoonlijk draalt ze bij het passeren om van de knappe lentestukjes te genieten. De eigenares echter staat zelf in de etalage en is bezig een karton te bevestigen waarop staat: 'Opheffingsuitverkoop, alles uit de potterie halve prijzen.' Ze steekt een hand op naar de verbaasde Felien, die terugknikt.

Komend bij de salon wordt de deur voor haar neus door Gilbert geopend. 'U hoort van me. Tot kijk. Dag, Felien!'

Henri houdt Felien staande. 'Het lijkt hem wel. Hij heeft een goede indruk van onze zaak. Die knaap komt uit een goed nest. Allemaal kappers. Prijswinnaars.'

Felien trekt haar sjaal af en ontdoet zich van haar jas. 'Hebt u gezien dat ze hiernaast weggaan? De bloemenzaak stopt...'

Henri knikt. 'Kom eens mee, jij. We moeten even babbelen!'

Felien loopt met tegenzin achter Henri aan het kantoor in.

'Ga zitten. Sofie en ik weten al geruime tijd dat die zaak vrijkomt. En we zouden knap dom bezig zijn als we dat pand niet aankochten! Nu heb ik met mijn vrouw gedacht om er een schoonheidssalonnetje in te zetten. Plus wat zonnebankcabines. En jij, Felientje, mag daar de scepter zwaaien. Je bent allround geschoold en precies het type door wie vrouwen zich graag laten behandelen. Niet wat je noemt een schoonheid met perfecte maten, op wie ze jaloers kunnen worden. Je bent beschaafd en klantvriendelijk. Met jou weten we waar we aan toe zijn. Nooit te belabberd om over te werken... je kunt verantwoordelijkheden aan. Wat dacht je van dat voorstel?'

Felien klemt haar jas in haar armen. 'Meent u het echt! O... dat wil ik zo graag, al heel lang!'

Henri straalt. Hij fluistert: 'Je loon zal behoorlijk worden opgetrokken en ik heb liever dat je er met de anderen nog niet over spreekt. We zijn namelijk nog aan het kissebissen over de aankoopprijs. En zolang de koop nog geen feit is, blijft het geheim. Ze hoeven hiernaast niet te weten dat we nogal happig zijn.'

Henri maakt een breed gebaar. 'Salon Henri – voor een compleet verzorgd uiterlijk.'

Feliens hart bonkt tegen haar ribben. 'Ik neem het aanbod dolgraag aan. Maar wat, als het gaat lopen? Komt er dan hulp bij?'

'Je loopt te ver vooruit. Laten we eerst zien dat we alles op de rails krijgen. Jij hebt je papieren, wij de zaak.'

Felien staat op, hoog tijd dat ze aan het werk gaat. Henri buigt zich naar haar toe en zoent haar onverwachts op de mond. 'Op de goeie samenwerking!'

Felien voelt zich verstijven en stommelt naar de deur. Achter haar hoort ze Henri zacht lachen.

'Wat is er met jou?'

Ada kijkt over een stapel kraakwitte handdoeken heen. 'Was de chef vervelend? Een standje gehad?'

Felien schudt haastig haar hoofd. 'Niets bijzonders. Eh... er zitten klanten te wachten.'

Ze haast zich naar het zitje, waar een paar jongelui in kapperstijdschriften zitten te bladeren.

'Jullie hadden een afspraak?'

In het voorbijgaan plaagt Malou: 'Wat moet je met je jas? Doe je die de klanten om als cape?'

Felien kan haar gedachten nauwelijks bij haar werk houden, telkens ziet ze het bloemenzaakje voor zich zoals het nu is. Er is zo veel van te maken, mits Henri er geld in kan en wil steken! Het helpt haar over de teleurstelling van de flat heen te komen.

Na sluitingstijd werkt ze als een bezetene, verlangend snel thuis te zijn om het goede nieuws te delen.

Sofie knikt haar toe. 'Goed plan van ons, niet?' fluistert ze. 'We dachten beiden aan jou. Jong, gediplomeerd en ons vertrouwd.'

Felien kleurt. Wat een lovende woorden!

De drie personeelsleden gaan gelijktijdig huiswaarts.

'Dus je weet het zeker, Felien? Geen eigen huisje voor jou? Ik dacht nog wel dat ik je over de streep had getrokken.'

Felien beweert dat ze nog een poosje 'voordelig' blijft wonen.

'Lekker sparen!' roept ze al fietsend de anderen na. Geld, sparen, voordelig wonen. Het zegt haar op zich weinig, maar omdat dit anderen wel aanspreekt, gebruikt ze de kreet om zich te verdedigen.

Rita heeft deze dag haar draai niet kunnen vinden. Stel dat Felien thuiskomt en zegt: ik heb me bedacht, volgende maand verhuis ik! De gedachte wordt een obsessie, krijgt uiteindelijk de vorm van een feit.

Rood tot in haar hals van de zenuwen is ze wanneer Felien thuiskomt. Ze ziet direct dat er iets is, want Felien is zichzelf niet. Ze straalt aan alle kanten, alsof ze juist voor een examen is geslaagd. Ze kust Rita ter begroeting, net als anders. Pas aan tafel komt ze met haar nieuws.

'Ik heb me dan toch wat te vertellen...'

Rita verslikt zich in een sperzieboon, wat Jan naar de keuken doet rennen om daar een glas water te halen.

'Vertel op. Salarisverhoging? Of heb je soms stiekem in de loterij gespeeld?'

Felien legt mes en vork neer. 'Ik ga promotie maken. Henri en Sofie kopen het bloemenboetiekje naast de zaak, het is nog geheim – dus denk erom! – en daar beginnen we een schoonheidssalon. En ik... ik krijg de leiding!'

Rita snikt van opluchting.

Jan springt op om Felien te feliciteren. Een kus op haar kruin en een stevige handdruk. 'Meid, van harte. Wat gun ik je dat! Een mooie kans om je te ontplooien!'

Rita kan in eerste instantie de goede woorden niet vinden. 'Ik... ik weet niet wat ik zeggen moet. Wat heerlijk allemaal!'

Felien leunt achterover en kijkt tevreden rond. 'Ik zie het al voor me – cabines met grote spiegels en de juiste stoelen. Aan de wanden planken en rekjes met de materialen. Weet je wat zo fijn is van dat beroep? Mensen helpen er beter uit te zien, foutjes leren verdoezelen. Ze gaan met meer zelfvertrouwen weg dan ze gekomen zijn!'

Rita beweert: 'En later, later heb je natuurlijk je eigen zaak! Iemand als jij!'

De avond verloopt totaal anders dan die ervoor. Tegen bedtijd heeft Felien nog geen slaap. 'Ik loop een stukje om... de opwinding houdt me klaarwakker!'

Ze is niet de enige die een avondwandeling maakt. De lente lijkt nu echt door te zetten.

Op de hoek van de laan vertraagt Felien haar pas. In het flauwe licht van een lantaarnpaal kan ze niet veel gewaarworden van de villa. Ze glimlacht bij de herinnering aan de meisjes. Zouden de dozen al uitgepakt zijn?

'Felien... kappermevrouw...'

Verbaasd haar naam te horen, blijft ze staan. Uit een raam van de boven-verdieping hangt een kind, ziet ze vaag.

'Berber heeft een bloedneus en ze maakt alles vies. Wat moeten we doen?'

Felien doet een paar stappen de tuin in en antwoordt gedempt: 'Vraag het paps... of slaapt hij?'

'Die is er toch niet... Wil je ons helpen?'

Felien kan niet anders dan toestemmen. Op de trap hoort ze vlugge voet-stappen en na wat gemorrel aan het slot zwaait de deur voor haar open. Het eerste wat ze ziet is een stapel slordig geplaatste dozen.

'Ze ligt in bed en bloedt...'

Het klinkt dramatisch maar de werkelijkheid valt mee. De bloedneus blijkt wel heftig, Felien weet echter wat te doen en even later lijkt het leed geleden. Je zou zo'n vader toch! Twee jonge meisjes alleen in huis laten!

'Mijn bed is vies, maar dat geeft niet. Ik draai het sloop wel om!' zegt Berber berustend, terwijl ze met een spits vingertje het watje dat Felien in haar neus heeft gestopt, betast.

'Dat is niet fris. Vertel me maar waar ik een schoon sloop kan vinden. En een dekbedhoes! Overal zit bloed!'

Annelein gaat Felien voor naar een ruime kamer waar prachtige meubels staan. Ze wijst op een kast en zegt: 'Daar ergens, geloof ik!'

Felien opent onzeker de deur. Stel dat de paps thuiskomt. Wat zal hij in eerste instantie denken?

Op de bovenste plank ligt fijne lingerie. Ondergoed, nachthemden. Een lichte parfumgeur zweeft haar tegemoet. Waarschijnlijk spullen van de overleden moeder. Of zou er een 'tante' af en toe voorbijkomen?

Annelein ziet haar kijken. 'Dat is van mamma geweest. Daar... daar liggen de slopen, en zo...'

Een vrolijk omslag plus sloop, keurig door een wasserij behandeld, dat ziet ze meteen.

Berber ligt in bed te giechelen. 'Blijf je nog een poosje? Tot paps thuis is?'

Felien aarzelt. 'Dat denk ik niet. Wil je nu opstaan... dan verschoon ik je bed. Annelein, doe jij die vuile spullen maar in de wasmand, wil je?'

Handig en snel brengt Felien het bed op orde. 'Ik zal een handdoek over het sloop leggen, zodat je, mocht het weer gebeuren, niet meteen alles vies maakt.'

Annelein hipt als een vogeltje om Felien heen. 'Stop je mij dan ook in bed?' bedelt ze.

Berber duikt diep weg. Boven de rand van het dekbed kijken twee oogjes Felien dankbaar aan. 'We hebben popjes gekregen van jullie moeder!' glimt ze.

Felien is even de vrouw die ze zou willen zijn, ze vergeet haar vrees voor aanraking. Ze kust het kind licht op het voorhoofd en knipt het bedlampje uit. 'Probeer maar te slapen, lieverd. Misschien zien we elkaar nog wel eens. Vergeet niet aan papa te vragen of ik jullie eens mag knippen!'

Anneleins kamer is een puinhoop. Felien houdt haar adem in. Voor het raam hangt een gordijn aan spijkers, overal staan dozen en nog eens dozen. Annelein schijnt de troep niet te deren. Felien tilt het kind over een paar dozen heen en legt haar in het bed.

Ze schurkt zich in de kussens, trekt het goedkope popje naar zich toe en vraagt: 'Krijg ik ook een nachtzoentje? Ik vind je zo lief, Felien! En je moeder ook.'

Felien is ontroerd. 'Weet je wat? Ga met je zus nog maar eens op visite bij mijn moeder. Ze heeft altijd wel wat lekkers in een trommeltje!'

Ze kan het niet laten, het is pure en ordinaire nieuwsgierigheid die Felien drijft een kijkje in de kamers en keuken te nemen. Ze heeft haar conclusie snel klaar: wat moet 'paps' een wanhopig mens zijn! Nergens is er van enige orde sprake.

Voor ze gaat, roept ze onder aan de trap: 'Dag, liefjes!'

Blij weer buiten te zijn, haast ze zich naar huis. Ze hoopt dat de paps snel komt, want het is een naar idee de meisjes alleen en zo kwetsbaar thuis te weten.

'Waar bleef je zo lang?' Rita staat op de onderste traptrede als Felien binnenkomt.

'Val niet om van schrik! Ik liep langs de hoekvilla toen ik mijn naam hoorde roepen. Een van de kleine meisjes had een bloedneus en ze wisten zich geen raad. Nota bene... de vader heeft ze zonder meer alleen gelaten! En dat in deze tijd... Ik heb ze geholpen, en Rita, als jij de bende in dat huis gezien had, zouden je handen jeuken!'

Klaarwakker is Rita. 'Vertel het nu niet aan iedereen in de laan!' zegt Felien aan het eind van haar relaas. 'En o ja, ik heb ze gezegd dat ze gerust af en toe bij jou mogen langskomen voor wat lekkers!'

Rita's gevoelige aard is geraakt. 'Misschien kan ik met wat buurvrouwen iets doen daar. Dat is toch de normaalste zaak van de wereld! Dit hier is een fantastische buurt. Toen onze Ange destijds zoek was, hebben we hulp en steun van hen gehad.'

Felien knikt. 'Weet ik toch. Je ziet maar. Gunst, Rita, nu kan ik nog niet slapen vanwege die kinderen! Enfin, die man zal toch niet de hele nacht wegblijven!'

Achter elkaar lopen ze naar boven.

Voor Rita het echtelijk bed opzoekt, zegt ze: 'Ik zal mijn oren toch te luisteren leggen. De man uit de winkelwagen is nogal loslippig... maar vertel het niet aan Jan!'

Gilbert de Wit heeft laten weten graag in salon Henri te komen werken. 'Eindelijk een man erbij,' snuift Henri. 'Ben ik uit mijn eenzame positie verlost!'

Malou bromt binnensmonds richting Felien. 'Is hij dat dan? Een man?'

Felien verbijt een grinnik. En of Henri een man is. Een die maar wat graag een slippertje zou maken. Felien heeft dan ook het vaste voornemen grote afstand te bewaren.

'Nu Gilbert de gelederen komt versterken, kunnen we een schema opstellen aangaande de tehuizen. Ik ga morgen naar 'Avondvreugd' en heb beloofd de eerste tijd zelf te behandelen. Men kent mij daar namelijk al langer, veel mensen kwamen vroeger al naar mijn zaak. Zodra Gilbert in dienst is, verdelen we de taken.'

Gilbert heeft, zo blijkt, Henri ideeën aan de hand gedaan. Woensdagmiddag wordt kinderknipdag. Aangepaste prijzen, een speciale kinderhoek en voor elk klantje een aardigheidje. Op zich niets nieuws, maar wel voor 'Salon Henri'.

Felien denkt aan de meisjes Berber en Annelein. Plaatjes van kinderen die zo zouden kunnen meedoen aan een modeshow.

Aarzelend informeert ze bij Sofie: 'Heeft het 'Modehuis' al genoeg modellen? Onlangs las ik een advertentie waarin ze om dames met extra grote maten vroegen. Ze showen toch ook kinderkleding?'

Sofie bekijkt Felien van onder tot boven. 'Hoe moet ik dat weten? Ik houd me alleen met de hoofden bezig. Jij zou dus willen lopen?' Ze snuift.

Felien haast zich dit te ontkennen. 'Nooit aan gedacht. Ik vind het al genoeg om daar te kappen.'

'Groot gelijk, ieder zijn branche. Waarom wilde je dat weten van die kinderen?'

Aarzelend legt Felien uit dat ze een paar perfecte modelletjes weet.

'Vraag het zelf! Daar staat de telefoon!'

Ze wil niet terugkrabbelen en zoekt het nummer van het 'Modehuis' op. De eigenares is bezet, of mevrouw wil terugbellen?

Felien prakkiseert er niet over maar zegt: 'Uitstekend.'

Net als ze de hoorn wil neerleggen, roept de stem aan de andere kant dat mevrouw vrij is.

Felien herhaalt haar vraag. 'Het is maar een idee,' stamelt ze. Er komt niet meteen een reactie.

'Kindermodellen. Moment, ik zie het na. Hoe oud ongeveer, welke maten?'

Daar heeft Felien geen verstand van. 'De leeftijd weet ik wel, acht en tien jaar. Het zijn mooie kinderen...'

Het antwoord verbijstert Felien. 'Kom maar eens langs. Maar er is wel haast bij. Er zijn een paar meisjes uitgevallen en ieder jaar is het zoeken naar de juiste persoontjes een opgaaf. Ze groeien namelijk zo hard dat je niet weet of ze er een volgend seizoen nog geschikt voor zijn. Mag ik uw nummer?'

Sofie heeft uit de verte Felien gadegeslagen. 'Wat kijk jij beteuterd! Kreeg je van madam een grote-je-weet-wel?'

Felien blaast haar wangen bol. 'Ik zit eraan vast! Lieve help, ik weet nog niet eens of ze het van thuis mogen! Niks voor mij om zo voorbarig te zijn. Enfin... Ik zie wel.'

Stel dat de vader haar de les gaat lezen om de genomen vrijheid. Kinderen dingen beloven die niet waargemaakt kunnen worden. Heel laf, maar wel handig, overweegt ze om Rita eropaf te sturen. Die weet hoe je mensen moet aanpakken, zelf gebruikt Felien vaak net de verkeerde woorden.

Tegen de namiddag wordt het druk in de zaak. Het zachte weer lokt velen naar buiten en sommigen komen op het idee te proberen of de kapper tijd heeft.

Felien is dankbaar goed schoeisel te hebben. Toch kruipt de vermoeidheid tegen zessen in haar benen. Tijdens haar stageperioden heeft ze in zaken gewerkt waar het af en toe stil was. Het niet kunnen doorwerken leek nog meer vermoeidheid op te wekken dan constante arbeid.

'Op slot die deur en niemand meer erin!' roept Ada als de laatste klant glimlachend naar de uitgang is begeleid. 'Koffie!' commandeert ze vervolgens.

Sofie draagt Felien op het buitenraam te zemen. 'Het is wel door de hulp gedaan, maar kijk eens... er is met modderkluiten gegooid. Ik zag het gebeuren!'

Op en neer met de spons. Sofies ogen reizen vanuit de salon mee.

Felien trekt met de zeem rechte strepen. Waarom maken mensen de boel van anderen toch zo graag smerig? Maar al te vaak moet Henri allerlei graffitifiguren en andere opschriften van de muren schrobben. Ook hebben ze last van het kauwgomprobleem, overal vinden ze het, tot onder de leuningen van de kapstoelen.

Met een zwaai gooit Felien de emmerinhoud over de stoep. Als iedereen z'n eigen straatje schoonhield, zou de wereld er heel wat beter uitzien.

'Je kunt gaan!' zegt Sofie genadig en maar al te graag volgt Felien dit bevel op.

Ze overvalt Rita met haar verzoek. 'Durf je het echt niet zelf? Tja... misschien kunnen we er vanavond samen opaf!'

Felien heeft, zittend op de keukentafel, verslag gedaan.

Rita geniet. Heerlijk toch, een jong mens in huis. Iemand die met verhalen van buiten komt. Haar erin betrekt. Gelukkig is er niets meer van de teleurstelling aangaande de te huren flat te merken. Ze wil graag Felien ter wille zijn wat betreft een bezoekje aan het hoekhuis.

'Ik hoorde van de melkboer...' fluistert ze, 'dat er in het begin af en toe een vrouw over de vloer kwam. Nu haalt hij een paar keer per week het flessenrek bij de deur weg. Daar zit een boodschappenbriefje in. En meneer vergeet te betalen...'

'Dat zal wel geen opzet zijn. Wil je wel geloven, Rita, dat ik nieuwsgierig naar 'paps' begin te worden? Ik ben blij dat ik er niet alleen opaf hoef te gaan!'

Rita heeft graag het laatste woord, ook dit keer. 'Zie je nou wel, liefje, dat het thuiswonen zo gek nog niet is? Je bent nooit alleen. Er is altijd wel iemand bereid hulp te bieden. Samen ben je sterker. Durf het eens tegen te spreken!'

Felien glijdt van de tafel af.

Even zwijgt ze – veelbetekenend. Dan zegt ze, beseffend dat Rita haar antwoord als een grapje zal opvatten: 'Tegenspreken? Ik durf niet... het wordt de hoogste tijd dat ik me erin oefen!'

Dit keer is het Felien die het laatste woord heeft!

5

WANNEER RITA EN FELIEN KLAARSTAAN OM HUN MISSIE IN HET HOEKHUIS TE vervullen, gaat de bel. Een collecte! hoopt Felien.

Rita trekt de deur open en begroet hartelijk een vriendin: 'Bonnie, wat leuk... kom binnen!'

Felien zucht hartgrondig.

'Sorry, liefje, je zult alleen moeten!' Rita heeft alleen nog aandacht voor haar vriendin. Felien wordt vluchtig begroet en kwebbelend begeven de vrouwen zich naar de voorkamer.

Felien recht haar schouders. Zij, die al zo veel heeft meegemaakt, zou ertegen opzien om 'paps' te benaderen? Onzin toch? Het is maar een paar minuten lopen, te kort om zich te bezinnen op de manier waarop ze haar vraag gaat aankleden.

Berber doet na haar bellen open.

'Annelein, kom eens kijken wie er is?'

Wat een begroeting. Geroffel van voetjes op de trap. 'O!!!' jubelt Annelein. 'Wat fijn, Felien!'

Een stem klinkt op van achter uit de gang. 'Mogen jullie die mevrouw zomaar bij de naam noemen? Tja, de moderne jeugd, is het niet?'

Felien krijgt een hand. Paps: een man van midden dertig met een gegroefd gezicht. Een nogal slordig baardje en dito kapsel. Feliens kappersvingers jeuken. Maar ze is niet voor meneer Berkhoven persoonlijk gekomen.

'Ik ben Felien Houten en woon een paar huizen verderop. Ik heb onlangs kennisgemaakt met uw dochters...'

Meneer Berkhoven doet een pas opzij.

'Kom gerust verder, mevrouw Houten.'

Felien haast zich te zeggen: 'Noemt u me maar Felien, zoals iedereen.'

Berkhoven glimlacht. Het maakt zijn gezicht jonger. 'Dan ben ik voor jou Godert. Zo, Felien, je bent de eerste in de laan die ik leer kennen!' Hij gaat haar voor naar de kamer die er tamelijk ordelijk uitziet. Zware meubels doen het vertrek kleiner lijken dan het in werkelijkheid is.

De meisjes gaan rechts en links van Felien zitten, kijken verwachtingsvol omhoog.

'Ik mag je bedanken voor de keer dat je mijn dochter eerste hulp hebt verleend. Tja, als je niemand in de omgeving kent, is het moeilijk een oppas te vinden.'

Wat een excuus. Felien bedwingt zich en zegt zo vriendelijk mogelijk: 'Er is een oppascentrale die een dag van tevoren bericht wil over de tijden dat er hulp nodig is. Ik wil maar zeggen...'

Godert streelt zijn baardje en knikt. 'Ik ben niet thuis in die dingen. Mijn vrouw heeft altijd voor de meisjes gezorgd. Nooit buitenshuis gewerkt, het gezin was haar alles. Sinds ze ons is ontvallen, zijn we net drie asielzoekers.' Opeens schiet het Godert te binnen dat hij gastheer is. 'Kan ik iets voor je inschenken? Koffie, thee, een glas fris?'

Berber springt op. 'Ik kan heel goed koffie zetten, hè, paps?'

Felien zegt hartelijk: 'Ik wil heel graag een kopje koffie dat door Berber is gezet.'

De meisjes rennen naar de keuken, druk babbelend.

'Het zijn schatten van kinderen!' zegt Felien spontaan. 'En zo wijs voor hun leeftijd!'

Godert knikt. 'Ik verwaarloos ze en voel me erg schuldig. Er is gewoon niemand die kan bijspringen. Een tijdje kon ik rekenen op een zus van mijn vrouw, maar die had het hier snel bekeken. Het huis te groot, de meisjes te bewerkelijk. Tja, ik moet hoognodig uitzien naar een hulp. Mag ik vragen wat de reden van uw komst is?'

'Ik zal kort zijn, meneer... Godert, bedoel ik. Het gaat hierom: ik heb eens tegen de meisjes gezegd dat ik hun haar wel wilde kappen. Zulk prachtig lang haar krijg ik zelden. Nu wil het geval dat het 'Modehuis' elk seizoen een show heeft voor de klanten. Ook kinderen lopen mee om de nieuwste mode te tonen. Ik ben kapster en mag met enkele collega's de kapsels verzorgen. Mij kwam ter ore dat er nog kindermodellen worden gezocht en ik dacht meteen aan Berber en Annelein. De vraag is of u toestemming wilt geven?'

Godert fronst zijn wenkbrauwen. 'Tja, wat moet ik zeggen? Ik dien in gedachten eerst na te gaan of mijn vrouw 'ja' gezegd zou hebben. Zij was geen voorstandster van uiterlijk vertoon. Ze kwam uit een degelijk nest en ik, ach, ik liet haar haar gang gaan. Ik pas me gemakkelijk aan. Tja, wat zou Barbra gezegd hebben?' Een rimpel tussen de wenkbrauwen verraadt denkwerk.

'Het betreft een gerenommeerd modehuis, Godert. Degelijke kleding van goede kwaliteit...'

Felien huivert van haar eigen woordkeus. Degelijke kleding, dat begrip spreekt Godert Berkhoven aan. Hij knikt aarzelend.

'Als jij instaat voor die zaak zal het ongetwijfeld in orde zijn. Tja, misschien was Barbra zelfs gevleid door het verzoek... Ik kan het haar niet meer vragen...'

Felien zegt medelijdend: 'U mist haar erg, is het niet?'

Godert is niet in staat een antwoord te geven en grabbelt uit zijn grauw uitziende ribbroek een zakdoek. 'Het gaat nooit over. Nooit. Ik doe mijn werk... niet meer met plezier, zoals vroeger. Vanmiddag was ik op de bouw... Het zegt me niets meer om mijn eigen ideeën verwezenlijkt te zien. Barbra heeft een stuk van mij meegenomen de dood in. Geloof je in God?'

Felien knikt. 'Ja.'

Simpel geloven dat er een God bestaat, zo ervaart ze dagelijks, is geen vertrouwend geloof.

'U? Jij...'

Godert lijkt zich te ontspannen. 'Ik vertrouw erop dat er een weerzien is na de dood. Het zal er anders zijn dan op aarde... ongetwijfeld – en dat is maar goed ook. De gedachte ooit met Barbra verenigd te worden, houdt mij op de been.'

Ze kan er niets aan doen, de vraag is eruit voor ze het goed beseft. 'En de meisjes dan? Het zijn zulke leuke kinderen... je kunt toch voor hen leven?'

Een kort schouderophalen is het antwoord. 'Ik ben een man, de kostwinner. Verstand van kinderen heb ik niet.'

De deur wordt opengestoten en Berber stapt behoedzaam over de drempel, een beladen dienblad in de handen. Achter haar Annelein voor wie alles niet snel genoeg gaat.

'Zo, jullie zijn een beste hulp voor je vader!' complimenteert Felien. Godert schijnt het gewoon te vinden om door zijn tienjarige dochter bediend te worden.

Vol verwachting blijven de twee naar Felien staan kijken als ze haar eerste slokje koffie neemt.

Sterke koffie. Felien heeft het idee dat ze er scheel van gaat kijken.

'Mag ik er alleen nog wat melk in? Heerlijk, zeg!'

Een zucht ontsnapt aan Berbers mond. 'Annelein... de melk!'

Weg is het kind, richting keuken.

'Felien is gekomen om te vragen of jullie willen meedoen aan... hoe heet zoiets ook al weer?'

'Modeshow.'

Berber begint te glimmen. 'Ik weet best wat dat is, hoor!'

Annelein houdt Felien een kannetje koffiemelk voor. 'Zo deed mammie het ook altijd, hè, Berber?'

Berber trekt haar zusje aan een vlecht. 'Weet jij wat een modeshow is?'

Annelein haalt de schonkige schoudertjes op. 'Iets met mooie honden of zo?'

'Mooie mensen in nieuwe kleren. Vrouwen, mannen en kinderen dragen kleren die pas uit een kledingfabriek komen. En als ze gekleed zijn, wandelen ze achter elkaar over een lange mat in een winkel. Daar zitten mensen die graag kleren willen zien, omdat ze wat gaan kopen. En nu is de vraag aan jullie beiden: zouden jullie het leuk vinden om mee te doen?

Leuke jurken en broeken met shirts dragen, schoentjes die erbij passen en ik, ik maak jullie haar heel mooi. En ik geloof dat paps het goedvindt!'

Berber slaakt een indianenkreet. 'Waw... hoi! Annelein! We krijgen nieuwe kleren! Mogen we ze ook houden?'

De volwassenen wisselen een blik. 'Nee... dat is niet de bedoeling!' haast Felien te zeggen. Een domper, dat is duidelijk. Godert Berkhoven is nog wel zoveel vader om dit op te merken. 'Wel, misschien wil Felien voor jullie zomerkleding uitzoeken. Ik zou niemand anders weten die dit op zich kan nemen. Felien?'

Vol spanning kijken de meisjes haar aan. 'Maar natuurlijk... Ik zou het leuk vinden, echt waar. Maar dan moet jullie vader wel zeggen hoeveel ik mag besteden...'

Godert lijkt verlegen met dit verzoek. 'Ik weet met de beste wil van de wereld niet wat zulke kinderen nodig hebben!'

Felien verbijt haar ergernis. 'En ik weet met de beste wil van de wereld niet hoe het met uw bankrekening staat!'

Godert maakt een onverschillig gebaar. 'Dat is geen probleem. Je kunt je gang gaan. Als je het doen wilt, verlos je mij van een lastige taak. Ik weet me geen raad in dat soort winkels!'

Feliens maag krampt samen van de sterke koffie, maar accepteert toch een tweede kopje.

'Ik ben zo blij...' Annelein wiegt zich al zittend zacht heen en weer. 'Op school plagen ze ons, ze vinden de jurken stom. Niemand heeft zulke jurken als wij...'

Godert heeft een antwoord klaar. 'Ze zijn nog wel door mammie gemaakt! Vergeet dat niet.' En tegen Felien: 'Mijn vrouw was artistiek. Ze ontwierp zelf dat soort jurkjes, was altijd in de weer met strikjes en kwikjes. 'Mijn dochters zien er tenminste niet uit als het doorsneekind...' zei ze vaak.'

Zodra de tweede kop koffie is weggewerkt, staat Felien op.

'Ik ben zo blij met je toestemming, Godert. Ik zal aan het 'Modehuis' doorgeven dat ze op de kinderen kunnen rekenen. Men wil hen natuurlijk wel even zien voor de maten en dergelijke. Ik heb deze week een middag vrij. Zal ik ze dan komen halen?'

De afspraak is snel gemaakt. Felien drukt Goderts hand en impulsief zegt ze: 'Als u ooit hulp nodig hebt... de mensen bij wie ik in huis woon – mijn pleegouders – willen altijd helpen. Vooral Rita, die staat klaar wanneer men een beroep op haar doet.'

'Dat is die lieve oma!' joelt Annelein. 'De moeder van Felien, ja toch?'

Godert zegt graag, indien nodig, gebruik van het aanbod te maken. 'Met kinderen kom je zo vaak voor onverwachte verrassingen te staan!'

Boordevol gedachten wandelt Felien naar huis. Ze is niet van plan uitgebreid verslag te doen in het bijzijn van Rita's vriendin.

Tot haar tevredenheid zijn de twee vertrokken. 'Er is de een of andere bazaar of hoe zoiets ook mag heten. Wel zo rustig!' knipoogt Jan Althuisius.

Aan hem kan Felien haar verhaal kwijt. 'Jan,' besluit ze, 'die man mist zijn vrouw op een manier die niet normaal is. Hij verwaarloost zijn dochters. Waar moet dat heen? Straks komen ze – net als ik – in een kindertehuis terecht. Want vandaag of morgen gebeurt er iets onoverkomelijks en wordt hij uit de ouderlijke macht ontzet! Ik ken verhalen...'

Jan begrijpt dat Felien nog vaak gepakt wordt door haar verleden. Praatte ze er maar eens over! Verder dan een oppervlakkig verslag uit die periode komt het niet. Ja, misschien heel in het begin, toen ze pas onder hun hoede was. Toen hadden ze haar moeten uithoren en proberen te helpen met de verwerking. Maar Rita en Jan waren destijds al blij met een glimlachje en drongen niet aan op een diepgaand gesprek.

'Lieverd, je ziet spoken. Hoe lang is die vrouw overleden? De wonden zijn nog vers, neem ik aan. Misschien is het een taak voor Rita en jou om wat suggesties te geven. Die Berkhoven is een bekende architect die meer dan goed betaald wordt, neem ik aan. Dus hulp zal hij gemakkelijk kunnen bekostigen. Waarschijnlijk heeft hij alleen iemand nodig die de boel voor hem op poten zet!'

Felien bindt in. 'Misschien heb je gelijk, lieve Jan. Kom, ik ga minstens een liter Spa drinken. Mijn maag is twee maten gekrompen door de koffie van Berber!'

Jan kruipt maar al te graag weer achter zijn krant. Iets kan hij wel volgen en zelfs begrijpen aangaande het gedrag van die Berkhoven!

De eigenares van het 'Modehuis' reageert tevreden als Felien haar telefonisch op de hoogte brengt over Goderts beslissing.

'Ik kom op mijn vrije middag even met ze langs, dan help ik hen meteen om kleding voor ze uit te zoeken. Ik heb namelijk de vrije hand!'

'Zulke klanten moeten we hebben! Bedankt en tot kijk!'

Sinds Henri Felien op de hoogte heeft gebracht over hun bouwplannen is de verhouding veranderd. Sofie behandelt haar meer en meer als een gelijke, wat zelfs door Ada en Malou wordt opgemerkt.

'Wat zijn jullie close... Voelen ze zich schuldig omdat je tobt met je handen?'

'O ja, vast en zeker!' reageert Felien onbewogen.

Ze vindt het vervelend tegenover de collega's om de plannen te verzwijgen, maar ze kan moeilijk tegen Henri's eis ingaan.

Gelukkig is er heel de dag – buiten de pauzes om – geen gelegenheid tot privégesprekken. Sommige klanten houden niet alleen de kappershanden vast, maar ook hun aandacht.

Felien kan goed luisteren, vertelt nooit iets door wat in vertrouwen is meegedeeld.

Na sluitingstijd wenkt Henri haar naar het kantoor te komen. 'Het is voor elkaar – ik heb een bod gedaan en het is geaccepteerd!'

Felien voelt dat ze gaat stralen. Henri doet een pas in haar richting en handig draait Felien zich in een danspasje van hem weg. Met een tafeltje tussen hen in voelt ze zich veiliger.

'Het is fantastisch!'

'Nu word je dus op korte termijn een gelijke van mijn vrouw en mij, dus ik zal Sofie voorstellen dat je ons gaat tutoyeren!'

'Zó... maar dan vind ik dat u dat de anderen ook moet vragen. Ik heb er een razende hekel aan om een uitzondering te zijn!'

Henri kijkt zuinig. 'Je kent Sofietje toch... Nou ja, wie weet!'

Het was al 'Henri en Sofie', nu wordt het dus ook jij en jou.

'Wanneer wordt met de verbouwing begonnen?'

'Snel. Ik ga morgenavond naar een architect voor de tekening. En jij, jij gaat met me mee!'

'O...' Samen met Henri in een auto. 'Sofie gaat ook mee, neem ik aan? Ze heeft een goede kijk op bijvoorbeeld inrichting...'

'Kan zijn, maar jij moet dit keer zeggen hoe je het wilt hebben. Jij hebt ervaring in zo'n instituut. Of niet soms?'

Sofie komt als geroepen het kantoor in. Ze is gehuld in een geruite schort. 'En? Hoe vinden jullie ons nieuwe uniform? Dit is voor jou, Felien.'

De korte rok staat Felien leuk, maar blijkt voor Sofie een slechte keus.

'Staat je niet, duifje. Te jeugdig voor je. Als ik jou was...'

Sofie keert zich om en verlaat zonder een woord te zeggen het kantoor.

'Niet erg tactvol...' waagt Felien te zeggen.

Henri grinnikt vermaakt. 'Anders begrijpt ze het niet. Zo is Sofie. Enfin, is onze afspraak gemaakt? Kan ik je van huis halen, of gaan we na sluitingstijd ergens eten?'

Een reden om dat laatste te ontwijken, ligt voor de hand.

'Morgen heb ik mijn vrije middag. Ik moet eerst voor mijn handen naar de dokter en daarna neem ik de meisjes over wie ik heb verteld mee naar het 'Modehuis' om ze voor te stellen. Het is het beste dat je me thuis komt halen, Henri.'

Terug in de salon blijkt dat de collega's al zijn vertrokken. Sofie loopt nog rond, echter zonder schort.

'Wat vind jij... staat dat schort me echt niet?' Zelden is Sofie vertrouwelijk en Felien weet dan ook niet goed raad met zo'n vraag.

'Het is misschien aardiger dat u, als cheffin, iets anders draagt dan de kapsters. Bijvoorbeeld een japon waarover een hesje van dezelfde stof als de schorten.'

'Een hesje... dat is een idee. Misschien kan mijn naaister dat van het schort maken!'

'Als ze handig is zeker wel. Moet niet moeilijk zijn. Zelfs ík zou het kunnen!'

Felien krijgt een vriendschappelijke dreun op haar rug. 'Meid, ga gauw naar huis. Rita heeft de warme prak al klaar, denk ik. Tot morgen!'

De huisarts is niet erg tevreden over Feliens handen. 'Heb je altijd netjes handschoenen gedragen? Meermalen daags de crème gebruikt? Tja, we zien het nog een weekje aan. Knapt het nog niet op, dan stuur ik je door!'

Felien schudt dit dreigement van zich af en keert huiswaarts.

Rita doet haar schoonheidsslaapje en Jan mijmert, zoals hij het zelf belieft te noemen, achter de krant.

'Jan... mag ik de wagen gebruiken? Ik moet met Berber en Annelein naar het 'Modehuis'... Jan?'

Een gemurmel. Een hand die in de broekzak naar de sleutels zoekt.

'Voorzichtig zijn.'

Een antwoord is niet nodig en opgewekt begeeft ze zich naar het hoek-huis. De meisjes zitten als twee schildwachten op het tuinmuurtje. 'Daar is ze...!'

Ze duiken op de auto af en rukken aan de portieren. 'We dachten dat we met de bus moesten!'

Ze hebben zich opgetut. De jurkjes zijn echter duidelijk van vorige zomer en te krap. Alles wat ze aan sieraden hebben is om- en aangedaan. Felien ziet erop toe dat ze zich in de gordel rijgen en vraagt langs haar neus weg: 'Wat voor kleren zoeken jullie straks uit? Jullie zijn oud en wijs genoeg om dat zelf te weten, denk ik zo!'

Berber heeft haar antwoord klaar. 'Ik wil een spijkerbroek, net als de ande-ren. En gympen en een jack voor de zomer. En een zwempak. Ondergoed met wat leuks erop, beren of bloemen. En geen jurk, hè, Annelein?'

'Zou mammie dat wel goedvinden?' Kleintjes komt het.

Snel komt Felien tussenbeide. 'Alle mammies laten hun kinderen zelf kiezen zodra ze er groot genoeg voor zijn. En... dat zijn jullie!'

De eigenares van het 'Modehuis' is tevreden met de kleine mannequins. 'Ze zullen nog wat moeten oefenen, maar daar geef ik bericht over.'

De nieuwe lente- en zomermode is binnen, maar de collectie hangt nog niet in de rekken. Dat gebeurt pas op de dag van de modeshow.

'We willen graag alles hetzelfde, hè, Annelein?' Annelein is onder de indruk en zwijgt in alle talen.

'Dus je hebt carte blanche. Wat leuk, ik help je zelf. Wat moet het wor-den?'

Ieder twee spijkerbroeken, vlotte shirts uit de nieuwe collectie die klaar-hangt in het magazijn. Bijpassende sokken en een vrolijk, veelkleurig jack. De kleding maakt van de meisjes totaal andere kinderen en verle-gen kijken ze van elkaar naar het eigen spiegelbeeld.

'En voor als het warm gaat worden, moet er ook nog wat komen!' beslist

Felien. Een zwempak, korte broekjes en T-shirts. Een meelevende verkoopster komt met een paar zonnejurkjes aan.

'Die zijn nog over van vorig jaar!'

Berber mompelt: 'Ze hebben geen mouwen, zo maakte mammie ze nooit. En geen strik op de rug. Is het niet te kort, Felien?'

'Je ziet er prachtig uit, echt waar, Berber. En straks ben je nog mooier, want ik ga jullie haar ook nog doen!'

Al met al wordt het nog haasten om tijdig klaar te komen, want ook de schoenwinkel wordt nog met een bezoek vereerd. Stevige stappers, gympen en sandalen. Gelukkige kindersnuitjes en een blijde Felien die dankbaar is om voor toverfee te mogen spelen. Thuis wordt onder toezicht van Rita de kleding ontdaan van prijskaartjes en etiketten.

De keuken fungeert als kapsalon. Felien wast en knipt met vaste hand, dikke plukken blond haar vallen op de tegels.

'Toch niet echt kort?' vreest Annelein. En Berber zegt ernstig: 'Ik sta achter je en als ze er te veel afhaalt, zeg ik het wel!'

Rita lacht. 'Dan plak je het er zeker weer aan. Felien weet wel wat ze doet, hoor, lieverd. Wacht jij maar af!'

Na het knippen, maakt Felien bij allebei een dikke vlecht. Gekleed in spijkerbroeken en de shirts lijken het andere kinderen.

'Wat zal paps opkijken!' geniet Berber.

Rita stelt voor dat ze blijven eten. 'Waar werkt je vader, dan kan ik hem bellen?'

Berber vertelt dat paps soms op de bouw is, maar ook vaak op kantoor werkt. 'Maar hij gaat ook weleens naar een vergadering. Hij heeft een telefoon gekocht die je kunt opklappen.'

Beide kinderen kennen vaders telefoonnummer uit het hoofd. 'Voor als er wat gebeurt!' Het is duidelijk dat Godert moeite heeft om zich in gedachten te verplaatsen naar zijn kinderen.

'Eten... met wie spreek ik ook weer? O ja, natuurlijk. Dat is alleraardigst aangeboden, mevrouw. Dan kan ik wat langer doorwerken. Hoe laat kan ik ze terugverwachten?'

Rita is verontwaardigd als ze naar de keuken terugkeert. Over de hoofden van Berber en Annelein heen doet ze in bedekte termen verslag. 'Workaholic!' moppert ze.

'Een taak voor je, Rita!' knikt Felien en loopt naar boven om zich te verkleden.

Op stap met Henri – en wel met een reden die klinkt als een klok! Wie haar dat enkele weken geleden voorspeld zou hebben, had ze zeker uitgelachen.

Staande voor de klerenkast droomt Felien even weg. Een eigen salon – ook al is het geen eigendom. De eerste stap naar een toekomst met een doel is gezet!

6

SAMEN MET HENRI HEEFT FELIEN DE TAAK OM VOOR DE BEWUSTE MODEshow de modellen te kappen.

Sinds bekend is dat Felien binnen afzienbare tijd in de aan te bouwen schoonheidssalon gaat werken, is de relatie met Ada en Malou nogal gespannen. Ze nemen het Felien kwalijk dat ze hen niet in vertrouwen heeft genomen wat betreft de plannen.

'Lak aan Henri, je had het best aan ons kunnen vertellen!'

Het bezoek met de chef aan de architect bleek achteraf heel plezierig. Felien moet zichzelf toegeven dat ze zich om niets zorgen heeft gemaakt. Henri mag dan af en toe handtastelijk zijn, dat houdt nog niet in dat hij te vergelijken is met de man uit het verleden.

Voor Henri spreekt het vanzelf dat hij Felien meeneemt naar de show. Malou heeft bijna geluidloos gemopperd. 'Wij tellen niet meer mee!'

Het is voor Henri en Felien hard werken. Dankzij hun vaardigheid en ervaring lukt het prima. Ook de kinderen worden onder handen genomen. De meisjes Berkhoven valt de eer te beurt te mogen meelopen in het gevolg van de bruid.

Felien heeft hun opgestoken kapsels losgemaakt en geborsteld. Als een gouden cape hangt het haar over schouders en rug.

Applaus voor de bruid, het slotspektakel van de show. Berber en Annelein weten zich geen raad met de aandacht. De bruid, een nog jonge mannequin, neemt hun handen in de hare en buigt samen met hen naar het publiek.

De eigenares van het 'Modehuis' is tevreden. Ze klapt het hardst van allemaal. Ook de pers is, zoals gewoonlijk, aanwezig.

'Lachen, bruidsmeisjes!' wordt er geroepen en gehoorzaam ontbloten de twee hun tanden.

'En alle eer aan het personeel van kapsalon 'Henri'.'

Henri trekt Felien mee naar het geïmproviseerde podium. Hij heft een hand op, een hand van Felien meetrekkend.

Er worden bloemen uitgedeeld en ook Felien krijgt haar deel. In de ruimte die als kleedzaal is gebruikt, benadrukt Henri nog eens zijn tevredenheid. Hij zoent Felien dat het klapt en zegt trots op haar te zijn.

Terwijl de ene helft van het publiek vertrekt, talmt de rest en probeert een keus te maken teneinde de lentegarderobe uit te breiden. Achter de schermen wordt champagne geschonken en de schotels met hapjes vinden gretig aftrek.

'Ik ben misselijk!' zegt Annelein met een benauwd stemmetje.

'Dan hebben wij een reden om naar huis te gaan!' Felien drukt enkele mensen de hand en vist de jasjes van de meisjes tussen die van anderen uit.

'We nemen een taxi!' belooft ze. Henri is hen achternagelopen.

'Een taxi? Geen sprake van. Ik breng de modellen graag naar huis en mijn beste kapster ook!'

Felien kijkt tijdens de korte rit bezorgd naar Annelein. Stel dat ze Henri's wagen onderspuugt! Sofie zou haar de schuld geven.

'Ik kan niet mee naar binnen, een volgende keer graag!' zegt Henri nadat hij bij het hoekhuis is gestopt. Felien verbijt een glimlach. Alsof ze hem verzocht had mee te gaan voor een kop koffie of een glas drinken. 'Men verwacht dat 'Henri' zich tussen de gasten beweegt. Dus tot morgen. En jij, kleintje, beterschap!'

'Het was leuk...' zucht Berber. Ze futselt haar huissleutel, die aan een kettinkje om haar hals hangt, tevoorschijn.

'Moet je spugen, Annelein?' vraagt Felien bezorgd.

'Weet niet...' Als Berber de sleutel in het slot heeft gestoken, zwaait de deur open.

'Tante Agnes!' Er klinkt zoiets als afschuw door in Berbers stem en Annelein gooit haar maaginhoud tussen de tulpen.

'Wat moet dat betekenen!'

Een strenge vrouw, en dat niet alleen uiterlijk. Ze rukt Berber aan een arm naar binnen, kijkt met weerzin naar Annelein en dan pas lijkt ze Felien op te merken.

Felien echter bekommert zich om het zieke kind. Ze veegt het mondje schoon met haar zakdoek, tilt haar op en draagt haar naar binnen, pal langs tante Agnes heen.

'Goedendag!' zegt ze in het voorbijgaan. 'Ik ben een buurvrouw van dit gezin en mijn naam is Felien Houten.'

Felien, die inmiddels de weg in het huis kent, brengt Annelein naar boven en zet haar op een kruk in de badkamer.

Berber stormt achter haar aan, maar wordt door de scherpe stem van Agnes teruggeroepen.

'Zo, eerst wassen we dat snuitje van je. Wil je wat drinken? Kom, kleine slokjes. Vies was dat straks, hè? Maar de buikpijn is over!'

Annelein laat zich gewillig naar bed brengen. Ze fluistert Felien in het oor. 'Ik wil niet dat ze blijft...'

Felien fluistert terug: 'Is dat de zus van je mammie?'

Annelein duikt diep onder het dek. 'Maar mammie was wel lief, hoor. Ze zei altijd dat tante Agnes de baas is...'

Felien stopt de bevuilde kleding in de wasmand. De inhoud, vertelt ze zichzelf, is niet haar zorg!

Beneden vindt ze Berber, stijf rechtopzittend naast tante Agnes. 'Nu moet je me vertellen hoe jullie aan die afschuwelijke kleding komen. Dat zijn toch geen manteltjes... en dan die broeken! Jullie lijken net jongens. Heeft je vader dat uitgezocht?'

Berber loert vanonder haar wimpers naar Felien.

'U bent dus de zus van de overleden moeder, heb ik begrepen.'

Agnes knikt kort. 'Mijn naam is Agnes van Diepen. Ik heb een tijd voor het moederloze gezinnetje gezorgd en wel in de geest zoals mijn zuster het gedaan zou hebben. Bent u schuldig aan de keus van die smakeloze kledij?'

'Ik vrees van wel!' lacht Felien onbekommerd. 'En met toestemming van hun vader. Wat is er mis met deze kinderkleding?'

Agnes haalt haar neus op. 'Mijn zus was zeer beschaafd en ontwikkeld. Ze walgde van de ruwheid van deze tijd en trachtte haar dochters te beschermen. Selectief tv-kijken, voorzichtig zijn met de keuze van vriendinnetjes en altijd was er goede lectuur in huis. Mijn zus hield zich veel met de meisjes bezig, ze waren haar alles.' Agnes' bolle ogen lijken nog ronder te worden en haar wangen krijgen rode koontjes. 'Het is erg dat ze zo jong is heengegaan.'

Felien beaamt dit haastig en neemt een ander onderwerp bij de kop. Het is niet goed dat een jong kind als Berber dit soort gesprekken moet aanhoren.

'Blijft u logeren?'

Agnes kleurt.

'Ik ben hier in mijn zwagers huis altijd welkom. Tegenover mijn zuster heb ik verplichtingen. Die zal ik altijd nakomen. Tja... u zult wel haast hebben, neem ik aan? Jammer, ik had u graag iets aangeboden!'

Felien grijnst naar Berber. 'Meid, loop je even met me mee? Oma Rita heeft nog wat lekkers voor je bewaard!'

Agnes wil protesteren, maar Berber is al in de gang, grist haar jack van de kapstok en rukt de deur open. 'Kom je, Felien?'

Agnes kijkt misprijzend.

'Staat u zomaar toe dat een kind u bij de naam noemt?'

Felien maakt een quasimachteloos gebaar. 'Tja, wat moeten ze anders? Ik ben geen mevrouw in hun ogen en het juffrouw is uit de tijd, dacht ik. Dus: Felien! Kom, Berber!'

Agnes krast haar na: 'Om halfzeven dineren we!'

Berber bauwt haar zachtjes na: 'De-de-dedde-de-de-deee!'

'Foei,' zegt Felien plichtmatig en geeft het fijne handje dat zich in de hare heeft genesteld, een kneepje.

'Ik hoop dat ze niet lang blijft!' zucht Berber. 'Het was zo fijn toen ze ging, laatst. Paps zei nog: 'Die zien we niet meer terug.' Hij had ruzie met haar gemaakt. Weet je, Felien: expres ruzie gemaakt. Toen werd tante Agnes zo boos dat ze wegging. En nu... nu is ze er toch weer! Ik weet nog veel meer!'

Heel ouwelijk is opeens het kindergezicht. 'Ze zegt ook dat mammie wilde dat paps ooit met háár zou trouwen. Geloof jij dat?'

Felien zegt het niet te weten. 'Maar daar moet jij niet over tobben, liefje.

Je vader weet heus wel wat hij moet doen!'
Rita is verrast dat Felien een gast meebrengt. 'Wat zien jullie er afge-
draaid uit. Hoe was de show? Ik was zo graag gaan kijken... maar ik kon
echt de extra repetitie van het koor niet missen.'
Heel kort doet Felien verslag. Rita luistert gretig. Een vrouw in het hoekhuis!
Ze schuift Berber een stuk cake toe en schenkt een glas limonade in.
'Als Annelein beter is, kan ze haar portie alsnog komen halen. Wat zei de
tante wel van je nieuwe kleren?'
Felien en Berber kijken elkaar heel even aan en barsten meteen in lachen
uit.
'Een wederzijds begrijpen!' meent Felien.
Ze streelt Berber over het haar. 'Blijf jij nog maar even bij oma Rita plak-
ken. Ik ga me opfrissen en gemakkelijke schoenen opzoeken. Het was me
het dagje wel!'

Nadat de bloemenboetiek is verkocht, stopt de opruiming aldaar snel.
Veel viel er niet meer te verkopen. Potten en wat tuinaardewerk is snel
van de hand gegaan.
Samen met Henri, Sofie en de architect neemt Felien de zaak in ogenschouw. De architect die de oorspronkelijke bouwtekening tot zijn
beschikking had, heeft enkele ideeën uitgewerkt in ruwe schetsen.
'De pui... ik stá erop, Haneveld, dat de twee puien één worden. Begrijp je
me?'
De architect zegt te denken van wel. "Salon Henri', ik zie het voor me.
Maar laten we ons eerst met de indeling bezighouden. Achter de winkel
is nog vrij veel ruimte en zelf dacht ik dat als de zaken goed gaan er ongetwijfeld een moment komt dat uitbreiding noodzakelijk is. Als we het nu
goed aanpakken, behoeft dat later niet veel tijd en geld te kosten. Kwestie
van de juiste plafondkeuze, een verplaatsbaar soort wanden en een slijt-
vaste vloerbedekking.'
'Het moet niet goedkoop lijken!' keft Henri, die tevergeefs tracht wijs te
worden uit de schetsen.
'Maar het moet wel duur lijken!' durft Haneveld op te merken.
Op een achtergebleven toonbank spreidt hij zijn tekeningen uit. Felien

kijkt door de lijnen heen en voor haar geestesoog verrijst 'haar' salon. 'Daar... de cabines. Een doorgang naar de kapsalon. Wat leuk... dat is zeker een boog? En waar had u de kastenwand gepland? O, ik zie het al. Wat dacht u van veel spiegelwerk? Dat schept ruimte! Ik zag het ooit op een stageadres. En... de entree moet knus zijn. Zodat vrouwen die zichzelf niet vaak verwennen geen drempelvrees behoeven te hebben!'

Hanegraaf heeft plezier in Feliens enthousiasme. 'Mocht je nog speciale wensen hebben, schrijf ze dan op zodat we er tijdig aan kunnen werken. Mensen, nu moet ik meten.'

Henri biedt Felien aan de rest van het huis te bezichtigen. 'Sofie en ik trekken de bovenverdieping bij ons eigen huis. Dan krijgen we eindelijk wat meer ruimte. Kom op, dan laat ik je de achterkamer zien. Wat dacht je ervan als we hier de zonnestudio laten maken? En Hanegraaf heeft gelijk als hij het nu al over uitbreiding heeft. Wij moeten mee met de tijd, de concurrent voor zijn. Die tussenkamer kan voorlopig dienst doen als voorraadruimte. Maar voordat het zover is...'

Felien voelt zich in de duistere kamer zo dicht bij Henri niet prettig en haast zich naar de gang.

'Dit is ook te smal, Henri. Zouden we die oude kastenboel niet kunnen wegbreken zodat we een bredere gang creëren?'

De architect vraagt Henri's aandacht voor zijn berekeningen.

'Dan ga ik weer aan de slag,' zegt Felien en rept zich terug naar de salon. Vervelende bijkomstigheid is de houding van Ada en Malou! Straks bestaat het personeel uit twee kampen. Ze moet proberen door de opgetrokken muur van ergernis heen te breken. Direct na sluitingstijd doet ze een poging. 'En, Malou? Hoe is het met je nieuwe behuizing, schiet het al op? En krijgen we nog een instuif?'

Malou stopt met vegen en kijkt Felien onderzoekend aan.

'Jij en een instuif.' Ze opent haar mond om haar zin te vervolgen maar Felien is haar voor.

'Malou... Ada, ik wil zo graag dat we weer als vanouds met elkaar omgaan. Het is toch te gek dat jullie mij ervan verdenken met Henri onder één hoedje te spelen. Hij vroeg om geheimhouding en dat had ik te respecteren!'

Ada trekt haar geruite jasschort uit. 'Misschien zijn we wel jaloers, Felien.

Toch gun ik jou je succes. Je hebt nu eenmaal de papieren voor zo'n zaak. Weet je, het kwam allemaal nogal eigenaardig over. Maar nu ik erover nadenk, geloof ik dat het aan onze dierbare chef ligt. Niet, Malou?'

Malou wil niet toegeven dat ze jaloers is op Felien. Wie wordt er nu jaloers op zo'n meisje? Ze is niet onaardig om te zien, maar zolang ze dat zelf niet beseft en er niets mee doet, blijft ze onbeduidend.

'Als collega's heb je geen geheimen voor elkaar. Dat had je tegen Henri moeten zeggen!'

Felien knikt. 'Maar als collega's wrok je ook niet, gun je de ander een succesje en probeer je altijd weer de sfeer zo nodig op te krikken!'

Ada lacht. 'Die zit, Malou! Kom op, we gaan met ons drietjes na sluitingstijd wat drinken. Kunnen we bijpraten en ik neem aan dat Felien nu wel alles wat gaat veranderen tot in detail mag vertellen!'

Eerder dan gepland komt Gilbert in dienst en dat is maar goed ook. Want met het oog op Pasen is het bijzonder druk in de zaak.

Na het krantenartikeltje waarin lovende woorden stonden over 'Henri' die de kapsels voor de modeshow had verzorgd, kiezen veel mensen deze zaak voor een nieuwe coupe of permanent. En niet alleen vrouwen, maar ook mannen weten hen te vinden.

Gilbert is een ware trekpleister voor de jonge garde. Hij is goed gebekt en zijn manier van doen is nét geen flirten. Hij weet iedere vrouw het gevoel te geven dat ze heel bijzonder is.

Malou en Ada dwepen met hem, en sinds Gilbert spoedig in Malou's flat denkt te trekken, is hun relatie bijna vriendschap te noemen.

Felien houdt zich wat op afstand. Ze weet niet goed raad met zo'n vlotte manier van doen. Ze is en blijft voor sommige mannen schuw – maar dat is haar probleem waarmee niemand iets te maken heeft.

Naast de salon wordt gehamerd en getimmerd. De gemeentelijke goedkeuring voor de bouw is vrij snel gekomen. Men ziet vanwege het stadsbeeld niet graag dat leegstaande panden verpauperen.

Henri heeft via een advertentie met veel tamtam bekendgemaakt dat er binnenkort een schoonheidssalon wordt geopend.

Sindsdien is Felien voor het eerst in lange tijd een beetje gelukkig. Wat is ze Jan en Rita dankbaar dat ze haar gestimuleerd hebben een goede opleiding te volgen. 'Niet de kortste en de gemakkelijkste, Felien! Haal eruit wat erin zit. Later heb je er profijt van!'

En nu ís het later.

Ook al is ze 's avonds bekaf, doen de voeten pijn en jeuken de handen: er is uitzicht. Klagen doet ze niet; het verontrust Rita en het gevolg is dat ze achterna wordt gelopen met allerlei zalfjes en pillen. Op tijd naar bed, vooruitdenken, nooit terug.

Nooit terug... het is een dwangmatig idee. Hoe sterker Felien zich dwingt tot vooruitdenken, des te sterker doemen beelden uit haar jeugd op. En er is niemand met wie ze hierover durft te praten.

Een noodkreet uit het hoekhuis. Berber en de inmiddels herstelde Annelein staan op een ochtend al om acht uur op de stoep.

'Oma Rita, tante Agnes is ziek en paps is ergens heen... ver weg. En we moeten boodschappen doen en...'

Annelein huilt tranen met tuiten, terwijl Berber het woord voert.

'En toen liet Annelein het geld vallen. Het waren vier vijfjes, dat is twintig gulden. Ze rolden zomaar in het rioolputje...'

Rita kalmeert het huilende kind. 'Stil maar, liefje, stil maar. Kom maar bij oma Rita. Weg met die tranen!'

Berber vertelt wat ze moesten kopen. 'Bruin brood en fruit. En magere kaas. En onbe... onbespoten groente.' Annelein hikt: 'En ook nog rookvlees, maar niet van het paard.'

Felien staat op het punt om naar haar werk te gaan en geeft Rita lachend advies. 'Een taak voor je, Rita... ten eerste die zielige tante verplegen. Ondertussen doet Jan de boodschappen. Het mens hoeft niet te weten dat het geld naar de ratten is!'

Op weg naar haar werk blijven de meisjes Berkhoven in Feliens gedachten. Het is voor hen niet te hopen dat hun vader, misschien uit wanhoop, met Agnes in het huwelijk treedt!

'Vergadering, kom erbij, Felien!' Gilbert helpt Felien galant uit haar jasje en legt een arm om haar schouders.

'Nu... is er iets aan de hand?'

Gilberts vingers houden haar stevig in een greep, het zou bevreemding

414

wekken als ze zich van hem zou losmaken.

'Het geval is het volgende: we hebben een afspraak met 'Avondvreugd'. En geef toe, mensen: eigenlijk kunnen we niemand van jullie overdag missen!'

De personeelsleden voelen aankomen wat er gaat volgen.

'Dat kappen in het bejaardenhuis zal dus 's avonds moeten gebeuren. In de toekomst zullen we het beter regelen. Liefhebbers eerst!'

Malou is er als de kippen bij om te roepen dat ze bezig is met verhuizen. Gilbert valt in.

'En hetzelfde geldt voor mij. Ik help Malou en haar vriend, zij staan mij bij met het verkassen.'

'Dan blijven Ada en Felien over. Wie?'

Ada aarzelt, legt dan uit waarom ze ook verhinderd is. 'Een etentje met de directe chef van Bert. Hij hoopt zo op promotie. Ik kan dus echt niet.'

Sofie snerpt: 'En wat is jouw smoes, Felien?'

Feliens antwoord is slechts een schouderophalen. 'Ik kan zo snel niets verzinnen.'

Stel dat ze zei dat haar voeten 's avonds pijn doen en dat ze haar handen ontziet.

'Dat is afgesproken. Jij en Henri gaan naar het bejaardenhuis. Neem tussen de middag dan maar een halfuurtje langer pauze!'

Gilbert geeft een kneepje in Feliens ene schouder. 'Ik geloof dat jij een puike collega bent.'

Felien neemt hem haar jasje af en zegt nuchter: 'O, vast en zeker. Werk ze...'

Een halfuur langer pauze: wat een weelde. Felien neemt zich voor naar het winkelcentrum te gaan en van de lente-etalages te genieten.

Tussen de middag bevindt zich een ander publiek op straat dan tijdens de andere uren. Kantoormensen en scholieren strekken hun benen, kauwend op een broodje.

Voor een modemagazijn blijft Felien staan. Een beeldig pakje trekt haar aandacht. Maar waar en wanneer trekt ze het aan? Overdag verhult het jasschort wat ze aanheeft en voor de vrije dagen heeft ze genoeg in haar kast hangen.

Uitgaan, dat woord heeft voor haar zo goed als geen inhoud. Ze luistert thuis liever naar goede muziek of verdiept zich in een boek. Het is niet dat ze het niet zou willen. Af en toe ertussenuit, zoals Malou en Ada. Maar die twee hebben een partner en hadden ze die niet, dan zouden er plenty vriendinnen zijn, dat weet ze met zekerheid.

Ze kijkt in de glimmende etalageruit naar zichzelf en bromt. Doe niet zo zielig!

Nog een persoon wordt naast haar in de ruit weerspiegeld.

'Zo, ook genieten van het mooie weer?'

Ze kijkt om en houdt net een 'Dag, paps!' binnen.

'Godert, kijk aan. Ik dacht dat je ergens ver weg aan het werk was. Althans volgens je ene dochter!'

Als vanzelf wandelen ze samen verder, de etalages boeien niet meer.

'Ik had een bespreking in Amsterdam, vanochtend. Hoe komt het dat je onze... ik bedoel natuurlijk mijn dochters vandaag al gesproken hebt?'

Ze lopen richting park en Godert wijst op een bankje.

Hij veegt met een zakdoek zorgvuldig het zitgedeelte schoon en herhaalt zijn vraag.

'Ze moesten boodschappen doen voor tante Agnes en dat gaf problemen. Mijn moeder bood aan ze te helpen. En, haar kennende, zal ze zich ook wel over je zieke schoonzuster ontfermd hebben!'

Godert haalt een krentenbol uit zijn jaszak, breekt hem in tweeën en biedt Felien de ene helft aan. Hoewel zo plat als een dubbeltje, smaakt de bol lekker.

'Zozo, ze zijn gek op oma Rita. Mijn schoonzuster weet van geen wijken. Ze claimt de kinderen en ik, ik lijk wel machteloos. Omdat ze een zus van mijn overleden vrouw is, denkt ze alles te mogen doen en zeggen in mijn huis. En nu is ze ziek, griep. Reden om nog langer te blijven!'

Felien informeert: 'En de zelfgemaakte ruzie, werkte die niet?' Godert kijkt schuldig.

'Die meiden storten hun hartjes nogal eens bij je uit! Als het te veel wordt, stuur ze dan alsjeblieft naar huis! Ze redden zich boven verwachting goed!'

Godert is belangstellend naar Feliens werk. 'Zozo, je werkt dus bij die kapper. Wel, ik kom binnenkort om mijn haar te laten bijwerken. Ik reken erop dat jij me knipt!'

De pauze vliegt om en Godert informeert of Felien tussen de middag vaker in het centrum is te vinden.

'Helaas niet. Ik moet overwerken, vandaar dat de chef zo royaal was!'

Met een handdruk nemen ze nogal officieel afscheid. Teruglopend naar de zaak overdenkt Felien de ontmoeting. Godert Berkhoven, een sympathieke man. Maar wel een die met zijn hoofd in de wolken loopt, de gedachten bij zijn werk heeft. Zo niet, dan vertoeft hij, net als zij, in het verleden. Hij bij zijn overleden vrouw Barbra.

Terwijl Felien in de zaak haar schort aantrekt, duwt ze de vrouw Felien weg, de vrouw die denkt: kon ik maar verliefd worden op een man als Godert. Eenmaal gehuld in de geruite werkkleding is ze weer helemaal de persoon die men verwacht dat ze is: de kapster.

7

EVEN NA ZESSEN HAAST HENRI ZICH NAAR DE DICHTSTBIJZIJNDE SNACKBAR en bestelt een paar porties patat, kroketten en bamiballen.

'Madame, uw diner!'

Felien kijkt met weerzin naar de vetvrije zakjes, denkend aan de heerlijke maaltijd die Rita zou hebben klaargemaakt en die ze nu misloopt.

Sofie verontschuldigt zich. 'Ik kook meestal zelf, 's avonds. Maar nu is het zo druk in de zaak!'

Tijdens de maaltijd die in het kantoor wordt verorberd, nemen Henri en Sofie de verbouwing nogmaals door.

Af en toe wordt Feliens mening gevraagd. Ze is er met haar gedachten niet bij als Sofie haar vraag herhaalt. 'Heb jij ook kleurenkennis? Je weet wel... kun je uitmaken of iemand een lente- of zomertype is? Het zou mooi zijn als je wat dat aangaat de klanten ook van advies zouden kunnen dienen!'

Felien zegt verrast dat ze thuis is in die sector. 'Ik heb er alleen niets mee gedaan. Het is nogal wat om zo'n advies te geven, mensen doen uitgaven met jouw oordeel in gedachten!'

Sofie en Henri vinden dat Felien lijdt aan valse bescheidenheid. 'Dat gaat wel over zodra je salonnetje draait!'

Henri kijkt op zijn horloge en zegt dat het hun tijd is. 'De bejaarden zitten vast al te wachten. We kunnen daar over een kleine salon beschikken en ik verwacht dat wat we nodig hebben aanwezig is.'

Felien beweert toch met het eigen materiaal te willen werken en haalt haar kappersetui uit de zaak. Even later rijden ze weg, richting 'Avondvreugd'.

'Wat een naam!' zucht Felien. 'Kunnen ze niets anders verzinnen dan een naam met 'avond' erin? Zo weinig opwekkend!'

Henri zegt filosofisch: 'Het leven is ook niet altijd opwekkend, collega. Je moet er zelf wat van maken! Altijd een doel hebben!'

Henri parkeert de auto op de ruime, daarvoor bestemde plaats. 'Dit hier is een best huis! Goeie leiding, prima verzorging. Veel vrijwillers die het personeel bijstaan.'

Hij springt lenig uit de wagen en roept jongensachtig: 'Daar gaat-ie dan!'

Naast elkaar lopen ze naar de royale ingang toe. Een draaideur zoeft automatisch open en dan worden ze bevangen door een warme lucht.

'Oef!' zucht Felien. 'Dat wordt transpireren, Henri!'

Achter de balie zit een behulpzaam meisje dat hen naar de kamer van de directie verwijst.

Henri loopt met opgeheven hoofd en kwieke stappen over de met dik tapijt belegde gangpaden. Felien kan hem nauwelijks bijhouden.

Alsof er twee Henri's bestaan. Degene die naast Sofie werkt, is een andere dan de man die er alleen op uittrekt.

De directie van 'Avondvreugd' bestaat uit een echtpaar van middelbare leeftijd. Ze ontvangen de kappers vriendelijk en Felien voelt zich meteen op haar gemak. Wat een schatten van mensen, vindt ze.

Mevrouw Botterman zegt: 'Misschien hebben jullie nog tijd om wat plukjes van mijn grijze kuifje af te knippen. Maar alleen als er geen 'klanten' meer zijn. Kom, dan breng ik jullie waar je zijn moet. Ik weet zeker dat er al enkelen zitten te wachten!'

Er wordt op de deur geklopt en meneer Botterman zegt: 'Dat zal onze vriend Coen zijn!'

Felien doet een pas opzij als een man van begin dertig over de drempel stapt. 'Ha, die Coen!' schettert Henri. 'Je bent prachtig op tijd, man. Als je een uurtje of wat blijft, kun je je gratis laten knippen!' merkt meneer Botterman op.

'Mag ik voorstellen? De kapster van Henri... hoe was de naam ook weer?'

Mevrouw Botterman moppert: 'Jij moet beter luisteren, jongen. Felien Houten is het, niet?'

Felien vraagt zich af wie Coen is. Lang hoeft ze niet op antwoord te wachten. Coen stelt zichzelf voor. 'Coen Clemens, directeur van 'Het Haventje'. Maar dat zegt u waarschijnlijk niets!'

Felien staart naar het gebruinde gezicht, de donkere ogen dansen van links naar rechts, lijkt het. Dapper reageert ze: 'O ja, Henri heeft het erover gehad dat bij jullie ook een knipuurtje door ons verzorgd gaat worden!'

Ze trekt haar hand uit die van Coen en is dankbaar dat zijn ogen weer op hun plaats staan. Felien kijkt nogmaals naar Coen, ze ziet nu pas dat hij een bril draagt. Een modern montuur waarvoor tegenwoordig veel mannen kiezen.

Henri duwt Felien naar de deur. 'Kom op, we verprutsen onze kostbare tijd. Coen, tot kijk!'

Mevrouw Botterman brengt hen naar de gloednieuw ingerichte salon.

'Dit hier was voorheen een klein magazijn en kijk nu eens wat ervan is gemaakt!'

Felien trekt haar schort aan en kijkt tevreden rond. Mevrouw Botterman vervolgt: 'Zei ik het niet! Er zitten al vier dames te wachten en ja, ook een paar mannen. Wie was het eerst? U weet, voor een permanent kan een afspraak worden gemaakt, nu wordt er slechts geknipt en zo nodig gewassen.'

De eerste klant die Felien onder handen krijgt, is een frêle dametje, broos als porselein.

'Het is toch zo bezwaarlijk voor mij om naar de kapper te gaan. Ik heb erg veel pijn en kan weinig. Aan klagen heb ik een hekel en nog meer aan het vragen om gunsten. Zeuren of iemand je naar de kapper wil begeleiden. Dat is een nadeel van het ouder worden, kindlief. Je zelfstandigheid wordt je afgenomen. Je bent afhankelijk.'

Felien kamt het zijdeachtige dunne haar. 'Dat geloof ik heel graag, mevrouw.'

'Afhankelijk zijn... dat moet je jong leren. We zijn ten diepste afhankelijk van onze Schepper. Of gelooft de jeugd daar niet meer in?'

Hun ogen ontmoeten elkaar in de spiegel. Felien likt langs haar droge lippen. De warmte is werkelijk ondraaglijk.

'Geloven? Ja... maar soms twijfel je.'

Het dametje zegt dit te begrijpen. 'Geloven kun je leren. Geloven in God en Jezus is vertrouwen. Niet in het wilde weg... iets bedenken en zeggen: zo, nu mag Hij het zegenen. Je moet studie maken van de Bijbel. De profetieën, kindlief, die zijn gerealiseerd. En andere juist heel actueel. De mooiste moeten nog uitkomen. Kijk, geloven is niet abstract, het is simpeltjes omdat het zo waar is!'

Veel werk is er niet aan het hoofd van de spraakzame dame. Ze wil dolgraag een wasbeurt en Felien kiest de beste shampoo uit die er staat. Het mevrouwtje geniet. Ze laat zich na de was- en spoelbeurt gewillig onder de droogkap schuiven en bedankt voor een tijdschrift.

'Ik heb zo veel om te overdenken!' roept ze onnodig luid.

Na de dame komen er een paar heren aan de beurt en gaandeweg krijgt Felien plezier in het wassen en knippen. De avond vliegt om en pas als ze om halftien stoppen, voelt ze haar voeten.

Henri veegt de vloer aan en kwebbelt honderduit. Hij onderbreekt zichzelf en roept: 'Ha! Daar hebben we Coen! Coen, ga zitten. Felien heeft haar schort nog aan!'

Coen aarzelt geen moment en zegt het aanbod graag te accepteren.

'We hebben morgen feest op 'Het Haventje'. Er wordt een nieuwe vleugel geopend! En dat gaat met het nodige gedruis gepaard!'

Felien zou willen vragen: aan welke kant van het gebouw?

Coen torent boven Felien uit en als hij heeft plaatsgenomen, zet ze de stoel in een lagere stand.

Henri en Coen converseren, Felien luistert. Ze bindt haar klant een cape om en verbaast zich over het feit dat haar vingers opeens koud aanvoelen terwijl ze het toch warm heeft. Natuurlijk, alles wat met 'Het Haventje' te maken heeft brengt haar van streek.

Coens huid is warm, zijn nekharen te lang.

'Hoe wilt u het hebben?' Felien gooit haar vraag midden in het gesprek.

Coen zet zijn bril af en kijkt in de spiegel op naar Felien.

'Het is goed zoals het zit, alleen de wildgroei mag je aanpakken. Zie ik er tenminste toonbaar uit op het feest!'

Henri wordt door meneer Botterman gehaald. 'We moeten even over de zakelijke kant van de actie spreken, heb je even? En o ja, mijn vrouw heeft gezegd dat jullie op haar niet hoeven te rekenen, ze is bij een zieke geroepen.'

Coen blijkt een open persoonlijkheid en zit niet verlegen om een gespreksonderwerp. Hij is belangstellend naar Feliens werk, haar behuizing. Ze reageert kort en vreest stug over te komen. Waarom laat die man zich niet simpelweg knippen zonder praten!

Ze buigt zich dichter naar het hoofd toe en concentreert zich op de nekpartij. Vaag neemt ze zijn geur waar, een mannelijk parfum. Ze neemt nu zelf initiatief en vraagt: 'Hoe lang bent u directeur van 'Het Haventje'? Ik meen me te herinneren – gelezen in een krant of zo – dat er een zekere Koops de leiding had!'

Coen knikt en Felien zegt lachend: 'Wel stilzitten, anders krijgt u happen in de coupe!'

Een brede grijns is het antwoord. 'Aanvankelijk nam ik voor de vorige directeur, de heer Koops, waar. Hij was zieker dan men dacht en toen hij kwam te sterven werd mijn functie een vaste.'

Meneer Koops, een man om bang voor te zijn. Zogenaamd rechtvaardig, maar Felien weet wel beter. Ze was bang voor de man die dikwijls na het uitdelen van een straf riep: 'Ik ben jullie vader! En een liefhebbende vader kenmerkt zich door te straffen!' Ze zou willen zeggen: U bent vast een betere 'vader' dan meneer Koops. Vader en moeder Koops. Een rilling loopt over Feliens rug.

'En moe... mevrouw Koops? Leeft die nog wel?'

Coen Clemens zegt dat mevrouw Koops bij een familielid is ingetrokken. 'Ik heb geen contact met haar.'

Met een plantenspuit besproeit Felien het haar, kijkt in de spiegel naar haar arbeid en knipt hier en daar nog wat af.

Ze schrikt van zichzelf als ze vraagt. 'En uw vrouw, woont ze wel graag op het terrein? Ik meen te weten dat dat de gewoonte is.'

Coen houdt zijn hoofd schuin en zegt: 'Keurig gedaan. Tien met een griffel.' Dan lacht hij naar Feliens spiegelbeeld.

'Ik ben nog geen vrouw tegengekomen die wil moederen over zo'n vijftig kinderen! En dat is toch wel voorwaarde. Je doet dit werk samen – tenminste als je het geluk hebt een partner te vinden. Eerlijk gezegd houd ik me daar niet zo mee bezig. Ik heb een perfect team mensen en mag niet klagen. Zo...'

Felien veegt met een zachte borstel zijn nek en schouders af.

'Ik mag aannemen dat u binnenkort het 'Havenkroost' komt knippen?'

Felien haalt haar schouders op. 'Er zijn meer collega's... Ik denk het niet, meneer Clemens.'

Ze vertikt het, overal wil ze voor 'Henri' knippen. Maar niet in 'Het Haventje'. Binnenkort krijgt ze het druk met de schoonheidssalon. Als dat geen excuus is, vindt ze wel iets anders!

Eenmaal thuis laat Felien zich op de bank vallen. 'Ik ben gesloopt. Mijn voeten...' kreunt ze.

Rita komt naast haar zitten en beweert dat massage helpt. 'Zou je als kind op slecht schoeisel hebben gelopen? Ergens moet het toch van komen. Klagen de collega's daar ook zo over?'

Felien drinkt halfliggend van de geurige thee die Jan speciaal voor haar heeft gezet.

'Tel de uren maar eens op die ik gewerkt heb. Ik denk, Rita, dat jij je voeten na zo'n dag ook zou voelen. En slecht schoeisel? Ik weet wel dat ik vaak afdankertjes kreeg. Een schooljuf zei eens: 'Ik ken de laarzen die je hebt, al jaren. Ze komen hier allang op school, met telkens een ander stel voeten en benen erin.' Ze waren roodbruin en als je op een harde vloer liep, was het of er een soldaat voorbijkwam!'

Jan en Rita lachen niet mee met Felien. 'Ik ga morgen naar de drogist en koop alles wat ook maar even verlichting kan brengen!' zucht Rita.

'Lief van je... maar onnodig. Ik heb nu prima schoenen en misschien laat ik een paar goede schoenen maken door een deskundige. Geef nou alsjeblieft niet onnodig geld uit... vertel liever over de kinderen. Ben je nog bij Agnes geweest?'

Rita bijt zich vast in het onderwerp familie Berkhoven.

'Wat een hoogmoedig schepsel! Ik bood mijn hulp aan en ze deed alsof ik een zesderangs poetsvrouw was. Je weet: als ik kan helpen, doe ik het graag. Maar als het zo moet... ik deed het voor die stumpers. Tante Agnes... ze zat op te scheppen over het milieu waaruit ze kwam. Beschaving... goede manieren... en streng gelovig is ze ook nog. Nou, ze heeft een heel andere God dan ik. Wat heb ik me geërgerd. Maar die man... de weduwnaar, dat is me er ook een. Afwezig als een professor. Over beschaving gesproken: die man heeft meer fatsoen in zijn pink dan Agnes in haar hele lijf!'

Jan vouwt demonstratief zijn krant op, gaat staan en geeuwt. 'Bedtijd, meisjes. Wij ouwetjes kunnen het kalm aan doen. Maar ons kapstertje moet vroeg uit haar nest. Ik schenk jullie een *nightcap* in en dan, dan gaan de lichten uit!'

Gilbert de Wit zoekt vaker dan Felien lief is haar gezelschap. Vaak weet hij het zo te regelen dat ze gelijk na zessen de deur uitstappen. 'Jij... je hebt behoorlijk last van eczeem op je handen, is het niet? Ik zag je smeren met crème uit een mij bekende tube!'

Gehinderd kijkt Felien opzij, terwijl ze haar fietssleuteltje uit de zak van haar jack peutert.

'Ik moet zeggen dat je over een goed waarnemingsvermogen beschikt. En ik dacht nog wel dat ik het smeren zo onmerkbaar mogelijk deed!'

Gilbert laat zich niet zomaar afschepen en rijdt zonder toestemming te vragen met Felien mee. 'Misschien let ik bijzonder goed op jou!' plaagt hij.

Felien kribt: 'Onnodig, ik heb geen controle nodig!'

Gilbert blijft ernstig. 'Ik heb een collegaatje gehad dat gebaat was bij natuurzalf. Als je wilt, kan ik navraag doen! Die chemische troep heeft ook nadelen. Heb je al eens laten onderzoeken of je allergisch bent voor rubber? We dragen dikwijls rubber handschoenen, de handvatten van de borstels zijn van rubber... ik bedoel maar: je komt er vaak mee in contact!'

Rubber, goed dat ze het weet. Mooie vraag voor de huisarts.

Gilbert is nog niet klaar met zijn raadgevingen. 'Weet ook wat je eet. Veel mensen kunnen niet tegen bepaalde stoffen. Kan letterlijk van alles zijn. Ben je getest?'

Felien remt af en stopt. Ze heeft geen zin Gilbert mee naar huis te nemen. 'Ik moet die kant op. Bedankt voor je raad; ik ga een dezer dagen toch naar de dokter. Waarschijnlijk stuurt ze me door naar een dermatoloog. En... doe me een plezier en geef er op de zaak niet zo veel aandacht aan. Je kent ondertussen Henri en Sofie. Zij kunnen zo veel ophef maken om niets...'

Gilbert stelt voor om ergens een snack te nemen en daarna een bioscoopje te pikken. Felien heeft haar mond al open om te zeggen: Ik word thuis verwacht. Ongetwijfeld zal Gilbert haar ongelovig aankijken. Vragen of ze niet kan gaan en staan waar ze wil.

'Ik heb een afspraak, Gilbert. Een andere keer, goed?' Ze steekt een hand op en rijdt snel weg.

Hoofdschuddend kijkt Gilbert haar na. De andere meiden hebben gelijk. Felien Houten is een wonderlijk schepseltje.

Sinds de ziekte van Agnes wordt Rita meer en meer betrokken in het gezin Berkhoven. De meisjes klitten aan haar, haasten zich na schooltijd naar huis waar ze warm door oma Rita worden ontvangen.

Maar Rita doet nog veel meer. Ze ruimt kasten op, zeemt en stoft. Ondertussen is ze ten aanzien van Agnes de bezorgdheid zelve. Van haar mag Agnes zo lang in bed blijven om uit te zieken als ze wil en het liefst nog wat langer.

Na een week blijkt echter dat er weinig schot in het genezingsproces zit en de huisarts adviseert een bloedonderzoek.

Wanneer blijkt dat Agnes' ziekte het gevolg is van een vrij zeldzaam virus, lijkt het alle betrokkenen beter dat ze teruggaat naar de eigen omgeving om te herstellen, in verband met eventuele besmetting.

Rita weet Jan zover te krijgen dat hij haar met de auto wegbrengt. 'En kijk goed om je heen, ik wil weten uit wat voor omgeving ze komt!'

Jans reactie is kort: 'Schat, dan breng je haar zelf maar terug!'

Na hun vertrek heeft Rita het hoekhuis voor zich alleen. Ze geeft de logeerkamer een grondige beurt, lucht het beddengoed en sopt alles wat afwasbaar is.

'Ze is weg, maar ze komt best wel terug!' zucht Berber na een grondige inspectie. Agnes is echt vertrokken.

De meisjes hebben op school een paasversiering gemaakt in de vorm van een mobile. 'Die van mij mag jij hebben, oma Rita!' zegt Annelein, wetend dat paps geen oog voor hun handwerkjes heeft.

'Ik vind 'm prachtig. Je kunt in de paasvakantie nog wel zo'n ding maken, niet met kuikens, maar met bijvoorbeeld bloemen of lammetjes.'

Berber haast zich te zeggen dat ze geen vakantie hebben. 'Alleen morgen omdat het Goede Vrijdag is. En dinsdag moeten we gelijk weer naar school.'

Terwijl ze naar huis loopt, prakkiseert Rita over een oplossing voor de paasdagen. Durfde ze meneer Berkhoven maar te vragen of de kinderen die bij hen mochten doorbrengen!

Net als ze de deur van de keuken opent, rinkelt de telefoon. En zoals altijd rent Rita in de hoogste versnelling naar het toestel onder het mom van je-weet-maar-nooit-wat-er-met-wie-is-gebeurd.

'Jij bent het, Susanneke... Er is toch niets?'

De oudste uit het gezin Althuisius neemt ruim de tijd om de moeder gerust te stellen en besluit met: 'Ik bel voor iets leuks, mam. We zouden met vrienden en hun gezin naar een huisje op de Veluwe gaan. En wat is nu het geval? Dat hele gezin ligt in bed, buikgriep! Voel je 'm aankomen? Ik heb zin in een familiereünie en daarom nodig ik jou, pa en natuurlijk ook Felien uit om met ons mee te gaan. Wij blijven tot dinsdagochtend. En... Ange komt ook met haar geliefden! En zeg nu niet dat je al inkopen hebt gedaan en de koelkast overvol is...'

Rita voelt dat ze begint te stralen. 'Heerlijk, heerlijk! Wij allemaal bij elkaar. Of ik zin heb? Reken maar en pa maakt wel zin. Wordt het echt niet te vol?'

'We hebben een paar tentjes en de weersverwachting is veelbelovend, ma. Midden in de bossen... ruik je ze al? We gaan naar Eerbeek, dat ligt tussen Dieren en Apeldoorn in.'

Rita's dag kan niet meer stuk, ze komt na het telefoontje meteen in actie. Koffers pakken, nog snel een wasje draaien en de kamerplanten afschermen tegen de zon.

Pas als ze Felien hoort thuiskomen en ze haar tegemoetloopt om over de uitnodiging te vertellen, herinnert ze zich de kleine Berkhoventjes. Sneu, hopelijk benut paps de vrije dagen om extra lief voor de dochters te zijn.

'Felien, we gaan er met Pasen tussenuit!'

Felien kan geen enthousiasme voor het plan opbrengen. De familie is zo close met elkaar: in hun midden voelt ze zich verloren. De dochters Susan en Ange zijn in haar ogen 'vlotte meiden', bovendien hebben ze beiden een man, kinderen en een huishouden, wat heel wat gespreksstof oplevert.

'Rita, ik ga niet mee. Om verschillende redenen. Ik heb die paar dagen rust hard nodig, dat weet je best. Daar kan tussen al dat kroost niets van komen. Echt, ik vind het lief dat jullie mij als gezinslid meetellen, dat doet me goed. Maar probeer je in mijn situatie te verplaatsen!'

Natuurlijk kan Rita dat maar moeilijk en ze moet haar best doen redelijk te blijven.

'Vergeet je niet dat ik dinsdag weer volop aan het werk moet? Bovendien word ik regelmatig betrokken bij de verbouwing.'

Rita ziet het probleem niet en zegt kort: 'Je kunt je nog altijd bedenken, tot het laatste moment!'

Dat doet Felien dus niet. Ze houdt voet bij stuk en als ze vrijdagavond thuiskomt, vindt ze het nest verlaten. In de koelkast staat een kant-en-klare ovenschotel waar ze minstens twee dagen van kan eten.

Het is vreemd stil in huis, het doet Felien prettig aan. Zo is het dus om alleen te wonen. Geen gesprekken vlak na het werk. Rustig je gang gaan zonder gehinderd te worden. Niemand die je gedachtegang stoort.

Tegen achten maakt ze zich klaar om naar de kerk te gaan. Want hoe moe ze ook is, ze wil het avondmaal niet overslaan.

Zittend in de kerk onderzoekt ze haar eigen hart, dat zo dikwijls opstandig en wanhopig is. Zo heel vaak is ze uit de koers en schreeuwt het in haar: waar is God?

De predikant roept luid de bekende woorden vanaf het spreekgestoelte. 'Eli, Eli, lama sabachtani?'

Felien buigt diep haar hoofd. 'Mijn God, mijn God, waarom hebt U mij verlaten?' Dat was pas verlaten zijn, dat was God-loos zijn. Voor het eerst in haar leven beleeft ze de kruisiging van Christus als iets voor haar persoonlijk.

Haar handen die het gebroken brood van een schaal pakken, beven. En als ze de beker aangereikt krijgt en de wijn proeft, wordt ze door een troostrijke liefde omvat.

Wat er ook in de toekomst moge gebeuren: God zal haar niet verlaten, waar ze ook zal gaan of staan. Hij is Vader, de schaduw aan haar rechterkant.

8

HEEL VROEG WORDT FELIEN WAKKER, DE OCHTEND VAN DE EERSTE PAASDAG. Ze rekt zich behaaglijk uit, geeuwt en geeft zich vervolgens over aan een ongekend gevoel van luiheid. Niet vroeg op, met niemand rekening houden. Gewoon doen waar ze zin in heeft.

Buiten fluiten de vogels dat het een lieve lust is en de zon die dwars door de dunne stof van de gordijnen lijkt te willen dringen, maakt dat ieder spoortje slaap op de vlucht slaat.

In huis is het doodstil. Weer denkt Felien, zo is het dus wanneer je alleen woont. Ooit moet het ervan komen, per slot van rekening teert ze op de zak van Jan en Rita.

Haar gedachten worden actiever, zo ook haar lichaam.

Toch nog traag laat ze zich uit bed glijden en besluit zichzelf te verwennen met een uitgebreid bad. Ooit kreeg ze een fles geparfumeerd badzout, het staat ongebruikt in haar kast. Voor een werkend mens is het een weelde zo te kunnen toegeven aan simpele verlangens.

Veel te vroeg is Felien klaar voor de kerkgang. Paasmorgen, de opstanding van Jezus. Gekleed in een jurk waarop een kort jasje, stapt ze de deur uit.

Jan heeft de voortuin onlangs onderhanden genomen. De zwarte grond is losgewoeld en het verdorde blad opgeharkt. Allerlei bloemen en planten die Felien niet bij naam kent, schieten omhoog.

Het hekje trekt ze achter zich dicht, een van de vaste regels van het huis! 'We dachten al wel dat je naar de kerk zou gaan!' Berber en Annelein springen achter een dikke beukenstam te voorschijn. Ze zijn in wonderlijke jurkjes gehuld en even is Felien sprakeloos.

'En paps? Gaat die niet mee?'

Berber zegt met een ernstig gezicht: 'Paps heeft migraine. Dat heeft hij bijna elke zondag. Komt van het harde werken, zegt hij!'

Aan iedere arm hangt een kind, Felien wordt van links naar rechts getrokken.

'En weet paps dat jullie met mij mee zijn?'

'O, dat is wel goed!' zegt Berber kalm.

Annelein vleit: 'Mogen we straks met jou mee naar huis, Felien? En doen we dan een spelletje of zo?'

Dat is snel beloofd.

Rondom hen barst het klokgelui los, alle kerken die de plaats rijk is, getuigen van de paasvreugde.

Felien kijkt neer op de kinderen, ziet hun wonderlijke uiterlijk en schaamt zich dat ze zich voor hen geneert... ongetwijfeld zal men naar hen kijken. Te kleine 'japonnetjes' van stof gemaakt waarop een merkwaardige print. De tierlantijnen zoals strikjes, kragen en stroken, zijn van een goudkleurig materiaal. Het geheel zou in een operette of carnavalsoptocht niet misstaan. De nieuwe kleren zijn ongetwijfeld vuil en liggen waarschijnlijk in de wasmand.

Felien dwingt zichzelf boven kritiek te staan. 'Weten jullie wat een legende is? Dat is een verzonnen verhaal... wat er wel echt aan is, dat het over Pasen gaat.'

De gezichtjes zijn belangstellend naar haar opgeheven.

'Ja?'

'Het verhaaltje komt uit België, dat is een buurland van ons. Daar vertelt men aan de kleine kinderen dat de dag voor Pasen, stille zaterdag, de klokken wegvliegen uit de torens. Nergens klinkt gebeier, zoals nu!'

'Dat kan toch niet!' roept Annelein, wat haar een minachtende blik van haar zus oplevert.

'Vanzelf niet, het is toch een legende!'

Felien vervolgt: 'En wat wil het verhaal nu: op de ochtend van de eerste paasdag komen alle klokken terug van hun reis. Ze zijn helemaal naar Rome geweest en hebben daar voor de kinderen paaseitjes meegebracht, die ze overal uitstrooien. De kinderen gaan op zoek en ja hoor: ze vinden allemaal wel een paar eitjes. En de klokken zijn zo blij dat ze gelijk beginnen te luiden!'

'Wat een raar verhaal,' zegt Berber. 'Op school hebben ze heel wat anders verteld. Over het kruis en zo.'

Felien haast zich te zeggen dat een bijbelverhaal geen legende is. 'Ook al vinden veel mensen het moeilijk om te geloven dat de Here Jezus uit de dood is wakker geworden.'

Annelein verzucht: 'Was dat ook maar met mammie gebeurd...'

Felien troost haar. 'In de Bijbel staat dat mensen die van God houden, weer levend zullen worden. Maar kom, we zijn er. Zullen we achteraan gaan zitten?'

Tersluiks informeert Felien hoe het met de nieuwe kleren gaat. 'Zijn jullie er nog wel blij mee?'

Jawel, dat zijn ze. 'Maar nu is alles vuil geworden. Ook de jacks, want we zijn in de bomen geklommen, hè, Berber?'

De meisjes willen niet mee als er een oproep voor de kinderkerk wordt gedaan. Veel liever zitten ze tegen Felien aangeleund te luisteren naar woorden die ze niet begrijpen. Maar er gaat rust vanuit, bovendien valt er genoeg te kijken.

Felien stopt hun wanneer er gecollecteerd wordt, geld in de hand en bij de laatste collecte aan de deur 'offert' ze haar laatste stuivers. Ze had dan ook niet op driemaal drie collectes gerekend.

'Wat veel, ben je zo rijk?' vraagt Annelein trouwhartig.

'Schatrijk!' knikt Felien ernstig. Als een der eersten verlaten ze het gebouw. De zon is al krachtig, het belooft een schitterende Pasen te worden.

'We mogen toch met je mee?' Berber is als eerste bij het hekje. 'En paps weet wel waar hij ons moet zoeken, hoor!'

Felien haalt de tuinstoelen tevoorschijn en zet koffie. De twee willen met alle geweld ook koffie en bedanken voor limonade.

Smullend van Rita's goudbruine cake komen de verhalen los.

'Ga jij wel eens zwemmen, Felien? Wij wel, met onze klas.' Annelein wiebelt haar benen heen en weer, de voeten raken de grond nog niet. Berber, zittend op de punt van de stoel, aapt Felien na. Slaat de benen ook over elkaar, leunt nonchalant met een elleboog op de leuning.

'Ik heb een badpak dat te klein is. En paps vergeet telkens een nieuw te kopen en die van Berber mag ik niet lenen!' klaagt Annelein. 'Laatst stond er vlak bij school een meneer met een busje. Hij zei dat hij marktkoopman was en ik mocht een badpak van hem uitzoeken! Hij zei dat-ie er wel duizend in zijn auto had. Maar ik mocht van Berber niet die auto in... ik moest toch passen!'

Berber verschiet van kleur en kijkt snel in Feliens gezicht om de reactie te peilen.

Felien verbergt haar schrik. 'Dat was heel wijs van Berber. Die man had misschien wel rare plannetjes, lieverd. Paps heeft je toch wel geleerd dat je nooit met vreemde mensen mag meegaan?'

Berber wil wat zeggen, maar Annelein is haar voor. 'Stil. Stil nou, ik was aan de beurt. Dat zei mammie vroeger, ga niet mee als ze je een snoepje willen geven. Maar dit was toch geen snoepje... een badpak, toch?'

Felien voelt zich slecht op haar gemak. Hoe oud was ze toen de handen van haar belager voor het eerst verdergingen dan een lichte aanhaling? Zoiets als Berber? 'Kleine meisjes die in de zandbak spelen moeten goed gepoetst worden... in het bad met jou!'

Haat, woede, onverwerkte emoties beletten haar voor een ogenblik het spreken. Deze kinderen zou ze willen behoeden voor zulke ellende! Maar hoe? Ernstig zegt ze: 'Zulke dingen moet je ook aan paps vertellen. Jij, Annelein, moet altijd goed naar je zus luisteren, zul je dat doen? We... we praten er later nog weleens over!'

Het gerinkel van de bel van de telefoon breekt hun gesprekje af en Felien is er nog dankbaar voor ook. Rita zal ongetwijfeld willen weten of ze zich ook eenzaam voelt!

Korter dan ze bedoelt, klinkt het: 'Althuisius, met Felien!'

Paps, het is paps 'maar'.

'Zijn mijn dochters bij jou? Ik had het kunnen weten. Stuur ze maar snel naar huis en neem me niet kwalijk!'

Felien klemt de hoorn tegen haar oor. 'Ik... ik zou je even willen spreken, kan dat? Zal ik met ze meelopen?'

Godert aarzelt even met antwoorden. 'Eh... ja, dat is goed. Blijf dan koffiedrinken...'

Felien zegt snel: 'Dat hebben we hier al op. We komen eraan!'

Onderweg vraagt Annelein: 'Vertel nog eens van de klokken. Wat zagen ze allemaal onderweg? Werden ze niet moe?'

Felien is onervaren in het bedenken van kinderverhaaltjes en leidt Annelein af door te zeggen dat ze maar vooruit moet hollen om hun komst aan te kondigen.

Godert blijkt in de achtertuin te zitten. De kinderen joelen: 'Hoi, de tuinstoelen... mammies mooie kussens van de verjaardag!'
Godert buigt zijn hoofd, kijkt dan pal langs Felien heen.
'Het zal nooit slijten!' zegt hij somber en veegt langs zijn voorhoofd. 'Ga toch zitten. Echt geen koffie? Wat anders dan?'
Berber roept dat ze cola gaat halen. 'Ook voor jou, hè, Felien?' De meisjes snellen naar binnen en Felien besluit meteen van de gelegenheid gebruik te maken om haar hart uit te storten.
'Godert, je mag dan een hekel aan je schoonzus hebben, toch zou het wenselijk zijn dat er iemand voor de meisjes was. Ik zal je een voorval vertellen... niet dat je alles wat hen overkomt kunt voorkomen, maar toch, van hun verhalen leer je hoe je ze moet bijsturen en inlichten over bepaalde dingen.'
Godert luistert verschrikt naar hetgeen Felien vertelt. 'Dacht je dat die man bedoelingen had? Er zijn toch ook mensen die uit naastenliefde vrijgevig zijn?'
Felien zegt minachtend: 'Een kind in een busje lokken, waar het zich moet uitkleden om een badpak te passen... In welke tijd leef je eigenlijk, Godert?'
Godert mompelt: 'Ze missen hun moeder. Ik weet me geen raad met die twee. Wat moet ik doen, Felien?'
Felien wil het gesprek op een ander onderwerp gooien, het is niet nodig dat Berber en Annelein meeluisteren. Haastig geeft ze haar mening. 'Als je Agnes niet om je heen wilt, neem dan een huishoudster. Er zijn genoeg vrouwen die dolgraag een cent willen bijverdienen. Sorry dat ik me ermee bemoei...'
Cola, chocolaatjes zo uit een doos.
Godert bekijkt zijn kinderen opeens met andere ogen. Ze groeien op, worden straks pubers, jonge vrouwen. De toekomst drukt loodzwaar op hem.
Verlangend de spookbeelden te verjagen, roept hij on-Godert-achtig: 'Laten we het er vandaag van nemen. We zoeken een bos op waar de kin-

deren heerlijk kunnen spelen, wandelen. Of zoiets. Felien, wil je onze gast zijn?'

De eerste paasdag wordt geheel anders ingevuld dan Felien had kunnen verwachten.

Er wordt in een nabijgelegen bos gewandeld tot ze alle vier uitgeput zijn. 'Ze komen te kort, veel te kort!' zucht Godert als hij zich naast Felien op een omgewaaide boomstam laat neerzakken. 'Wat moet ik doen? Agnes ten huwelijk vragen? Dat staat gelijk aan... zelfmoord.'

Felien masseert de zool van haar ene voet. 'Er zijn meer vrouwen in de wereld, Godert. En begin met een advertentie. Zal ik er een voor je opstellen?'

Er staat angst in Goderts ogen te lezen. 'Toch geen huwelijksadvertentie of zo?'

Felien proest het uit van het lachen, vergeet haar vermoeidheid.

'Dat zou niet verstandig zijn. Je bent nog niet over de dood van je vrouw heen.'

Ernstig zegt Godert: 'Daar kom ik nooit overheen, omdat ik het niet wil. Wat wij hadden was gaaf. Een hemel op aarde... voor zover mogelijk. Nee, hertrouwen is niets voor mij. Ik kan niemand meer gelukkig maken. Maar een huishoudster, dat moet dan maar.'

Felien blijft plakken tot de meisjes naar bed zijn. Zodra ze uit het gezichtsveld van de vader zijn, lijkt deze in te storten.

'Je houdt je groot voor hen, is het niet?'

Godert knikt.

'Als ik mijn werk niet had, zou ik ook... afsterven. Stil, ik weet wat je gaat zeggen, de kinderen. Maar met hen heb ik niet de band die ik met Barbra had. Zij waren haar kinderen.'

Felien heeft diep medelijden met de ongelukkige man. Ze zou willen adviseren: zoek hulp. Maar Godert beweert dat de rouw om zijn vrouw het enige is dat hen nog op aarde verbindt, dat laat hij zich niet afnemen. 'Een papier en pen zijn vast wel te vinden in het huis van een architect!' doet ze luchtig.

Terwijl Godert de attributen haalt, duikt Felien in de krant en snort de personeelsadvertenties op. Sommige zijn bijna onbegrijpelijk vanwege de vele afkortingen.

'Godert!' klinkt het vrolijk. 'Ik ben niet op de hoogte van je financiële draagkracht, kan er een uitgebreide advertentie af?'

Godert schuift een blocnote plus vulpen over tafel. 'Over mijn bankrekening hoef je niet in te zitten. Barbra was van huis uit rijk en ik, ik was enig kind. Mijn ouders hadden een goedlopende zaak en aardig wat onroerend goed. Als ik wilde, zou ik niet hoeven te werken. Wat overigens niet in mijn hoofd opkomt.'

Felien kijkt verbaasd op, de vinger bij een weduwnaar die o. z. krt. term. een h. in de h. zkt. Rijk zijn, doen wat je wilt zonder te werken, zonder contact met anderen hoeven te hebben. Nooit stress vanwege de arbeidssfeer. Als je wilt kun je 'vluchten' naar de andere kant van het land om nare herinneringen te ontlopen.

'Dat is dan tenminste iets. Je kunt de beste kracht krijgen die er is vanwege het hoge loon dat je gaat betalen. Kom op, dan beginnen we. Eh... degenen die reageren moeten wel begrijpen dat er geen sprake van een huwelijk zal zijn. Tja, hoe pakken we dat aan?'

Godert vindt dat je dat er gewoon kunt bijzetten. 'Laat horen wat je hebt bedacht.' Uiteindelijk worden ze het eens.

'Weduwnaar met twee dochters (acht en tien jaar) zoekt op korte termijn ervaren huishoudster. Haar taak is de verzorging van de kinderen, naast die in het huishouden. Huwelijk uitgesloten.'

'Nog meer eisen?' informeert Felien. 'Moet ze nog van een bepaalde kerk of leeftijd zijn?'

Godert kijkt haar ongelukkig aan. 'Moet dat? Als je het in die krant plaatst, reageert er toch alleen een abonnee op en de meesten horen wel ergens bij. Ik hou niet van dat hokjesgedoe, Felien. Enneh... leeftijd? Tja... misschien een 'oudere' huishoudster?'

'Niet doen, dan krijg je reacties van vrouwen die een baantje willen om zelf onder de pannen te zijn. Denk ik. Probeer het toch zo, op deze manier. Ik help wel met de selectie en ook de meisjes moeten uiteindelijk een stem in het kapittel hebben. Kom op, waar staat je computer? Dan maak ik de advertentie klaar!'

Teruglopend naar huis overdenkt Felien de voorbije dag. Wat zou er mooier zijn dan dat zij en Godert verliefd op elkaar werden? Hij zou begrijpen dat hij door moet, zonder Barbra. De meisjes hadden een moeder en zij, Felien, had eindelijk een eigen thuis. Ze schudt de malle fantasieën van zich af. Ze ziet zichzelf nog niet in Goderts armen! Ze griezelt zelfs van de gedachte. De korte baard om zijn mond heeft in haar ogen niets verleidelijks. Geen huwelijk... Toch peinst ze er niet over om dit gezin in de steek te laten!

Tweede paasdag belooft net zo mooi te worden als de dag ervoor. Felien heeft als een blok geslapen, het gevolg van de lange boswandeling. Ze voelt de huid van haar gezicht trekken. Ontbijten in de tuin, gehuld in een duster. Bijen en vlinders bezoeken de door Jan verzorgde bloembakken. De bel van de telefoon verstoort wreed de zo welkome rust.

'Althuisius, met Felien!'

Het is Gilbert, of ze zin heeft mee te gaan naar het strand. Het strand! Felien ziet het voor zich, lange files, horden mensen die hetzelfde plan hebben opgevat.

'Lief van je om aan mij te denken, Gilbert. Maar eh... ik heb al een afspraak! Wie? Geheim...'

Een paar seconden na het afbellen rammelt de bel opnieuw.

'Althuisiu...'

'Ik ben het, liefje!' Rita. Ze blijft tobben over de eenzame Felien. 'Het doet afbreuk aan mijn plezier!'

Felien knarst haar kiezen en tanden over elkaar. 'Niet doen, Rita. Ik ben een grote meid, weet je nog? Ik geniet van de rust. Het doet me zo goed... en dat is geen leugen!'

Na vijf minuten is Rita half overtuigd. 'Toch had je moeten meegaan. Volgende keer accepteer ik geen 'nee'.'

Felien geeft geen reactie.

Rita vervolgt: 'En ik heb een souvenir voor je meegebracht. Ik verklap nog niets! Wel, hou je taai en probeer iets leuks te doen!'

Terug bij de inmiddels koud geworden thee lijkt de dag minder vrolijk. Rita kan lief zijn. Nee, ze is het ook. Bezorgd, moederlijk. Meedenkend. Maar ze laat geen ruimte over voor andermans wensen en gedachten. Ze claimt, vult voorzover mogelijk het leven van de ander in en wel met de beste bedoelingen.

Aanvankelijk, jaren terug, was het juist die houding van Rita die Felien nodig had. Ze kreeg een zekere structuur in denken en doen. Helaas beseft Rita niet dat Felien al lang en breed volwassen is. Haar gedrag komt nu bemoeizuchtig over. Maar wel zo, dat het moeilijk is tegen haar wensen in te gaan. Felien giet de theepot achteloos leeg tussen de bloemen. Het brood dat over is, gooit ze richting familie mus.

'Nee!' roept ze luid. Deze dag laat ze niet afpakken, niet door Rita noch door gedachten aan haar!

Een derde maal telefoon. Glimlachend neemt Felien, inmiddels aangekleed, de hoorn van het toestel.

Zoals ze verwacht had, hoort ze kinderstemmen op de achtergrond en als Godert aarzelend vraagt of ze zin heeft in een vervolg van gisteren, keert de prettige stemming van straks terug.

'Best wel!' zegt ze opgewekt. 'Ik sta klaar, de chauffeur kan voorrijden!'

Het doel blijkt een dierentuin te zijn. 'Dat hebben we ieder voorjaar een keer op het programma gehad,' zucht Godert. De kinderen vallen hem bij, herinneringen worden in geuren en kleuren opgedist.

'En er is ook een speeltuin bij. Daarom hebben we onze nieuwe broeken aan... paps heeft alles gewassen, maar strijken is vrouwenwerk, zegt-ie!'

Godert kijkt gegeneerd opzij en als hij Feliens olijke gezicht ziet, komt er een trekje om zijn mond, het begin van een lachje.

De meisjes hebben pret voor tien en laten Felien schateren als ze elkaar een helm hebben opgezet.

'Waar halen jullie die dingen vandaan? Ik zie geen oogjes meer!'

Godert antwoordt dat hij verplicht is, wanneer hij de bouw bezoekt, het hoofd met een helm te beschermen. 'Maar meestal vergeet ik die dingen...'

Het was te verwachten, velen – zeer velen zelfs – hebben eveneens het plan opgevat de dierentuin met een bezoek te vereren.

'Lekker, leuk!' schalt Berbers stem en dat hun vader een kleine twintig minuten in de rij voor kaartjes moet staan, deert hen niet!

Niet alleen vermoeid, maar ook vuil en hongerig komt het gezelschap terug. Felien heeft in een opwelling beloofd pannenkoeken te zullen bakken. Reden: het bij de dierentuin behorende restaurant was bomvol en om te gaan zitten wachten tot er plaats was, lokte niet.

Godert kijkt verlangend naar zijn nog niet gelezen kranten. Op tafel ligt de brief.

'Foei, nog niet gepost?' plaagt Felien. 'Als je naar de bus om de hoek loopt, gaat hij vanavond nog weg. Of heb je spijt?'

Godert zegt schutterig dat hij soms nogal vergeetachtig is. 'Zoals je weet cirkelen mijn gedachten om dat ene.'

Felien duwt hem de brief in een hand. 'Posten, nu! Als je terugkomt, staan de meiden onder de douche, geurt de koffie en komt een walm van gebakken pannenkoeken je tegemoet!'

De kinderen vinden het heerlijk om gecommandeerd te worden. Het is behoefte aan aandacht, niets anders.

'Naar boven jullie... en na het wassen de pyjama's aan!'

In de keuken is het moeilijk alles wat ze nodig heeft, te vinden. Als Godert terugkomt, zweeft het koffiearoma hem inderdaad tegemoet, maar van een pannenkoek valt nog niets te bespeuren.

'Ik ren even naar huis en haal boter en meel... Misschien heeft Rita zelfs stroop in de kast.'

Wanneer de kinderen naar bed zijn en de vaat is gedaan, voelt Felien zich overbodig. 'Ik ga maar weer. Of zal ik nog koffie voor je zetten?' aarzelt ze.

Godert schrikt op en laat de krant ongelezen uit zijn handen vallen.

'Goed... goed. Ja, je zult morgen weer moeten werken, net als ik. Koffie zou lekker zijn.'

Terwijl het water door de filter pruttelt, schikt Felien twee kopjes op een blad. Ze heeft in de gang een serie portretten van Barbra ontdekt. Barbra, in feeachtige jurken gehuld, lang loshangend haar, bloemenkransjes op de kruin, bloeiende vruchtbomen als decor, de oever van een rivier en een portret tussen zonnebloemen.

Ze kan zich deze vrouw moeilijk als moeder en echtgenote voorstellen. Arme, wanhopige Godert. Het gemis van een relatie is vaak moeilijk, weet ze uit ervaring. Maar, zo vraagt Felien zich af, is oprechte rouw niet nog erger?

'Koffie, Godert! Het zal je goeddoen.'

Langzaam roert hij het bruine vocht. 'Hebben we misbruik van je gemaakt, Felien? Dankzij jou zijn we deze dagen tenminste plezierig doorgekomen.'

Op ferme toon antwoordt ze: 'Wie weet hoe fantastisch de volgende feestdagen worden, dan heb je je huishoudster!'

Godert drinkt de koffie in één teug op. Hij bezorgt Felien een schok als hij zegt: 'Zou jij je baan willen opgeven en die taak hier op je nemen? Je kent de voorwaarden al. Goed loon, huwelijk uitgesloten!'

Stomverbaasd kijkt Felien Godert aan.

'Dat meen je niet! Ik... je weet toch dat ik een nieuwe baan krijg? Echt, die kan ik niet zomaar opgeven. Jòh, ik ben niet bijzonder. Wie weet wat voor perfecte mensen op je advertentie reageren!'

Godert vouwt de kranten op. Geen belangstelling meer in het nieuws van twee dagen terug. Morgen, morgen kan hij weer werken! En werken is vergeten.

'Het spijt me...' zegt Felien onhandig. 'Je kunt indien nodig altijd op Rita en mij rekenen. Ik bedoel maar...'

'Sorry. Ik had je dit niet mogen vragen. Vergeet het!'

Felien staat op en denkt er niet over nog een kopje koffie mee te drinken. 'Het beste, Godert. En... nou ja. Tot ziens...'

Ze haast zich het huis uit. De kijkende buren zullen wel denken: de huisgenote van de familie Althuisius heeft een weduwnaar aan de haak.

Thuisgekomen begeeft Felien zich meteen naar boven. Ze legt de kleren voor de volgende dag alvast klaar en zoekt een boek om nog een uurtje in bed te kunnen lezen.

Maar eerst een douche. Het stof van de dierentuin zit zelfs in het haar. Morgen, dan is alles weer normaal. Zoals gewoonlijk zal er van alles en nog wat in de zaak gebeuren en haar aandacht wordt voor honderd procent opgeëist.

Godert en zijn dochters horen bij 'gisteren', de dag van vandaag is dan slechts herinnering. De inhoud van het boek is niet van dien aard dat het Felien boeit, want vandaag is nog altijd vandaag en bij vandaag horen de drie vereenzaamde mensen: een man en zijn dochters die haar naar zich toe lijken te zuigen.

Of ze dat werkelijk zou willen, is Felien nog niet duidelijk.

9

MEER DAN EENS WERPT FELIEN, DE DAG NA PASEN, EEN VERLANGENDE BLIK
naar buiten. Jammer om nu binnen te moeten zijn. De lente lokt in volle
glorie.

Af en toe kijkt ze steels naar Henri, die bezig is het haar van een jongeman te verven. Ze hoort hem vol overtuiging zeggen: 'Werkelijk, neem
van mij aan dat de tijd passé is dat mannen toekeken hoe het vrouwelijk
geslacht zich door kappershanden liet verfraaien. Let op mijn woorden!'
De klant stelt een vraag die Felien niet verstaat, wel het antwoord van
Henri.

'Dat is snel verteld. De nieuwe modelijn is ontworpen door de
Gezamenlijke Nederlandse Kappers. Deze is geïntroduceerd tijdens een
vakmanifestatie van de kappersbranche. Ik ga daar altijd heen, samen met
Sofie. Ik zal u het eerste nummer meegeven van ons eigen orgaan, behalve advertenties staan er gouden tips in!'

Felien vraagt zich af waar Henri zijn niet-aflatende energie vandaan
haalt. Ze luistert maar met een half oor naar haar vrouwelijke klant die
klaagt over haar zonen die zich bij groeperingen aansluiten waar allen
hetzelfde kapsel dragen.

'Waar is de tijd gebleven dat jongens van die leuk geknipte koppies hadden?'

Felien neemt een handspiegel en laat de klant de achterkant van haar
gekapte hoofd zien.

'Wat heb je dat kalende plekje keurig weggewerkt! Hè, dat doet me goed!'
Felien glimlacht. 'Echt niet zo moeilijk. Zal ik nog eens voordoen hoe ik
het getoupeerd heb? En als u föhnt, moet u rekening houden met de
richting...'

Een tevreden klant verlaat de winkel. Felien loopt mee tot aan de deur,
snuift begerig haar longen vol frisse lucht.

De middagpauze gebruikt ze om de verbouwing te bekijken.

'Het schiet hard op! Fantastisch... ik verheug me toch zo...'

Henri voert Felien aan een elleboog naar de achterzijde van het huis.

'Kijk eens naar de stalen, meisje. Het zijn stukken board die op verschillende wijzen zijn bewerkt. Gestuct, of zoals deze, geschilderd. En dit

hier is een nieuw soort kunststof. Wel, ik ben benieuwd wat jouw keus is.'

Henri's adem is hinderlijk warm in haar hals. Felien drukt zich daarom stijf tegen de oude toonbank die voor verschillende doeleinden wordt gebruikt.

'Eh... zet ze eens rechtop, dan ga ik er een paar meter vanaf staan. Heb je een beter zicht op het reliëf!'

Henri gehoorzaamt en opgelucht stapt Felien achteruit.

'Dat grove stucwerk mag je van mij van de lijst schrappen. Te ruw lijkt me!'

Sofie komt hen gezelschap houden. 'Als je het mij vraagt...'

Henri snibt: 'Dat deed ik dus niet, Sofie. We gaan dit keer op Feliens keus af!'

Sofie haalt haar schouders op en verwaardigt zich niet te reageren.

Snel komt Felien: 'We moeten het rustig houden en het geheel afstemmen – voor zover mogelijk – op de kapsalon. Dus ik kies voor dat fijne stucwerk. Niet?' Ze negeert Henri en kijkt Sofie aan.

'Dat ben ik met je eens. Kom, ga mee naar boven, de werklui zijn gaan schaften. Kun je zien hoe het opschiet. Als ik ze niet achter de vodden zat, waren ze nog bezig met opmeten!'

Puffend en hijgend gaat ze Felien voor op de smalle trap. 'We hebben voor een open trap van hardhout gekozen. Weinig onderhoud!'

Felien struikelt bijna over een snoer kabels en doet haar best door de chaos heen te kijken. 'Het belooft goed te worden. Wat nu, als de tussenmuur wordt weggebroken? Geeft dat in jullie huis niet ontzettend veel stof?'

Sofie knikt. 'Voordat alles bewoonbaar is, zijn we echt een paar weken verder. Maar goed, het moet eerst slechter worden eer het beter wordt, zeiden ze vroeger bij ons thuis en zo is het. Daar komen de timmermannen weer aan. Goed op tijd... ik moet ze een paar vraagjes stellen. Ga jij maar terug naar de salon, jouw pauze zit erop!'

Het mooie weer lijkt mensen te inspireren om 'iets' aan hun haar te laten doen. Er is geen stoel onbezet en Felien verlangt naar sluitingstijd.

Pas aan het eind van de werkdag merkt ze dat Gilberts houding naar haar toe vrij stug is. Als ze iets vraagt, krijgt ze nauwelijks antwoord, terwijl hij honderduit praat naar anderen.

Als ze na zessen elkaar in de kleine keuken ontmoeten, houdt Felien hem staande.

'Scheelt er wat aan, Gilbert?'

'Of er wat aan scheelt...' zegt Gilbert langzaam, neemt een pluk haar van Felien tussen duim en vinger en draait er een krul in.

'Waarom scheepte je me af? Geen zin om met me uit te gaan of is er een ander?'

Felien geeft een rukje met haar hoofd, trekt de haarlok los. 'Je doet me pijn. Ik heb niemand, maar ik was wel bezet. Wat stel jij een rare vragen! Lange tenen?'

Gilbert zucht. 'Dat niet, maar wel een nogal bonkend hart, als je begrijpt wat ik bedoel. Ik zou graag met je willen omgaan, als vrienden, Felien. Ik heb in het verleden heel wat vriendinnetjes gehad, maar zo'n ongerept schatje als jij ben ik nog niet tegengekomen!'

Felien loopt rood aan. Ongerept schatje! Ze is maar heel kort 'een ongerept schatje' geweest, helaas. Op een foute manier kwam ze met lichamelijke begeerten in aanraking.

'Je vergist je!' zegt ze kortaf. 'Ik vind je een leuk joch, dat vinden we allemaal hier. Voorlopig heb ik geen tijd voor uitstapjes. Niet, zolang de salon hiernaast niet klaar is!'

Daar kan Gilbert het mee doen.

Rap maakt ze haar taak af en is vertrokken voor Gilbert haar kan tegenhouden.

Thuis treft Felien een uitgelaten Rita aan. 'Lieverd, we hebben zo'n fijne Pasen gehad. En gezellig dat het was, zo met ons allen. Meer dan eens werd gezegd: wat missen we Felien!'

Felien laat zich op een keukenstoel vallen. 'Maak dat de kat wijs, Rita. Per slot van rekening ben ik geen familie. Maar vertel op, ik ben een en al oor!'

Rita schenkt voor hen beiden een glas wijn in en wijst op de oven. 'Een gemakkelijke schotel, recept van Susan. Proost, Felien! Op onze volgende vakantie en dan ben jij erbij!'

Rita beschrijft de natuur, de geuren en de kleuren van het ontluikend groen.

'Je had de kinderen moeten zien hollen, heuvel op, heuvel af. De wind speelde hoog in de toppen van de dennen, net muziek. En o ja, er waren zandverstuivingen. Reuzezandbakken! Je had Jan moeten zien hollen met de kinderen, ze maakten grote sprongen en doken in het zand. Ach, zo jammer dat je er niet bij was. Maar ik heb een souvenir voor je meegebracht. Ik haal het zo, eerst dit. Met ons allen hebben we een wandeling langs een romantisch beekje gemaakt, dat voerde ons ver het bos in. Ik was verrukt van een lief plekje, daar waar een brugje over de beek was. Varens aan de oevers, bosanemonen en van dat gele goedje...'

Felien verbergt een geeuw achter een hand. 'Speenkruid zul je bedoelen!'

'Juist. Speenkruid. Je keek zo op de bodem van de beek, helder als glas was het water. En ijskoud ook nog. Wel, later vond ik in een dorpswinkel een schilderij van dat plekje. Het had een naam, het Dieperinksbrugje, en is door een plaatselijke kunstenares naar de natuur geschilderd. Toen ik het zag, zei ik meteen: dat is voor Felien. In de hoop natuurlijk dat je volgende keer meegaat!'

Rita is inmiddels opgestaan en haalt uit de hal een vierkant pak.

'Maak maar gauw open! Je ruikt de bossen als je naar het schilderij kijkt!'

Felien scheurt het pakpapier los en reageert verrast. 'Het is inderdaad mooi, Rita, dank je wel. Wat mooi, de zon die door de bomen schijnt en dan het beekje... lief van je bedacht!'

Rita is tevreden.

Maar als Felien argeloos zegt: 'Ik hang het later vast in mijn woonkamer, maar tot het zover is, krijgt het een bescheiden plekje boven mijn bed!' verdwijnt Rita's glimlach.

De ovenwekker rinkelt doordringend, wat Rita naar haar pannenlappen doet grijpen. 'Vraag maar aan Jan of hij een spijker in de muur slaat!'

Felien loopt met het schilderij onder haar arm de trap op en roept over haar schouder: 'Dat doet een geëmancipeerde vrouw tegenwoordig zelf!'

De verbouwing gaat naar wens, de werklui lopen zelfs voor op het schema. Meer dan eens wordt Felien gevraagd even tijd vrij te maken voor een advies. Het gaat doorgaans om kleine dingen, die voor een buitenstaander weinig verschil maken.

Gretig kijkt Felien uit naar de datum waarop het werk voltooid zal zijn. Met een beetje verbeelding kan ze zich voorstellen een eigen zaak te hebben. Los van Sofie en Henri, ver verwijderd van deze omgeving. Ergens in het land opnieuw beginnen.

Heel dankbaar is ze dat Henri de collega's vraagt voor de kappersavonden in de tehuizen. Vooral Gilbert is blij met deze taak. 'Wij hebben in de salon een bepaald soort klanten. In de tehuizen krijg je van alles onder je vingers. Kinderkopjes, tieners, ouden van dagen.'

'Van gelkuifjes tot grijze knotjes!' doet Felien luchtig. En dan laat ze zich op felle toon ontvallen: 'Denk maar niet dat de kinderen uit 'Het Haventje' zelf hun kapsel mogen kiezen. 'Zo kort mogelijk, kapper, dan duurt het tenminste wat langer eer de volgende knipbeurt nodig is.''

'Jij bent op de hoogte! Enfin, we zullen zien wie het wint: ik, de kapper, of een van die opvoeders!'

Terwijl de kappersploeg zich na een snelle hap op weg begeeft richting 'Avondvreugd', buigen Sofie en Felien zich over de plannen voor de openingsdatum van de schoonheidssalon.

'Eerst een advertentie; beschaafd en bescheiden, en toch in het oog springend!'

Felien krabbelt een paar zinnen op haar blocnote, zittend aan Henri's bureau, tegenover Sofie.

'We moeten een openingsstunt hebben, Sofie. Aanbiedingen... gereduceerde prijzen voor bijvoorbeeld de eerste week. Abonnementen, da's ook handig. En weet je wat ik bedacht heb?'

Sofie ontspant zich, lijkt opeens een ander mens te worden. 'Je hebt er echt zin in, niet? Je bent een beste meid.'

Felien weet even niet wat ze van zo'n merkwaardig compliment moet denken en glimlacht verlegen.

'Ik ben ook zo blij met deze kans. Echt waar, Sofie... het geeft een kick. Maar, schrik niet van wat ik nu ga zeggen. Als we goed voor de dag willen komen, zal er een kracht bij moeten. Een voorbeeld: ik ben met een cliënt bezig, stel ze krijgt een maskertje. De telefoon gaat voor een afspraak of er komen klanten. Wat dan? Ik kan de vrouw in de stoel moeilijk laten wachten!'

Sofie kijkt zuinig. 'Ik begrijp je wel. Henri kwam midden in de nacht ook al met zo'n verhaal. Ik deelde een mep met mijn kussen uit om hem tot zwijgen te brengen. Die man kwebbelde als een eend. Weg nachtrust! Hij slapen en ik tobben!'

Felien ziet ze voor zich, samen in een enorm tweepersoonsbed. Sofie in een gebloemd nachtgewaad, Henri gaat vast op sportief.

'Wat grijns jij gemeen... wacht maar tot je zelf aan de man bent. Dan begrijp je me beter. Maar goed, een extra hulp. Hoe komen we aan een goeie? Ik wil niet nog meer van die snatermeiden om me heen. Het maakt dat ik me oud en afgeleefd voel.'

Felien meent Sofie's ego te moeten opvijzelen. 'Kom, menige klant wil alleen door 'die mevrouw met ervaring' geholpen worden. En... ouder worden we op onze beurt allemaal. Jong zijn is geen verdienste. Soms denk ik, was ik maar twintig jaar ouder. Ik pas op de een of andere manier niet bij mijn leeftijdsgenoten.'

Sofie zegt op ongekend milde toon: 'Als wij beiden zo blijven doorgaan met het uitstorten van onze harten, komen we geen stap verder. Zeg op, waar halen we een ervaren kracht vandaan?'

Felien krijgt de opdracht op jacht te gaan. 'Jij moet ermee werken. Uitzendbureaus, misschien zelf adverteren, zoek maar uit.'

Het bovenste blocnotevel is aan het eind van de avond volgekrabbeld. Ideeën die thuis uitgewerkt kunnen worden.

'Meid, we stoppen ermee. Ik ben het zat. Je moeder zal dinsdagavond wel weer op me mopperen!' veronderstelt Sofie.

Haastig zegt Felien: 'Rita is mijn moeder niet. En als ze ooit een opmerking over mij maakt, weet dan dat die geheid niet van mij komt. Van mij mag ze zelfs niet over mijn werk praten, ze bedoelt het allemaal lief en goed, maar dikwijls bekijkt ze de zaak van een andere kant dan ik!'

Sofie ordent het bureau. 'Maak je niet druk, zo erg heeft ze het nog niet gemaakt. Heeft ze trouwens al verteld dat we met het koor naar Israël gaan? Het komt mij nogal slecht uit moet ik zeggen. Net na de opening. Maar meegaan zal ik!'

Rita is verrast als Felien haar overvalt met de vraag: 'Ga je mee naar Israël? Doen hoor, ik zorg wel voor Jan en de planten!'

Jan en de planten, alsof dat Rita's enige taak is.

'Ik weet niet... jij bent al zo druk. Straks, als de salon klaar is, denk je nergens anders meer aan. Ik zie jou nog niet koken als je om zeven uur binnenstapt!'

Felien knelt haar blocnote onder haar arm, kust Rita welterusten en zegt bedaard: 'Dan kookt Jan voor mij. Als je verstandig bent, Rita, behandel je ons als volwassenen en niet als onmondige kinderen!'

Rita protesteert. Hoe of Felien dat dan wel bedoelt!

Veinzend Rita niet te horen haast Felien zich naar boven en laat zich op bed vallen. Hondsmoe is ze. Uitgeteld en dan te bedenken dat de week nog niet om is! Ze staart naar het bostafereel boven haar bed. Ze hoort het beekje murmelen, verbeeldt zich dat in de wazige verte tussen de bomen een hert wegspringt.

Met moeite maakt ze zich los van 'het Dieperinksbruggetje' en besluit: ik ga dat plekje ooit opzoeken. Maar dan alleen, zonder de familie Althuisius.

Een advertentie in het streekblad levert verscheidene reacties op. Samen met Sofie leest en keurt Felien de inhoud en stelt zich een vrouw voor die daarbij past.

Sofie is kritisch en neemt wat dat aangaat geen blad voor de mond: 'Dacht ik het niet, jonge meiden, vol idealisme. De een beschrijft zichzelf al mooier dan de ander. En dan die doelstellingen... hoor! 'Ik ben van huis uit sociaalvoelend en geniet ervan mensen mooier te maken, zodat ze zich zelfverzekerder voelen!' '

Felien ordent de brieven. 'Ergens heeft ze toch gelijk. De meeste cliënten gaan anders weg dan ze gekomen zijn. Ik moet toegeven dat het niet gemakkelijk is. Laten we er nog een nachtje over slapen eer we een keus maken!'

Die nacht droomt Felien van een pin-up-achtige dame die zich snel thuis voelt en voor cheffin speelt.

Ze kan het verhaal maar moeilijk van zich afzetten. Eenmaal in de salon wuift Sofie haar vanuit het kantoor toe. 'Nog een paar reacties, kun je voor je begint even komen om te lezen?'

Felien haalt opgelucht adem.

'Deze is van een niet meer piepjonge vrouw. Ze heeft ervaring, heeft zelfs in Brussel gewerkt en volgde onlangs een cursus om met de nieuwe technieken en middelen bekend te worden. Lijkt me wel wat!'

Sofie knikt tevreden. 'Dacht ik ook. Laten komen... handel jij het zelf maar af. En denk erom, niets beloven! Je ontvangt haar in het kantoor en als ze je geschikt lijkt, laat je haar de salon zien. Bel meteen maar voor een afspraak.'

Mattie Stout beschikt over een jong aandoende, frisse stem. Ze heeft momenteel niets omhanden dus een afspraak is snel gemaakt.

'Tegen halfeen, lukt dat?'

Weg pauze, denkt Felien. Enfin, daar moet ze aan wennen. Het zal in de toekomst wel vaker gebeuren.

Vijf voor halfeen heeft ze haar laatste klant en haastig begeeft Felien zich naar de garderobe om haar make-up bij te werken. Per slot van rekening moet mevrouw Stout een goede indruk van haar misschien toekomstige cheffin krijgen!

'Bezoek voor je!'

Gilbert kijkt Felien doordringend aan, wat ze bewust negeert.

'Mevrouw Stout, komt u verder!'

Een blonde vrouw, midden dertig, schat Felien. Slank postuur en eenvoudig gekleed. Haar handdruk is stevig en koel.

'Gaat u zitten,' zegt Felien houterig. De rollen lijken omgekeerd, zij voelt zich de mindere van hen tweeën.

Een tikje op de deur. 'Koffie?'

Malou lacht vriendelijk en Felien kijkt haar onbewust dankbaar aan.

'Daar hebben wij Nederlanders altijd trek in!' meent Mattie Stout en kijkt toe hoe Malou de kopjes vult.

'De kan laat ik maar achter, Felien!'

Felien roept zichzelf tot de orde. Zij is de cheffin die een sollicitante ontvangt.

Ze stelt zich voor hoe Ada het zou aanpakken en opent het gesprek met: 'Vertelt u eens iets over uzelf? De belangrijkste zaken stonden weliswaar in de brief, maar toch zijn er nog vragen over. Zoals: waarom bent u geruime tijd uit het vak geweest en wat is de motivatie om de draad weer op te pakken?'

Mattie vertrekt geen spier van haar gezicht als ze vertelt dat een ongeluk haar in één klap niet alleen weduwe maakte, maar ook 'wees'. 'Mijn beide ouders overleefden de ramp niet. De eerste tijd was ik versuft van ellende. Aan werk dacht ik niet, mijn man verdiende voor twee. We hadden plannen om een huis te kopen. Ik ben later – alleen – in de woning van mijn ouders getrokken. En omdat ik niet bepaald geldgebrek had, werd ik niet gedwongen om te werken. Achteraf gezien best jammer.'

Felien luistert geboeid. Zij is echt niet de enige die een zwaar pak te dragen heeft!

'U begrijp het al wel, denk ik. Steeds dieper zonk ik weg in een donkere poel, tot ik ontdekte dat die gevuld was met zelfmedelijden. Mijn man en ouders zouden het vreselijk vinden mij zo te zien. Na die ontdekking schreef ik me in voor een cursus en begon een huispraktijkje. Niet om de verdienste, alleen voor de werkervaring, de oefening om de juiste toon terug te vinden.'

'Dus onze advertentie kwam als geroepen!' begrijpt Felien en schenkt ongevraagd Matties kopje opnieuw vol.

Mattie knikt. 'Ik veronderstel dat er meer reacties zijn binnengekomen. Waarschijnlijk jonge meiden die pas klaar zijn... trappelend om aan het werk te kunnen...'

Spontaan voor haar doen zegt Felien: 'Noem me alsjeblieft Felien. Dat praat gemakkelijker... Mattie!'

Kort daarna stelt Felien haar voor de salon te bekijken. 'Het bord 'werk in uitvoering' zou hier niet misstaan. Toch schiet het goed op, nog een week of twee en dan kunnen we openen.'

Mattie stelt doelgerichte vragen, heeft een kritisch oog voor wat ze ziet. 'Ik zou hier dolgraag willen werken...'

Felien moet zich bedwingen om niet te roepen: 'Voor elkaar!'

Sofie komt de trap afzuchten. 'Onze sollicitante. En, wat vindt u van onze toekomstige beautyfarm?'

Oogcontact tussen Sofie en Felien. Sofie knikt. 'Als ik het goed begrijp is de kennismaking wederzijds bevallen. Waar wachten we nog op? Laten we over het salaris spreken. Daar hebben we mijn man voor nodig.'

Een halfuur later is het gesprek afgerond en verlaat Mattie Stout het pand met een voorlopig contract in haar tas.

'Tevreden?' informeert Sofie, als ze de wegwandelende Mattie nazien.

Felien knikt. 'Een goede keus. Geloof ik... Zal ik de anderen een keurig bedankje schrijven?'

Het is niet bepaald druk, die middag. Vandaar dat Sofie genadig opmerkt: 'Meid, ga een kwartiertje zitten. Schrijf maar vast een concept voor het briefje of zo...'

Verbaasd over zo veel begrip haast Felien zich dit advies op te volgen, zich afvragend wat Sofie zo menselijk heeft gemaakt!

Wanneer de werklui hun karwei geklaard hebben, is de beurt aan de stoffeerder. De salon ruikt nieuw. Verrukt snuift Felien de verflucht op.

Het is hard werken, de week voor de opening.

Niet één avond is Felien voor tienen thuis. Mattie, die een auto heeft, biedt aan haar te halen en te brengen. Zelf woont ze op loopafstand van het winkelcentrum en komt vanzelfsprekend te voet naar haar toekomstige werk. 'Ik rijd graag en doe het met plezier!'

Aarzelend accepteert Felien het aanbod. 'Ik heb er een hekel aan om alleen in de avond te fietsen, ook al is het nog niet donker!'

Daar is Mattie het helemaal mee eens. 'Je hoort tegenwoordig zo veel rare dingen. Je weet maar nooit wie je op je pad ontmoet, zeg ik maar. Dat is dus geregeld!'

Iedere dag brengt de pakketpost dozen met artikelen en verrukt als waren ze kleine meisjes, ordenen de toekomstige schoonheidsspecialistes de waren.

Zoals bijna altijd het geval is, vindt de voltooiing daags voor de opening plaats! Later dan normaal zet Mattie Felien in de Boslaan af.

'Laten we morgenochtend beiden vroeg komen, dan geven we elkaar een behandeling die ons doet stralen! Zijn we levende reclame.'

Opgewekt maar vermoeid neemt Felien afscheid. Morgen, dan begint haar nieuwe leven.

10

'Ik krijg de neiging luidkeels te gaan zingen!' Dat zijn de woorden waarmee Mattie Felien de ochtend van de opening begroet. 'Zo'n ouderwets lied dat mijn moeder vroeger zong!' En ze barst los: 'Nu breekt uit alle twijgen, het frisse jonge groen... De leeuweriken stijgen... de hemel tegemoet... Enzovoorts!'

Felien grinnikt. 'Weet je dat je heel anders bent dan ik aanvankelijk dacht? Je verrast me telkens met je spontaniteit!'

Mattie glimlacht tevreden. 'Ik begin weer mezelf te worden. De wonden die het leven geslagen heeft, peuter ik niet langer los – ik laat ze helen. Sinds kort realiseer ik me dat ik niet op de wereld gezet ben om levenslang te rouwen. Ik heb de verplichting om er 'iets' van te maken. Zo zouden vooral mijn ouders dat gewild hebben... Als ik eerlijk ben, Felien, is het hard werken om terug te komen in de maatschappij. Kun je je er iets bij voorstellen?'

Felien komt snel met haar antwoord. 'Natuurlijk. Je... je bezit een gezonde dosis zelfrespect. En iemand die zelfrespect heeft, staat ook tegenover een ander positief!'

De korte afstand is gauw afgelegd en Mattie stopt voor de deur van de zaak. 'Ik zet de auto weg en ben zo terug...'

Felien voelt aan de deurkruk en tot haar verbazing is de deur al open. Ook Henri en Sofie zijn vandaag extra vroeg.

Tot aan het eind van de middag is er 'open huis' voor belangstellenden, wie behalve het gebruikelijke 'hapje en drankje' ook een tasje met proefmonsters zal worden aangeboden evenals de huisregels van de te openen salon.

Felien laat zich op een comfortabele stoel voor een spiegel zakken. Ze bekijkt haar nog slaperige uiterlijk kritisch.

Achter haar klinkt vrolijk de stem van Mattie Stout. 'Kom op, dan zal ik je verbouwen, en wel zo dat je make-up de hele dag houdt.'

Voor het eerst maakt Felien kennis met Mattie als schoonheidsspecialiste. 'Je hebt precies de goeie handen. Ik voel dat je ervaren bent!'

Mattie grijnst. 'Nu ben ik aan de beurt en kan ik jouw techniek testen. Een gefatsoeneerd uiterlijk pept op!'

Daar is Sofie het mee eens. 'Goed zo, dames! Zo mag ik het zien. Jullie dienen je eigen reclameobjecten te zijn. Schiet een beetje op, Felien, want ook ik wil een beurt. Mijn vel hangt slap langs mijn wangen. Ik denk serieus over een facelift!'

Felien wil roepen: mens, blijf toch wie je bent! Mattie kleedt haar mening wat fraaier in, maar de inhoud van haar zinnen komt op die van Felien neer.

Ruim voor openingstijd zijn de drie vrouwen klaar om de eerste gasten te ontvangen.

Felien en Mattie zijn uniform gekleed, beiden dragen ze een elegant jasschort van fijne kwaliteit en moderne snit.

Henri is apetrots op zijn personeel en komt met een ingelijste poster aandragen.

'Verrassing!' kraait hij en toont Felien een foto van haarzelf waaronder staat: 'Felien, uw gastvrouw.'

'Net zoals bij de supermarkt!' reageert ze vol afschuw. 'Moet dat heus, Henri?'

'Voorlopig wel! Zeker tijdens de opening. Vanavond als de genodigden komen, wordt het extra druk en ik sta erop dat iedere bezoeker meteen weet wie hier de cheffin is!'

Ook het kapperspersoneel is aan de vroege kant. Gilbert torst een bloemstuk en biedt dat namens 'de kappers' aan.

'Wat mooi... jullie hebben het fantastisch uitgezocht! Allemaal vast spul!' zegt Felien verrast. Gilbert zoent haar kalm op de lippen en komt dan met de felicitatie. 'Veel, heel veel succes. Reken maar dat ik binnenkort om een behandeling kom. Hoog tijd dat mannen meer aan hun uiterlijk doen!'

Malou en Ada giechelen. Henri vindt dat er genoeg is geteut. 'Aan het werk, mensen!' Hij klapt als een ouderwetse schoolmeester in de handen. Mattie trekt Felien mee naar de salon. 'Voor de drukte losbarst, Felien, wil ik je dit zeggen: hartelijk bedankt voor deze kans. Je zult er geen spijt van krijgen mij te hebben aangesteld!'

De belangstellenden druppelen langzaam binnen die ochtend. Pas tegen koffietijd wordt het drukker. De bloemist loopt af en aan met fraai opgemaakte bakken en manden. Sofie sist: 'Zuinig op de kaartjes, bij het bedanken mag niemand vergeten worden!'

Felien krijgt zelfs privé een fraaie bos bloemen. 'Veel geluk in je nieuwe werkkring! Godert, Berber en Annelein.'

'Wie zijn dat?' vist Mattie.

'Buren!' reageert Felien kort en ze zet het boeket zo dat het goed in het oog valt.

Mattie duwt het afsprakenboek, een lijvige agenda, onder Feliens neus. 'Kijk eens wat een afspraken ik al heb geboekt?'

Tijd om rustig te eten is er die dag nauwelijks. Af en toe trekken de twee zich om beurten even terug om op verhaal te komen. Ze moeten immers de avond ook nog door!

Tegen zessen stapt architect Haneveld binnen, gevolgd door Godert Berkhoven. Collega's, begrijpt Felien.

Terwijl Haneveld tevreden rondkuiert om het resultaat van zijn denk-werk te bekijken, stapt Godert op Felien toe. Zijn felicitatie is kort maar gemeend. Al snel begint hij over zichzelf te praten.

Op gedempte toon zegt hij: 'Ik heb je hulp nodig, Felien. De brieven, je weet wel... ze stromen binnen. Ik weet me er geen raad mee. Wanneer heb je tijd?'

Godert kijkt zo ongelukkig dat het Felien ontroert. Wat zijn sommige mannen toch hulpeloos. 'Ik kan echt niet eerder dan zondagmiddag. Dan pas heb ik rustig de tijd om de reacties te lezen. Wie weet, is er iets bij...'

Godert valt haar in de rede. 'Dat denk ik dus niet. Maar antwoord moe-ten ze wel hebben. Het spijt me dat ik eraan begonnen ben!'

Felien moppert: 'Je hebt een goede reden. Denk aan het alternatief 'tante Agnes'!'

Haneveld eist de aandacht van Godert op. 'Man, je moet eens komen kij-ken hoe dat nieuwe materiaal waarover ik je sprak, verwerkt is. Ik ben er enthousiast over!'

Mattie komt voor Felien staan. 'Kom op, even je make-up bijwerken. Kom maar even mee naar het magazijn, dan doe ik het daar wel...'

Felien stift haar lippen en kijkt zichzelf in een te kleine spiegel ernstig aan.

'Was 'm dat, de buurman?' Mattie heeft haar ogen goed de kost gegeven en plaagt: 'Is er geen buurvrouw?'

Kort zegt Felien, terwijl ze de dop op de lipstick doet: 'Weduwnaar, twee dochters, een trouwlustige, maar krengerige tante. Vandaar dat ik ze af en toe help. Maak je geen illusies; hij is geen partij voor mij.'

Mattie zegt niet wat ze denkt: ik geloof je niet.

Heel de avond is het een komen en gaan van zakenmensen, collega's en relaties. Er is geen sprake van dat de staande receptie voor tienen is beëindigd en Felien wenst dat ze vier paar benen en voeten had.

De laatste bezoekers zijn vertegenwoordigers van de tehuizen. De directie van 'Avondvreugd' komt in gezelschap van de directeur van 'Het Haventje' plus diens assistent.

Felien was vergeten hoe aantrekkelijk Coen Clemens is. Hij lijkt nog dieper gebruind dan dat ze zich hem herinnerde, waarschijnlijk het gevolg van een vakantie.

Achter de brillenglazen twinkelen zijn ogen plagend. 'Even vergeten wie ik ben?' plaagt hij, Feliens hand in de zijne houdend. 'Mevrouw de cheffin, ik wens je veel succes. Helaas zul je mij nooit als klant krijgen, ik vind knippen genoeg!'

Feliens hart ratelt in haar borstkas. Ze zit verlegen om een vlot antwoord, meer dan een glimlachje kan ze niet opbrengen.

Tussen collega's en klanten kan ze haar houding bepalen, net zoals dat met kinderen het geval is. Een vlotte conversatie met volwassenen voeren lukt niet, ze voelt zich innerlijk verstijven. Juist als het mensen betreft die ze graag beter zou willen leren kennen.

Coen Clemens laat haar hand los, geeft een knipoogje en zegt: 'Ik zal je aan mijn onmisbare assistent voorstellen. Elgersma, vervangend directeur.'

De grond onder Feliens voeten lijkt van week materiaal te worden. Elgersma, Jaap Elgersma, de man die ze ver weg uit deze omgeving waande. Of hij haar herkent? Het is per slot van rekening jaren geleden...

Een gedrongen man, kortgeknipt haar en een uitdrukkingsloze blik in de ogen. Felien echter weet hoe diezelfde ogen kunnen gloeien van begeerte en hartstocht.

Haar ogen flitsen heen en weer. Die handen, breed en wreed.

Snel, zeer snel moet ze een goede inval krijgen, haar kalmte en zichzelf trachten terug te vinden. Kalmte, alleen kalmte kan haar redden.

God... Heer, help me alstublieft... Alsof iemand haar influistert: richt je hoofd op, het verleden is voorbij, het leeft slechts voort in jouw gedachten!

Ze drukt de brede hand, kijkt recht in het nieuwsgierige gezicht.

'Prettig u te leren kennen. Ik ben...' Even is er een aarzeling. 'Ik ben Fe Althuisius. Neemt u me niet kwalijk, mijn aanwezigheid wordt ginds gevraagd...'

Althuisius. De eerste keer in haar leven dat ze de naam van Rita en Jan heeft gebruikt. Gelukkig heeft niemand het gehoord.

Druk pratend met een paar collega's dwingt Felien zich tot andere gedachten.

Jan en Rita komen vlak voor het eind van het feest een kijkje nemen. 'We konden niet eerder, lieverdje. We kregen bezoek en die lui begrepen maar niet dat we op hete kolen zaten...'

Achter hen duikt Jaap Elgersma op, een glas wijn in de ene en een bordje met toast in de andere hand. Strak is zijn blik op Felien gericht. Is ze het wel of niet?

Felien haakt haar armen door die van Jan en Rita, zegt luid en duidelijk: 'Ik dacht al: waar blijven mijn ouders? Jullie zijn toch wel een beetje trots op mij?'

Rita kust Felien ontroerd op een warme wang. 'En of we trots zijn, niet, Jan!'

Jaap Elgersma dwaalt verder, klampt een jong meisje aan en begint zo te horen een geanimeerd gesprek.

Pas als de directie van 'Het Haventje' is vertrokken, voelt Felien haar kalmte weer terugkeren. Maar slapen kan ze die nacht niet. Woelen en tobben, graven in herinneringen. Wat als Elgersma haar toch herkent? Het is uitgesloten dat hij ooit nog een poging tot toenadering zou durven wagen. Ze is geen kind meer, niet langer het weerloze meisje van toen. Bovendien, zo houdt ze zichzelf voor, zou Elgersma zichzelf schaden als hij hun geheim prijsgaf.

Die gedachte geeft eindelijk rust. Ze kan hem ontlopen. Als klant kan hij hoogstens af en toe in de kapsalon verschijnen.

De dagen verstrijken echter zonder dat die gedachte bewaarheid wordt. Telkens wanneer er wordt nagepraat over de feestelijke opening, voeren

Malou en Ada de persoon Elgersma ten tonele.

'Een persoonlijkheid. Je mag hem of juist niet. Hij zou zo in een film kunnen spelen. Misdadiger zijn of de held vertolken. Zagen jullie die ogen? Ze branden door je kleding heen!'

Ada's directe wijze van spreken doet de anderen lachen, alleen Felien reageert niet. Dat wordt natuurlijk meteen opgemerkt. Felien, eindelijk verliefd?

'Hij droeg geen ring!' meldt Ada. 'Maar dat zegt tegenwoordig ook niets meer. Ik vis het wel uit als we op 'Het Haventje' moeten knippen!'

Gelukkig is er weinig gelegenheid voor lange babbelpauzes. Sinds de opening van de schoonheidssalon is het ook in de kappersafdeling drukker. Veel klanten combineren een bezoek aan beide zaken. Met verlangen ziet Felien uit naar zondag en de daaropvolgende vrije dag. Even bijkomen – alles van zich afzetten!

'Neem het ervan, je ziet er moe uit en dat is geen beste reclame!'

Sofie is het met Henri eens. Toch is zij het die Felien zaterdags na sluitingstijd apart neemt.

'Maandag vertrekken we met het koor. Ik reken erop dat jij mij hier waarneemt en... hou een oogje op Henri. Als ik afwezig ben, kan hij soms doorslaan. Je begrijpt wat ik bedoel!'

Felien knikt braaf. Ze begrijpt: Henri kan zijn ogen moeilijk van vrouwelijk schoon afhouden. Dat is nog tot daaraan toe; hij dient echter zijn handen thuis te houden.

'Jou kan ik vertrouwen. Jij bent anders!' zucht Sofie en neemt met een omhelzing afscheid.

'Heel veel plezier, Sofie. Probeer te genieten en vergeet de besognes van de zaak! Die is in goede handen. En... volgende keer dwing je Henri mee te gaan!'

Sofie mompelt: 'Ik begrijp dat jij me begrijpt...'

Zondagmiddag, meteen na de lunch, komen Annelein en Berber Felien afhalen. 'We hebben je zo lang niet gezien... Pappa zit al te wachten. We mochten niet treuzelen.'

Met aan elke arm een kind wandelt Felien rustig door de lommerrijke laan.

'Ik ben ook erg bezet, dametjes. Ik werk 's avonds nogal lang door. Er komt veel kijken bij mijn nieuwe werkkring!'

Belangstelling voor Feliens daagse arbeid hebben ze niet. Wat ze zelf meemaken, is immers boeiend tot en met.

Godert wacht in de huiskamer, zittend aan de eettafel.

'Goed dat je er bent. Ik zit met mijn handen in het haar... Meisjes, gaan jullie alsjeblieft buiten spelen of zo. Ik heb met Felien werk te doen!'

Felien zegt opgewekt: 'Als jullie eens een lekker kopje thee gingen zetten. Koekjes op een bordje, beschuitjes met jam ernaast en misschien zijn er nog wel chocolaatjes. Ik heb nu al trek.'

Verrukt een gerichte opdracht te hebben snellen de twee naar de keuken en hebben Godert en Felien alle tijd om zich in de inhoud van de brieven te verdiepen.

'Ik sorteer ze wel, Godert. Als vrouw prik ik zo door mooimakerij heen. Of heb je zelf al geselecteerd?'

Godert kijkt ongelukkig. 'Ik vind het zo'n minderwaardige bezigheid. Als Barbra me zo bezig zag... Het lijken immers stuk voor stuk brieven van vrouwen die eigenlijk meer willen dan huishoudster zijn. Ik geneer me. Als het aan mij ligt, gooien we de troep weg!'

Felien houdt voet bij stuk. 'Niet dus. Wie weet zit de vrouw van je leven ertussen!'

Godert laat zijn schouders zakken. Felien maakt direct een vergelijking: als een gewond dier zit hij daar. 'Sorry!' zegt ze zacht. 'Ik wilde je niet kwetsen. Godert, de gedachte aan Agnes moet je genoeg zijn om door te zetten!'

Tussen de brieven zitten best een paar aardige reacties. Felien leest en herleest ze. 'Godert, je kunt pas echt oordelen als je deze vrouwen ontmoet hebt. Er zit niets anders op.'

De thee wordt buiten geserveerd. Op het ongemaaide gras staat een tafel waarop een beeldig handgeborduurd kleed. Felien wil er iets van zeggen, maar houdt echter bijtijds haar mond. Godert beseft de waarde ervan niet en een opmerking zou de meisjes kwetsen. Op een lichtje staat een grote theepot en eromheen bijbehorende kopjes.

'We hadden geen sjokkelaatjes, maar wel beschuit met marmelade!'

Annelein legt een klef handje op Feliens arm en kijkt haar trouwhartig aan.

'Het ziet er beeldig uit, het lijkt wel een plaatje uit een Engels boek. Theedrinken in de tuin!'

De verwilderde en ongesnoeide struiken groeien en bloeien dat het een lust is. Een jasmijn heeft zijtakken brutaal door die van een paarse sering geweven en aan hun voeten bloeien onbekommerd paardebloemen.

Felien denkt onwillekeurig aan de briefschrijfsters. Ze hoort hen vragen: 'Kan er wat aan de tuin worden gedaan? En dan die bovenramen, ze zijn zo groezelig en te hoog. Heus, een glazenwassser is geen luxe.'

Berber schenkt zonder morsen thee, hanteert de suikerklontjestang alsof het haar dagelijks werk is.

'Gezellig, hè?'

Annelein voor wie de tuinstoel te ruim is, trekt haar benen onder zich en kijkt zielsgelukkig de kring rond.

Berber zegt ernstig: 'Nu zou je de wijzers van de klok moeten kunnen tegenhouden. Dan hadden we meer tijd...'

Godert drinkt automatisch zijn thee, de rimpels uit zijn voorhoofd lijken erin gebeiteld.

Felien doet alsof ze de vrolijkheid zelf is en de kinderen trappen erin.

'Ik moet nog even pappa helpen. Als dat klaar is, gaan we wat leuks doen. Verzinnen jullie maar wat dat zal zijn. Schrijf de mogelijkheden maar op een briefje, dan kan ik straks kiezen! Maar eerst de theeboel opruimen.'

Terug aan de eettafel is Felien weer de ernst zelf. 'Deze briefschrijfsters krijgen een vriendelijk bedankje. Ik stel wel een epistel op. En met deze drie zou je een afspraak kunnen maken. Zal ik dat regelen, Godert?'

Godert betast zijn baardje en geeft toe. 'Vooruit dan maar. Op voorwaarde dat jij bij de gesprekken zult zijn. Jouw oordeel schat ik hoog.'

Felien slaakt een kreet en laat zich achterover zakken. 'Hoe had je dat gedacht? Eh... 'Mevrouw Huppeldepup, dit is Felien, een buurvrouw. Zij moet voor me kiezen, dat kan ik zelf niet.' Kom op, Godert, wees een man...'

Godert drukt zijn wijsvingers in de ooghoeken. 'Ik zie telkens Barbra voor me staan. Haar blijf ik trouw, ook al neem ik een vrouw in huis. Felien, schrijf erbij dat van een huwelijk werkelijk geen sprake kan zijn!'

Felien zegt niet wat ze denkt: eventuele gevoelens van sympathie of liefde zouden zonder meer afketsen op Goderts pantser. Hij blijft de man van Barbra, ook al is deze niet meer onder de levenden. Met haar is de geest van Godert gestorven, vreest ze.

'Ik help je wel. Mag ik je computer gebruiken voor een brief?' In korte, maar vriendelijke bewoordingen wordt de briefschrijfsters meegedeeld dat de keus helaas niet op hen is gevallen. Felien neemt niet de moeite Godert de inhoud te laten lezen, hij is het zonder meer met haar eens. De drie uitverkorenen zullen een meer uitvoerig schrijven ontvangen. Duidelijk laat Felien weten dat ze niet de enige kandidaten zijn.

'Felien... ben je eindelijk klaar?' Anneleins kopje gluurt om de hoek van haar vaders kantoor.

'Ik kom er aan. Als pappa dit allemaal heeft gelezen, ben ik klaar!'

Zoals Felien verwachtte, komt er van Godert geen commentaar. 'Nu de enveloppen nog... Heb je de adressen?'

Felien plaagt: 'Luilak! Je bent goed in het delegeren. Straks zal ik het afmaken. Nu ga ik naar de meidjes!'

Felien krijgt een lange keuzelijst onder de neus geduwd. Poppenkleren maken. Wandelen. Moedertje spelen en jij was de tante. Met de barbie-poppen spelen. Koekjes maken. Frites bakken.

'Lieve help, jullie maken het me erg moeilijk! Ik kies... ik kies... spelen met de barbies. Haal ze maar gauw op, dan maken we in de tuin een vakantiepark voor ze!'

Pas als de meisjes in bed liggen, komt Felien ertoe de adressen te schrijven. 'Nu nog je handtekening, Godert. De drie verkozen vrouwen zullen bellen. Als je een afspraak in de avonduren maakt, kan ik je bijstaan, onthoud dat goed!'

Op weg naar huis post Felien de brieven. Het is veel later geworden dan ze eigenlijk wilde. Het is ook zo moeilijk om van het hoekhuis weg te komen!

Thuis treft ze een huilende Rita aan. Jan zit weggedoken achter een krant, zoals gewoonlijk.

'Wat zullen we nou hebben? Vliegangst?' lacht Felien. Van Rita kun je immers alles verwachten?

'Jij... waarom ben je zo lang weggebleven? Wil je er soms iets mee duidelijk maken wat je niet openlijk durft te zeggen?' snikt Rita.

Feliens mond zakt open. 'Ik... hoe haal je het in je hoofd? Wat denk je wel van mij?'

Rita snikt. 'Het is toch mijn laatste avond voor de reis en je weet maar nooit...'

Van achter de krant klinkt het opgewekt: 'Vliegtuigen kunnen neerstorten. Bommen, kapers... En o ja, de politieke spanningen zouden kunnen escaleren. Zelfmoordacties, bussen die ontploffen en helaas, helaas is het Nederlandse koor toevallig in de buurt...'

Felien roept verontwaardigd: 'Jan! Stop ermee. Rita is echt overstuur. Sorry, sorry, Rita. Ik heb er niet aan gedacht. Die kinderen ginds eisen je totaal op. Ik heb voor Godert brieven geschreven... de reacties op zijn advertentie beantwoord. Die man is zo hulpeloos. Toe, Rita, vergeef het me...'

Dit is te gek voor woorden, bedenkt Felien, als ze de kelder inloopt om een fles wijn te halen. Te gek voor woorden: ze moet handelen zoals Rita dat van haar verwacht. Een scène maken om zoiets onbenulligs!

In de koele ruimte talmt ze enkele momenten, en schaamt zich voor haar gedachten: het zal heerlijk rustig zijn, een weekje zonder Rita en Sofie. Geen commando's en hoge verwachtingen. Gewoon zijn wie ze is, nergens hoeft ze zich groot voor te houden en alles mooier te laten lijken dan het is!

Waarom is het zo moeilijk om Rita's lieve manieren te verdragen? Felien schudt haar gedachten van zich af en denkend aan de komende week zegt ze hartelijk: 'Een slaapmutsje. Kijk, Jan, heb ik de goeie uitgezocht? Ik wist niet dat je zo'n voorraad had. Nu ik het eenmaal weet...'

Rita glimlacht stilletjes. Probeert 'gewoon' te doen. 'Nu je het ontdekt hebt, moet er dus een slot op de kelderdeur komen, niet? Kom, dan drinken we op mijn behouden terugkeer!'

Snel vullen Jan en Felien die wens aan. 'En een heel fijn verblijf plus geweldige uitvoeringen! Lang leve Rita! *Cheers!*'

De stemming is gered.

11

SAMEN MET JAN BRENGT FELIEN EEN NERVEUZE RITA NAAR DE PLAATS VAN-
waar een bus het zangkoor naar Schiphol zal brengen.

Rita heeft minstens driemaal opgesomd waar de achterblijvers aan moeten denken. Haar mond stond niet stil, maar nu het bijna vertrektijd is,
valt ze stil en draait haar zakdoek tot een propje.

'Veel te weinig parkeerplaatsen!' moppert Jan, terwijl hij het terrein achter een hotel oprijdt.

'Dan zet je hem gewoon naast een ander, iedereen gaat straks toch gelijk
weg!' vindt Felien optimistisch.

Rita wuift naar een paar sopranen die gearmd langs de auto wandelen. 'Ik
hoop zo dat ik niets vergeten heb!' kreunt ze.

Felien staat al naast de wagen en haalt de bagage uit de kofferbak. Het is
prachtig weer, ze boft wat betreft haar vrije dag.

'Voorzichtig met de kledingzak, mijn japon mag niet kreuken!'

'Ik ben doodvoorzichtig. Zie je wel? Kijk, daar hebben we Sofie ook.
Zonder Henri...'

Sofie straalt, ze heeft duidelijk zin in het uitstapje.

Zodra ze Felien en de haren in het oog krijgt, beent ze in hun richting.
'Hoe gaat het, Rita? Nerveus? Ik zie het aan je. Kom op, er is niets om
bang voor te zijn. De voorzitter vroeg of we ons meteen bij hem wilden
melden in verband met het afstrepen op de presentielijst.'

Jan kijkt de vrouwen na, werpt een onzekere blik op de fout geparkeer-
de wagen. 'Ga maar Jan, ik blijf wel hier. Geef me de sleutels maar, dan
rij ik hem wel weg als-ie in de weg staat.'

Jan haast zich achter Rita aan en Felien mompelt: die twee zijn aan een
kop koffie toe.

De koorleden zijn allen aan de vroege kant, zodat de bus nog voor het
afgesproken tijdstip kan vertrekken.

Felien heeft haar wachtpost verlaten en zwaait beide armen bijna uit de
kom.

'Ik rij wel terug, Jan, je lijkt namelijk nogal ontdaan!' plaagt Felien.

Jan gaat gehoorzaam op het verzoek in en zucht: 'Rita heeft altijd hinder
van een soort plankenkoorts. Ik weet zeker dat ze nu de rust zelve is. Toch

is het raar dat ze alleen op reis is, tot nu toe hebben we alles samen gedaan.'

Felien grinnikt. 'Jullie zijn het voorbeeld van huwelijkse trouw. Echt waar! En ik kan het weten...' Ze citeert: 'Waar werd oprechter trouw... dan tussen man en vrouw, ter wereld ooit gevonden? Twee zielen...'

Jan heft beide handen op. 'Spaar me, lieve kind. Het is ook zo dat ik deze week iets wil doen wat ik me niet in het hoofd zou halen als Rita thuis is. Namelijk: zeevissen met een vriend. Rita vindt zoiets griezelig, maar ze hoeft het niet te weten. Achteraf zal ik het haar vertellen. Enneh... heb jij daar geen bezwaar tegen?'

Felien reageert zeer verheugd. 'Hoe zou ik kunnen? Ik gun je je uitje van harte. Het is geen slapheid van je dat je Rita ontziet, ik weet dat de drijfveer liefde is. Wat fijn dat je nu eindelijk eens aan jezelf durft te denken!'

Jan kijkt gegeneerd opzij. 'Je vindt me dus niet...?' Felien stopt de wagen voor Boslaan nummer zeventien.

'Een stiekemerd? Een egoïst? Kom nou... jou zou ik graag als vader gehad willen hebben. En... trouwen doe ik toch nooit. Maar als dat het geval mocht zijn, dan moet-ie op jou lijken!'

Jan lacht. 'Zo kan-ie wel weer. Kom, dan bel ik mijn vriend. Hij komt me straks halen. En jij, jij mag deze week de wagen gebruiken. Geniet er maar van!'

Een uurtje later heeft Felien het rijk voor zich alleen. Ze nestelt zich op een plekje in de zon en laat de tijd aan zich voorbijgaan. Haar gedachten zweven luchtig als schapenwolkjes van haar weg, problemen lijken ver weg.

Pas wanneer haar maag begint te knorren, begrijpt ze dat het bijna etenstijd is!

Berber en Annelein weten niet wat hen overkomt: ze worden door Felien uit school gehaald en nog wel met een auto.

'We gaan wat leuks doen, ik heb vanmiddag vrij, zeggen jullie maar wat!' biedt Felien aan.

Eenstemmig klinkt het: 'Zwemmen!' Eerst naar huis om de badspullen te halen en een briefje voor Godert achter te laten.

De meisjes genieten van de volle aandacht die ze krijgen. In het zwembad tonen ze Felien alle kunstjes. Duiken, springen als een 'bommetje' of op 'z'n kikkers'.

Felien geniet mee. Ze is maar zo zelden en kort kind geweest.

De zon brandt op hun huid. In het miniwinkeltje kopen ze crème, blikjes fris en een ijsje.

'Ik zou wel willen dat jij met onze vader trouwde!' zegt Annelein ernstig als ze zich op hun badlakens hebben geïnstalleerd. 'Eerst wilde ik dat niet, want dan was alles van mamma van jou. Maar nu wil ik het ook wel, omdat anders tante Agnes misschien wel met pappie trouwt!'

Berber kijkt bezorgd. 'En wij willen niet dat die aan mammies spullen zit!'

Felien schrikt van de zekerheid waarmee de meisjes spreken, alsof hun ideeën verwezenlijkt zullen worden.

'Ik denk niet dat jullie pappie ooit opnieuw zal willen trouwen. Hij heeft erg veel van mamma gehouden. Zoveel kan hij nooit nog eens van een andere vrouw houden. Dat weet ik zeker. Maar er komt binnenkort wel een huishoudster, reken maar!'

Twee paar oogjes die over de rand van een zonnebrilletje heen gluren.

'Wij willen alleen jou. En ons huis is groot genoeg, hoor.'

Felien rolt op haar buik en stopt haar hoofd in de armen. 'Ik ben niet van plan te trouwen, dames. Dus vergeet het maar. Kom, Berber, zoek de blikjes eens uit de tas...'

Tegen zessen verlaten de meeste mensen het zwembad. Het is nog te vroeg voor de avondzwemmers wat betekent dat het voor even rustig is en de drie naar hartelust en onbekommerd baantjes kunnen trekken.

'Ik krijg wel honger!' hijgt Berber wanneer ze aan de leuningen van een trapje hangt.

'We gaan eruit. Jullie gaan lekker zitten en ik haal patattekes met wat erbij. Ja? Voor deze keer moet pappa maar voor zichzelf zorgen!'

Gewapend met haar portemonnee loopt Felien onbekommerd naar het winkeltje dat tevens een restaurant is. Ze moet in de rij staan en de lucht van olie en etenswaar maakt dat ook haar maagsappen gaan werken.

Zodra ze haar bestelling heeft opgegeven en betaald, is het nog even wachten en ondertussen neemt ze de rij mensen in ogenschouw.

Zo te zien wordt de verjaardag van een kind hier ter plekke gevierd. Goed idee, vindt Felien. Heb je thuis ook geen toestanden.

Een overbekende stem roept een stel lastige jochies tot de orde.

'Mannen, gedraag je. Anders zwaait er wat!'

De kinderen joelen, luisteren toch wel en een roept: 'Ome Jaap, krijg ik wel een kroket? Ik lust geen frikadel.'

Ome Jaap. Jaap Elgersma.

Felien duikt weg achter een slungelige jongen die met een meisje staat te ginnegappen.

'Van wie is deze bestelling? Eenmaal... andermaal...'

Iemand stoot Felien aan. 'U toch?'

Haastig duikt Felien naar het loket, grijpt de gevulde zakken en klemt ze tegen haar borst. Zo snel ze kan, loopt ze richting meisjes, die likke-baardend zitten te wachten.

'Laten we ginds gaan zitten, achter die bosjes. Lekker tegen een boom geleund en in de schaduw. We zijn eh... verbrand!'

Na enig protest zoeken Berber en Annelein gehoorzaam de spullen bij-een en stappen achter Felien aan.

Schuw kijkt deze om zich heen, als zou er achter iedere stam of struik een tijger te voorschijn kunnen springen.

'Je bent rood... daar!' roept Berber als Felien de zakjes uitdeelt. De warme etenswaren hebben inderdaad de huid tussen hals en borst geïrriteerd. 'Ik voelde het niet...' mompelt Felien en schuift een bakje patates frites uit haar zakje.

'Lekker veel mayo!' geniet Annelein. En dan, een rietje omhooghoudend: 'Moeten we hiervoor eigenlijk bidden?'

Berber komt haastig: 'Tuurlijk niet, zul je de anderen moeten zien kijken, iedereen lacht zich ziek.'

'Daar zou je je niets van moeten aantrekken, Berber. Maar ik vind dit eten een tussendoortje dat je gerust zo mag opeten, hoor. De Heer kijkt immers naar je hartje.'

Berber herhaalt haar mening en voegt eraan toe: 'God vindt het toch ook niet leuk als mensen je uitlachen? Nou dan...'

Feliens rust is weg. Ze loert en gluurt rond alsof ze iets op haar geweten heeft.

Uiteindelijk ontdekt ze Jaap Elgersma en zijn groepje ver van hen vandaan. Ze is boos op zichzelf dat ze geen moment eraan heeft gedacht dat ze die man in principe overal kan tegenkomen! Zolang hij haar niet herkent, hoeft ze niets te vrezen. En, zo houdt ze zichzelf voor, hij is fout geweest, niet zij. Zij is slachtoffer. Tegenwoordig komt gedrag zoals van Elgersma uitgebreid in de kranten en op tv. Toch blijkt ook nu nog vaak dat kinderen te lang hebben gezwegen en Felien kan begrijpen waarom. Schaamte, chantage. 'Als je het iemand vertelt, staat mijn woord tegenover het jouwe... er zijn van die meisjes die het erop aanleggen het een kerel moeilijk te maken!' Of hij zulke praktijken nu nog uitvoert? Felien huivert, ondanks de warme avondzon.

'Op!' roept Berber. 'Gaan we nog even met de grote opblaasbal?'

Felien roept zichzelf tot de orde. 'Eerst de afval naar de bakken brengen. Dan mogen jullie ballen. Eh... ik ga lekker uitrusten! Om zeven uur gaan we weg!'

Nauwlettend houdt ze het clubje uit 'Het Haventje' in de gaten.

Ook zij hebben geen haast. Op een gegeven moment rennen de kinderen in tempo achter Elgersma aan, richting duikplank.

'Toe dan, ome Jaap!' roepen ze in koor.

Staand op het uiteinde van de hoge kijkt Jaap Elgersma om zich heen, alsof hij wacht met duiken tot hij aandacht heeft. Dan spannen zijn spieren zich en met een bijna volmaakte duik plonst hij in het water. Een forse, gebruinde man met een goed getraind lichaam.

Felien voelt zich misselijk worden. Flarden herinneringen komen boven, dingen die ze manhaftig heeft verdrongen. Klanken, geuren en kleuren dringen zich verwarrend aan haar op. Ze hoort zichzelf kreunen.

'Sorry...' Berber heeft een kletsnatte bal op Feliens lichaam gegooid. 'Hij is maar van zacht spul... blijven we nog even?'

Felien vouwt haar handdoek op. 'Kijk maar op de grote klok boven het restaurant. Zeven uur vertrekken en niet later!'

Moe en voldaan ploffen de meisjes klokslag zeven uur naast Felien in het platgetrapte gras.

Merels, kraaien en mussen durven steeds dichterbij hen te komen om te zoeken naar etensresten.

'Keurig! Jullie zijn fijn opgedroogd, doe de kleren maar over je badpak aan, dan douchen we thuis wel. Goed rondkijken; niets vergeten?'

Bij de uitgang is er toch bijna weer een confrontatie met het groepje kinderen plus hun leider. Berber smiespelt: 'Die leuke jongen is er ook bij... zie je dat, Annelein? Hij komt uit Suriname...'

Ze probeert zijn aandacht te trekken, maar Felien sleurt haar mee.

'Kom, pappa zal niet weten waar we blijven!'

In de auto is het loeiheet en het leer van de stoelen is zo warm dat de meisjes roepen liever lopend naar huis te gaan.

'Ga maar op je handdoek zitten. Draai een raampje open en zeur niet zo!'

Ze rijdt rakelings langs het wegfietsende groepje en Felien denkt somber: dat was dus eens maar nooit weer!

Felien en Mattie hebben plezier in hun werk. Meer dan eens laten mensen zich een complete behandeling geven en gaan van de ene salon naar de andere.

Een vrouw, die binnenkwam met een Julius Caesar-kapsel – vanaf de kruin naar voren gekamd tot over voorhoofd en oren – stapt de schoonheidssalon uit met een in lagen geknipt kapsel waarin subtiele kleuraccenten – highlights – zijn aangebracht.

'Metamorfose!' jubelt ze. 'En kunnen jullie ook kleuradviezen voor mijn kleding geven? Een nieuwe zomer, een nieuwe relatie, een nieuw uiterlijk!'

Felien en Mattie kijken elkaar aan, raden wat de ander denkt.

Sommige mensen zijn in staat snel van partner te wisselen. Mattie leeft, of ze het wil of niet, nog met één been in het verleden en dat geldt zeker voor de manschuwe Felien.

'Ga met me mee om te eten, je bent toch alleen thuis?' vraagt Mattie na sluitingstijd.

Felien aarzelt geen moment. 'Graag, zeg, gezellig. Zal ik dan voor ons koken? Ik doe het zo weinig! Rita kan geen concurrente achter het aanrecht verdragen!'

Het wordt een gezellige avond. Het is tot heel laat heerlijk toeven in de tuin.

'Zonde om op te breken!' geniet Felien, luisterend naar de elf slagen die een kerkklok slaat.

'Dan blijf je hier lekker slapen. Ruimte te over. En thuis wacht niemand op je!'

Felien hapt toe.

Samen met Mattie maakt ze een bed op en stof tot praten hoeven ze niet te zoeken.

Liggend tussen de koele lakens overdenkt Felien de dag. Hopelijk slaapt ze nu beter dan de vorige nacht: de ontmoeting met Jaap Elgersma heeft haar gemoedsrust verstoord. Ze dwingt zichzelf terug te denken aan de knusse avond, de heerlijk tuin die geurt naar bloemen en omgewoelde aarde.

Net zoals toen ze nog een klein meisje was, beeldt Felien zich in dat ze een eigen huis heeft. Heel alleen woont ze daar en alles wat erin staat heeft ze zelf uitgezocht.

De fantasieën werken slaapverwekkend en Mattie moet tweemaal roepen eer haar logée wakker is.

'Je zou zo bij mij kunnen intrekken. Keuken en badkamer delen we, voor de rest kun je een eigen verdieping krijgen. Ideetje?'

Het ontbijt is uitgebreid. Sinaasappelsap, een eitje en geroosterd brood met marmelade. Rita, zo weet Felien, zou juichen.

'Ik weet niet, joh... het is zo verleidelijk. Kun je begrijpen dat ik Rita en Jan niet in de steek durf te laten? Ze zijn zo snel beledigd. Dat wil zeggen: Rita. Jan niet, maar die staat als een paal achter zijn vrouw. Ze hebben zo veel voor me gedaan, destijds.'

Mattie denkt diep na eer ze een antwoord geeft. 'Begrijp ik toch best. Maar je laat toch ook je eigen kinderen gaan? Daar heb je in principe ook veel voor gedaan. Je verwacht niets terug, een ouder geeft. Zo werkt dat. Me dunkt, jij hebt lang genoeg onder hun dak vertoefd om ze tevreden te stellen.'

Felien drukt de lege eierdop te pletter op haar bordje. Niemand kent de situatie, is in staat die te begrijpen. Rita met haar hang naar de moederrol is kwetsbaar. Ze kan niet loslaten, bang als ze is om in een gat te vallen. Felien heeft vernomen dat dit eerder is gebeurd en zelf wil ze niet de oorzaak van zo'n dip zijn. Algauw reageert men: Rita claimt je. En eigenlijk, zo moet Felien toegeven, is dat ook zo.

'Ik weet het, ik ben laf. Kijk, als het nu nodig was, bijvoorbeeld omdat ik te ver naar mijn werk moest reizen, dan was het acceptabel. Maar in de Boslaan zit ik niemand in de weg... ze kijken er dagelijks naar uit dat ik thuiskom. Het is natuurlijk ook wel gemakkelijk...'

Mattie lacht smakelijk. 'Denk er maar eens over. Misschien vind je een goeie reden die ze wel kunnen accepteren. Je hoeft toch niet met ruzie weg te gaan? Het lijken me aardige mensen, die Rita en Jan. Pak het behoedzaam aan, zet de plannen in de week. Zoals vuil wasgoed... haha! En dan kom ik een keer smeken of je alsjeblieft bij mij wilt komen wonen, omdat ik zo eenzaam ben en bang om alleen in dit grote huis te wonen. Wedden dat het dan wel lukt?'

Later dan normaal arriveren beiden in de salon en Henri moppert: 'Jullie maken er misbruik van dat Sofies corrigerende oog er niet is! Er is al gebeld voor een afspraak.'

Heel de dag speelt Matties plan door Feliens hoofd. Een eigen verdieping. Een vriendin als Mattie in de buurt. Elkaar steunen als dat nodig is. Misschien durft ze ooit aan Mattie heel haar traumatisch verleden op te biechten.

'Ga je weer mee?' biedt Mattie aan als ze na zes uur de zaak weer voor de volgende dag in orde maken.

Verrast staakt Felien haar bezigheden. 'Joh... ik zal toch even naar huis moeten voor schone kleren en de post moet uit de brievenbus. Bovendien heeft Rita de koelkast volgepropt met eten voor Jan en mij.'

Mattie zegt onbekommerd: 'Dan haal je dat spul maar op. We eten om halfacht! Avondkleding vereist!'

Eenmaal thuis wachten Felien allerlei werkjes. De planten moeten water, de zonwering moet omlaag en ze dient toch ook even in de tuin te kijken of er nog bakken staan te verdrogen.

De telefoon stoort haar in de bezigheden.

'Rita!!! Hoe gaat het!'

Een verontwaardigde Rita. 'Ik heb al tig keer gebeld! Waar zitten jullie toch! Waar is Jan?'

Felien haast zich te zeggen dat ze zelf druk is geweest en zich bezig heeft gehouden met de kleine meisjes. 'En Jan is eh... de buurt in. Iedereen heeft hem nodig. Moet ik een boodschap overbrengen? Heb je het naar je zin?'

Rita trekt bij. Ze moppert nog: 'Ik dacht nog wel dat jullie in angst zouden zitten. Vliegen... al die aanslagen en zo...'

Felien zwijgt. De angst zit in Rita's hoofd, maar het zou tactloos zijn dat nu te zeggen.

'Geniet je wel een beetje?'

Rita wordt opeens enthousiast. 'Ik heb een blouse voor je gekocht. Handwerk. En we gaan naar allerlei heilige plaatsen, daar zingen we ook. Enfin, later zie je het wel op de video. Ik breek af; het wordt te duur. Doe Jan de groeten en zeg dat hij niet voor mij thuis moet blijven.'

Felien zegt: 'Dat is lief van je. Jan zou in staat zijn trouw naast de telefoon te gaan zitten en het is zulk mooi weer...'

Rita zegt nog snel: 'Genieten jullie daar dan maar zo veel mogelijk van, ik ben zo weer terug. Als ik weet dat het goed gaat in de Boslaan is het met mij ook prima. Dag, lieverd, kusjes!'

Felien sorteert de post, haalt de koelkast leeg en propt de etenswaren in een plastic tas. Zorgvuldig sluit ze de deur achter zich eer ze naar Jans wagen teruggaat.

Op lichte voeten heet dat, bedenkt ze glimlachend. Haar wacht een herhaling van gisteren, een heerlijke avond. Ontbijten met Mattie en zich morgen verheugen op de volgende avond. Alsof ze vakantie heeft!

Ze start de wagen, dringt het opgeklopte schuldgevoel richting Rita naar de achtergrond. Even iemand anders zijn dan Felien Houten, wonend bij Althuisius, aan de Boslaan zeventien. Even degene zijn die ze zo graag had willen worden.

12

NOG VOOR DE WEEK OM IS, HEEFT MATTIE HAAR PLANNEN ROND. IN GEdachten heeft ze meubels verplaatst en ruimte gemaakt voor Felien.

'We zullen het zo goed hebben samen. Misschien kunnen we een leuke cursus doen. En als het winter wordt, gaan we naar een sportschool.'

Felien droomt mee, wetend dat ze het thuis niet zal durven aankaarten. Hoe is het mogelijk dat ze bevreesd is voor een lief mens als Rita Althuisius? Eigenlijk weet ze het antwoord wel. Het is Rita's emotionele aard die haar angst aanjaagt. En Felien zou Felien niet zijn als ze zich niet snel schuldig zou voelen. Toch waagt ze het er zaterdagavond met Jan over te praten, maar pas nadat hij met glinsterende ogen over zijn avonturen heeft verteld.

'Zeg op – en wees alsjeblieft eerlijk – ben jij ook bang om Rita te kwetsen? Jij kent haar al een huwelijk lang...'

Jans mond wordt breed. 'Langer. En kennen doe ik haar van haver tot gort. Daarom juist ben ik vaak voorzichtig. Ook onze dochters hebben leren omgaan met Rita's gevoeligheden. En toen Ange besloot een eigen leven te gaan leiden, raakte Rita in een depressie. Zeg op, Felien! Wat zit er achter je vraag?'

Ze zit samen met Jan op het terras, genietend van de mooie avond. Felien legt haar benen op een bankje en zoekt naar de juiste woorden.

'Jan... toen jullie me in huis opnamen, was ik reddeloos en radeloos. Doodmoe was ik ervan om te leven met een gestolen naam. Mies Kooger, kindermeisje. Altijd vrees om ontdekt te worden. En na de escalatie werd ik naar jullie gebracht. Nooit vergeet ik die eerste dagen...'

Jan maant: 'Kom to the point, liefje!'

Felien echter gaat door met de opsomming van feiten. 'Hoe lang woon ik nu al hier? Eerst heb ik de havo gedaan... de kappersopleiding plus de aanvullende cursussen. Dankzij jullie beiden werd ik langzaamaan een ander mens.'

Jan knikt. 'En nu wil je op eigen benen staan, maar durft het moedertjelief niet mee te delen. Zo is het toch?'

Tranen springen in Feliens ogen. 'Je kent me zo goed, Jan. Ja, het is zo. Ik heb een aanbod van mijn nieuwe collega. Met haar kan ik het zo goed vinden. Ze woont alleen in een groot huis en wil graag dat ik bij haar intrek. Maar ik wil niet de aanleiding zijn dat Rita een inzinking krijgt!'

Felien heeft haar stemgeluid gedempt. Het is niet nodig dat de buren iets van hun gesprek opvangen.

'Toch moet je door de zure appel heen. Rita zal het uiteindelijk begrijpen. Ze is geen onmens! Voor iedere moeder komt het moment dat de kinderen het huis uitgaan. Jij was voor haar een extraatje, een toegift. Vraag het Susanneke en Ange maar. Zij zullen je wensen begrijpen en je plannen steunen. Rita heeft mij ook nog, we zijn per slot van rekening samen begonnen. En... misschien is het nodig dat we hulp inschakelen. Destijds met Ange hebben we een relatie gekregen met een psychologe...'

Felien knikt. 'Ik weet het, Amanda Meesters. Toen ik hier pas was, kwam ze vaak. Maar nu zit ze toch in Amerika?'

Jan knikt. 'Maar... ze komt terug en wel voorgoed. Met haar kon Rita het goed vinden. Een nuchtere vrouw die de waarheid zegt zonder iemand te beledigen. Een gave!'

Feliens hart bonkt van opwinding. Stel dat het lukt!

'Zeg op, Jan, vind je me overdreven? Te bang? Eerlijk gezegd ben ik dat laatste ook wel een beetje. Altijd al, vanaf het begin, vreesde ik Rita te kwetsen. Waarschijnlijk een gevolg van het wonen in tehuizen...'

Jan kijkt opzij. Ging Felien nu maar door, gooide ze alles wat niet goed zit, er in één keer uit.

'Je weet het, als je eens wilt praten dan ben ik er voor je!'

Felien legt een hand op die van Jan. 'Wat doen we nu dan?'

De telefoon onderbreekt hun gesprek en gelijk zeggen ze: 'Rita!' Een voorspelling die onmiddellijk wordt bewaarheid.

Een gebruinde en enthousiaste Rita komt maandag in de loop van de middag terug. De reis heeft haar goedgedaan en de thuisblijvers begrijpen dat ze de eerstkomende dagen heel wat te horen zullen krijgen.

'Het was zo'n succes... de dirigent was tevreden. En wat we gezien hebben ginds... onvoorstelbaar. Raar, waar wij waren, merkten we niets van politieke spanning. Wel veel militairen.'

Eenmaal thuis komen de cadeautjes. Felien is oprecht blij met de geborduurde blouse.

'Je kent mijn smaak goed, dank je wel, Rita. Lief van je!'

Rita toont de blouses die ze voor haar dochters heeft uitgezocht.

'Die met geel en blauw is voor Ange. Zal goed staan bij haar donkere kopje. En voor Susan heb ik deze meegebracht. Van rood tot roze... gedurfd, niet?'

Na het warme eten, Felien heeft bij uitzondering mogen koken, gaat Rita een uurtje liggen. 'Ik moet even bijkomen...'

Felien zegt dat dit goed uitkomt. 'Godert krijgt vanavond sollicitanten op bezoek en heeft me gevraagd hem te helpen met de selectie. Ik ben benieuwd! Kan wel laat worden!'

Het fraaie weer van de laatste dagen heeft plaatsgemaakt voor een depressie. Felien huivert in haar dunne jasje en zet de pas erin.

Wanneer zal ze de moed vatten en Rita vragen of... Ze schrikt van haar gedachten. Vragen! Alsof ze een klein kind is! Niet vragen, maar kalm meedelen. Zo moet het gaan.

Voor de deur van het hoekhuis staat een autootje en Felien begrijpt dat ze aan de late kant is. Arme Godert!

Ze haast zich naar binnen, hangt haar jasje op en stapt na een kort tikje de woonkamer binnen. Een alleraardigste vrouw van midden veertig zit op de bank, rechts en links een pluizig hondje.

'Zijn die echt?' verbaast Felien zich.

Godert, voor zijn doen humoristisch, reageert: 'Nee, die zijn opgezet.'

Felien loopt op de vrouw toe, steekt een hand uit en wil haar naam noemen. De hondjes beginnen nijdig te keffen, schudden met hun kopjes en blijken achter de lange haren toch ogen te hebben.

'Ze doen niets. Ik ben Anne de Wijs.'

'En ik een buurvrouw, Felien Houten. Prettig kennis met u te maken. Eh... is er al koffie, Godert?'

Godert kijkt gegeneerd. 'Ik dacht... we wachten maar op jou...'

Felien rept zich naar de keuken. Straks staat nummer twee op de stoep en is er niet één belangrijke vraag gesteld. In een ommezien heeft ze de koffie in een kan en de benodigdheden op een blad geschikt.

'Ik hoop dat bij een eventuele overeenkomst de honden geen probleem zijn. Ze kunnen onmogelijk zijn, alleen bij vreemden. Ze geven absoluut geen last en ik houd ze goed schoon. Ik heb er in de brief expres niet over geschreven, wetend dat veel mensen op voorhand tegen huisdieren zijn. Ik hoopte dat bij nadere kennismaking het wat de dieren betreft liefde op het eerste gezicht zou zijn.'

Godert glimlacht vermoeid. 'Ik heb niets tegen dieren op zich...'

Felien schenkt de koffie in en zegt bemoedigend: 'En hier in huis is niemand allergisch. Want in dat geval is er geen sprake van een overeen-komst!'

Anne de Wijs lijkt zich te ontspannen. 'Wel, dan kunnen we verder pra-ten. Ik ben gewend om met jonge kinderen om te gaan. Omdat ik als weduwe weinig inkomsten had, moest ik bijverdienen. Overdag paste ik op baby's en peuters, na vieren kwamen de schoolkinderen. Dus... En ja, ik wil ook wel graag inwonend zijn. De flat waar ik woon, wordt afge-broken. Ik moet omzien naar andere behuizing. Vandaar.'

Ze drinkt haar koffie, kijkend van Godert naar Felien.

Godert zegt ongemakkelijk: 'Ik heb om halfnegen nog een afspraak. U hoort dan zo spoedig mogelijk van ons!'

Anne, die graag het huis had willen zien, knikt gedwee.

Felien biedt haar nog een kop koffie aan. 'Als dat nog kan... vanwege de tijd?'

De voordeurbel snerpt lang en onverwachts.

'De volgende...' schrikt Godert.

Felien zegt kort: 'Laat jij mevrouw maar in je kantoor, Godert, dan bab-bel ik nog wat met mevrouw De Wijs en breng haar naar de auto.'

Godert knikt en loopt met gebogen rug de kamer uit.

Aarzelend zegt Anne de Wijs: 'Een vriendelijke man. Hij is nogal uit zijn doen, niet? Hij moet veel van zijn vrouw gehouden hebben, begreep ik...'

Felien mag Anne de Wijs om haar eerlijke eenvoud. 'Ik had u graag wat langer gesproken, maar wie weet. Hebt u nog vragen?'

Anne de Wijs schudt haar hoofd en legt haar armen om de hondjes. 'Wij gaan ervandoor, kom op, schatjes!'

De schatjes dribbelen achter haar aan en Felien zoekt naar een vriende-lijk woord. 'Ze zijn maar wat gek met hun vrouwtje, niet? Dieren zijn vaak prettiger gezelschap dan mensen!'

Bij de voordeur blijft mevrouw De Wijs verrast staan. 'Dat u dit zegt! Het is namelijk mijn ervaring!'

Felien ruikt het parfum van nummer twee en opent de deur. 'Ik loop even mee naar de wagen. Fijn, een eigen autootje. Zover ben ik nog niet. Wel thuis, mevrouw De Wijs!'

Mevrouw De Wijs drukt Feliens hand en stapt in, draait het raampje omlaag en zegt: 'Noem me maar Anne!'

Felien steekt een hand op. 'Dag, Anne!'

Nogmaals koffiezetten, schone kopjes en koekjes op een bordje. Vanuit het kantoor komt een dwingende stem, hoog van toon. Felien weet al, die wordt het niet. Zo'n stem kan Godert vast niet om zich heen verdragen en ze krijgt gelijk.

Ook de derde sollicitant valt buiten de boot. Zowel Godert als Felien vrezen dat deze heimelijk op een huwelijk hoopt.

'En dat is uitgesloten!' zegt Godert, nadat hij een fles cognac uit de kast heeft gehaald. 'Lieve help, wat uitputtend was deze avond. Je kunt beter hard werken in de bouw dan met zulke vrouwen converseren. Ook een glas, Felien?'

Felien accepteert het aanbod. Ze hebben inderdaad een hartversterkertje nodig!

'Je hoeft niet langer te zoeken, Godert. Het wordt Anne de Wijs. Een zachtmoedige vrouw. En aan die hondjes wennen jullie wel. Leuk voor de kinderen, toch?'

Godert ontspant zich. 'Ja ja, als jij het zegt... Trouwens, maak jij het karwei voor me af? Brieven en zo...'

Felien geeft een plagend antwoord, maar Godert hoort haar niet. 'Ik ben dankbaar dat ik van die zorg af ben. Rustig kunnen werken zonder aan huis te moeten denken.'

Felien zet haar glas op tafel. 'Ik ga ervandoor. Morgen is het weer een gewone werkdag voor mij. En wat die brieven betreft: laat de meisjes een envelop waarin namen en adressen staan bij Rita afgeven. Dan maak ik het morgen na thuiskomst wel in orde. Eh... welterusten, Godert!'

Al wandelend overdenkt Felien het verloop van die avond. De houding van Godert irriteert haar mateloos. Het aannemen van een huishoudster is warempel in zijn geval geen kinderspel. Het wel en wee van Berber en Annelein hangt ervan af. Godert wil alleen bezig zijn met zijn werk en voor de rest mijmeren over wat is geweest. De toekomst biedt hem net zomin iets als het verleden.

Resoluut zet Felien de familie Berkhoven uit haar hoofd. Ze heeft wel iets anders om over te denken.

De enige late wandelaar is ze niet, het is tijd voor de hondenuitlaters. Af en toe een korte groet van een vage bekende. Bewoners uit de Boslaan of vlak daarbij. Binnenkort zal ze deze vertrouwd geworden omgeving vaarwel zeggen. Of toch niet?

Op nummer zeventien is het licht nog niet uit. Misschien wacht Jan – heel vaderlijk – tot ze terug is. Maar het kan ook zijn dat Rita, wakker geworden, het vervolg van haar reisverhalen kwijt wil.

Felien vertraagt haar pas en kijkt tussen de opengeschoven gordijnen naar binnen. Zie je wel, Rita op haar praatstoel. Ze maakt met beide handen heftige bewegingen. Dan staat Jan op en sluit de overgordijnen. Felien haalt haar schouders op en haalt haar sleutelbos tevoorschijn.

Morgen, dan zal ze het onderwerp aankaarten.

Jan komt Felien in de hal tegemoet. 'Niet schrikken, meidje, maar ik heb getracht een lans voor je te breken. Het is verkeerd uitgepakt. Eh... Rita is nogal overstuur. Misschien is het beter dat je meteen naar boven gaat...'

Felien hoort vanuit de kamer luid gesnik en schudt haar hoofd.

'Dat zou dom zijn, Jan. Kom, we gaan ertegenaan. Kome wat komt!'

Rita zit ineengedoken op een stoel. Ze lijkt de binnenkomst van Felien niet te merken.

'Dag, Rita, lekker gerust?' probeert Felien.

Rita keert zich als gestoken om.

'Wat ben jij voor ondankbaar nest dat je achter mijn rug om plannen maakt om te vertrekken. Is dat mijn dank... ik heb je opgenomen als een eigen dochter, je al mijn liefde gegeven en wat doe jij?'

Felien dwingt zichzelf tot kalmte. 'Ik hou van je, Rita, zoveel als een mens van zijn moeder houdt. Echt waar, maar iedereen gaat toch ooit op eigen benen staan? Susan en Ange...'

Rita slaat met de vlakke hand op tafel.

'Begin niet over hen, dat ligt heel anders. Niet vergelijkbaar. Van jou had ik vriendschap terugverwacht. We waren vriendinnen, maar jij verloochent die vriendschap! Misbruik maken van mijn afwezigheid. Laf ben je ook nog!'

Jan probeert Rita's gemoed te kalmeren, zonder resultaat. Hij kent het vervolg: na de woedeaanval is er redeloze paniek, die op hysterie lijkt. Ze zal uiteindelijk met medicatie tot rust gebracht moeten worden.

'Rita, liefste... luister nou naar mij... Ik probeerde je in alle rust uit te leggen waarom we Felien moeten laten gaan. Ze heeft recht op een eigen leven...'

Rita roept: 'Dat heeft ze hier ook! Natje en droogje op tijd, of niet soms? Ze waardeert onze liefde niet, Jan! Stank voor dank...'

Felien zakt op de bank en huilt geluidloos. Deze Rita kent ze niet. Alleen uit verhalen.

O, ze prakkiseert er niet over weg te gaan. Ze wil geen ruzie en onenigheid. Ze kan het niet aan. Rita lijkt opeens griezelig veel op een nijdige kinderverzorgster naar wie ze moest luisteren. Vreemd genoeg is die herinnering sterker dan die van de andere leidinggevenden, die liefdevoller waren. Gehoorzaam zijn was de oplossing. Jezelf wegcijferen en doen wat de ander eiste, ook al druiste dat tegen je eigen verlangens in.

Rita slaat door, is niet meer te remmen. Jan gebaart dat Felien beter naar boven kan gaan.

Naar boven? De muren zouden op haar afkomen. Met een snik verlaat ze de kamer en rent naar de voordeur. Buiten, in de koele nacht, komt ze ietwat tot rust.

Nerveus loopt ze de laan op en neer, trachtend lijn in haar gedachten te krijgen. Een mens, zo besluit ze, is niet op aarde om aan de eigen wensen toe te geven. In een geval als het hunne heeft de zwakste het meeste recht. Misschien komt er ooit een nieuwe gelegenheid om de deur uit te gaan en pakt Rita het anders op.

O, Felien begrijpt opperbest dat Rita's gedrag het gevolg is van verwrongen en misplaatste verlangens. Niet logisch te beredeneren. Maar als ze een lichamelijke en begrijpelijkere afwijking had, zou ze immers ook zichzelf ten behoeve van Rita wegcijferen?

Doodmoe is Felien opeens. Ze sjokt moedeloos terug naar huis en omdat ze haar sleutels niet bij zich heeft, gaat ze via de keukendeur naar binnen. Jan komt haar tegemoet.

'Ik heb de dokter gebeld en op zijn advies een paar slaappillen gegeven. Ik denk dat ze een gat in de dag slaapt. Kop op, meid! Ga even mee naar de kamer, dan praten wij het samen uit.'

Felien heeft medelijden met Jan, die duidelijk tekenen van vermoeidheid vertoont.

'Ze is zo anders dan anders... Zo ken ik haar echt niet. Ik voel me zo schuldig...'

Jan overhandigt Felien een glas met een haar onbekende inhoud. 'Drink maar op, zal je goeddoen. Rita... ze heeft hulp nodig. Als jij nu niet doorzet, barst de bom op een ander moment. Maar barsten zal hij ooit. Ik zoek morgen meteen contact met Amanda, die vriendin van Rita. Je weet wel wie ik bedoel. Amanda Meesters heeft na Anges ontvoering... maar dat verhaal ken je. Toen jij bij ons introk, heeft ze me gewaarschuwd. 'Ja', zei ze, 'Jan, voorlopig zal het prima met Rita gaan. Maar wanneer dat huisgenootje rijp is voor een eigen bestaan waarin niet alle plaats voor Rita zal zijn, dan krijg jij problemen en ik zal er dan – zo mogelijk – voor je zijn.' Tja, nu is die tijd rijp, lieverd. Je mág niet alleen – je móet nu aan jezelf denken en ons tonen dat we je 'aanvullende opvoeding' tot een goed einde hebben gebracht. Dank? Dat jij succes hebt en jezelf kunt redden, dat is onze dank. Eh... hier, nog een slokje!'

Felien legt een vlakke hand over haar glas.

'Echt niet meer. O, Jan, ik zou het mezelf nooit vergeven als Rita zich iets aandeed. Ze is... ze lijkt wel...'

Jan zegt somber: 'Spreek het maar niet uit. Kom, ga naar bed. Morgen is er een nieuwe dag en misschien ziet ze de dingen wat nuchterder. Jij gaat gewoon naar je werk en zeg tegen die Mattie dat je het aanbod accepteert. Of, als je wilt, het serieus overweegt. We komen er wel uit!'

Jan gooit de inhoud van zijn glas achterover en staat op. Felien volgt zijn voorbeeld.

'Ik ga dan maar. Dank je wel... Ik hoop dat je vannacht kunt slapen...'

Felien sluipt naar boven en opent geruisloos de slaapkamerdeur waarachter ze Rita weet.

De mond open, armen slap langs het lichaam en licht snurkend, Rita Althuisius.

De pillen werken, begrijpt Felien en even hurkt ze naast het bed neer. 'Lieve Rita, ik wil je toch geen pijn doen en dankbaar blijf ik mijn hele leven... Je hebt me van alles wat je had, meegegeven: geloof in een levende Heer, ontwikkeling, beschaving... een thuis. Ik ben echt dankbaar... Maar ik wil zo erg graag een eigen onderkomen... Een plekje voor mezelf, dat is mijn droom... Niet altijd naar anderen hoeven te luisteren...'

Rita's adem stokt even om dan nog luider te ronken. Felien vlucht weg. Weg van deze Rita die ze niet kent en die haar beangstigt.

Nog half gekleed gooit ze zich op haar bed met een bede op de lippen. 'Heer, U bent toch Vader? Help me dan, ik Uw kind. U bent een andere vader dan mijn biologische... op U mag ik toch vertrouwen? Geef dan spoedig uitkomst!'

Oververmoeid geeft Felien zich over aan de eisen die haar lichaam stelt. Niet voor de eerste keer in haar leven is het de slaap die haar verlost van de herinneringen die de voorbije dag bracht.

13

NOG VOOR ZE WERKELIJK IS ONTWAAKT, IS ER DE HERINNERING AAN DE onaangename avond ervoor.

Ruzie met Rita. Vanaf het moment dat Felien liefdevol door het echtpaar Althuisius is opgenomen, heeft ze haar best gedaan alles wat wrijving zou kunnen oproepen, te vermijden.

Ze wist hoe Rita's reactie zou zijn – het was voorspelbaar. Rationeel weet Felien opperbest dat ze het recht heeft om op eigen benen te staan. Iedereen die ze kent, zal het met haar eens zijn. Maar gevoelsmatig is het tegenovergestelde waar. Rita, haar moederlijke vriendin, vreest de een-zaamheid van een leeg nest. Zolang er een jong mens in huis is, lijkt de oude dag heel ver weg. Ziekte en misschien eenzaamheid zijn dreige-menten die voor Rita monsters zijn.

Felien glijdt uit bed, doucht zich snel en kleedt zich zonder de gebruike-lijke zorg.

Het ontbijt slaat ze over en geluidloos verlaat ze het huis. Pas als ze op de hoek van de Boslaan fietst, herademt ze. Misschien is vanavond de lucht geklaard en Rita tot rede gekomen.

Ze is de eerste die de salon binnenstapt en Felien koerst regelrecht naar de keuken. Een kop sterke koffie zal haar goeddoen. Ze dwingt zichzelf over het dagprogramma na te denken. Zoals iedere avond voor hun vertrek nemen zij en Mattie de agenda door en verdelen de taken.

Felien staart naar de koffie die gestaag via de filter in de glazen kan drupt. Water, gewoon kraanwater en even later – je kunt erop wachten zoals zij nu doet – is het vocht omgezet in koffie.

Kon Rita ook maar zo'n proces toepassen op haar emotionele aard. Felien grinnikt om haar manke vergelijking.

'Raden wie ik ben!' zegt Gilbert met een verdraaide stem. Handen voor Feliens ogen. Ze ruikt vaag de geur van tabak en huivert. Zo roken de vingers van haar kwelgeest ook, destijds. Stugger dan ze bedoelt, schudt ze de handen van haar collega van zich af.

'Haha... moet ik lachen?' probeert ze zo neutraal mogelijk te zeggen.

Gilbert draait Felien een halve slag om, zodat hij haar recht in het gezicht kan kijken.

'Wat is er mis met jou? Je ziet eruit om op te schieten. Geboemeld? Nee, dat ligt niet in jouw aard. Liefdesverdriet? Hm, je weet dat je maar één vinger hoeft uit te steken of je bent mijn maatje. Tja... dan zal het wel met je huiselijke omstandigheden te maken hebben. Ik hoorde zoiets van Ada en Malou. Die vinden het kortzichtig van je dat je destijds de flat hebt geweigerd. Niet dat ik de ruimte graag zou afstaan. Wel delen met jou.'

Felien wendt zich van Gilbert af en neemt met trillende handen de koffiekan ter hand. 'Ook koffie?' vraagt ze en tot haar ergernis klinkt er een snik door in haar stem.

Gilbert neemt twee kopjes van een blad, laat de schotels voor wat ze zijn. 'Meid, word toch eens 'groot'. Die stiefmoeder van je went er wel aan als je je zin doorzet!'

Feliens tanden klapperen tegen het hotelporselein. 'Ze is niet mijn stiefmoeder. Ik heb alles aan haar inzet te danken... Ik voel me gewoon belabberd omdat ik haar pijn heb gedaan...'

Gilbert kan Feliens denkwijze absoluut niet volgen. Hij weet dan ook niet goed hoe hij moet reageren.

'Stel dat je ging samenwonen of trouwen... in jouw geval natuurlijk dat laatste, zou ze dan eisen dat jij en je geliefde bij haar introkken? Ik bedoel maar...'

Felien schudt haar hoofd. 'Natuurlijk niet. Eens zal ik echt wel... maar of dat nu het goede moment is...'

Vanuit de salon klinken vrolijke stemmen. Malou's hoge lach klatert op en Ada roept: 'Ik ruik koffie... wie is op dat uitnemende idee gekomen... Kijk aan, Malou, een onderonsje tussen twee eh... valt er wat te feliciteren? Aan Feliens gezicht te oordelen is het tegenovergestelde een beter idee!'

Gilbert trekt Felien even tegen zich aan. 'Plaag haar niet, ze heeft thuis amok gemaakt met... Rita is het toch? Ja, met Rita. Vanwege verhuisplannen...'

Felien roept zichzelf tot de orde. Ze lijkt wel zot om haar zorgen met de collega's te delen.

'Sorry!' roept ze gemaakt vrolijk. 'We komen er heus wel uit. Een zwak moment. Daar waren jullie getuige van. Jongens... wat een weertje, niet? Jammer dat niemand van ons vakantieplannen heeft!'

Ze schenkt haar kopje nogmaals vol en haast zich naar de eigen afdeling. Eerst haar gezicht fatsoeneren. Voor een spiegel werkt ze de oneffenheden zo veel mogelijk weg. Felgekleurde lippenstift, dat leidt af.

'En...' Mattie is aan de late kant en haar eerste vraag is: 'Heb je erover nagedacht?'

Felien schudt haar hoofd. 'Geen tijd gehad. Maar ik zal snel een beslissing nemen.'

Mattie schudt haar hoofd. 'Eer ik jou kan begrijpen, ben ik de honderd gepasseerd. Als je erover praten wilt, zeg je het maar!'

Felien is dankbaar met iedere klant die binnenstapt. Werken betekent voor haar zich bezighouden met anderen, adviezen geven, luisteren naar wensen en vragen beantwoorden.

Hoe moeilijker ze het zelf heeft, des te beter functioneert ze, weet ze door ervaring. En vandaag functioneert ze zo goed als nooit tevoren.

Adviezen van alle kanten. 'Hak de knoop door!'

'Zachte heelmeesters maken stinkende wonden...'

'Allemaal bedankt voor het medeleven. Ik... gewoonlijk knap ik mijn zaakjes zelf op!' Verwonderd kijkt Felien haar collega's stuk voor stuk aan. In een kring staan ze om haar heen, als was ze jarig.

'Je kunt me altijd bellen!' dringt Ada aan. 'En mocht je problemen krijgen thuis: een slaapplaatsje hebben we altijd wel. Zeker voor een paar nachten!'

Gilbert geeft Felien een knipoog. 'Ada is me voor, het zijn mijn woorden!'

Malou trekt Ada aan een arm. 'Schiet op, zo dadelijk bedenkt Sofie nog een klusje voor ons en komen we niet aan het squashen toe!'

Mattie slaat een arm om Felien heen. 'Kijk wat vrolijker, dwing jezelf in de juiste positie. Ik hoor het wel... Zal ik soms mee naar je huis gaan?'

Felien bedankt. 'Dat iedereen zo meeleeft... Jullie zijn zo lief voor me...' aarzelt ze.

Gilbert heeft al een antwoord klaar en beseft dan dat Felien meende wat ze zei. Arme meid, wie weet wat ze heeft meegemaakt.

'Een klant, help! Stuur hem weg, we zijn gesloten!' roept Mattie.

'Goedenavond, mensen. De deur is nog open, dus ik neem aan dat ik niet te laat ben...' Coen Clemens richt zich tot Felien.

'Uh...' mompelt deze.

Gilbert doet een paar haastige passen naar de deur. 'Ik ben weg! Tot morgen, lieve mensen!'

Mattie kijkt koket naar de rijzige man op. 'Ik neem aan dat u niet voor de schoonheidssalon komt, dus u valt buiten mijn terrein.' Ze wuift naar Felien en volgt Gilberts voorbeeld.

'Ik weet niet... eigenlijk werk ik hier niet meer als kapster. Misschien dat Henri zelf...'

Coen legt zijn beide handen op Feliens schouders. Kijkt bijna smekend door de brillenglazen. 'Ik moet naar een receptie en oordeel zelf: ik zie er niet uit. Terwijl ik vanavond ons huis moet vertegenwoordigen.'

Henri komt uit het kantoor gestapt, in een hand een stapeltje brieven. 'Ik dacht, hopelijk is er nog iemand die dit even voor me wil posten. Felien, jij?'

Dan ontdekt hij Coen Clemens.

'Ha, die Clemens. Wil je een afspraak maken? Kan hoor, al stappen de meesten hier zonder meer binnen!'

Coen laat Felien los. 'Ik probeer zojuist Felien over te halen mij nu te knippen... Denk je dat het me lukt?'

Henri begint kefferig te spreken, teken van ongenoegen, weet Felien. 'Je weet dat er regels zijn... maar als Felien wil, allez. Ik loop zelf wel naar de brievenbus.' Met driftige pasjes beent Henri de zaak uit.

Felien berust. 'Vooruit dan maar. Het is een boffertje dat ik geen haast heb...'

Eigenlijk komt het haar wel van pas, bedenkt ze, terwijl ze Coen een cape omdoet.

In de spiegel ontmoeten hun ogen elkaar. Felien bloost. Ze kan geen hoogte krijgen van deze Coen. Mannen als hij verwarren haar, ze geven haar het gevoel dat ze uit een andere wereld komt en nog lang niet tot de volwassenen behoort.

Coen knikt haar toe. 'Je bent een kanjer. Eh... knip het maar goed kort in verband met de te verwachten hittegolf.'

Het knippen is Felien nog lang niet verleerd en bovendien heeft Coen prettig haar om te knippen.

'Mag de bril even af...'

Coen vertelt over de receptie waar hij heen moet. 'Het is van belang, omdat we enkele geldschieters hopen te ontmoeten. We zijn van plan een zomersportweek te houden en dat kost geld. Tenminste, als je het een beetje goed wilt doen. Onze kinderen hebben toch al zo veel te missen, het geeft ze een kick. Gelukkig hebben we sinds kort een sportman in ons midden, Elgersma. Hij heeft indertijd jaren op 'Het Haventje' gewerkt en is zich daarna als sportleraar gaan bekwamen. Je zou het aan zijn gedrongen postuur niet zeggen, maar hij lijkt van elastiek. Het valt niet mee om het juiste personeel aan te trekken.'

Felien kijkt naar het achterhoofd van Coen. Te kort geknipt, nog net geen gat. Mooie kapster is ze.

'Ja ja... ik weet er alles van!' laat ze zich ontvallen.

Coen hoort haar niet en vertelt over de receptie. 'Zin om mee te gaan?' biedt hij aan en zet zijn bril op.

Felien borstelt de haren uit zijn hals en trekt het klittenband van de cape los.

'Bedankt. Recepties bezoek ik slechts als het moet. Zo, u... je bent klaar. De kassa is al opgemaakt, dus betalen moet de volgende keer maar!'

Coen grinnikt. 'Hartelijk bedankt en tot wederdienst bereid. Kan ik je soms een lift naar huis geven?'

Henri stapt binnen, vangt die laatste woorden op. Zijn blikken schieten van de een naar de ander.

'Ik heb eigen vervoer, bedankt. Eh... ja, Henri, ik ruim de boel echt wel op. Tot kijk, Coen! Prettige avond dan maar...'

Felien haast zich naar de werkkast en rukt een bezem naar zich toe. Bijna zeven uur, Rita zal niet weten waar ze blijft. Toch maakt Felien geen haast. Langzaam trappend vindt ze haar weg en met lood in de schoenen sjokt ze na het openen van het tuinhekje het pad op.

Rondom het huis heerst volkomen stilte, buiten het gejubel van een zangvogel die op de punt van het dak zit. Hoe zal ze ontvangen worden? Fiets in de schuur, tas als wapen in beide armen.

'Meisje, je bent laat. Hoe gaat het?' Jan duikt op vanachter een struik. Hoed van stro op het hoofd, in zijn handen een vergiet met rode bessen. 'Ik eh... een late klant. Hoe is het hier?' Ze weet zelf niet hoe bang ze kijkt. Het is Jan zwaar te moede.

'Rita is uit. Logeren bij Ange. De kleine wordt jarig en aangezien Rianneke oma's lieveling is, blijkt een dagje te kort. Maar kom, dan krijg je van mij een omelet. Een boeren-omelet!'

Felien slaakt een zucht. Pure opluchting. Even uitstel.

Na de maaltijd dwingt Jan haar min of meer tot een gesprek.

'Rita is laat opgestaan, zelfs voor mij onbereikbaar. Toevallig belde Ange en in een paar woorden heb ik haar ingelicht. Ze stelde voor: 'Vraag mamma of ze komt logeren, dan kan ze afkoelen en misschien kan ik haar tot rede brengen. Groetjes aan Felien...' Ik wil maar zeggen: de meiden begrijpen je probleem.'

Felien luistert stilletjes. Uiteindelijk reageert ze met: 'Dat kan wel zijn, lieve Jan. Maar ik ben door jullie uit het slijk gehaald en nu... stank voor dank...'

Jan begrijpt dat dit Rita's woorden zijn. Hij hakt voor Felien de knoop door. 'Lieverd, luister naar me. Je weet dat je geen gelijk hebt. Dit is het moment om te kiezen. Als jij vertrekt, is er meer ruimte voor mijn relatie met Rita. Ik wil maar zeggen: daarvoor is het nog niet te laat. Het wordt tijd dat ze dit inziet. En ga jij nou niet denken dat je mij in de weg hebt gezeten. In het geheel niet. Je bent me lief als een eigen kind, dat weet je toch?'

Felien knikt, niet in staat een woord uit te brengen.

'Je hebt indertijd Rita een doel gegeven. Zo, nu slaan we spijkers met koppen! Jij belt je vriendin en ik regel morgen een boedelbak. Je bent verhuisd voor Rita terug is en ik, ik vang haar op. De risico's zijn alleen voor mij. Je zult zien dat ze snel bijdraait, ze kan jou immers niet missen! Kop op, meidje! Ik heb in de garage een paar lege dozen. Vanmiddag bij de supermarkt gehaald. Daar ga jij nu wat spullen in pakken en die brengen we samen naar hoe heet ze ook alweer!'

Een paar uur later is Feliens kamertje onherkenbaar. Lege boekenplanken, dito kasten. Stug heeft ze doorgewerkt. Als laatste tilt ze het cadeau van Rita, het schilderij, van de wand en wikkelt het bij gebrek aan de juiste verpakking zorgvuldig in haar duster.

'Morgen breng ik je bed plus ombouw weg. Jaja, dat is van jou. Ooit gekregen van ons na je havo, weet je nog? En zodra jij de deur uit bent, haal ik de boel uit elkaar. Is de kast leeg? Mooi, dan begin ik daar vanavond nog aan...!'

Mattie is verheugd met de beslissing. 'Niet de mijne, maar die van Jan. Of het wel goed is...' aarzelt Felien.

'Het is goed en dat wat nog wringt, komt ook goed. Let op mijn woorden!'

Als Felien zich 's avonds in haar leeggeplunderde kamer te ruste legt, realiseert ze zich dat niemand, maar dan ook niemand haar echt begrijpt. Misplaatst schuldgevoel, zo wordt het genoemd. Een daad moet ze stellen. Wel, dat is gebeurd.

Maar Felien vreest de dag van morgen en wat erna komt...

Jan is als eerste opgestaan. Hij heeft de tafel gedekt en een uitgebreid ontbijt klaargemaakt. Hij verrast Felien met een kopje thee op bed. Zelf gaat hij op het voeteneind zitten. 'Je laatste nacht in de Boslaan. Het was ons een vreugde jou destijds de helpende hand te bieden. Maar aan ieder 'project' komt een eind!'

Felien kijkt verontwaardigd. 'Wat een woordkeus, Jan! Ik ben in jouw ogen dus een project!'

Jans gezicht straalt. 'Beledigd?' plaagt hij.

Felien schudt haar hoofd. 'Ik begrijp dat jij mij jouw inzichten wilt bijbrengen. Ik zal mijn best doen, Jan!' Felien geniet van haar thee en het gezelschap.

'Jan...' aarzelt ze. 'Wat als het nu toch allemaal misgaat en jij fout hebt gegokt. Beloof je me dat je het me in dat geval eerlijk zegt?'

Jan aarzelt, begrijpt dan dat zijn antwoord belangrijk is voor Felien. 'Beloofd. Ik neem – hoe dan ook – contact met je op zodra Rita heeft gereageerd. Jij hebt recht op je eigen leven en het wordt tijd dat je tussen jonge mensen komt te leven!'

Mattie heeft het blijde nieuws rondgebazuind en Felien wacht in de zaak een feestelijke ontvangst. 'Er is na sluitingstijd koffie met taart! Ter ere van Feliens beslissing!'

Ada merkt klaaglijk op dat niemand op het idee kwam haar taart te schenken toen ze uit huis ging.

'Maar dit is een ander geval. Het gaat niet om het feit zelf, maar de gedachte erachter. Felien heeft zichzelf overwonnen en een wijs besluit genomen! Bovendien: een taart kun je snijden en eten, niet schenken!'

Net doen alsof je de rust zelve bent, bezig zijn met je werk en collega's. Een masker op. Zo is Feliens houding die dag.

Na sluitingstijd wordt de taart aangesneden en Mattie belooft zeer binnenkort een fuifje te geven. 'Een Amerikaanse fuif. Iedere gast brengt wat lekkers mee. De datum horen jullie nog.'

Henri vertelt over de receptie waar hij gisteravond met Clemens heeft gepraat. 'Hij wil dat de jeugd uit 'Het Haventje' integreert met de jeugd uit de gezinnen. Er zijn studies gaande omtrent de leefwijze van de tehuiskinderen na hun achttiende levensjaar. Velen ontsporen vanwege de slechte achtergrond: verslaafde of ontspoorde ouders. Als ze terug worden gezogen naar hun familie komen ze dikwijls verkeerd terecht. Het van-tehuis-naar-tehuis overgebracht worden is ook niet bevorderlijk voor de ontwikkeling! Wel, met die wetenschap op de achtergrond wil men in de toekomst die jeugd blijven begeleiden tot ze een plekje in de maatschappij heeft gevonden.'

Ada merkt op: 'Het schijnt je geraakt te hebben.'

Henri knikt en zoekt oogcontact met Sofie. 'Men zoekt sponsors. Er wordt een sportweek georganiseerd ten behoeve van de tehuiskinderen en het integratieplan. De zakenlui uit heel de omgeving is gevraagd mee te werken. Vandaar dat ik dit doorgeef.'

Felien zit kleintjes in een hoekje. Ze is terug in 'Het Haventje'. Proeft de sfeer. Knokken om een eigen plekje. Niemand die er echt voor jou alleen was. De liefste 'tante' of 'oom' moest je met veel anderen delen.

'Sinds we knipbeurten in de tehuizen hebben, kijk ik heel anders tegen de bewoners aan!' beweert Gilbert. 'De kinderen vooral: ze leven op bij een beetje extra aandacht!'

Mattie snijdt de laatste stukken taart in brokken. 'Voor de liefhebbers. Wie?'

Met de fiets aan de hand wandelen ze naar Matties huis. Felien is stilletjes en Mattie doet of ze dat niet merkt. Tussen de middag heeft Jan een huissleutel gehaald en als ze hun doel bereikt hebben, blijkt dat bed en kast keurig in elkaar zijn gezet en op de juiste plaats staan. Op de grond een vaas met een enorm boeket rozen. 'Dankjewel voor alles wat je voor ons was, bent en nog zult zijn! Jan.'

'Ik voel me niet goed!' snikt Felien. Mattie trekt haar mee naar het raam en zegt: 'Kijk naar buiten, dat is vanaf nu je uitzicht. De tuin is prachtig, waar of niet? Wij zijn vriendinnen geworden en hebben fijne plannen. En over dat niet-goed voelen. Het zal slijten! Zo, nu ga ik koken en jij, jij kunt het best je kasten inpakken! Tot zo!'

Veel kleding heeft Felien niet. Maar wat ze ooit kocht, is smaakvol en op elkaar afgestemd. Al werkend komt ze tot rust. De kamer is in haar ogen erg ruim, ze heeft nog nooit zo luxe gewoond. Als ze wil, kan ze ijsberen zonder zich aan meubels te stoten.

Zodra haar persoonlijke spulletjes een plekje hebben gevonden, begint Felien zich thuis te voelen. Het laatst krijgt Rita's schilderij een beurt. Hoe heette het brugje ook weer? peinst Felien. Het Dieperinksbruggetje. De zon valt schuin in de kamer en belicht het schilderij. Met als gevolg dat Felien meteen weet waar ze het wil hebben hangen. Vanuit haar bed heeft ze er dan een goed zicht op en kan ze wegdromend zich inbeelden dat ze in het bos wandelt, langs de oever van het romantische beekje.

'Eten klaar!' schalt Mattie naar boven en zodra Felien op de trap lopend de pittige luchtjes waarneemt, knapt haar humeur op.

Wanneer ze tegenover Mattie aanschuift, klinkt haar stem opgewekt als ze zegt: 'Het is erg gezellig geworden, Mattie. Echt gezellig...'

Even zwijgt ze. Gezellig, een uitdrukking die Rita vaak gebruikt om een sfeer te beschrijven. Maar dat weet Mattie niet.

'Ja? Dacht ik wel, meid! Ons gezamenlijke nieuwe leven is begonnen.' Ze vouwt haar handen. 'Laten we een zegen over het eten vragen, huisge-nootje!'

Het huisgenootje volgt haar voorbeeld.

Maar in plaats van een zegen voor het eten te vragen komen er andere gedachten. 'Heer, wijs mij de weg die ik gaan moet... Amen!'

Ze vergeet haar ogen te openen, blijft in gedachten verzonken zitten tot Mattie vragend opmerkt: 'Eet smakelijk dan maar?'

Felien schrikt op. Duwt ieder negatief gevoel weg en haar woorden zijn gemeend als ze herhaalt: 'Eet smakelijk!'

In de Boslaan is Jan nog druk in de weer. Feliens kamer wordt gezogen en gestoft. De plek waar bed en kast hebben gestaan, is te zien. Op het tapijt zijn duidelijke indrukken van de meubelpoten en de kleur aldaar is minder versleten en verschoten.

Ook op het behang zijn hier en daar de anders getinte plekjes. Waar fo-to's, schilderijen en een kalender hebben gehangen, vallen rechthoekige donkere vlakken op.

Felien heeft met haar vertrek haar eigen sfeer meegenomen en dat is goed, vindt Jan, terwijl hij de stofzuiger uitzet. Straks informeren wan-neer Rita denkt thuis te komen. Misschien heeft hij de tijd om het kamertje van een ander behangetje te voorzien!

Hij bergt het schoonmaakgerei op en zegt hardop: 'Rita Althuisius, we zullen eens zien wie in de toekomst de belangrijkste persoon in jouw leven is!'

14

ONTBIJTEN, SAMEN MET MATTIE IN DE GEZELLIGE WOONKEUKEN. HET ZON-
licht valt schuin naar binnen en brengt zo een zomerse sfeer op tafel.
'Je weet niet hoe dankbaar ik ben met jou en je gezelschap, Felien. Ik heb
het vaak nog zo moeilijk met dat wat voorbij is. Vooral als ik moe ben,
dan heeft het verleden een kans me te pakken!'
Felien drinkt haar beker melk achter elkaar leeg. 'Dat ken ik!' Ze dept
met een bontgekleurd servetje haar lippen. 'Dan kun je sowieso niet goed
functioneren. Ik bedoel: als je moe bent. Maar krijg dat eens voor elkaar:
nooit moe worden!'
Mattie besmeert een boterham dik met marmelade.
'Whiskymarmelade. Moet je eens proeven, hier!' En dan, in een adem
doorgaand: 'Maar ik heb er wat op gevonden. Je weet wel, de vrouw van
Lot die omkeek naar Sodom... ze werd gestraft en werd een zoutpilaar.
Wel, als ik te veel in het verleden duik, zeg ik tegen mezelf, Mattie, straks
ben je een zoutpilaar. Vooruitkijken!'
Felien grinnikt. 'Dat spreekt me aan!' En meer dan dat, ook zij wordt dik-
wijls gehinderd door het niet verwerkte verleden. 'Die houden we erin.
Zeg... we moeten opschieten. Straks komen we te laat op de zaak.'
Mattie ruimt na het ontbijt snel de tafel leeg. 'We moeten nog meer; een
feest organiseren. Bedenkt jij maar onder het epileren wie je wilt uitno-
digen!'
Tussen de middag geeft Felien toe aan de drang even een belletje met Jan
te plegen.
'Jan... vertel eens...'
Jan klinkt opgewekt. Felien hoort stemmen op de achtergrond. 'Is...' aarzelt ze.
'Nee, je vergist je. Rita is nog niet thuis. Ik heb bezoek van de buren die
onlangs verhuisd zijn. Rachel en Daan. Tjonge, hun zoon is me toch een
kerel geworden, ken je niet terug. En je moet de groeten hebben!'
Felien begrijpt dat het niet tot een echt gesprek kan komen. 'Ik bel nog
weleens...' besluit ze teleurgesteld en met alle kracht die ze bezit, zet ze
de Boslaan en de bewoners van nummer zeventien uit haar hoofd.
'Waarom ga je er niet even uit? Het eerste uur hebben we bijna geen

afspraken en je ziet eruit alsof je het kunt gebruiken!'

Mattie bergt al pratend een stapel handdoeken op en hangt een aantal schone capes op daarvoor bestemde haken.

'Zou ik...' aarzelt Felien. Ze heeft haar schort al los en Mattie plaagt: 'Je handen luisteren beter naar mij dan je hoofd. Tot zo. Moet je een paar gulden mee voor een ijsje?'

Buiten is het drukkend warm en de zon is schuilgegaan achter zware wolken. Dat belooft onweer, vermoedt Felien.

Ongemerkt is ze naar het park gelopen waar ze hoopt dat Godert zijn lunchpauze doorbrengt. Het park biedt de gebruikelijke drukte. Felien gaat opzij voor een stel jongeren die luidkeels hun examenbevindingen bespreken en voor niets of niemand anders oog hebben dan de eigen belevenissen.

'Daar hebben we Felien! Dat is boffen!'

Felien keert zich verrast om.

'En ik hoopte dat ik jou zou vinden!'

Godert regelt zijn passen naar die van Felien. 'Denk nu niet dat ik hier dagelijks kom. Meestal zit ik op kantoor of in de bouw. Maar het is drukkend weer, ik kan er slecht tegen. Jij?'

Felien haalt haar schouders op. 'Gaat wel. Wat ik zo graag wilde weten, is hoe het thuis gaat.'

Godert kijkt bedrukt. 'Ik vrees niet goed. Anne de Wijs is een best mens. Maar die honden... Op zich aardige beesten. Ik heb niks tegen honden. Maar wat blijkt nu: Annelein is allergisch voor de huidschilfers van de dieren en Berber ook, zij het in mindere in mate. Volgens mij nieuw in het theater! Anna is met ze naar de huisarts geweest en die heeft bloedtesten laten doen.' Godert kijkt somber.

'Misschien is het psychisch? Ik heb tijdens spanningen ook meer last van eczeem aan mijn handen.'

Godert kijkt snel opzij. 'Ik kan me niet voorstellen dat allergie tussen de oren zit. Bovendien zijn de meiden gek op Anne. Tja, ze kijkt al uit naar een andere job en een mens als zij heeft de banen voor het kiezen, Felien!'

Felien zoekt in haar tas naar een pepermuntje en houdt Godert een aangebroken rol voor de neus.

Hij duwt zonder het te merken haar hand weg. 'Ik kan dus weer van voren af aan beginnen. Trouwens, waarom woon je niet meer thuis? Berber had een warrig verhaal.'

Felien wijst naar een bankje dat net vrijgekomen is. 'Laten we gaan zitten...'

Op de rugleuning zijn namen ingekerfd. Harten eromheen. Ook schuttingwoorden 'sieren' het hout en de bijbehorende tekeningen doen Felien walgen.

'Ik wil op eigen benen staan. Wat niet door Rita wordt gewaardeerd. We zijn boos uit elkaar gegaan en dat zit me niet lekker. Laat maar, het is geen verhaal om naar buiten te brengen!'

'Waar woon je nu? Zeker te ver uit de buurt om af en toe naar de meidjes om te zien? Of zou Rita...'

Felien zucht. Goderts wereldje is wel erg klein geworden. Of zou hij altijd egocentrisch zijn geweest? Als hij maar ongestoord kan werken, is hij tevreden. Voorzover dat mogelijk is na de dood van zijn vrouw.

'Ik zit te ver. Bovendien heb ik weinig vrije tijd. Maar Rita... ach, die is gek op de kinderen.'

Godert zucht en gooit zijn laatste stukje brood naar de altijd hongerige eenden.

'Jij ook. Zoals jij met ze kunt omgaan... weet je dat de persoon van mijn schoonzus weer dreigend dichter bij komt? Agnes is hersteld en op vakantie geweest en kwieker dan ooit teruggekomen. Ik wil dat mens niet in mijn huis. Wil jij Anna de Wijs opvolgen? Ik kan je betalen wat je vraagt. Desnoods werk je halve dagen in je salon en dan nemen we een werkster voor elke dag. En... als je bij me wilt intrekken, woon je gelijk weer bij Jan en Rita in de buurt!'

Felien verslikt zich bijna in haar pepermunt en Godert merkt argeloos op: 'Verkouden?'

Met betraande ogen schudt Felien haar hoofd. 'Hoe verzin je het...' brengt ze met moeite uit.

'O, het is geen opwelling. Ik heb er al een paar dagen over lopen denken. Jij hebt alles wat mijn dochters nodig hebben. Barbra zou je graag zien als hun verzorgster.'

Barbra.

Zo luchtig mogelijk antwoordt Felien: 'Ik moet dus mijn carrière opgeven om – tijdelijk – huishoudstertje bij jou te spelen. En als de meisjes me niet meer nodig hebben, kan ik gaan. Mooi is dat... mijn kansen zijn verkeken wat betreft mijn loopbaan. Jullie zeggen dag met het handje en ik...'

Godert kijkt verschrikt opzij. 'Ik wilde je niet kwetsen. Gunst, wat mij betreft trouwen we!'

Het duizelt Felien. 'Trouwen?' valt ze uit. 'Een huwelijk uit berekening... Goed, jij bent niet van plan ooit je hart aan een ander te geven dan aan Barbra. Maar wat als ik de ware tegenkom? Dan ben ik wel mevrouw Berkhoven.'

Godert plukt aan zijn baardje. 'Tja, in dat geval laat ik je gaan...'

Felien briest. 'Wat een voorstel. Een huwelijk als werkkring. En als het niet meer schikt, verbreken we het contract en zijn vrij! Bah, wat een standpunt!'

Godert tikt ongeduldig met een punt van zijn schoen op de grond.

'Jij houdt niet van mij en ik kan nooit van een ander houden dan van Barbra. Een huwelijksleven in de intiemste vorm zou voor mij overspel zijn. Dus wat dat betreft...'

Felien tracht haar gedachten te ordenen. 'Jij biedt mij dus je naam en status van getrouwde vrouw, zodat je zeker weet dat ik niet zomaar wegloop. En ja, je hebt gelijk. Houden doen we niet van elkaar. Ook al mag ik je wel, op den duur zullen er ongetwijfeld irritaties komen. Scheiden als ik van iemand zou gaan houden... Ik pás voor jouw condities. Zoek maar een ander slachtoffer...'

Godert staat gelijktijdig met haar op. 'Wanneer je bij me intrekt als huishoudster krijg je ook praatjes. Dat zou jij niet willen. Denk er nog maar eens over na... je zult alle vrijheid krijgen en ik bemoei me niet met jouw manier van opvoeden. Slecht zul je het niet bij me hebben...'

Een paar voorbijgangers roepen elkaar toe: 'Hoe laat is het? Bijna halftwee, dat wordt haasten!'

Felien schrikt op. 'Ik ga ervandoor. Tot ziens, Godert. Eh... we spreken elkaar nog wel.'

Godert knikt, kijkt Felien na tot ze uit het zicht is. Wat heeft hij verkeerd gezegd dat zo'n reactie het gevolg mag zijn?

Tien minuten later is hij weer volledig geconcentreerd op de torenflat die hij heeft ontworpen en waarvan vanochtend de eerste steen is gelegd...

'Ik heb een huwelijksaanzoek gehad...' sist Felien in Matties oor.
'Wat?' Mattie heft de spatel op waarmee ze een masker op de juiste dikte heeft geroerd. 'Vertel.'
Felien belooft: 'Vanavond!'
Een huwelijksaanzoek als dit, zo legt ze tijdens het bereiden van de avondmaaltijd uit, is bijna een belediging.
'Behalve als je van de man in kwestie houdt. Proef deze dressing eens? Hè, wat knus om samen te koken!'
Felien prikt verwoed in een aardappel. 'Ik zal nooit van zo'n man kunnen houden. Het is alleen: die twee meiden... ik ben gek op ze. En als ik niet zo'n leuke job had, zou ik om hen het idee niet zonder meer verwerpen.'
Mattie wil het naadje van de kous weten.
'We nodigen hem uit op ons feest. Ideetje? Misschien heeft hij nog leuke kanten die jij niet kent!'
'Godert is een iezegrim. Niet meer en niet minder. Zijn hart is dood, meegenomen door Barbra. Zo, nu wil ik er niet meer over praten!'

De lijst met genodigden is behoorlijk lang. Mattie wil het contact met enkele oude vrienden vernieuwen. 'Ik heb nadat ik alleen kwam te staan, niet altijd aardig gereageerd op de toch goedbedoelde reacties. Nu het beter met me gaat, wil ik proberen de banden weer aan te halen. Heb jij nog namen? Behalve onze iezegrim? Zal ik voorlezen wie we hebben? Luister... de collega's plus aanhang. Jawel, ook Henri en Sofietje. En dan de lui van 'Het Haventje'. Ik vind die Clemens toch zo'n sympathieke kerel! Ik heb onlangs in de kerk naast hem gezeten en na de dienst bleven wij nog wat hangen om koffie te drinken. Het blijkt dat we een paar dezelfde kennissen hebben! Heb je ook al gehoord over dat vakantieplan van hem? Steengoed...'
Felien knikt maar eens. Coen Clemens betekent voor haar automatisch Jaap Elgersma. Zuchtend informeert ze of die Coen niet automatisch een sliert personeel meebrengt.
'Hoe meer zielen, hoe meer vreugd. Wees niet bang, ik betaal alles!'

Mattie is niet meer dezelfde vrouw, vindt Felien, die ze destijds heeft aangenomen als haar rechterhand. Ze lijkt uit een cocon te kruipen en leeft weer aan alle kanten.

'We komen er wel doorheen...' reageert Felien gedachteloos, een opmerking die niet zonder reactie blijft!

Bijna alle genodigden reageren positief op de uitnodiging. Mattie is in haar sas en besteedt elke vrije minuut aan de voorbereidingen. Voor de dranken en hapjes schakelt ze een cateringbedrijf in, dat zelfs voor de nodige aankleding zoals meubilair zal zorgen.

'Het moet mooi weer zijn, anders komen we in de problemen!'

Felien zucht. 'En ik dacht dat we aanvankelijk een Amerikaanse instuif zouden geven. Iedereen brengt wat lekkers mee...'

'Ik wil het deze keer in stijl doen! Ons nieuwe leven moet gevierd worden! Streep onder het verleden. De tijd die me nog rest, wil ik invullen. Geen zoutpilaren-gedoe meer voor mij.'

Hoe graag Felien ook zou willen: ze kan Matties voorbeeld niet volgen. Haar vrees wordt bewaarheid. Coen Clemens brengt niet alleen twee vrouwelijke medewerkers mee, maar ook Jaap Elgersma, die op zijn beurt bevriend blijkt met een paar onderwijzers die zonder uitnodiging meekomen.

'Zwaan kleef aan!' reageert Mattie opgewekt.

Jaap legt uit: 'We zijn bezig met het zomervakantieproject en onderbreken een bespreking voor een uurtje feest!'

Mattie is gecharmeerd van Jaap, merkt Felien. Ze tracht hem uit de weg te gaan, maar dat blijkt een onmogelijke wens.

Coen Clemens zoekt haar gezelschap, hij zegt opgewekt: 'Ik heb een glas wijn voor je meegebracht. Dat was ik je wel schuldig na je vriendendienst, ik doel op het knippen na sluitingstijd.'

Felien neemt het glas onhandig van hem aan en morst wijn op haar rokje. 'Eh... dat was toch niet van belang. Hoe gaat het met je project? Is het nog gelukt met de sponsors?'

Coen knikt en komt met een uitgebreid verslag. Felien hoort maar half wat hij vertelt, haar ogen volgen angstig de donkere figuur van Elgersma, die niet te klagen heeft over vrouwelijke aandacht.'

'Luister jij eigenlijk wel?' plaagt Coen. 'Ik geloof dat jij ook al valt voor de charmes van onze sportman. Als je liever met hem babbelt...'

Felien grijpt Coen bij een arm. 'Sorry, nee, echt niet. Ik eh... ik was even met mijn gedachten elders, maar dat heeft niets met jou te maken. Eh... ik vind het geweldig voor de kinderen. Van... van iemand hoorde ik dat de meesten niet op vakantie gaan. Of eh... gaan jullie nog steeds met busjes naar zee? Woningruil met andere tehuizen?'

Coen zegt verrast: 'Dat jij dat weet! Nee, al jaren niet meer. We gaan niet op vakantie, maar halen de vakantie in huis. Als je zin hebt... de sportdagen zijn voor iedereen toegankelijk. Er zijn zelfs wedstrijden tussen prominenten. Tja... de burgervader op het voetbalveld... het belooft goed te worden.'

Godert is de laatste gast die zich aandient en Felien verontschuldigt zich. 'Ik zie een bekende aankomen. Het spijt me, Coen. Eh... veel succes dan maar...'

Godert kijkt verstoord om zich heen. 'Ik wist niet dat het zo'n soort feest zou worden. Eh... heb je nog nagedacht, Felien? Eigenlijk hoopte ik dat we vanavond een ernstig gesprek zouden kunnen voeren...'

Felien valt uit: 'Dat vergeet je dus maar. Ik heb hier de taak van gastvrouw. Kijk, een serveerster. Wat wil je drinken? Ik kan je die zoutjes aanbevelen.'

Mattie, gekleed in een vlot jurkje, voegt zich bij hen. 'Daar hebben we Godert. Dag, heb je een oppas voor je kindertjes gevonden?'

Godert kijkt verstoord om zich heen. Drinkt een paar slokjes alvorens te antwoorden. 'Niet dus, niet dus. Mijn huishoudster is onverwachts vertrokken. Mijn dochters slapen hopelijk. Ze zijn per slot van rekening geen kleuters meer die voortdurend in de gaten gehouden moeten worden!'

Felien en Mattie wisselen een blik van verstandhouding. Mattie probeert: 'Tegenwoordig hoor je zulke enge verhalen... ontvoeringen, mishandelingen en weet ik niet wat al. Ben je niet bang dat je dochters alleen thuis paniekerig worden?'

Godert kijkt naar Felien. En Felien, ze kan niet anders dan zijn blikken beantwoorden. Niet de ogen van een man kijken haar aan, maar meer die van een ongelukkig kind dat zich geen raad weet.

Ze schudt haar hoofd. 'Ik kom binnenkort gauw eens op bezoek...' belooft ze en haast zich – zonder doel – naar de tuin waar het ondanks de frisse wind goed toeven is.

Een hand houdt haar bij de openstaande deuren tegen: Jaap Elgersma! 'Dat is onze Fe Althuisius, als ik het goed heb onthouden. Of... is dat een pseudoniem?'

Wat er op dit moment in Felien naar boven komt, kan ze niet zonder meer definiëren. Woede, walging, angst en schuld.

Een warme hand in haar naakte hals maakt dat ze zich ongekleed voelt. Die ogen...

'Dat wij elkaar tegen het lijf moeten lopen... Felientje Houten! We moeten snel wat afspreken!'

Een arm rond haar heupen. 'Je ziet er niet meer uit als het sprieterige tehuiskind. Heb je je van 'toen' gedistantieerd? Wij moeten echt eens samen praten!'

Twee onderwijzeressen komen Jaaps aandacht opeisen. 'Schiet op, Jaap, we moeten het nog even over de reclamecampagne hebben! We willen posters voor winkelruiten hangen en overal potjes neerzetten waarin mensen een gift kunnen storten...' En tegen Felien: 'Sorry dat we je gezelschap komen roven, het moet eventjes!'

Felien vlucht naar de achtertuin waar ze een bankje tussen het struikgewas weet. Daar probeert ze haar kalmte te herwinnen.

Wat zou er gebeuren als ze Jaap Elgersma alsnog aanbracht? Zou een klacht als de hare verjaard kunnen zijn?

O, ze ziet het al voor zich. Coen Clemens, de directeur van 'Het Haventje', zou op haar neerkijken. Misschien iedereen wel, een misbruikt kind. Nog hoort ze Jaap temen: 'Wie luistert er nu naar een onbeduidend meisje als jij bent? Bovendien... ik sta sterker. Mijn verklaring is geloofwaardiger dan de jouwe. Mannen in mijn positie worden vaker lastiggevallen door gefrustreerde meisjes in de groei. Een fantasie dat ze hebben! Ja, niemand zal jouw woorden ooit serieus nemen, kleine...'

Hete tranen bederven haar make-up. Haar zakdoek is al snel te klein en radeloos kijkt Felien om zich heen. Op momenten als deze is de verleiding groot om een eind aan de ellende te maken. Maar als de nood zo hoog is, drijven er altijd troostende gedachten voorbij.

'Jij bent van Mij... mijn juk is zacht...'

Stemmen komen dichterbij, lachen, klinken van glazen. Felien verstart, kijkt radeloos om zich heen en ten einde raad werkt ze zich door struikgewas heen en belandt in de tuin van de buren.

Een paar stappen brengen haar naar het achter de huizen gelegen paadje. Ze drukt zich tegen een schutting, voelt het ruwe hout door de kleding heen prikken. Een kat komt op haar toe, loopt met strelende bewegingen langs haar blote benen.

Ze tilt de poes op en verstopt haar gezicht in de zachte vacht. Een luid gesnor is haar beloning. Een 'Miepie-Miepie-Miehiepie!' doet het spinnen stoppen. Een wilde sprong die krassen op Feliens arm nalaat en weg is het dier.

Het begint te schemeren en Felien overlegt hoe ze ongemerkt het huis kan binnenlopen. Niet nodig dat iemand haar in deze situatie ziet en verkeerde conclusies trekt. Opnieuw doen voetstappen haar opschrikken. Een stem die roept: 'Dit is de kortste weg naar mijn wagen. Tot ziens, lui.'

Coen Clemens, het had erger gekund. Felien recht haar rug en houdt zichzelf voor: alle kans dat Coen haar slechts in het voorbijgaan zal groeten en haar behuilde gezicht niet opmerkt. 'Welterusten!' doet ze vrolijk als hij haar nadert. 'Ook even gevlucht voor de drukte?'

Abrupt blijft Coen staan, zijn ogen boren door de schemering heen.

'Waarom moet de gastvrouw op de vlucht slaan? Ikzelf heb een afspraak...' Een scherpe blik, ogen die vlak bij de hare zijn. 'Wat scheelt eraan, Felien?'

Coen Clemens behoort tot het type mensen dat praat met mond en handen. Hij pakt Felien bij de schouders, keert haar gezicht naar het schaarse schijnsel van een tuinlantaarn.

'Je hebt gehuild, niet zomaar een paar traantjes. Kan ik je helpen? Echt, ik maak zo veel mee... alles wat je mij vertelt, komt niet verder. Als je hulp nodig hebt?'

Felien schudt verward haar hoofd. 'Ik...' brengt ze moeilijk uit. Stel je voor dat ze haar hart bij deze man zou uitstorten! Ongeloofwaardig en hysterisch.

'Kom, je hoeft het niet te vertellen. Niemand ziet ons, leun maar lekker tegen me aan. Mijn schouders zijn aan tranen gewend!'

Felien verstijft als ze voelt hoe ze tegen hem wordt aangetrokken. Lijfelijk contact, ze kan er niet tegen. Zeker niet als dit van een man uitgaat.

'Je bent gespannen, je voelt aan als een houten pop. Hoe heet zo'n ding dat aan touwtjes zit? Een harlekijntje? Kijk me eens aan...' Een zakdoek over haar gezicht, een aai langs de oren. 'Wat doen we? Zal ik je het huis binnenloodsen, zodat je je op je gemak kunt fatsoeneren? Van je eigen feest kan ik je moeilijk ontvoeren, wel? Kom op, dan gaan we via de tuin door de keuken naar de gang. Ideetje?'

Felien knikt.

'Je hoeft niets te vertellen. Kom...'

Een hand die de hare vasthoudt. In de tuin bevinden zich verscheidene gasten, de serveersters haasten zich rond met bladen waarop alcoholische dranken. Zo te horen wordt er van hun bediening goed gebruikgemaakt. In de keuken werken een paar jongemannen aan een salade en opkijken naar de passanten doen ze niet.

Clemens mompelt: 'Zie je wel dat het goed gaat!' Hij is, nu ze in het volle licht zijn, geschrokken van Feliens uiterlijk en loopt zonder vragen mee naar boven.

'Ik ga pas weg als jij je hersteld hebt. Eh... de badkamer in?'

Felien knikt stom.

Ze wast haar gezicht, kamt het haar en rukt aan de stof van haar jurk. Rot feest... stom idee van Mattie. Mattie is een schat van een meid, maar ze passen toch niet bij elkaar, heeft ze moeten constateren.

In een kastje ligt make-up van Mattie en Felien is zo vrij deze kwistig te gebruiken. Ach, wie let er nu het zo laat is geworden, nog op haar? Ze probeert haar stem, die klinkt nog wat klagerig.

'Klaar?' vraagt Coen op gedempte toon en Felien, die eerst haar keel schraapt, zegt kort: 'Ja.'

Coen knikt haar toe. 'Wat een vrouw met wat verf en poeder al niet aan haar uiterlijk kan doen! Goed zo, meidje! Mijn aanbod blijft staan: als je behoefte hebt aan een vriend ben ik er!'

Felien kijkt schuchter omhoog in de vriendelijke ogen die haar recht door de brillenglazen aanzien.

'Een vriend...'

Coen knikt. 'Ja ja, een vriend. Iedereen heeft vrienden nodig, en vriendinnen. We zijn op de wereld om samen onze reis te volbrengen en dat houdt tevens in: er zijn voor de ander. Gaat het weer?'

Ze buigt haar hoofd en mompelt: 'Ik schaam me dood...'

'Niet doen! Kop op, je kunt het!'

Achter elkaar de trap af en even flitst het door Felien heen: als iemand ons zo ziet, kunnen ze heel wat denken.

'Tot kijk!' zegt Coen opgewekt en Felien keert hem de rug toe.

'Ik dacht dat je al weg was...' roept iemand.

Coens plezierige stemgeluid klinkt op. 'Dat dacht ik ook, maar laat dat nou een vergissing zijn!'

Mattie eist Feliens aandacht op. 'Meid, we brengen een toost uit en ik zocht je net. Trouwens, die vriend van je, Godert, ook. Hij is net weg nadat hij de hele tuin heeft doorzocht. Ik denk er het mijne van... Kom op, kijk wat vrolijker.'

Ze klapt in haar handen en roept: 'Mag ik even ieders aandacht! Hier spreekt een van de gastvrouwen!'

'Welterusten. Ik slaap morgen lang uit, jij ook, denk ik!'

Mattie heeft haar haar gewassen en gekleed in een duster kijkt ze bij Felien om de hoek van de kamerdeur.

'Ik hou niet van uitslapen. Eh... ik ga naar de kerk!'

Mattie roept: 'Wat trouw! In dat geval: breng dan voor mij de zegen ook maar mee!'

Morgen in de kerk zal ze Coen zien. Misschien ook Jaap Elgersma, te midden van de tehuiskinderen. Destijds heeft hij het van haar gewonnen, ze gunt hem dat geen tweede keer.

Jan en Rita. Ook zij behoren tot de trouwe kerkgangers. Wat geen reden is om zelf thuis te blijven en... misschien de kans om elkaar na de dienst nader te komen.

Felien, moe van de inspanningen zowel geestelijk als lichamelijk, vouwt haar handen. Maar bidden kan ze niet. Dan glijdt ze uit bed en knielt ervoor neer. Nu lukt het wel.

'Vader, ik ben zo ontzettend bang en er is niemand met wie ik durf te praten. U luistert wel, dat geloof ik. Maar... ik zou zo graag willen dat ik antwoord kreeg op al mijn vragen. Legt U ze in mijn hart, zodat ik weer kan vertrouwen.'

Huiverend kruipt ze terug onder het dekbed.

Vertrouwen, dat is het. Haar vertrouwen in de mensen is geschonden. Er is wantrouwen voor in de plaats gekomen. God echter is geen mens en in gedachten legt ze haar hand in de doorboorde hand van Jezus Christus.

15

ALSOF ZE DE WEKKER GEZET HAD, ZO STIPT OP TIJD ONTWAAKT FELIEN. DIT keer geen knus gezamenlijk ontbijt: Mattie is niet wakker te krijgen en eigenlijk is Felien er blij om. Ze heeft absoluut geen behoefte aan een nabeschouwing van hun feestje.

Een beker melk als ontbijt lijkt haar voldoende, nadat ze met weerzin een blik in de broodtrommel heeft geworpen.

Ze heeft een weinig gedragen zomerjurk, betaald door Rita, uitgezocht. Die fladdert tijdens het lopen speels langs haar lichaam en eenmaal op de fiets is het een compleet gevecht om de rok 'netjes op de plaats te houden': een uitdrukking van de geefster.

Rita en Jan... zullen ze op hun plaatsje in de kerk zitten? Vast en zeker. Felien heeft zich voorgenomen om hen na de dienst aan te spreken en mee naar huis te fietsen. Vanwege de mensen om hen heen zal Rita niet durven te weigeren.

Dit keer preekt een dominee, bekend van radio en tv, wat meer bezoekers trekt dan normaal. Felien schuift op de achterste bank en heeft van daaruit een redelijk goed overzicht over wie er zoal binnenkomt.

Het kan niet anders: de bewoners van 'Het Haventje'. Natuurlijk, Jaap Elgersma met een groep. Hij is vlot gekleed, Felien heeft hem nooit anders gezien.

De rij wordt gesloten door Coen Clemens en een jonge vrouw die Felien herkent als een onderwijzeres van een school uit de buurt. Wie weet bloeit er een liefde op, fantaseert ze. Wel, degene die met Coen trouwt, zal het goed hebben. Ze duikt in elkaar, heeft geen behoefte aan contact. Coen immers, lijkt dwars door haar pantser heen te willen breken. Ze voelt zich in zijn nabijheid altijd bedreigd en onveilig.

Naast haar komen enkele onbekenden zitten, mensen die waarschijnlijk op de naam van de predikant afkomen.

De kerk loopt bij uitzondering vol net als dat bij een begrafenis of trouwpartij het geval is. Maar geen Jan en Rita.

De organist zet in, jubelende klanken vullen de hoge ruimte. Bekende liederen worden speels door elkaar gegooid. 'Lof zij de Heer' herkent Felien. Dan een melodie waarvan Felien de woorden niet goed kent.

'O, geef Hem alles wat je vasthoudt
de jaren van verdriet'

Kon ze dat maar; de oude pijn en vernederingen weggeven aan God.

De gemeente rijst op, de dominee, vergezeld door ouderlingen, begeeft zich naar de preekstoel.

Felien roept zichzelf tot de orde.

Voor een uur kan ze dat wat geweest is, toch wel opzijschuiven?

Geen Rita en Jan.

Staand in de schaduw van een paar coniferen slaat Felien de kerkverlaters gade.

Wie ze wel ziet, is Godert Berkhoven met zijn dochters. Bewust drukt Felien zich nog wat dieper weg tussen de struiken en als een der laatsten zoekt ze haar vervoermiddel op. Automatisch rijdt ze richting Boslaan. Ze kan immers niet met ruzie leven?

Schuw als was ze een indringer die geen rechten heeft op toegang, sluipt ze het tuinpad op. De bloemen staan er goed bij, het gras is kort gemaaid. Wat zal ze doen? Door de voordeur, omlopen of bellen? Ze besluit tot het laatste. Wanneer er op haar bellen niet wordt gereageerd, loopt ze naar het achterhuis. De keukendeur is op slot, wat op zich vreemd is. Misschien zijn ze uit?

Net als ze de voordeur met haar sleutel wil openen, hoort ze haar naam roepen.

'Felien, daar doe je goed aan. Ik was even de buurt in...'

Jan ziet er opgewonden uit, slordig geschoren en hij draagt een overhemd zonder stropdas.

Felien trekt haar conclusies. 'Waar is Rita? Toch niet nog bij Ange?'

Jan pakt Felien bij een hand en zo gaan ze samen het huis in waar het koel aanvoelt na de warmte van de zomerzon.

'Niet schrikken, lieverd. Rita is ingestort en de huisarts heeft haar voor observatie laten opnemen. De psychiatrische afdeling...'

Felien hapt naar adem. 'Dat is dus mijn schuld, Jan... zeg het eerlijk! Ik wist niet dat ze zo overtrokken zou reageren!'

Jan trekt Felien even tegen zich aan. 'Geef jezelf niet de schuld. Het ligt allemaal veel dieper. Rita heeft de eigen problemen jarenlang verborgen achter het masker van het moederschap. Zolang ze in die functie nodig was, kon ze het leven aan. Zo heeft de psychiater het me uitgelegd. Bovendien hebben we hulp van onze vriendin Amanda. Als je door haar merkwaardige uiterlijk heenkijkt, zie je een prachtig mens. Zij is in staat Rita te helpen. Laten we hopen dat de algehele verwarring van korte duur is...'

Felien heeft haar besluit genomen. 'Ik kom weer thuis wonen. Dat is de enige oplossing en dan heeft Rita geen psychiater en geen Amanda nodig...'

Jan stribbelt tegen. Felien echter houdt voet bij stuk. 'Het kan me niet schelen wat iedereen ervan vindt of zegt. Ik slaap wel in de logeerkamer voorlopig. Mag ik je autosleutels? Dan haal ik mijn kleren en leg het Mattie uit...'

Jan trekt zijn sleutelbos uit een broekzak en zucht: 'Vrouwen... ik denk niet dat ik jullie soort ooit zal begrijpen!'

Felien rijdt snel naar het huis waarvan ze in korte tijd is gaan houden. Ze voelde zich er gelukkig, voorzover dat mogelijk was.

Ze schraapt nerveus haar keel en realiseert zich dat de huid van haar handen meer jeukt dan anders. Zoals ze verwacht had, scheldt Mattie – op een beschaafde manier – haar de huid vol.

Felien valt haar niet een keer in de rede en als Mattie al haar kruit heeft verschoten, zegt Felien: 'Rita is een psychiatrische patiënte. Ze krijgt thuis de hulp van een therapeute, een merkwaardig mens met veel capaciteiten. Wie weet, ben ik snel terug. Geef me alsjeblieft even de tijd...'

Mattie vertedert. 'Ik denk alleen aan jou en je geluk. Aan de fijne dingen die we samen zouden gaan doen. Maar misschien heb je gelijk en ben ik een egoïstisch monster.'

De zondag lijkt eindeloos. Jan gaat na een snelle lunch meteen naar het ziekenhuis.

'Als er iets bijzonders is, bel ik je echt. En o ja, ik heb Susan en Ange nog niet gewaarschuwd. Rita heeft geen behoefte aan bezoek en voorzover ik die meiden ken, staan ze direct op de stoep. Mochten ze bellen, dan verzin je maar iets!'

Felien ruimt de keuken op, zoekt in huis werkjes en kijkt om de tien minuten op haar horloge.

Pas tegen zessen komt Jan thuis. Hij kijkt tamelijk opgewekt.

'Het ziet er niet slecht uit. De medicijnen hebben geholpen, Rita is weer aanspreekbaar. Dat is al heel wat! Het is een zegen dat Amanda Meesters eerder thuis wordt verwacht dan gepland, we hebben haar dringend nodig. En o ja, ik heb Rita verteld dat jij terug bent... Je logeerpartij is voorbij. Ze slikte het als zoete koek en speelde het spelletje mee. Tja, het blijft moeilijk die ene kant van Rita...'

Ook maandag blijft Jan op zijn strepen staan: Felien mag nog niet mee naar het ziekenhuis. 'Eerst moet Rita stabiel zijn. Ik vind het ontzettend goed dat jij je opoffert voor ons...'

Felien verweert zich zwakjes. 'Geven en nemen, Jan.'

Felien ziet tegen de eerste werkdag van de week op. Wat zullen de collega's haar bespotten!

Maar dat valt mee. Mattie is haar voor en heeft een zielig, maar geloofwaardig verhaal over Rita's ziekte opgedist. Vooral Sofie is onder de indruk. 'Zo'n flink mens, ogenschijnlijk kan ze de hele wereld aan, maar ondertussen heeft ze ook haar zwakke punten.'

Eenmaal bezig met een cliënt glijdt de zorg van Felien af. Werken is de beste uitvinding die er bestaat!

Eind van de week is Rita zover dat ze naar huis mag. Mits ze kalm aan doet en er voldoende hulp is. Voor medicijncontrole dient ze voorlopig wekelijks een bezoek aan de kliniek te brengen. 'Zomin mogelijk spanningen en vooral, behandel haar niet als een patiënt!' was het advies van de behandelend geneesheer.

Jan is zielsgelukkig en heeft alle vazen die hij kon vinden met bloemen uit winkel en tuin gevuld. De dochters plus aanhang zijn inmiddels ingelicht, maar omdat Rita niet als 'zieke' betiteld mag worden, heeft Jan gevraagd of ze een bezoek willen uitstellen tot nader order.

'Ga jij maar wat eerder naar huis, als het tenminste lukt met het werk!' vindt Sofie. 'Wij helpen Mattie wel opruimen, na sluitingstijd. En o ja, ik heb een stagiaire aangenomen. Die begint maandag bij je...'

Felien neemt niet de moeite om te zeggen: 'Dat had je behoren te overleggen.' In plaats daarvan geeft ze terug: 'Bedankt, Sofie. Tot wederdienst bereid...'

Tussen de middag heeft Felien de grootste doos bonbons gekocht die ze kon vinden. Want een thuiskomst uit het ziekenhuis is per slot van rekening toch een feestelijk gebeuren...

Rita reageert verheugd op het zien van Felien, de ruzie en de onredelijke woorden lijken nooit bestaan te hebben.

Felien voelt zich houterig, kust Rita op beide wangen en stopt de doos in haar handen. 'Goed voor de lijn, deel ze vooral niet uit!'

Jan fluistert haar in dat hij een hulp in de huishouding heeft gecharterd. 'Een flink mens dat 's morgens komt voor de was, boodschappen en het huis. Ik moet zo veel mogelijk bij haar blijven. Bij Rita. En overmorgen komt Amanda logeren. Tja, dan moeten we een bed op de kop tikken. Misschien kun jij voor een nachtje of twee naar Mattie?'

Felien vindt alles best, leest Rita iedere wens van de lippen met gevolg dat ze eind van de dag doodmoe is. Haar enkels puilen over de schoenranden en haar handen jeuken als nooit tevoren.

Ze heeft slechts één wens: hopelijk kan Amanda Meesters Rita Althuisius op het juiste spoor krijgen.

Die wens lijkt in vervulling te gaan. Amanda heeft bezit van het huis genomen en lijkt iedere ruimte waar ze binnenkomt, te vullen met geest en lichaam.

Thee- en koffie-uurtjes worden stiekem omgezet in sessies. Amanda praat op Rita in, neemt de tijd om te luisteren. Bovendien geeft ze warmte en liefde, wat Rita nog beter helpt dan de medicatie.

'Het gaat goed!' zucht Jan na een paar weken. Amanda als huisgenote is niet niets, een inbreuk op de privacy, vindt hij. Maar het is ruimschoots de moeite waard.

Felien lijdt een merkwaardig bestaan; overdag naar de salon, thuis eten en bij Mattie slapen. Soms merkt Rita niet eens dat Felien afwezig is.

Het gaat goed tot Amanda zomergriep krijgt en voor een paar dagen is uitgeschakeld. Rita neemt de rol van verzorgster met vreugde op zich en probeert Amanda in te kapselen.

Nu ze sterker wordt, is er ook weer meer belangstelling voor Felien. 'Lieverd, als ik jou toch niet had... jij bent de zon in ons leven, zei ik gisteren nog tegen Amanda. Zo'n band als ik met jou heb, had ik nooit met Susan en Ange! Jij kunt goed luisteren en ik voel bij jou geen verzwegen kritiek! En de korte periode dat we het oneens waren, willen we vergeten!'

De eerste en enige keer dat Rita de donkere dagen voor haar logeerpartij bij Ange aantipt.

Felien is niet blij met die complimenten. Ze voelt zich gekooid. Enerzijds is daar Elgersma, de traumatische herinneringen. Thuis wordt ze geclaimd door Rita, die haar toekomstplannen met de grond gelijk maakt. Een oplossing lijkt er niet te zijn.

Tot op een avond Godert op de stoep staat. Hij kijkt zorgelijk. 'Je boft dat ik nog hier ben, ik stond op het punt naar Mattie te gaan...'

Godert smeekt haar of ze mee wil naar zijn huis. 'Sinds die Anna is vertrokken, is het een puinhoop en jou zien we ook nooit meer. Agnes heeft zojuist gebeld en haar komst aangekondigd. Morgen moeten de meisjes met schoolreisjes mee en Annelein is zo opgewonden dat ze niets doet dan spugen. Een nerveuze reactie, had ze van kleins af aan al. Zou je hen willen toespreken en... mij helpen bijeen te zoeken wat ze moeten meenemen?'

Felien zegt korzelig: 'Simpel, boterhammen, iets om te drinken. Dat is genoeg!'

Godert schudt zijn hoofd. 'Ze gaan naar een kamp... Annelein twee dagen en Berber een week.'

Felien knikt kort, roept om de hoek van de huiskamer waar Jan en Rita voor de tv zitten: 'Ik ga nog even naar de meisjes op de hoek en fiets dan door naar Mattie... Tot morgen. Groeten aan Amanda!'

Met de fiets aan de hand loopt ze naast Godert door de laan. 'Ik begrijp je niet, Godert. Eerlijk, je gedraagt je als een kleine jongen. Jij, een zeer succesvolle architect en een volwassen kerel! Soms denk ik, je bent die twee schatten niet waard!'

Godert lijkt zich niet eens schuldig te voelen. 'Je hebt gelijk. Ik ben mijn leven lang een einzelgänger geweest. Tot Barbra kwam. En de kinderen... werkelijk, voor ik Berber zag, heb ik nooit bewust naar een kind gekeken.'

De meisjes zitten boven aan de trap erbarmelijk te huilen, troost zoekend in elkaars armen.

Felien voelt haar boosheid smelten en rent naar ze toe, twee treden tegelijk nemend. 'Lieve schatten, wat fijn dat jullie uitgaan! Ik help de koffers pakken. Kom op, waar staan die dingen? Of hebben jullie sporttassen?'

Berber stort zich in Feliens armen. 'Op zolder... daar staan mammies koffers. Ik wil de rode!'

Een uur later staan er twee volgepakte koffertjes in de hal. Felien, die een lijst had gevonden waarop de mee te nemen bagage was omschreven, heeft de sfeer gered. Godert, die zich in de tuin had teruggetrokken, voegt zich weer bij Felien als de rust is weergekeerd.

'Je bent onmisbaar voor ons.'

Felien schampert: 'Dat heb ik van de week al tien keer gehoord uit een andere mond. Ik wil niet onmisbaar zijn...'

Godert lijkt zijn kalmte herwonnen te hebben. 'Ik heb nagedacht. Jij zit thuis vast aan Rita, die jou niet wil loslaten. Hier loopt de boel in het honderd en dat zal zo blijven tot er vaste hulp is. Ik wil geen vrouw meer naast me in bed. Eigenlijk kan ik zelfs niet meer leven, ware het niet dat ik mijn werk heb. Ik stel je nogmaals voor, trouw met me, Felien. Het zal je materieel aan niets ontbreken. Je krijgt een huis, mijn naam en... de meiden. Ze zijn gek op je. Niemand hoeft te weten dat wij samen niets hebben, alleen een zakelijke overeenkomst. Bovendien blijf je in Rita's buurt, je kunt een oogje op haar houden. Ze heeft niets te klagen, want jij bent binnen handbereik. Zo leert ze langzamerhand je los te laten. Je zult zien: wanneer je geen verplichtingen tegenover haar hebt, wordt de verhouding prettiger. Nou?'

Felien laat zich op een bank vallen. Trouwen met Godert. Belachelijk. Een liefdeloos huwelijk. Maar anderzijds: wacht ze dan echt nog op 'de ware Jacob'? Zij, die lichamelijk contact niet kan verdragen, schuwt een huwelijk. Misschien is Goderts voorstel zo mal nog niet.

'En mijn werk? Moet ik dat zomaar opgeven?'

Godert schudt zijn hoofd. 'Daar heb ik ook iets voor bedacht. Je zou alleen de ochtenden kunnen gaan werken. We nemen voor die tijd een hulp, zodat je hier de handen vrij hebt en na schooltijd de kinderen kunt opvangen. Behalve voor hen zorgen hoef je niets te doen, buiten het bereiden van maaltijden en zo.'

Hij merkt dat Felien overstag lijkt te gaan en haast zich nogmaals te zeggen: 'En je kunt gerust zijn, ik zal je nimmer en nooit vragen intiem met me te zijn. Maar dat had je al begrepen, denk ik.'

Felien kijkt op, recht in zijn gezicht. Intiem – zoals Godert een seksuele relatie wenst te noemen – intiem met hem. Ze zou het niet kunnen opbrengen. Koel antwoordt ze. 'Toevallig heb ik daar ook geen behoefte aan, Godert. Dat komt prachtig uit, nietwaar? Ik zal erover nadenken. Je betaalt me zeker maandelijks?'

Dat laatste is grappig bedoeld. Godert begrijpt dat soort humor niet. 'Natuurlijk, natuurlijk. Je krijgt een eigen bankrekening, dat spreekt. Al wat ik materieel bezit, wordt het jouwe. Je weet dat ik niet bepaald armlastig ben. Als je er maar voor zorgt dat Agnes bij me uit de buurt blijft!'

Felien gebruikt de nacht om na te denken. Ze is totaal niet slaperig, helder als glas zijn haar gedachten.

Conclusie: als ze trouwt met Godert is iedere andere relatie uitgesloten. Niemand zal ooit weten dat ze niet in staat is een huwelijksleven te leiden.

Vroeg in de ochtend klinkt uit een buurtuin hanengekraai. Felien gaat op haar rug liggen. Ze heeft haar besluit genomen.

De huwelijksplannen worden over het algemeen positief ontvangen.

Jan bijvoorbeeld, gelooft nog steeds dat Felien de liefde van haar leven heeft gevonden. En Rita is zielsblij Felien nu voorgoed in de buurt te zullen hebben.

Alleen Mattie is niet onverdeeld blij. 'Er zit bij jou een addertje onder het gras. Wat zeg ik? Een nest adders. Bezint eer ge begint... ik feliciteer je pas als na een poosje blijkt dat je huwelijk een succes is!'

Halve dagen werken! Het is vlot geregeld. De stagiaire springt een gat in de lucht als haar gevraagd wordt na het beëindigen van de leerperiode voor halve dagen in de salon te komen werken.

'Een vlotte griet, die moeten we niet laten lopen!' vindt Henri, wat hem een stekende blik van Sofie oplevert.

Het spreekt vanzelf dat Berber en Annelein het gelukkigst zijn met het besluit. 'Moeten we je nu moeder of zo noemen? Mammie is mammie, dat kunnen we niet zeggen. Misschien ma... of mammaaa!'

Felien zegt kalm: 'Ik blijf voor jullie Felien. Goed?'

Het huwelijk is half september gepland. Een eenvoudige plechtigheid zonder gasten.

'Een receptie moet wel,' zucht Godert. 'Alleen al vanwege mijn relaties...'

Felien vult aan: 'En de mijne, niet te vergeten!'

Met haar puntige handschrift schrijft Felien de enveloppen. De tekst op de kaarten is eenvoudig. Net zoals haar jurk. Niet wit, dat wilde Godert niet vanwege de herinneringen. Eigenlijk weigerde hij ook een kerkelijke inzegening. 'Het is immers een leugen; we worden geen man en vrouw zoals bedoeld. Dus...'

Felien echter staat erop. 'Denk aan Jan en Rita: ze zouden het vreemd vinden als we het niet deden. Net als veel anderen! Bovendien kan ik Gods zegen wat betreft onze 'overeenkomst' heel, heel goed gebruiken!'

Namen van mensen op de kaarten die ze niet kent. Godert heeft veel relaties en weinig familie. Ja, Agnes. Maar die is onverwachts op reis gegaan en denkt niet voor het huwelijk terug te zullen zijn. Buren, collega's. Familie van de Althuisiussen.

Felien, zittend aan het bureau in haar nieuwe kamer, streept de namen op de lijst door. Clemens, Coen Clemens. Haar gedachten dwalen weg naar een vriendelijke man die altijd positief overkomt. Warmvoelend is hij ook. Altijd klaarstaan voor een ander. Ze heeft hem meegemaakt tijdens de sportweek, waar Berber ook aan deelnam. Telkens als ze naar het hoofd van Coen keek, herinnerde ze zich de knipbeurten, hun korte gesprekken. De onverdeelde aandacht die hij op zulke momenten schenkt.

Als ze kon tekenen, zou ze hem zo op papier hebben. Een man als Coen zou je graag als collega hebben. Prettig om mee te werken. Iemand die je graag om je heen hebt.

De pen glijdt uit haar vingers. Coen Clemens, als hij het eens was die haar ten huwelijk had gevraagd? In zijn nabijheid begint er iets in haar te leven dat ze niet nader kan omschrijven.

Met die ten dele onbewuste gevoelens heeft ze steeds korte metten weten te maken. Maar nu, tijdens de emotionele dagen zo vlak voor de grote dag is ze anders dan anders, de zelfcontrole lijkt minder.

Ze dwingt zich zijn naam op de enveloppe te schrijven. De heer C. Clemens. Een traan drupt op de letters, geeft vlekken op de inkt. Nijdig kijkt Felien naar de vulpen. Waarom heeft ze niet simpel een balpen genomen? Een nieuwe enveloppe en geen nonsens meer. Haar hand beeft als ze het adres schrijft.

Voor het eerst in haar leven heeft liefde voor een man intrede gedaan in Feliens hart. Een ten dode gedoemde liefde die stiekem door een achterdeurtje binnengekomen is. Want wie zou er nu met een vrouw als zij in zee durven gaan? Een vrouw met een nare herinnering en dientengevolge een mankement...

Tja, dat is alleen weggelegd voor een zonderling, genaamd Godert Berkhoven.

16

'ALS IK JOU WAS, ZOU IK EEN WEEKJE NIET WERKEN. DAARNA KIJKEN WE OF het beter gaat.' De huisarts houdt Feliens handen in de hare, bekijkt de huid ervan nog eens en herhaalt haar woorden. Ze besluit met: 'Je hebt het verkeerde vak gekozen!'

Felien trekt haar handen terug en verdedigt zich: 'Ik ben geen kapster meer, zelden kom ik met de middelen die daar gebruikt worden, in aanraking. Als schoonheidsspecialiste gebruik ik natuurlijk ook wel van alles en nog wat...'

De vrouwelijke arts schudt haar hoofd. 'Volgens mij verergeren de klachten als je onder stress staat. Heb ik gelijk?'

Felien bloost als ze zegt: 'Ik ga over twee weken trouwen.'

'Gefeliciteerd! Wie is de gelukkige?'

'Godert Berkhoven.'

'Godert Berkhoven! Ook een patiënt van mij! Stop je met werken?'

Felien schudt haar hoofd. 'Ik heb het in de salon naar mijn zin en blijf in ieder geval voor halve dagen werken.

Weer een nieuw recept voor een vrij onbekende crème. 'We proberen of dit helpt. Wie weet, knap je op na de huwelijksreis!'

Felien fietst huiswaarts. Huwelijksreis... het mocht wat. Ze zou zich geen raad weten. Dagen achtereen alleen met Godert.

Af en toe bevliegt haar een vrees. Waar begint ze aan? Zou haar lot zijn: levenslang Boslaan?

Rita zit al klaar met koffie en cake. 'Heerlijk om buiten te zitten, is het niet? Ik geniet altijd zo van de eerste septemberdagen als de zomer rijp is.'

Rita is weer de oude, ze is dolgelukkig met de huwelijksplannen van Felien. Niet alleen blijft ze in de buurt, er zijn ook twee kleindochters bijgekomen. Kinderen die de weg naar de nieuwe oma vaak weten te vinden. Inmiddels is ze van de medicijnen af en hoeft Amanda zich niet langer bezorgd te maken. Felien woont weer thuis, de meubels en andere persoonlijke bezittingen zijn door Jan en Godert opgehaald.

Rita schenkt koffie in, babbelt honderduit over de toekomst die in haar ogen rozig is. 'En vanmiddag gaan we je japon passen. Het zal een stijlvolle dag worden. Morgen neem ik de meisjes mee om hun jurkjes te passen. Ze zijn maar wat blij met hun nieuwe mammie!'

Felien knikt afwezig en schrikt op bij Rita's volgende woorden.

'En wie weet, krijg je binnen afzienbare tijd eigen kindjes. Dat gun ik je toch zo, lieverd!'

Bits voor haar doen reageert Felien.

'Ik vind twee kinderen genoeg, Rita. Berber en Annelein hebben mijn volledige aandacht nodig en ik denk dat ze het niet aankunnen om nog een ander kind in huis te hebben. Ik... ik ben geen vrouw voor een groot gezin!'

Rita beweert lachend er zeker van te zijn dat Felien zeer binnenkort anders spreekt en haar wensen bijstelt.

Felien reageert niet en Rita snijdt een ander onderwerp aan. 'Wanneer begin je met de veranderingen in de villa?'

'Zodra de rust is weergekeerd. Ik heb van Godert de vrije hand gekregen. Als ik maar van zijn kamer afblijf. Geld, zegt hij, geld speelt geen rol...'

Rita likkebaardt. 'Dat kan niet iedereen zeggen. Als ik jou was...' Dan herinnert ze zich waarom Felien van huis is geweest. 'Wat zei de dokter!'

Felien plaagt. 'Eindelijk, je vindt het huwelijk belangrijker dan mijn gezondheid. Nou ja... er is niet veel aan te doen. Ze zei ook nog dat tijdens de kappersopleiding wel tien procent van de leerlingen afhaakt wegens allergische problemen. Tja, je merkt het pas in de praktijk, zo blijkt.'

Rita kijkt met tegenzin naar de rode handen van Felien. 'Maar goed dat we handschoenen hebben uitgezocht bij de japon. En Sofie zei dinsdagavond: 'We maken van Felien de mooiste bruid aller tijden; haar kapsel wordt spraakmakend en zal een reclame zijn voor onze zaak!' '

Felien knikt stilletjes. De zaak. Ze heeft er zo prettig gewerkt. Het is of ze nu vervreemdt van alles wat zich daar afspeelt. Sinds ze halve dagen werkt, mist ze ophanden zijnde veranderingen of afspraken. Bovendien werkt Mattie met de nieuwkomer, de voormalige stagiaire, perfect samen.

'Nu jij als huisgenote niet meer in aanmerking komt, heb ik haar gevraagd bij me in te trekken en gelukkig heeft ze toegestemd. In ieder geval heeft ze geen moeder als Rita en van trouwplannen is geen sprake!'

Die woorden deden pijn, Felien voelt zich afgewezen. Terwijl dit alles toch het gevolg is van de eigen keuzes.

Ze dwingt zichzelf bij het gesprekje te blijven. 'Als we meteen na de lunch de jurk gaan halen, ben ik op tijd terug om met mijn 'dochters' naar het zwembad te gaan. Nu kan het nog en Berber wil oefenen voor de wedstrijd. Thuiskinderen tegen die van 'Het Haventje'.'

Rita zet de gebruikte kopjes in elkaar en gooit cakekruimels naar de mussen die op korte afstand zitten te wachten.

'Ze noemen het integratie, las ik in het streekjournaal. Maar ik vind die benaming onjuist. Thuiskinderen-tehuiskinderen. Het onderstreept de situatie. Dat zul jij als voormalig tehuiskind met me eens zijn!'

De mussen vechten schetterend en fladderend met hun grauwe vleugeltjes om een brokje cake.

Felien kijkt geboeid toe. De winnaar werkt de buit razendsnel weg en komt hippend naderbij. Is er nog meer te halen?

'Ach, Rita, ze zijn niet allemaal zo overgevoelig als ik was... Kom, ik ga nog even naar het andere huis. Maten nemen van gordijnen. Tot zo, Rita!'

Het zwembadwater is lauw, hier en daar drijven gevallen berkenblaadjes aan het oppervlak. De herfst is niet ver meer.

Met kalme slagen glijdt Felien soepel door het water. Een eindje bij haar vandaan drijft Annelein in een band en een bad verder schiet Berber als een speer door het water.

'Ik wil eruit, jij ook?' roept Annelein, die het tijd vindt voor het beloofde ijsje.

De tegels rondom het bad zijn warm en de natte voetsporen drogen snel op. Het gras van de zonneweiden is bruingeschroeid, hoeft bijna niet meer gemaaid te worden. Hier en daar piept een dapper madeliefje tussen de sprieten, wordt vertrapt en richt zich weer op.

'Jij je ijsje. Haal er maar twee, Berber is nog druk in de weer!'

Felien gaat ontspannen op haar buik liggen. Annelein blijft ongetwijfeld nog even weg. Er staat een rij voor het ijsloket en bovendien heeft Annelein altijd moeite met het maken van haar keus.

Een schaduw valt over haar heen, verschrikt kijkt Felien op. Twee harige zuilen staan aan de rand van haar badlaken. Toch niet...

Ze heft haar hoofd hoger op en herademt.

'Je liet me schrikken, Coen!'

Coen biedt zijn verontschuldigingen aan. 'Mag ik bij je komen zitten? Mijn pupillen zijn verwoed aan het trainen en hebben mij als coach niet nodig!'

Felien knikt kort en krabbelt overeind. Schuw kijkt ze opzij. Coen heeft zijn bril niet op, het maakt een andere man van hem. Hij moest eens weten wat er door haar heengaat... gedachten die ze niet kan toestaan. 'Stel dat Godert met Coen zou ruilen...' 'Hoe zou het zijn om samen met Coen te ontbijten?' en 'Zou hij net zo gemakkelijk als Godert van haar kunnen afblijven?'

'Je kijkt zo ernstig... Vanwege de bruiloft?'

Coen heeft een plaatsje gezocht naast Felien op haar badlaken.

Het is of haar lichaam in brand staat, het liefst zou ze opstaan en weg-rennen. Ze weet zich geen raad met deze spontane reactie, schokschou-dert en kijkt onwillig een andere kant op.

Coen schraapt zijn keel en zegt: 'Ik wil toch dat jij weet dat ik schrok van de aankondiging. In mijn achterhoofd had ik de gedachte: ooit leren wij elkaar beter kennen. Eerst dit organiseren, dan weer dat. De vakanties, de sportweek, ga maar door. En nu is een ander mij voor geweest!'

Felien voelt een blos vanuit haar tenen opkomen. Hij moest eens weten wie ze is! Een gebruikt meisje, frigide, of toch niet? Bang voor iedere lichamelijke aanraking van een man. Behalve die van Jan, hij is een vader voor haar. Heeft haar vertrouwen.

'O...' Ze weet het, het klinkt knullig.

Coen doet vrolijk. 'Straks kom ik te sterven, hopelijk op hoge leeftijd, en krijg het opschrift: Hij die geen tijd had om te trouwen!'

Zijn lach klinkt bijna echt en Felien is nog nooit zo dankbaar geweest Annelein te zien aankomen.

'Een ijsje voor jou... de mijne is al zowat op!'

Ze duwt Felien een lekkend hoorntje toe. 'Bah... Had je niet harder kun-nen lopen?'

Annelein schatert en ploft in het gras.

'Nog best lekker, wat zou het nou? Je zwemt je toch zo schoon!'

Coen neemt de hand van Felien met daarin het ijsje in de zijne, kijkt haar aan en neemt een likje. Zijn tong gaat traag over de witte bol, daarna ont-doet hij het hoorntje van de gemorste inhoud.

'Schoon. Nu jij weer!'

Felien is het alsof haar hart in heel haar lichaam bonkt en wanneer Annelein niet hard had geroepen: 'Nu is ze er vies van, maar ikke niet. Geef maar hier!' zou ze de versnapering geweigerd hebben.

Felien buigt zich naar Coen toe en neemt een te grote hap die haar slok-darm doet schrikken.

'Niet zo gulzig... nog een hapje!'

Als was ze een klein kind, zo wordt ze gevoerd. 'Het laatste hapje is voor mij... Hm, goed dat je je lippenstift hebt weggesmikkeld...'

Coen spreekt op plagende wijze, maar Felien voelt spanning in de onder-toon.

'Nog een halen?' biedt Annelein aan. 'Nou hebben jullie allebei een halve gehad.'

'Ga jij maar zwemmen, sprinkhaan!' lacht Coen, die even gaat staan om 'zijn' kinderen gade te slaan, wat zonder bril niet echt veel zin heeft.

Felien wrijft ongemerkt haar handen die jeuken.

'Eczeem? Laat mij eens zien...'

Vanmorgen waren het doktershanden die de hare vasthielden, nu die van Coen.

'Ik ken iemand die last had van voetschimmel. Daarvan kreeg ze last van blaartjes aan de vingers, net als die daar bij jou.'

Bijziend als hij is, buigt Clemens zich nog dieper over haar handen.

'In die blaasjes zaten bij mijn kennis geen schimmels. De specialist zei wel dat het een reactie was van de voetschimmel. Als je de voeteczeem kwijt bent, verdwijnt de klacht aan je handen ook. Wacht, als ik even nadenk weet ik de juiste benaming ook weer...'

Doodstil zit Felien, houdt geen oog van de vier handen af. Ze is verliefd, zij, de bruid. Op een man die haar nooit zou willen.

'Het had te maken met de overeenkomst tussen de huid van voeten en handen. Eh... een hum-humreactie. Ja! Het heet: ide-reactie. Een merk-waardig fenomeen.'

Coen laat haar handen los en grijpt een voet. Dit wordt Felien te veel, ze trekt haar voeten onder haar lichaam en zegt geagiteerd: 'Bedankt voor de tip. Wie weet, ik moet volgende week voor controle... ik vraag het dan meteen.'

Een druipnatte en uitgeputte Berber laat zich naast hen neervallen.

'Ik heb het van Josefien gewonnen... zit die bij u in de groep, meneer Clemens?'

Coen antwoordt vriendelijk dat hij geen groep heeft. 'Ik ben directeur en breed inzetbaar. Als een van de leiders iets anders heeft, neem ik de groep over. Ja, ons Josefientje is de beste zwemster van 'Het Haventje'! Dat jij sneller bent, zal haar niet erg aanstaan!'

Felien is zielsdankbaar dat de aandacht voor haar persoontje is geweken. Ze zoekt haar spullen bijeen en propt ze in de badtas.

'Gaan we al?' zegt Annelein teleurgesteld.

Felien knikt. 'Ik moet toch nog koken... Kom op, meiden. Berber, je hebt nog een ijsje te goed!'

Coen knijpt zijn ogen tot spleetjes om beter te kunnen zien. 'Je kijkt voor een aanstaande bruid niet erg happy! De ernst des levens lijkt je gepakt te hebben!'

Met de twee meisjes tussen hen in komt Feliens zelfvertrouwen terug.

'Gelijk heb je. Hoor!' Ze steekt een vinger op. 'Ze roepen je. Ruzie in de tent. Sterkte met je kroost! En als ik jou was, zou ik mijn bril maar opzetten!'

Luisteren naar de druk pratende Berber, het handje van Annelein in de hare. Moeder is ze, moeder van twee schatten van meiden. Als dat geen groot geluk is...

'Je krijgt een weekje vrij, Felien. Dan kun je je rustig voorbereiden op je trouwdag. De week erna ook, vanzelf!' Sofie straalt alsof ze een groot cadeau heeft weggegeven.

'We krijgen er weer een stagiaire bij, zodat Mattie werk kan delegeren. Ik heb het er met Henri over gehad: we moeten binnenkort een nieuwe vaste kracht aantrekken, nu jij halve dagen gaat werken. Ik wil niet indiscreet zijn... maar stel je toch een onbescheiden vraag. Rita liet iets doorschemeren... ben je nu wel of niet zwanger? In dat eerste geval dien ik nu al maatregelen te nemen, begrijp je!'

Felien staat als aan de grond genageld. Sinds wanneer kan een mens zwanger worden van het drukken van een hand? Van het inschenken van een kop koffie en het samen gebruikmaken van dezelfde keukendoek om je handen aan af te drogen?

'Rita kletst. Ze fantaseert niet alleen, ze liegt zelfs. Ik heb gezegd: aan twee kinderen heb ik genoeg!'

Sofie mompelt een verontschuldiging.

'Nou ja, nu weet ik het zeker. Jij blijft dus werken en het is te hopen dat je handen weer opknappen!'

Felien heeft opnieuw de huisarts geraadpleegd. Ze kreeg een eerlijk antwoord. 'Die kennis van je zou gelijk kunnen hebben. Ik heb nog niet veel mensen met eczeem behandeld, dat zal over een paar jaar anders zijn. Laat je voeten eens zien... ik raadpleeg een dermatoloog. Nog beter: ik stuur je naar een dermatoloog die nieuw is in het ziekenhuis en goed bekendstaat.'

In ieder geval zal ze toch tijdens de trouwplechtigheden gebruikmaken van de dunne handschoentjes, zelfs de knapste dermatoloog kan niet goochelen!

Zo verstrijken de laatste weken voor de trouwdag. In haar vrije tijd is Felien in de weer met stalen stof, vloerbedekking en folders. Af en toe komt Rita langs en dan hebben ze het samen net zo knus als vroeger.

Dan is het zover: Felien is de bruid. De dochters Althuisius, Susan en Ange, komen met hun echtgenoten Reinier en Mark plus kinderen. De meisjes van Godert voelen zich bedreigd door zo veel concurrentie, maar Rita laat duidelijk merken dat ze net zo goed hun oma is.

Aanvankelijk had Felien Jan en Rita gevraagd getuige te zijn. Rita echter vond dat de man die zich destijds na een ongeval over Felien heeft ontfermd en haar bij hen thuis bracht, nog meer in aanmerking komt.

'Kees Karsemijer zal vereerd zijn, echt waar.'

Zo heeft Jan besloten voor de eer te weigeren. Ook hij vindt Rita's idee uitmuntend. 'Je begon een nieuwe levensperiode dankzij hem. En nu je weer voor een grote stap staat, sluit je die af met je 'redder'.'

De gekozen japon staat Felien beeldig. In plaats van een sluier draagt ze een elegante hoed, tot droefenis van Sofie.

'Je bent een plaatje!' vinden Susan en Ange. 'Wie had kunnen denken dat er nogmaals vanuit Boslaan nummer zeventien getrouwd zou worden!'

De dag lijkt Felien eindeloos lang. In het gemeentehuis glijden de woorden van de ambtenaar langs haar heen. De preek van de dominee, gericht op het samenzijn in het huwelijk in alle opzichten, vindt ze pijnlijk. Godert verblikt of verbloost niet. Hij ziet er aantrekkelijk uit in zijn donkere kostuum. Maar, zo bedenkt Felien, waarschijnlijk zitten zijn gedachten elders. Is hij bezig met maten en cijfers of controleert de vorderingen van het grote flatgebouw dat hij als zijn zoveelste kind ziet.

De receptie eist alles van Felien. De glimlach om haar mond is een grimas en haar handen zijn pijnlijk door de vele felicitaties.

Het is een vreemd idee dat ze nu als mevrouw Felien Berkhoven door het leven zal gaan. De dag is bijna ten einde, het kersverse echtpaar heeft amper een woord met elkaar gewisseld. Wat trouwens niemand opvalt. Collega's van beide kanten, verre en bijna vergeten familie en vrienden. Buren en ex-buren, die genieten van het weerzien. Iedereen is druk met zichzelf.

Zo loopt de receptie ten einde. Een laatste groep dient zich aan. Even vreest Felien dat ze zal flauwvallen. 'Godert...'

Een steunende hand onder haar elleboog. 'Wordt het je ook te veel? Ze zouden die deuren op slot moeten draaien. Hier, drink eens wat...'

De alcohol steekt in haar keel en dan staat hij voor haar. Een bodybuilder. Jaap Elgersma. Een zoen krijgt ze ook nog. 'Van harte gelukgewenst, allebei.' Hij begeleidt zijn felicitatie met een niet mis te verstane blik en Felien grijpt naar het glas in Goderts hand.

'Het is welletjes geweest...' mompelt de bruidegom.

Later op de avond, voor er afscheid wordt genomen, fluistert Rita in Feliens oor: 'Ik sprak zo'n leuke man op de receptie, liever. Hij zei me dat jij je ooit aan hem hebt voorgesteld als Fe Althuisius. Het was alsof ik een cadeau van hem kreeg!'

En dan, dan is het eindelijk tijd om naar huis te gaan. Niet naar nummer zeventien: zittend naast Godert in diens wagen rijden ze er voorbij.

'Eindelijk... kinders, wakker worden! En naar bed...' De bruid wordt niet over de drempel gedragen. Godert raapt de post van de grond en grijnst. 'Kijk aan, een felicitatie van onze Agnes van Diemen. Helemaal uit Californië! Van mij mag ze daar blijven!'

Felien helpt de kinderen naar bed, kleedt zich in haar eigen ruime kamer uit. De jurk valt als een vodje aan haar voeten. Ze schopt het kledingstuk achteloos in een hoek en duikt de badkamer in. Na die opfrisbeurt trekt ze haar pyjama aan. Een degelijk geval van flanel. De verleidelijke nachtpon, geschenk van Rita, blijft in de kast. Sloffen, een duster.

En iedereen die vandaag hun gast was, zal denken dat zij en Godert nu in elkaars armen liggen 'intiem te zijn'. Felien rilt bij de gedachte alleen al. Ze walgt soms van haar eigen lichaam, laat staan dat ze verlangens heeft dat van een ander te koesteren. Vol van tegenstrijdige gedachten begeeft ze zich naar beneden.

Godert heeft zijn stropdas losgerukt en de schoenen uitgedaan.
'Ook een stuk krant? Wat een kwelling, zo'n dag. Het is voorbij. Eh... als je nog wat drinken wilt, je weet alles te vinden!'
Felien haalt uit de keuken een glas vruchtensap en pakt in de hal en passant de post mee. Een kaart van Coen Clemens, die niet op de receptie is geweest.
Ze leest de neutrale felicitatie, streelt met een vinger over zijn handtekening. Het schrijnt vanbinnen in haar ziel en moeizaam brengt ze uit: 'Ik ga naar bed, Godert. Morgen hoeven we niets... een heerlijk idee.'
Godert heeft de kranten laten vallen. Hij zit met een grote foto van Barbra in zijn handen, hoort haar niet spreken. Felien loopt naar de deur, blijft even staan en zegt luid: 'Welterusten, tot morgen.'
Ze schuift de kaart van Coen in de zak van de pyjama en verdwijnt zonder op een antwoord te wachten.
Haar nieuwe leven heeft een aanvang genomen.

17

FELIEN EN DE TWEE MEISJES HEBBEN ZICH SNELLER AANGEPAST DAN VERwacht. Ze vormen een eenheid, een front tegenover Godert. Het is Felien die de dienst uitmaakt, hen op alle gebieden begeleidt.
Godert komt 's avonds zelden voor zeven uur thuis en uiteindelijk stelt Felien hem voor dat ze samen met de meisjes warm eet en voor hem wat bewaart.
Godert stemt toe, vindt het wel gemakkelijk dat er nu iemand is die hem de werkzaamheden wat betreft de kinderen uit handen neemt. Alleen eten is hem best, dan hoeft hij ook niet noodgedwongen deel te nemen aan de tafelconversatie.
Felien gaat op in de herinrichting van het huis. Af en toe staat een deel van de woning compleet op z'n kop, werklui zijn dagen bezig met schilderen, behangen of het leggen van vloerbedekking.
Na enkele weken zijn Berber en Annelein zo aan Felien gewend, dat ze af en toe durven te protesteren als ze het ergens niet mee eens zijn. Zelf

vindt Felien deze reacties gezonder dan de slaafse gehoorzaamheid uit de beginsituatie.

Ouderavonden, andere contacten met de school: het is allemaal voor rekening van Felien. Wel geeft ze trouw Godert verslag en hij, de vader, doet oprecht zijn best te luisteren.

Eind november realiseert Felien zich dat ze haar dubbele leven niet lang meer kan volhouden. De meisjes en het huishouden eisen steeds meer van haar, ook al gaan de twee naar school en heeft ze een flinke huishoudelijke hulp.

Op een avond zoekt ze Godert in zijn studeerkamer op. 'Heb je even? Ik wilde je een probleem voorleggen.'

Godert schuift met tegenzin een werktekening opzij. 'Ik heb ook problemen. Een aannemer heeft opzettelijk verkeerd materiaal gebruikt en een gebouw moet worden afgebroken. Jij weet dat ik me zelden ergens over opwindt, maar dit, dit haalt het bloed onder mijn nagels vandaan. Slordigheid? Sabotage om met goedkoper materiaal de kosten te drukken?' Nijdig slaat hij met de vlakke hand op tafel en Felien denkt, wond hij zich maar eens vaker zo op. Hij wordt er menselijk van!

'Nu jouw probleem!' zucht hij.

'Het zit zo. Ik ben met de meiden en het huis meer bezet dan ik verwacht had. En ik doe het werk met plezier. Maar: op de zaak wordt het steeds drukker en eigenlijk zou ik hele dagen moeten werken. Maar nu komt het: ik heb er geen zin meer in. Wat vind jij... zal ik stoppen bij 'Salon Henri'? Het stuit me tegen de borst, weet je. Nu heb ik het gevoel nog een eigen inkomen te hebben!'

Bijna medelijdend kijkt Godert haar aan. 'Een eigen inkomen, dat schijntje dat jij verdient. O, pardon. Ik wilde je niet kwetsen. Zeg die baan toch op en gun een ander jouw plaats. Als de meiden je niet meer zo nodig hebben, kopen we ergens een winkelpandje voor je en kun je een eigen zaakje starten. Ja? Dan ga ik nu verder met mijn controles.'

Felien kijkt hem verwonderd aan, hij heeft niet eens gevraagd of ze wilde gaan zitten. Ze vraagt zich voor het eerst af hoe hij haar eigenlijk ziet!

'Dat is dan geregeld. Wil je nog koffie?'

Godert hoort haar al niet meer en beduusd keert Felien terug naar de nieuw ingerichte woonkamer.

Henri en Sofie laten het niet merken, maar beiden zijn opgelucht dat Felien zelf met een ontslagaanvrage komt. Het was hen beiden al langer duidelijk dat het enthousiasme van Felien is verdwenen. Bovendien heeft Henri tijdens een kappersconcours een schoonheidsspecialiste leren kennen die maar wat graag bij hen in dienst zou willen treden.

'Wanneer wil je vertrekken? Zeg het maar, ik regel wel wat.'

Felien heeft haar antwoord al klaar. 'Zodra je een vervangster hebt. Ik schik me naar jullie wensen.'

Sofie dwingt Felien een belofte af. 'Een ding: als we je onverwachts nodig mochten hebben, ben je dan bereid in te vallen? Vakantie, ziekte... ik noem maar wat. Ik heb altijd al graag een reservekracht gehad!'

Felien aarzelt. Ze zou het liefst geheel breken en de periode 'Henri' achter zich laten.

'Als wij je nu per 1 december vrij laten, zeg je dan ja op het verzoek?'

1 december, dat is wel heel snel. Het betekent dat ze ruim de tijd heeft om voor de meisjes een heerlijk sinterklaasfeest voor te bereiden.

'In dat geval kan ik moeilijk anders! Ik blijf tot jullie beschikking!'

Korte tijd later, nog voor het jaar ten einde is, heeft Felien spijt van deze lichtvaardig gedane belofte. Vlak voor kerst breekt griep uit en wie niet ziek is, was het net of dreigt het te worden.

Zelf heeft ze enkele dagen vlak na sinterklaas in bed gelegen, gelijk met de 'dochters'. En als Henri belt, wanhopig vraagt of ze beschikbaar is, kan ze niet anders dan 'ja' zeggen.

Het is Rita die profiteert van de situatie. Zij en Jan hebben een griepprik gehaald en hopen gevrijwaard te blijven van het virus. 'Ik doe niets liever dan voor de kinderen zorgen. Leuk voor je om weer eens terug te zijn in het oude sfeertje. Sofie zei laatst nog, ik mis Felien best wel!'

Sinds kort heeft mevrouw Berkhoven een eigen autootje, een onverwacht cadeau van Godert. Toen hij ontdekte dat Felien per fiets tassen vol boodschappen haalt en soms met de kinderen drijfnat thuiskomt, leek hem een tweede auto puur noodzaak.

Keurig op tijd meldt Felien zich bij 'Henri'. Het blijkt dat Ada en Gilbert beiden flink ziek zijn en Malou dreigt het te worden.

'De griep is vroeg dit jaar!' kreunt ze na Felien verwelkomd te hebben.

'Ik dacht... is er dan niemand op de andere afdeling ziek?'

Nee, Felien is nodig in de kapsalon en het duurt maar even of ze heeft het ritme weer te pakken. Sinds ze een nieuwe behandeling bij een dermatoloog ondergaat, zijn de eczeemklachten bijna verleden tijd. Maar toch raakt ze geen haarverf of wasmiddel aan zonder handschoenen te dragen die ze eerst aan de binnenkant met talkpoeder heeft bestrooid.

Er zijn, zo vlak voor de kerst, heel wat afspraken gemaakt en het betekent worstelen met de tijd.

'Ik ga ervan uit dat je ook 's avonds inzetbaar bent? We moeten twee avonden knippen in 'Het Haventje' en nu Ada en Gilbert zijn uitgevallen, komt het op Malou, jou en mij neer. Sofie is ook al niet lekker!' komt Henri. Hij zegt het op een manier die weigeren uitsluit.

Felien wil roepen: 'Overal mag je me heen sturen, maar niet daarheen!' Gebeurde er maar iets, tobt ze. Iets, wat haar een goed excuus geeft om het verzoek af te wijzen.

Alle schietgebedjes ten spijt kan ze niet anders dan 's avonds richting 'Het Haventje' rijden. Na dagen van regen en storm is het eindelijk droog. Maar wel bitterkoud en er wordt gewaarschuwd voor gladde wegen.

'Het Haventje' biedt, zo in de donkere avond, voor een onbevooroordeelde buitenstaander een warm beeld. Uit bijna alle ramen straalt licht, hier en daar ietwat gesluierd vanwege gesloten gordijnen.

Op het grote gazon voor het huis, prijkt net als vroeger, een kolossale kerstboom waarin honderden kleine lampjes branden. De smeedijzeren letters op de voorgevel, 'Het Haventje', worden door verborgen schijnwerpers verlicht. Dat is nieuw, ziet Felien en parkeert haar wagen opzij van het huis. Gespannen als een veer is ze. Straks zal ze Coen zien. Maar ook Elgersma.

Henri stopt zijn auto vlak achter de hare en schiet als een duveltje uit een doosje op haar af.

'Mooi op tijd, hier is je koffertje met benodigdheden. Het wordt hard werken, Malou is ook ziek.'

Met driftige passen begeeft hij zich naar de monumentale voordeur. Het is Felien alsof de zolen van haar schoenen kleven op de stoeptreden. Ze haat het gebouw, de omgeving, een bepaalde bewoner.

Een leidster verwelkomt hen. 'Wat lekker vroeg zijn jullie. We hebben nogal wat zieken, dus het aantal knipkinderen is teruggebracht.'

Ze neemt de jassen aan en gaat hen voor naar een kleine zaal die is ingericht als garderobe. Aan een tafeltje zitten kinderen stripboeken te lezen. 'Eerst de kleinsten maar, die moeten zo dadelijk in bad en onder de wol. Ik haal ze snel!'

Felien trekt haar schort aan en beantwoordt de nieuwsgierige blikken van de kinderen.

'U bent de nieuwe moeder van Berber!' roept een jochie. 'Is het echt waar dat u altijd bij ze blijft? Ik heb haar gezegd dat je dat nooit zeker kunt weten. Mijn moeder had ook een nieuwe vriend toen pappa weg was. En toen ze gingen verhuizen, mochten mijn broertje en ik niet mee!'

Felien kijkt naar het ernstige gezichtje, ze kent zulke verhalen als geen ander. Boordevol wantrouwen naar de wereld der volwassenen toe. Over elk kind in dit huis zou een dramatische film gemaakt kunnen worden. 'Ik blijf bij Berber en Annelein. Wat jij vertelt, is wel erg verdrietig voor je. Gelukkig dat je nu hier mag wonen, waar ze veel van je houden. Zeg, ik mag je straks wel knippen, hè?'

De kleintjes rollebollen naar binnen en worden streng door hun 'tante' tot de orde geroepen. 'Zitten jullie. En lief spelen, hoor! We gaan allemaal een mooie kerstboom tekenen. Behalve Josje en Joris, die mogen het eerst geknipt.'

Een eeneiige tweeling. Henri en Felien kijken elkaar geamuseerd aan. 'Kijken wie er straks het mooist uitziet!' grapt Henri.

Het wordt een zeer bezette avond, ondanks de toezegging dat er minder kinderen geknipt moeten worden. Met het jochie dat bij Berber in de klas zit, voert Felien een 'diepgaand' gesprek.

'Wil je eens bij ons thuis komen spelen? Of ga je alleen met vrienden om?' probeert ze.

De jongen kijkt schutterig om zich heen. 'Ik wil wel, ik durf ook wel, als ze maar niet... die meiden kunnen pesten en lachen je soms uit.'

Felien neemt de klacht serieus. 'Denk er toch maar eens over na. Als kerst voorbij is, hoop ik weer alle dagen thuis te zijn en dan laat je het mij maar weten.'

Tijd voor koffie drinken is er nauwelijks. Tussen de bedrijven door drinken de kappers haastig hun kopjes leeg. Felien voelt zich naarmate de avond verstrijkt, kalmer worden. Waarschijnlijk is Jaap Elgersma niet eens thuis, of bevindt hij zich op de eigen kamer.

Wie wel binnenstapt, is Coen Clemens. Hij heeft een witte kuif en roept: 'De eerste sneeuw, mensen! Ziehier het bewijs!'

De paar kinderen die nog niet geknipt zijn, beginnen te juichen en rennen naar de ramen om het wonder met eigen ogen te zien.

Coen komt naast Felien staan, zijn winterjas over een arm. De sneeuw in zijn haar smelt snel en druppels glijden over zijn voorhoofd.

'Zo, hoe gaat het met mevrouw? En het eczeem?'

Als was hij haar huisdokter en had hij alle recht, zo pakt hij haar handen waarin een kam en schaar.

Felien kijkt naar zijn beslagen brillenglazen, volgt een druppel die als een traan omlaagglijdt.

'Ik... Ja, het gaat goed met het eczeem en zo. Nog bedankt voor de tip. Natuurlijk is het ook goed dat ik niet meer dagelijks met stoffen die irriteren, in aanraking kom. Bij uitzondering help ik Henri...'

'De laatste twee!' roept Henri, met een blik op Felien. Coen doet een stap opzij om een meisje te laten passeren. 'U moet ook geknipt, ome Coen!' roept ze. 'Weet u op wie u lijkt?'

Ze noemt giechelend de naam van een popster, een onbekende van de volwassenen.

'Wel, dan ga jij maar ongeknipt naar bed, dan ga ik op jouw plaatsje zitten!'

Felien doet het meisje een cape om. 'Hoe wil je het haar graag hebben, jongedame?'

'Heel erg lang. Maar dat mag niet. Het kan me niks schelen.'

Felien houdt het hoofdje recht en bekijkt het in de spiegel. 'Jou zal ik zo mooi knippen dat je een ijdeltuit wordt. Let maar op mijn woorden!'

Een kwartier later blijkt dat ze niet heeft gelogen. Het kind is beduusd. 'Ik wist niet dat ik er zo mooi uit kon zien. Wat zullen ze op school wel zeggen...' ademt ze.

Felien streelt het meisje over het haar. 'En volgende keer doe ik het weer net zo, afgesproken?'

Henri wenkt Coen. 'Ik ben zover, als je wilt plaatsnemen?'

Coen, die zijn jas heeft weggehangen, is bezig zijn bril op te poetsen.

'Man, dan krijg ik moeilijkheden met Felien. Ze staat erop mij te knippen, dat is vaste prik!'

Henri ruimt zijn spullen op en informeert of er nog een borrel wordt aangeboden.

'Zoals je ze went, zo heb je ze!' klaagt Coen en legt zijn bril op de tafel voor de spiegel.

Felien zwaait de cape om hem heen, ze voelt dat iedere zenuw is gespannen. Uit consternatie trekt ze het halsrandje zo strak dicht dat Coen protesteert. 'Heb je zo'n hekel aan me, lieve kind? Probeer je me om zeep te helpen...'

Felien stamelt een verontschuldiging en het gevolg is dat de halsruimte nu te wijd is.

Het kan niet anders of Coen moet haar gespannen-zijn merken. Beiden zwijgen, wat de sfeer niet ten goede komt. Felien wil vragen: Is het zo naar je zin? Maar ze komt niet verder dan een schorrig kuchje.

Coen kijkt haar aan, zet zijn bril op en even houden hun blikken elkaar vast. Hij schudt zijn hoofd, bijna onmerkbaar.

'Ach, jij, meisje...' zegt hij zacht.

Alsof de atmosfeer met elektriciteit is geladen. Bang voor hem, bang voor zichzelf en wat er zou kunnen gebeuren, zo beleeft Felien dit moment.

Dan roept een harde stem bij de deur: 'De zoutjes liggen te wachten naast jullie lege glazen! Opschieten, anders is alles op!'

Felien komt met een schok terug in de werkelijkheid, graait haar spullen bijeen en propt alles in de werkkoffer.

Coen is met een paar stappen bij de deur en lijkt haar vergeten te zijn.

In de hal zoekt Felien, even later, haar jas. 'Kom jij niet binnen voor wat lekkers? Jullie hebben het wel verdiend, dacht ik zo!' vraagt een haar onbekende leidster.

'Ik bedank je vriendelijk. Thuis wordt er op me gewacht en morgen heb ik weer een drukke dag. Afspraken, onverwachte knipbeurten en 's avonds hierheen. Me dunkt...'

Het meisje loopt mee naar de deur en wenst vriendelijk welterusten.

Diep ademt Felien de frisse lucht in. Ze is totaal verward. Langzaam loopt ze over het lichtbesneeuwde pad naar haar auto. Het zal de kinderen spijten dat het sneeuwen is opgehouden. Maar wie weet, de winter moet nog beginnen.

Ze haalt haar sleutels tevoorschijn en realiseert zich: dat had ik vroeger eens moeten weten, Felien Houten met een eigen wagen.

Net als ze wil instappen, hoort ze geruis achter zich en een mannenarm houdt haar tegen. Een hand voor haar mond zorgt ervoor dat haar kreet niet wordt gehoord.

'Zo, lieverd, wij moeten eens praten! Mag ik naast je komen zitten?'

Zonder op toestemming te wachten schuift Jaap Elgersma naast haar op de voorbank.

'Wat moet je... hoepel op, man... Aan jou wil ik zelfs niet denken!'

Jaap lacht. 'Ach... nog steeds preuts? Hoe is het mogelijk. Weet je rijke echtgenoot van je verleden? Weet hij dat je een van de meisjes was die achter de mannelijke leiders aanzat?'

Felien hapt naar adem. 'Leugenaar... Wie heb je behalve mij nog meer mishandeld... Toen had je me in je macht. Je kon doen wat je wilde, er was altijd wel een dreigement te vinden! En ik, suf kind, geloofde je dreigementen. Ik had je meteen moeten aangeven!'

Jaap vouwt zijn armen over elkaar en straalt een griezelig soort zelfbewustzijn uit.

'We houden ons aan de feiten. Toen zou niemand je geloofd hebben en dat is nog net zo. Ik heb de troeven, liefje. Kijk, als jij je bekje voorbijpraat, dan sta ik bij meneer Berkhoven op de stoep. En dan is het gedaan met het mevrouwtje spelen. Want wie wil er nu dat zijn kinderen door een eh... sletje worden opgevoed, een die als jong meisje al achter de kerels aanzat? Het fijn vond dat er eh... bedenkelijke foto's werden gemaakt?'

Felien tracht logisch na te denken. Hij heeft ongelijk, weet ze. Maar of dat in de praktijk net zo zal uitpakken, is de vraag. Menigeen draagt de sportleraar op handen, vooral sinds hij de jeugd van 'Het Haventje' op hoog spelniveau heeft weten te brengen.

'Niemand gelooft een typetje als jij. Kijk, ik had de zaak laten rusten als het volgende niet het geval was. Ik heb geld nodig. Waarom doet er niet toe. En op het moment ken ik niemand die er zo warmpjes bij zit als jij. Het is vast niet moeilijk om mij een paar duizendjes toe te spelen.'

'Jij kunt naar een bank, viezerd!' snikt Felien. 'Een man met jouw positie kan lenen. Lenen!'

Tuttut, Felien moet niet zo opspelen, vindt hij. 'Morgen kom je weer knippen en dan ben ik aan de beurt. Ik reken erop dat je mij zesduizend gulden toespeelt. Voorlopig heb ik daar genoeg aan. Je weet het: doe je het niet, dan krijgt meneer de architect een briefje en is het met je goeie naam gedaan. Leuk voor die Rita en Jan Althuisius. Welterusten, schatje!'

Felien rijdt met open raampjes naar huis. Alsof ze zo de auto kan reinigen van Elgersma's aanwezigheid. Ze is immuun voor koude.

Hoe ze in bed is gekomen, kan ze zich nauwelijks herinneren. Vast staat dat ze zich niet tegen die chantage kan verweren.

Had ze destijds die man maar aangegeven. Vaag herinnert ze zich waarom ze het niet durfde. In de pers doken telkens berichten op dat degene die lastig was gevallen, zelf aanleiding zou hebben gegeven. Een vrouw werd gezegd: 'U had de deur niet moeten openen voor de man die u verkracht heeft.'

Alle moed om aangifte te doen ontbrak Felien en ze dacht door de herinneringen te verdringen, een nieuw leven te kunnen beginnen. Om... uiteindelijk te kunnen vergeten. De ene herinnering na de andere duikt op. De vernedering, de macht van die ander. De schaamte. Het ontwaken van haar vrouwzijn. Als een film trekt haar jeugd aan haar voorbij.

Ze moet wel betalen, de twee kleine meisjes van wie ze zielsveel is gaan houden, respecteren haar. Wat blijft ervan over als ze te horen zouden krijgen wat haar is overkomen? Wie was erbij? Geen getuigen om haar onschuld te bewijzen.

Met een betraand gezicht ontwaakt Felien. Ze heeft gedroomd, een nachtmerrie. Hoe kan het anders...

Godert, die vroeg naar zijn werk moet, ontgaat Feliens toestand en ook de kinderen hebben slechts oog voor hun eigen bezigheden. Maar de huishoudelijke hulp die tegen achten verschijnt, maakt verschrikt een opmerking. 'Mevrouw Berkhoven, wat ziet u eruit! Toch niet weer griep?'

Felien haalt haar schouders op. 'Wie weet... misschien was het nog niet over. Zou jij de kinderen naar school willen brengen? Ik ben zo laat en we hebben veel afspraken.'

Het plaveisel van de Boslaan is glad en in de buitenwijken wordt het laatst gestrooid.

Langzaam rijdt Felien naar het centrum en het kost haar heel wat om zich normaal voor te doen.

Ze constateert weer een feit dat niet nieuw voor haar is, de meeste mensen zijn bezig met zichzelf. Slechts weinigen nemen de moeite om bij een ander achter het masker te kijken.

Tussen de middag, tijdens de pauze, haast Felien zich naar de bank. Dit is eens maar nooit weer, neemt ze zich voor. Vanavond nog licht ze Godert in. Hij zal achter haar staan en weten hoe hij Elgersma moet aanpakken. Want Godert heeft haar nodig.

Ze zou door die gedachte gerustgesteld zijn geweest, ware het niet dat Elgersma nog meer pijlen op zijn boog kan hebben. Rita, Jan, de meisjes, als hij vuiligheid wil rondstrooien kan hij dat. Ook al is het chantagespel uit.

Even later, aan de balie, ondertekent Felien met bevende hand het papiertje dat haar wordt toegeschoven.

Het meisje achter het loket opent een geldkoker en telt hardop.

'...vier-, vijf-, zesduizend. Alstublieft en prettige feestdagen. O ja, hebt u al een kalendertje gehad?'

Die laatste woorden hoort Felien al niet meer en struikelend bereikt ze de deur die naar buiten voert, het geld nog steeds in een hand.

Het meisje schudt haar hoofd. 'Dan niet!' en schuift de agenda naar een volgende cliënt. 'U misschien?'

Als ze op de hoogte was van wat de bestemming van de zojuist uitgekeerde som geld is, zou ze niet zo kalm hebben kunnen doorgaan met het afwikkelen van bankzaken!

18

ZES BRIEFJES VAN DUIZEND GULDEN. ZE BRANDEN IN FELIENS SCHORTZAK, DE volgende dag.

Het komt niet in haar op zich af te vragen of ze er wel goed aan doet om op de eisen die Elgersma heeft gesteld, in te gaan. Kon ze haar herinneringen maar afkopen!

Het is de hele dag hard werken, ook Sofie, die zich anders liever met de administratie bezighoudt, neemt een aantal klanten voor haar rekening.

's Middags komt een bleke Gilbert onverwachts binnenstappen.

'Ik hou het thuis niet meer uit en in bed helemaal niet. De koorts is gezakt en ik zie telkens al die nog niet opgeknapte hoofden voor me!'

Sofie knelt hem aan haar volle boezem. 'Je krijgt meteen opslag. Ik dacht net, we moeten een uitzendkracht zien te krijgen!'

Na sluitingstijd staat Gilbert te wankelen op zijn benen. 'Jij bent nog lang niet beter!' stelt Felien vast. 'Ik zal je naar huis brengen. Als ik jou was, zou ik morgen thuisblijven!'

Gilbert laat zich graag naar huis brengen, ook al is de afstand gering. 'Jij hebt je kans om wat over mij te zeggen verspeeld, schoonheid. Als je op mijn avances was ingegaan, had ik naar je pijpen gedanst. Of zoals nu, naar je rokken. Tja, eigen schuld!'

Voor Felien naar 'Het Haventje' moet, wipt ze even thuis langs. Rita zit met de meisjes aan tafel. De schalen zijn gevuld met gebakken aardappeltjes en gemengde groenten. Goudbruine gehaktballen zijn zojuist uitgedeeld en wachten op de borden.

Rita zegt verheugd: 'Dat is een verrassing. Schuif aan, er is genoeg, lieverd!'

Felien schudt haar hoofd. 'Ik kwam alleen maar kijken of alles in orde is.' Ze kijkt verlangend van de een naar de ander. Hoefde ze vanavond maar niet weg, in dat geval zou het bonkerige gevoel in haar maag verdwijnen en zou er plaats zijn voor Rita's heerlijk bereide eten.

Berber en Annelein pakken elkaars hand, hebben enkele ogenblikken intens oogcontact en roepen dan gelijk: 'Dag, mammaatje! Dag, mammaatje!' Twee dezelfde stemmen, blijde naar haar opgeheven snuitjes. Felien slikt en slikt, de prop in haar keel wil niet zakken, de verkrampte maag is immers al zo vol...

Rita zegt ontroerd: 'Hier wist ik niets van, geloof me. Dat hebben ze zelf bedacht!'

Felien omhelst halfhuilend, halflachend de kinderen. 'Dag, mijn lieve,

lieve schatten! Wat een cadeau hebben jullie me gegeven. Ik wil niets lie-ver dan jullie mammaatje zijn!'

Berber neemt een hap van haar gehaktbal. 'Pappie weet het ook nog niet en het kan ons niets schelen wat hij ervan vindt. Annelein en ik willen graag een echte moeder. Het is zo naar om op school telkens te zeggen – bijvoorbeeld – ik vraag het Felien wel...'

Felien denkt aan het jochie dat bij Berber in de klas zit. Het is nu niet het moment om daarover te beginnen, eerst eens uitzoeken hoe Berber tegenover dat kind staat.

'Ik moet nu heus weg. En reken maar dat het me spijt!'

Annelein zegt: 'Geen wonder. Wij gaan straks kwartetten, hè, oma? Eerst de sprookjes, dan Winnie de Poeh en ook nog die met bijbelse mensen en zo!'

Felien zegt hartelijk: 'Dan wens ik jullie drietjes veel plezier. Lief gaan slapen en tot morgen! Dag, allemaal!'

Rita loopt mee naar de deur. 'Meid, is het niet akelig voor je om juist in dat tehuis te moeten knippen? Je praatte er nooit over, maar Jan en ik begrepen toch best dat je daar zo ongelukkig bent geweest. Amanda zei laatst nog, die Felien van jullie loopt rond met opgekropte gevoelens. Dus als je praten wilt...'

Een schrikreactie. 'Dat mens is toch niet helderziende of zo? Het is bekend dat psychologen bij iedereen wel iets vinden. Zeg haar dat maar uit mijn naam, Rita!'

Feliens lach is onnatuurlijk en vindt bij Rita geen weerklank. Rita zegt bezorgd: 'Doe voorzichtig...'

Het is opnieuw gaan sneeuwen en Felien hoort via de autoradio dat er waarschijnlijk een witte kerst komt. Een groot deel van Europa is al toe-gedekt met een wit pak.

Oog voor de toverachtige schijn van de grote kerstboom heeft Felien in het geheel niet, zonder op- of om te kijken haast ze zich naar de voor-deur van 'Het Haventje'.

Wanneer zou Jaap Elgersma zich bij haar voegen en het bedrag opeisen? In de gang lopend is Coen de eerste die ze ziet, buiten het meisje dat de deur voor haar opendeed, om.

'Felien. Goed dat ik je zie. Wat zou je ervan zeggen als je met je dochters

– en natuurlijk je man – bij ons kerstfeest kwam vieren? Ik heb verscheidene gezinnen van buiten genodigd in verband met het integratieplan. Wil je erover denken?'

Felien staart Coen aan alsof hij een buitenaards monster is, hoort nauwelijks wat hij vraagt.

'Hoor je me wel? Wat scheelt eraan?' Coen keert haar gezicht naar het schijnsel van een lamp. Een klassiek geval waaraan ontelbare glazen staafjes hangen en wanneer het tocht, tinkelen deze heel licht tegen elkaar, wat een toverachtig geluidje maakt.

'Die lamp,' fantaseerde Felien vroeger, 'komt uit een paleis en hoort hier niet. Die lamp heeft gezien hoe de mensen vroeger feest maakten, dansten in grote zalen waar nog meer van die lampen hingen. En de meisjes droegen wijde, witte jurken van zijde en hadden rozen in hun haar. En niemand zat aan de kant, ze hadden allemaal een prins om mee te dansen.'

'Felien? Waar zit je met je gedachten? Ik deed je geen oneerbaar voorstel, hoor!' Coen, vriendelijke Coen. Laat me alsjeblieft los...

'Ik... kerstfeest? Ik weet niet...'

'Alleen kerstavond maar. Ik zou het waarderen, weet je dat?'

Feliens hart spreekt een andere taal dan haar verstand. Dat hart zegt: 'Heerlijk, die warme hand op m'n schouder. Zijn ogen kijken zo vriendelijk, alsof ze me iets willen zeggen. Ik hoef maar een stap te doen...'

Maar het verstand gaat er dwars tegenin. En daarnaar moet ze luisteren. Met een vreemde stem zegt ze: 'Ik zal er over nadenken, maar reken er niet te vast op. Iedereen heeft thuis altijd plannen en ik ben degene die zich schikt, weet je!'

Coen laat haar los. 'Zo ben je. Inschikkelijk. Wanneer kom je voor jezelf op? Eens is het te laat...'

Een groepje jonge tieners komt van de monumentale trap afgedenderd en dreunt eenstemmig een zojuist gevonden gedichtje op.

'Coen... maak je mijn schoen? Ja, juffrouw, 'k zal 't dadelijk doen... Coen, is mijn schoen al klaar? Nee, juffrouw, dus wachten maar... Coen, maak je mijn schoen? Ja, juffrouw, maar eerst...' een stiklach belet hun het praten. Dan roept er een: 'Een zoen!'

Coen maakt een grijpbeweging naar de meiden. 'Wacht maar tot het weer sinterklaas is, dan neem ik wraak. Nog bijna twaalf maanden om me erop te bezinnen!'

Felien maakt dat ze wegkomt en moet, voor ze kan beginnen, verwijten van Henri aanhoren.

'Waar bleef je toch? Ik heb er al drie klaar.'

Felien hijst zich in haar schort. 'Er zijn toch zieken hier? Je zult zien dat we zo klaar zijn!'

Met de zieken valt het achteraf gezien wel mee. Hoestend en proestend dienen enkelen zich aan. 'Knippen vinden we leuk, beter dan in bed liggen!'

Jaap Elgersma komt binnen, legt een stapel kinderboeken op een kast. 'Wie van die lieve meisjes wil dat voor ome Jaap rangschikken? Alfabetisch natuurlijk. A... b... c...'

Liefhebbers genoeg. Jaap trekt een meisje aan het haar, blaast een ander plagend in de hals. De kinderen protesteren giechelend.

'Wacht maar, zo begint het!' zou Felien willen roepen. Jaap zegt sarrend: 'Kijk eens, de kapster is jaloers!' En zonder zich van iemand iets aan te trekken, zoent hij haar in de hals. De meisjes juichen en lachend verlaat Jaap het vertrek.

Felien grijpt de plantenspuit die ze gebruikt om het haar van de te knippen kinderen te bevochtigen en sproeit haar hals nat, waarna ze met een handdoek grondig tekeergaat.

Henri begint te keffen: 'Als jullie je niet rustig houden, kun je het knippen vergeten!'

Jaap laat zich niet meer zien. Tegen halftien is de laatste der tieners geknipt en kunnen de koffertjes weer ingepakt worden. Nerveus kijkt Felien om zich heen, alsof ze Jaap uit het niets zou kunnen zien opdoemen.

Pas als ze haar jas aanheeft en onder protest van de anderen – 'Waarom blijf je niet gezellig napraten?' – naar de voordeur loopt, komt Jaap van de trap af. Hij heeft een jack aan en zegt: 'Ik ga een wandeling maken. De post is vandaag nog niet weggebracht. Heeft iemand nog iets?'

Hij opent de deur voor Felien en samen lopen ze de winteravond in. Vlak tegen het huis aan, daar waar het warm is, smelt de sneeuw, maar elders vormen zich kleine, door de wind geblazen, heuveltjes.

Jaap legt een arm om Felien heen. 'Lekker geslapen, vannacht? Gedroomd van toen? Ik heb de foto's nog eens bekeken en geloof me, ik kan ze nog niet missen.'

Felien blijft staan en gooit alle scheldwoorden die ze in de loop van haar leven hem toebedacht heeft, er achter elkaar uit.

Verbijsterd kijkt Jaap haar aan, wil haar grijpen, maar dit keer is Felien de snelste. Ze gooit de zes geldbriefjes strooiend om zich heen. 'Ik hoop dat dit geld je dood- en doodongelukkig maakt!'

Hijgend ploft ze neer in haar wagen en met slippende banden glibbert ze weg.

Dicht bij huis stopt ze. Ze kan niet langer met dit geheim leven. Ten eerste moet Godert het weten. Hij zal haar kunnen helpen om Jaap aan te pakken. Vanwege de meisjes moet hij dit wel doen. Ook een vorm van chantage. En zodra ze tijd heeft, krijgen ook Jan en Rita de details van het verleden te horen. Niets wil ze verzwijgen. O ja, ze weten alles uit de periode van toen ze net op eigen benen stond. In een huis, samen met druggebruikers en kleine criminelen. Van toen en de tijd erna weten ze alles. Net als de man aan wie ze veel te danken heeft, de voormalige politieman Kees Karsemijer. Misschien durft ze, nu het water haar tot aan de lippen staat, dit wel aan.

De sneeuwval wordt zwaarder en langzaam rijdt Felien naar huis.

Godert zit, zoals ze verwacht had, nog te werken. 'Ben je daar al...' zegt hij zonder op te kijken als Felien binnenkomt.

'Ik ben er en heb je nodig, Godert!'

Godert kijkt verstoord op. 'Ik heb nu geen tijd. Morgen misschien... moet je geld?'

Felien legt beide handen op een werktekening. 'Je moet naar me luisteren. Ik word gechanteerd. Ik heb iemand zesduizend gulden moeten geven en misschien eist hij nog meer. Ik ben bang... ik zou weg willen lopen en dan bekijk je het hier zelf maar!'

Godert kijkt geschrokken op, ongelovig ziet hij haar aan.

'Heb je gedronken of zo?'

Felien voelt zich kalm worden nu er een begin met haar biecht is gemaakt. 'Luister, Godert. Ik heb grote moeilijkheden. Zoals jij mij niet alles uit je verleden hebt verteld, zo heb ik dat ook niet. Je weet wel dat ik in een tehuis ben opgevoed. In diverse zelfs. En ik had de pech tot driemaal toe geconfronteerd te worden met dezelfde leider die geregeld overplaatsing aanvroeg in verband met het maken van werkstukken en die uit was op promoties. Alsof hij mij achtervolgde, maar dat was toeval.'

Govert schudt zijn hoofd. 'Is dat alles?' vraagt hij naïef. Felien, haar jas nog aan, gaat op een stoel zitten.

'Hij misbruikte mij. Ik kreeg omdat ik 'zo lief was', eens een kamertje voor mezelf toegewezen. Een soort ouderwets dienstbodenvertrekje. De hemel op aarde... maar ik moest doen wat die man zei. Grif ging ik erop in... het begon met foto's. Stel je een kind voor zoals jouw Berber.'

Godert fronst zijn wenkbrauwen. 'Wat walgelijk. En je ging niet naar de directie?'

'Ik dacht... die foto's... dat moet maar even. Dan hoef ik niet meer naar die ellendige slaapzaal waar ik zo geplaagd werd. Maar van het een kwam het ander. Ik... ik verdrong overdag alles, werd zo schuw als een vogeltje en ben zelfs eens weggelopen. En toen ging hij weg... ik werd erg ziek en men dacht dat ik het niet zou halen, Godert.'

Goderts aandacht is nu getrokken.

'Doe toch je jas uit!' zegt hij verbaasd. Maar het komt niet in hem op om haar behulpzaam te zijn.

Felien hoort hem niet eens.

'Men begreep dat ik niet in de groep functioneerde en werd overgeplaatst. Je raadt het al... Wie werd korte tijd later aangesteld als tijdelijk directeur? Enfin, ik was wat ouder en die man was zo bang dat ik het zou vertellen. Hij bezorgde me privileges, ik kreeg erebaantjes. Had ik het toen maar gezegd.

Ik mocht naar een christelijke mavo, moest daarvoor alleen naar het centrum. Met de bus. De anderen gingen naar een katholieke of openbare school. Soms bracht hij me. Ze vroegen of hij familie was en ik zei dan maar van ja. Eens nam hij me mee... en toen... Je begrijpt de rest wel. Daarna zei hij: 'Nu heb ik je. Niemand zal geloven dat je dit niet zelf gewild hebt. Je vroeg erom en hebt mijn hoofd op hol gebracht. Ik zal je stukjes uit de kranten laten lezen waarin staat wat er met lichtzinnige

meiden gebeurt... ze krijgen altijd ongelijk!' Nou... dat was het ongeveer. En nu... nu ben ik hem op 'Het Haventje' tegengekomen. En hij eist geld!'
'Geld... mijn geld dus. Ik zal eens... ja, wat zal ik?'
Felien kijkt nederig naar Godert op. 'Veracht je me nu? Ik... jij begrijpt nu waarom ik frigide ben? Vies en bang van alles wat intiem is?'
Godert kijkt weg van Felien en ze roept: 'Zie je wel, je gelooft me ook niet! Ik kan beter gaan...'
Het klinkt on-Godertachtig als hij op ferme toon zegt: 'Geen sprake van. Jij was slachtoffer. Het gebeurde is verjaard, maar zo'n man mag absoluut niet met kinderen omgaan en je zult alsnog aangifte moeten doen. Ik zal ervoor zorgen dat het buiten de publiciteit blijft. Jij vindt mij een slappeling van een vader, gelijk heb je. Je kent de reden... maar een slappeling ben ik niet, Felien. En om op jouw geval terug te komen, bijna hetzelfde is ooit met een vriendinnetje van Barbra gebeurd, naar haar luisterde niemand. In dat geval was het de vader. Het meisje heeft zich uiteindelijk van het leven beroofd. Barbra heeft zich altijd, altijd schuldig gevoeld. Als ik nu jou help, maak ik dat andere een beetje goed. Ik bel die man die jouw huwelijksgetuige was... jouw 'redder'. Een sympathieke vent. Eh...'
'Kees Karsemijer. Maar hij is niet meer in functie...'
Godert strijkt zijn baardje glad. 'Dat maakt niet uit. Zulke mensen hebben kanalen. Eh... hoe heet je belager?'
Alsof ze een vloek uitspreekt, zo moeilijk krijgt Felien de naam over de lippen. Godert krabbelt de gegevens op een blocnote.
'Ik veracht je niet, ik heb diep medelijden met je. Je moet hulp gaan zoeken, daar zal ik voor zorgen. Je bent voor me als een van de meisjes. Voor jou doe ik wat ik ook voor hen zou doen. Ga nu slapen, dan hoor je morgen wat ik heb bereikt. Enneh... geen geld meer dumpen!'
Voor Godert is het gesprek ten einde. Felien zegt nog: 'In de telefoonklapper staat zijn nummer wel. Ik bedoel... dat van Karsemijer!'
'Ga nu maar...'
Inderdaad, zo zou Godert ook tegen Berber of Annelein gesproken hebben.
Voor slechts een deel opgelucht begeeft Felien zich naar bed. Ze durft niet aan de gevolgen van het telefoongesprek te denken. Of ze ooit bevrijd kan worden van het verleden?

De waarheid is snel. Maar de leugens van mannen als Jaap Elgersma zijn vaak nog veel sneller.

Een ochtend als alle andere. De twee meisjes roepen om beurten Felien, de kleinste kleinigheid is daar al goed genoeg voor.
'Mammaatje, mag ik de jam even?'
'Mammaatje, je komt toch wel op de kerstviering van de school?'
Godert is de eerste die – na slechts een kop koffie gedronken te hebben – vertrekt. 'Felien, loop even mee. Ik heb nog wat te regelen...'
Ze loopt hem na tot de voordeur. Daar blijft Godert staan. 'Ik heb, zoals afgesproken, gebeld met Karsemijer. Hij was niet thuis, dus ik heb tot halftwee moeten wachten. Het is een lang gesprek geworden en ik heb de vrijheid genomen om alles te vertellen wat ik weet. En denk erom, geen vertrouwelijkheden naar wie dan ook. Niet aan Rita... we zorgen ervoor dat dit uit de wereld gaat. Het is niet nodig dat de meisjes dit ooit aan de weet komen.'
Net als Felien hem van ganser harte wil bedanken, zegt Godert kort: 'Barbra zou het afschuwelijk vinden. Ze was zo gaaf, zo rein... Daarom moet jij in therapie, voor de meisjes. Tot vanavond!'
Godert beent over het nog niet geveegde pad, glijdt uit en houdt zich met moeite staande aan een struik. 'Gladde zolen...' moppert hij en zonder om te kijken loopt hij naar de garage, Felien in verwarring achterlatend.
Om de meisjes. Barbra's kinderen. Rein... Gaaf!
En zij, ze voelt zich het tegenovergestelde.

Ada en Malou staan kleumerig in de keuken, beiden met een mok chocolade in hun handen. 'Zo, ziek en wel terug, zo te zien!' verwondert Felien zich. 'Is dat nu wel verstandig?'
Malou kreunt. 'Gisteren een telefoontje van Sofie... Ik durfde niet langer thuis te blijven. Jij, Aadje?'
Ada hangt tegen het aanrecht. 'Ze moet het zelf maar weten. Als ik de koppen verknoei, is het niet mijn schuld!'
Felien heeft geen tijd om over zichzelf na te denken. Afspraken en nog eens afspraken, er is geen gelegenheid om tussendoor te knippen en het buitenstoplicht staat voortdurend op rood.

'Telefoon voor Felien!' komt Sofie vertellen. En fluisterend: 'Felien, we houden niet van privé-gesprekken tijdens het werk, zeg je dat wel even?' Felien knikt.

Godert? Zou hij iets bereikt hebben?

'Met Felien Hou... Berkhoven!'

De stem aan de andere kant is haar aanvankelijk onbekend. 'U kent mij van uw huwelijksreceptie, ik ben een medewerker van uw man. Mevrouw, ik heb een tragische mededeling. Uw man is tijdens een werkbezoek van een steiger gevallen. Hij is met spoed naar een ziekenhuis gebracht. Het spijt me. Ik wil u komen halen.'

Felien verstijft.

'Kind, wat is er?' Sofie van haar beste kant. Een en al zorg is ze voor haar kapster.

'Vergeet ons, doe wat je moet doen maar laat het wel weten, we leven zo met je mee.'

Een wagen komt, ondanks het stopverbod, tot vlak voor de zaak rijden. Sofie legt Feliens mantel om haar schouders en drukt haar tas in de handen. 'Ga maar, ga maar. En sterkte.'

De medewerker vertelt onder het rijden de details.

'Zoals gewoonlijk droeg Godert geen helm, die vergat hij nogal eens, wat hem dikwijls een reprimande opleverde. Nu met de sneeuw was het onverantwoord om op de steigers te klimmen, er wordt bovendien niet gewerkt. Vorstverlet. Toch wilde Godert een laatste controle doen... was volgens een woordvoerder niet te houden. Hij had al telefonisch woorden gehad met de aannemer. Enfin, we moeten afwachten...'

De collega, een man die Felien zich amper herinnert, leidt haar naar de juiste afdeling.

Jan Dekkers is een man van wie gezag uitgaat. Meteen heeft hij de juiste verplegers en later de arts te pakken.

'De patiënt is kansloos. Het is een kwestie van – misschien minuten – hooguit een uur. U bent de echtgenote? Komt u maar mee...'

Felien deinst terug voor de situatie. Een bed waarom allerlei apparatuur, geluidloos voortbewegende verplegers en Godert als middelpunt. Doodstil ligt hij in dat hoge bed met een ingepakt hoofd.

'Is hij... leeft hij nog? Kan hij me horen...'

Jan Dekkers legt broederlijk een arm om Felien heen. 'Probeer contact te krijgen, ik weet het niet!'

Felien buigt zich over de man heen in wie ze niet haar echtgenoot herkent.

'Godert... Godert? Kun je me horen?'

Een licht bewegen van de lippen.

Dan een fluisterstem. 'Felien. Felien? De kinderen... ze zijn nu van jou. Zorg goed voor ze...' Dan gaan zijn ogen open en zoals hij haar nu aankijkt, moet hij ongetwijfeld naar Barbra hebben gekeken.

'Zorg... voor jezelf. Karsemijer...'

Felien haast zich te zeggen: 'Dat doet er nu niet toe... Jij... O, Godert, waarom?'

Een hand die lijkt te willen wuiven, Felien legt haar vingers erin. Een bijna onmerkbaar drukje en dan, dan zegt hij op bijna normale toon: 'Ik ga naar Barbra! Ze wacht op me, o, lieveling... daar ben... je...'

Dan zakt het hoofd opzij, de hand glijdt uit die van Felien en de monitor geeft een ononderbroken sein.

Dekkers fluistert: 'Hij is gegaan. Zal ik je alleen laten?'

Met betraande ogen kijkt Felien om. Ze schudt haar hoofd. 'Ik wil hier weg... nu...'

Ze buigt zich over de man met wie ze zo kort getrouwd is geweest en kust hem voor de eerste en laatste maal in haar leven op de lippen.

'Waar breng ik je heen? Heb je vrienden? Ik wil wel bij je blijven of mijn vrouw vragen?' vraagt Dekkers als hij een bleke Felien in zijn wagen helpt.

En Felien, Felien weet maar één adres waar ze nu wil zijn.

'Breng me maar naar Rita en Jan...'

Ze kijkt toe hoe Dekkers haar gordel vastklikt. En met verstikte stem zegt ze: 'Boslaan... Boslaan zeventien...'

Voor de tweede maal haar toevluchtsoord.

DAAGS NA KERSTMIS WORDT GODERT BERKHOVEN IN ALLE STILTE BEGRAVEN. Zo zou hij het gewild hebben, weet Felien. Geen bloemen en toespraken. En vooral geen rij mensen die al dan niet gemeend, een condoleance uitspreken.

De dochtertjes zijn diep bedroefd, maar vooral bang. Bang dat na pappie ook Felien hen zal verlaten. Voor hen houdt Felien zich goed, maar 's avonds, als ze slapen, geeft ze zich over aan haar wanhoop. Een paar dagen hebben de drie achtergeblevenen bij Jan en Rita gebivakkeerd. Felien echter vond dat de meisjes de thuissituatie meteen onder ogen moesten zien. De dood van Godert heeft haar aangegrepen. Het is niet de liefde die ze moet missen, maar met Godert is haar gevoel van veiligheid verdwenen.

Langzaam krijgt ze weer oog voor de realiteit. Komen de herinneringen aan de laatste dagen voor het ongeval bovendrijven en het lijkt of Kees Karsemijer daarop heeft gewacht.

Hij staat onaangemeld op een koude avond op de stoep. Felien, die door het kijkgaatje heeft gegluurd, is verrast te zien wie de bezoeker is. Het kan niet anders of de ex-politieman komt naar aanleiding van Goderts telefoontje, daags voor het ongeluk.

'Ik laat je schrikken, zie ik. Toch is het noodzaak dat wij samen een diepgaand gesprek hebben. Diepgaand, Felien, en zeer open!'

Een uur later leunt Felien uitgeput achterover in een stoel. Ze is totaal leeg, niets heeft ze onvermeld gelaten.

Karsemijer schreef en schreef maar, vroeg af en toe iets om dan verder te luisteren.

Na een korte stilte sluit hij zijn boekje en zegt bedaard: 'Jouw verklaring, Felien, komt als geroepen. Ook al is deze wettelijk verjaard. Waarom?' Hij tikt met zijn balpen op het kaft van zijn boekje en verklaart: 'Ik heb nog geregeld contact met het bureau hier ter plaatse, er zitten vrienden en ach, af en toe geef ik een advies. Ervaring, begrijp je? Wat wil het geval? We hebben enkele anonieme klachten over Elgersma. Kinderen, via de kindertelefoon. Maar, we kunnen hem nergens op pakken. Hij is glad als een aal. Het heeft geen zin om stampei te maken zonder vol-

doende gegevens. Wat hebben we eraan als hij wordt vrijgesproken om –
eventueel elders – door te gaan. Ik houd je niet langer op. Red je het na
dit gesprek? Ik wil Rita wel bellen en anders komt mijn vrouw wel,
Bonnie heeft een zwak plekje voor je.'
Felien zegt graag alleen te willen zijn om na te denken. 'Ik voel me na al
die jaren nog zo... besmeurd en schuldig. Dat ik me heb laten pakken...'
Karsemijer trekt zijn zware winterjas aan, drukt een geruit hoedje stevig
op zijn al kalende hoofd en zegt: 'Je praat nu met het verstand van een
vrouw. Toen was je een weerloos kind, kwetsbaar en onbeschermd. Je
hoort van me. En o ja... ik kan je een gang naar het bureau niet besparen,
meisjelief. Maar het voorbereidende werk zal ik doen en je pad effenen!'
Felien neemt een warm bad, lang ligt ze te soezen en het is of het water
iets van de vuile herinneringen wegwast.

Aan belangstelling heeft Felien geen gebrek. De collega's brengen regelmatig een bezoekje, vooral Mattie is begaan met de situatie. Ze wil zelfs
de meisjes een paar dagen onder haar hoede nemen.
Met enkele kennissen gaat ze voor een minivakantie naar Winterberg,
niet ver over de Duits-Nederlandse grens, om te skiën. Oud en nieuw
vallen gunstig dit jaar en samen met de vrije maandag is het de moeite
waard om een uitstapje te organiseren. De kinderen willen wel en Felien
is dankbaar even aan niemand te hoeven denken.
Het bezoek aan het politiebureau is dankzij Kees Karsemijer meegeval-
len. Toch is ze zeer dankbaar dat het achter de rug is.
De eerste week na Goderts begrafenis is turbulent te noemen en Felien
vraagt zich af wat of haar nog meer te wachten staat!
Oudejaar... de uitnodiging van Jan en Rita om naar Susan te gaan, heeft
ze geweigerd. 'Heus, ik moet alleen zijn. Gun me dat alsjeblieft!'
Jan overtuigt Rita. 'Ze heeft gelijk, begrijp dat nou toch! Er komen wel
andere tijden!'
Nog steeds kan Felien niet vatten dat haar huisgenoot voorgoed weg is.
Echt verdriet heeft ze niet, wel spijt dat het zo moest lopen. Toch kost het
haar moeite om Goderts persoonlijke bezittingen op te bergen of weg te
doen. Wel 'zuivert' ze het huis van de vele, vele foto's van Barbra. Het
spreekt vanzelf dat de meisjes recht hebben op herinneringen; maar nu

zij, Felien, als enige volwassene in het huis moet leven, lijkt de Barbra-verheerlijking haar misplaatst.

Oudejaar... buiten knalt het al vanaf zonsopgang. Het is lang geleden dat Felien zich op een dag als deze zo eenzaam heeft gevoeld. Tegen koffie-tijd, net als ze zich met een krant en een kopje koffie voor het raam wil nestelen, wordt er gebeld. Meteen, alert als ze is, staat het sein op rood. Geen bedreigende persoon, maar het leuke jochie uit 'Het Haventje' staat voor haar met in zijn handen een bosje hulst met rode bessen. 'Ik mocht toch een keer komen en nu uw man is doodgevallen dacht ik dat ik maar wat moest brengen!'

Hij kijkt zo trouwhartig vanonder een petje dat Felien het niet kan opbrengen hem terug te sturen.

'De meisjes zijn niet thuis, je moet het met mij doen!' Ze neemt de prikkende hulst aan en het kind laat haar zijn handen zien.

'Ik heb me geprikt, dat kwam omdat boven in de boom de mooiste takjes zaten!' Hij loopt met Felien mee naar de keuken en vraagt: 'Woont u hier alleen? Alleen met Berber en haar zusje?'

Het gesprek gaat vanzelf, Jan-Joris is een vlot kind. 'Wanneer komt u weer knippen?' vraagt hij na de tweede mok chocolade.

Felien glimlacht en houdt hem de trommel met koekjes voor. 'Misschien wel nooit meer, Jan-Joris. Maar jij mag af en toe best eens langskomen!'

Ze vraagt naar zijn liefhebberijen en schrikt als hij zegt gek op sport te zijn. 'Maar ik heb het liefst ome Coen als leider. En een stuk of wat anderen ook.'

Voor het eerst in een halfuur valt Jan-Joris stil.

Felien wil een ander onderwerp aankaarten en waarom ze toch doorgaat met het thema sport kan ze niet zeggen. Misschien intuïtie?

'Waarom hebben sommigen Elgersma liever niet?'

Jan-Joris mompelt: 'Dat mag ik niet zeggen. Anders... ze doen je zo naar een ander tehuis waar het heel erg streng is.'

Om nu te zwijgen of toch over koetjes en kalfjes te gaan praten is de gemakkelijkste weg. Dan bedenkt Felien dat er nu misschien kinderen zijn die net als zij geestelijke gevangenen zijn van Elgersma.

'Hij – ome Jaap – vindt behalve sport nog meer leuk, is het niet? Kijken naar het omkleden na de training... vooral meisjes nazitten... Of niet?'

Jan-Joris laat zich vurig ontvallen: 'Die grieten... het zijn juist de jongens die... Nou ja, mij moet-ie niet. Ik ben zo vlug als water en ik zorg wel dat ik nooit straf krijg of hoef na te blijven. En met gym ben ik zo vlug dat-ie me nooit hoeft te helpen of vasthouden.' Opeens verandert hij van een vrolijk kind in een bange jongen. 'Zult u het niemand vertellen, nee?'

Felien ordent haar gedachten. Als het handig wordt aangepakt, zit Jaap Elgersma binnen de kortste keren vast. Juist nu er in binnen- en buitenland zo veel aandacht voor 'kinderversierders' en erger, is.

Ze praat ernstig met Jan-Joris en rijdt met hem naar Karsemijer, die enthousiast reageert. 'Hier maken we vandaag nog werk van. Juist nu, met oud en nieuw is niemand bedacht op een arrestatie.' Hij neemt Jan-Joris onder zijn hoede en laat Felien gaan.

Er gaat wat gebeuren en eenmaal thuis zegt Felien hardop: 'Dank je wel, Godert!'

Coen Clemens reageert geschokt op wat Karsemijer vertelt. Hij noemt aanvankelijk Feliens naam niet, wel laat hij Jan-Joris aan het woord. 'Waarom hebben wij er hier nooit iets van gemerkt? Juist Elgersma, die zulke puike resultaten heeft bereikt!'

Karsemijer zegt kort: 'Die man heeft een afwijking zoals velen met hem. Mag ik even bellen? Dan kan ik de mannen die dit zaakje zullen afwikkelen nu naar 'Het Haventje' laten komen. Hopelijk kunnen we de zaken afhandelen zonder er te veel ruchtbaarheid aan te geven!'

Terwijl de mannen wachten op de recherche en Jan-Joris naar de keuken is gestuurd om te helpen met het bakken van de oliebollen, vraagt Coen: 'Wie was degene die het balletje aan het rollen heeft gebracht?'

Buiten schallen vrolijke kinderstemmen. De sneeuw geeft heel wat spelmogelijkheden en sinds de grote vijver opzij van het huis is bevroren, behoort ook schaatsen tot de favoriete bezigheden.

'Tja, een man die daags na zijn telefoontje van een steiger is gevallen. Berkhoven gaf me een tip...'

Coen fronst zijn wenkbrauwen. 'Dat betekent... nee, toch niet Felien? Die zou het toch niet zo lang verborgen hebben gehouden? Ik heb wel zijdelings vernomen dat ook zij een tehuiskind is geweest...'

Coens kaakspieren bollen, hij knarsetandt van onmacht. 'Heeft de man nog meer slachtoffers gemaakt? En dat onder mijn ogen...'

Karsemijer haast zich te zeggen dat Felien niet op bezoek zit te wachten. 'Die heeft maar aan een ding behoefte: met rust gelaten worden!'

Nog diezelfde avond valt Jaap Elgersma door de mand en bekent. De jongste getuigenissen zijn zo helder en bewijsbaar dat ontkennen geen zin meer heeft.

Karsemijer, die zich tijdens de verhoren op afstand heeft gehouden, wil tot slot nog een vraag stellen. 'Man! Waar had je die duizenden guldens voor nodig?'

Het antwoord komt na enig aarzelen en brutaal zegt Elgersma: 'Porno... ook soft... verkoopt goed, weet je. Ik had dringend nieuwe apparatuur nodig en dat vrouwtje, die Felien, zit er warmpjes bij!'

Coen Clemens wordt op de hoogte gebracht. Karsemijer krijgt toestemming dit zelf te doen.

Al luisterend straalt Coen een grimmigheid uit die van hem een andere man maakt. 'En nu zitten we met de brokken. Felien – wie weet hoevelen met haar – en enkele kinderen uit ons huis: ze hebben hulp nodig! Hoe lossen we dat op, Karsemijer!'

Karsemijer vindt dat zijn taak is afgerond. 'Dat lukt je dit jaar niet meer, beste man. Toch wens ik je een goed uiteinde en een gezegend nieuwjaar, veel wijsheid en begrip!'

Er heerst in het huis een abnormale sfeer. De kinderen weten niet beter of ome Jaap is ziek geworden, weggebracht om nooit terug te komen. De betrokkenen hebben beloofd nog te zwijgen, op een later tijdstip zal een deskundige komen om uitleg te geven en, zo nodig, hulp.

Het geplande oudejaarsfeest gaat gewoon door. Er wordt vuurwerk afgestoken, de grote stukken blijven bewaard tot het moment dat het ene jaar verglijdt in het andere.

Coen vindt zichzelf terug in zijn kantoor, hij heeft de werkzaamheden gedelegeerd en is hard toe aan een moment voor zichzelf.

Hoe hij zich ook inspant, hij kan Felien en haar betrokken gezichtje niet uit zijn hoofd zetten. Wat moet ze geleden hebben. Toen, maar ook later. En wat weet hij weinig van haar af. Wachten moet hij van Karsemijer, wachten tot de storm geluwd is. Waarom laat hij zich de wet voorschrijven door een ex-politieman!

Zijn naaste medewerkster licht hij in. 'Ik hou het niet langer uit. Jullie redden het wel zonder mij enneh... ik doe mijn best om voor twaalven terug te zijn...'

De sterrenhemel is glashelder, de straten zijn droog en schoon. Coen legt de korte afstand in snel tempo af, nog steeds niet wetend hoe hij zijn bezoek aan Felien moet rechtvaardigen. Misschien wijst ze hem de deur, misschien heeft ze al bezoek dat komt troosten. Per slot van rekening is ze nog maar ruim een week weduwe. Toch waagt hij het erop.

Het hoekhuis is de enige woning in de Boslaan waar geen licht brandt. Zelfs op nummer zeventien, waar de bewoners uit zijn, is hier en daar een lamp aangelaten.

Felien, zittend in de achterkamer, schrikt van het belletje. Natuurlijk hoeft ze niet open te doen. Maar stel dat het Kees Karsemijer of zijn vrouw Bonnie is. Ze knipt een paar lampen aan en sluipt door de hal naar de voordeur. Een tweede bel doet haar schrikken en, spiedend door het kijkgaatje, krijgt ze de schrik van haar leven.

'Coen...' stamelt ze.

Coen, die net van plan was rechtsomkeert te maken, meent zijn naam te horen.

Het goed beveiligde slot is niet in een handomdraai los, maar als de deur openzwaait, kijken de twee mensen elkaar verlegen aan.

Coen herstelt zich het eerst.

'Ik... wel, ik meen redenen te over te hebben om je een bezoek te brengen. Maar als je alleen wilt zijn, is het ook goed, ik kan wachten.'

Felien doet een pas opzij. 'Hoeft niet, ik zat in het halfdonker het afgelopen jaar te overdenken. Dat zullen er wel meer omstreeks deze tijd doen.'

Ze gaat haar gast voor naar de achterkamer en verrast kijk Coen om zich heen. 'Ai, wat is het hier smaakvol ingericht. Ik heb je nog niet eens persoonlijk gecondoleerd...' Recht kijkt hij Felien aan. Ze buigt haar hoofd. 'Hoeft niet... ik bedoel... het is erg, dat van Godert. Maar het is allemaal zo anders dan iedereen dacht. Ben je daarom gekomen?'

Ze biedt Coen wat te drinken aan, maar hij weigert. 'Ik wil met je praten. Ik zou dagen met je kunnen praten... Maar we hebben niet veel tijd. Mag ik gaan zitten?'

Felien knikt. 'Ik ben nog zo uit mijn doen. Ga toch zitten...!'

Coen is het zwaar te moede. Als kwajongen heeft hij ooit met een baksteen een ruit ingegooid, willens en wetens. Zoals toen voelt hij zich nu ook. Hij zal een schok teweegbrengen in Feliens gemoed. Maar uiteindelijk wil hij alleen helpen.

'Je weet waarschijnlijk dat Elgersma vastzit. Dankzij jou... Karsemijer heeft me in vertrouwen genomen, Felien. En ik moet steeds aan jou denken. Jij, dat jij al die jaren zo ongelukkig bent geweest. Ook ik ben schuldig. Niet aan wat jou is overkomen, maar wat betreft de kinderen die hij kortelings te pakken heeft gehad. Ik wil jou helpen, Felien. Je mag weten dat ik er voor jou altijd zal zijn... Misschien dat we als je geaccepteerd hebt dat Godert niet terugkomt, samen wat kunnen opbouwen.' Vol spanning wacht Coen de reactie op zijn woorden af.

Felien lijkt te krimpen, kleintjes zit ze in haar stoel. Een en al oog, denkt hij.

Ze schudt haar hoofd. 'Niemand kan me van mijn herinneringen bevrijden. Alleen God, Hij zal het ooit doen. Weet ik zeker. Maar wat dat laatste betreft... ik ben geen goeie vrouw. Ik ben door al die narigheid bedorven... een man is voor mij in die zin van het woord een boeman. Godert en ik hadden dan ook niets samen. Ons huwelijk was een zakelijke overeenkomst, weet je. Hij kon niet voor de kinderen zorgen...'

Feliens ogen haken zich aan het schilderij dat achter Coen aan de wand hangt. Een brugje, stromend water, helder en zuiver. Zo zou ze willen zijn. Helder, zuiver. Maar ze is een vuile moddersloot waarvan de bodem nooit is te zien.

Coen haalt zwaar adem. 'Jullie hadden niets? Jij en hij hadden niets... geen liefde. Geen gemeenschap. Niets? Dan... dan is er misschien plaats voor...'

Felien roept schel: 'Ik zeg toch, ik ben frigide. Ik wil geen man aan me en ook al hou ik nog zoveel van...' Ze slaat een hand voor haar mond.

Maar Coen heeft het begrepen.

Langzaam staat hij op, zijn benen zijn zo zwaar, het is hem als beweegt hij zich gelijk een ruimtevaarder.

'...en ook al hou ik nog zoveel van je, Coen Clemens... Zeg het dan, maak de zin dan af als je durft? Of moet ik je dwingen het te zeggen?'

Coen trekt Felien uit de stoel, houdt haar met gestrekte armen van zich af. Ze kan geen kant uit en radeloos roept ze: 'Je wilde me toch zo graag helpen? Dan moet je gaan...' En kleintjes voegt ze eraan toe. 'Alsjeblieft...'

Coen echter begrijpt dat hij een kans zou verspelen.

'Ik ben Elgersma niet. Ik ben geen pedofiel. En wat ik wil, is zuiver en door de Schepper in de mens gelegd. En jij wilt het ook. We slechten die barrière samen! Kijk me aan!'

Heel teder is Coens ene hand onder haar kin en ze moet hem wel aankijken.

'Zie je wat ik bedoel? Zie je de liefde voor jou in mijn ogen, schat? Nu ga ik je een kus geven. Op die zachte lippen van je. Ik zal je leren wat liefde is...'

Felien beeft als een rietje, wil wegrennen, maar voelt zich verlamd. Dan is Coens mond op de hare. Als een adem, zo licht. Ze ontspant zich iets, maar de achterdocht heeft veel verwoest.

Coens mond glijdt over haar wangen, kust haar hals.

'Je bent zo mooi, zo begeerlijk. Felien, word je mijn vrouw? Ooit?' Dat laatste komt er bescheiden uit en Felien voelt zich nog meer ontspannen.

'Ik heb rare ideeën over eh... alles!' verdedigt ze zich.

Coens beide armen strelen haar armen, nemen de handen in de zijne. 'Die vergeet jij omdat ze binnenkort door positieve ervaringen worden vervangen. Op jou, mijn lief, heb ik heel mijn leven gewacht...'

Hij trekt haar aan zijn borst en opnieuw valt Feliens blik op het schilderij. 'Die beek is zo helder, daar bij het Dieperinksbruggetje. Weet je, er zou een waterzuiveringsinstallatie bij mijn slootje gebouwd kunnen worden, dan is mijn water ook schoon te krijgen.'

Coen kijkt ongerust om. Wartaal? De vergelijking is snel uitgelegd.

'Jij wordt een klare waterval, let maar op!'

De tijd loopt door, nog even en een voor Felien nogal dramatisch jaar is ten einde. Buiten is het rustig, stilte voor de storm en Coen herinnert zich zijn belofte.

'Ik moet gaan. Maar niet voordat ik je woord heb, wanneer trouw je met mij?'

Felien legt haar hoofd voorzichtig tegen zijn schouder. 'Ik weet niet... ik ben er nog niet aan toe. Het is allemaal zo... wennen. En bovendien vind ik het onwaardig om snel na Goderts dood zoiets te doen. Nog iets: ik heb twee kinderen...'

Coen grinnikt. 'Ik meer dan vijftig. Maar ik begrijp jou wel, schat. De zorg voor de kinderen wil ik met je delen. Wil je wel op het terrein van 'Het Haventje' wonen? Of is dat te moeilijk?'

Felien zou willen roepen: met jou kan ik overal wonen. Maar ze is zo wonderlijk verlegen, ze durft nog niet zichzelf te zijn.

'Ik denk dat de meisjes van dit huis houden. Bovendien zou Rita ze missen. Ach, 't is toch niet aan de orde...'

'Zeg het!'

Felien giechelt en stopt haar gezicht tegen Coens overhemd. 'Ja... ja!'

Coen rukt zijn bril af en gooit het voorwerp op een stoel. 'Zo, nu krijg je zoenles en daarna lanceer ik mezelf richting 'Het Haventje'.'

Nog heel wat zoenlessen volgen op die eerste en Felien moet toegeven, na enkele maanden schrikt ze niet meer van een intiem woord of knuffel.

De zaak-Elgersma was niet buiten de pers te houden, maar werd al spoedig door ander nieuws ingehaald.

De sfeer in het kindertehuis is langzaamaan weer beter aan het worden, mede dankzij... Amanda Meesters, die lijkt te kunnen toveren met kinderzielen.

Via Amanda krijgt ook Rita Althuisius contact met de bewonertjes en algauw is ze niet alleen de oma van Berber en Annelein, maar ook van Jan-Joris, die wekelijks nieuwe vriendjes komt voorstellen. En voor allen geldt hetzelfde, bij het vertrek is het: 'Dag, allemaal, kom maar gauw eens terug!' En het antwoord: 'Goed oma, dag oma!'

Amanda Meesters weet ook het hart van Felien te winnen. 'Jij wilt toch straks als nieuw het huwelijk ingaan? We werken er samen aan!'

Het leven wordt zo vol van activiteiten dat ook Berber en Annelein vertrouwen krijgen in hun bestaantje. Felien blijft immers hun mammaatje en later, als de zomer voorbij is, komt oom Coen bij hen wonen. Zij mochten kiezen: verhuizen naar het terrein of in de Boslaan blijven. De keus was snel gemaakt.

Maanden na Goderts overlijden keert de verzekering een fors bedrag uit. Aanvankelijk was er tegenwerking: de mogelijkheid bestond immers dat er sprake was van zelfdoding? Na een grondig onderzoek bleek dit onjuist. Felien geeft gehoor aan een impuls en schenkt haar deel van de erfenis aan 'Het Haventje'. Ooit, als ze er rijp voor is, wil ze zelf ook kinderen begeleiden en een stuk veiligheid geven. Haar weerzin voor het tehuis is honderdtachtig graden gedraaid.

Het onvolwassen stukje Felien sterft af, er komt een sterke vrouw uit de cocon en als ze na een eenvoudige plechtigheid door haar man over de drempel wordt gedragen, is ze vrij van het verleden en klaar om zich aan haar liefste te geven.

'Je bent zo mooi, mijn bruid.'

'Poeh, de jurk is zo simpel als wat... Niet eens tot op de grond.'

'Voor mij ben je de mooiste bruid aller tijden.'

Hand in hand staan ze onder aan de trap van het huis dat opnieuw een metamorfose heeft ondergaan. Want een man als Coen heeft niet genoeg aan alleen een studeerkamer en een bed. Ook dit keer is er van een huwelijksreis geen sprake. Het zijn de kinderen, Berber en Annelein, die met opa en oma een weekje herfstvakantie vieren. Jawel, zij willen dat bruggetje waar mammaatje zo gek mee is, ook weleens zien.

Coen trekt Felien mee de trap op en als hij boven is, blijft Felien staan. Ze kijkt naar hem op en zegt: 'Weet je welk lied mij ooit zo troostte? Dat van...' En ze neuriet de wijs. 'Ik ken de woorden niet zo goed.'

Coen hurkt neer zodat hij op haar ooghoogte is. 'Ik wel. Ik zal het voor je zingen, lieveling.' En met zijn zuivere, maar ongetrainde stem zingt hij:

O, laat Gods Zoon je thans omhullen,
met Zijn liefde en Zijn Geest.
Laat je hart en ziel gevuld zijn door de Heer!

O, geef Hem alles wat je vasthoudt,
en Zijn Geest zal als een duif op je leven dalen...
met Goddelijke kracht.
Jezus, o Jezus, kom en vul ons hart.

Felien geneert zich niet voor haar tranen. Coen glimlacht. 'Wacht, het tweede couplet is nog mooier. Als dat uit is, verklaar ik de trouwdag voorbij... Luister:

O, kom en zing dit lied met blijdschap
met een hart vol van vreugd.
Hef je handen in aanbidding naar omhoog!
O... geef Hem al je pijn en moeite...
en de jaren van verdriet!!
en nieuw leven vangt dan aan
in Jezus'
naam...'

Felien laat zich gewillig wegvoeren van de trap.
Pijn en moeite... jaren van verdriet. Ze had het zelf kunnen bedenken. In haar hart breekt een zonnestraal door en ze straalt haar ontroering weg. 'Coen! Het nieuwe leven is begonnen!'